NIEMIECKI BĘKART

SAGA KRYMINALNA
Camilli Läckberg

Księżniczka z lodu

Kaznodzieja

Kamieniarz

Ofiara losu

Niemiecki bękart

Syrenka

Latarnik

Fabrykantka aniołków

Camilla LÄCKBERG

NIEMIECKI BĘKART

Przełożyła
Inga Sawicka

Wydawnictwo Czarna Owca
Warszawa 2012

Tytuł oryginału
TYSKUNGEN

Redakcja
Grażyna Mastalerz

Projekt okładki
Agata Jaworska

Skład i łamanie
Maria Kowalewska

Korekta
Małgorzata Denys

Wydanie I

Druk i oprawa
Opolgraf S.A.

Książka została wydrukowana na papierze Ecco Book Cream 70g/m², vol 2,0
dystrybuowanym przez: antalis® | map

ISBN 978-83-7554-281-3

Wydawnictwo

ul. Alzacka 15a, 03-972 Warszawa
e-mail: wydawnictwo@czarnaowca.pl
Dział handlowy: tel. (22) 616 29 36; faks (22) 433 51 51
Zapraszamy do naszego sklepu internetowego:
www.czarnaowca.pl

Dla Willego i Mei

W pokoju panowała cisza, słychać było tylko brzęczenie wściekle trzepoczących skrzydłami much. Mężczyzna od dłuższego czasu tkwił nieruchomo w fotelu. W zasadzie nie był już istotą ludzką, jeśli rozumieć przez to kogoś, kto żyje, oddycha i czuje. Został zredukowany do roli pokarmu dla owadów i schronienia dla larw. Wokół nieruchomej postaci krążyły roje much. Co chwila siadały, pożywiały się i odlatywały. Potem znów krążyły, szukając nowego miejsca i zderzając się ze sobą. Najbardziej pociągająca wydawała się okolica rany na głowie. Metaliczny zapach krwi już dawno się ulotnił, zastąpiła go słodkawa woń rozkładu.

Krew zakrzepła. Spłynęła w dół po karku, potem po oparciu, tworząc na podłodze kałużę, początkowo czerwoną, pełną żywych czerwonych krwinek. Potem kałuża sczerniała i w niczym już nie przypominała gęstego płynu ustrojowego wypełniającego ludzkie żyły. Była tylko lepką czarną masą.

Część much próbowała się wydostać z pokoju. Najadły się, złożyły jaja, dzięki ssawkom zaspokoiły głód. I chciały już wylecieć. Biły skrzydłami o szybę, usiłując się przedostać przez niewidzialną barierę. Po pewnym czasie dawały za wygraną. Znów czuły głód i ciągnęły do góry mięsa, która kiedyś była ludzkim ciałem.

Erika przez całe lato krążyła wokół tego tematu. Nieustannie zajmował jej myśli. Rozważała wszystkie za i przeciw. Wiele razy już miała iść na górę, ale dochodziła tylko do schodów na strych. Mogłaby się oczywiście tłumaczyć natłokiem pracy w ostatnich miesiącach, przy organizacji wesela, albo zamieszaniem w domu, ponieważ nadal mieszkała z nimi Anna z dziećmi. Nie była to jednak cała prawda. Erika się bała. Bała się tego, na co mogłaby się natknąć. Bała się, że jeśli zacznie szperać, wyjdą na jaw rzeczy, o których wolałaby nie wiedzieć.

Zdawała sobie sprawę, że Patrik już kilka razy miał ją o to zapytać. Widziała po jego minie, że się dziwi, że jeszcze nie zaczęła czytać znalezionych na strychu pamiętników. Ale nie spytał. Zresztą i tak nie wiedziałaby, co odpowiedzieć. Chyba najbardziej bała się tego, że będzie musiała zrewidować swój pogląd na rzeczywistość. Wprawdzie jej wyobrażenie o matce, o tym, jakim była człowiekiem i jak się odnosiła do córek, nie było zbyt pochlebne, ale traktowała je jak niepodważalną prawdę. Może jej przekonania się potwierdzą, a może nie. A co, jeśli będzie się musiała skonfrontować z inną prawdą? Do tej pory nie miała odwagi zrobić tego kroku.

Postawiła nogę na pierwszym stopniu. Z dołu dochodził radosny śmiech Mai. Patrik bawił się z nią w salonie. Te odgłosy ją uspokoiły, mogła wejść na następny stopień. Potem jeszcze pięć. Pchnęła do góry klapę i znalazła się na strychu. W powietrze uniósł się tuman kurzu. Rozmawiali z Patrikiem o tym, żeby w przyszłości, gdy Maja będzie starsza, urządzić sobie tutaj prywatny kącik. Ale na razie był to najzwyklejszy strych z podłogą z desek i spadzistym dachem z odsłoniętym belkowaniem. I z mnóstwem rozmaitych rupieci, zabawek na choinkę i ubranek, z których wyrosła Maja, pudeł z przedmiotami nie dość ładnymi, żeby je trzymać w domu, lecz na tyle cennymi jako pamiątki, żeby ich nie wyrzucać.

W głębi, przy krótszej ścianie, stała stara drewniana skrzynia, wzmocniona blachą. Erika pomyślała, że takie skrzynie nazywano chyba kuframi amerykańskimi[1]. Podeszła i usiadła obok na podłodze. Przesunęła dłonią po skrzyni, zaczerpnęła tchu i podniosła wieko. Zmarszczyła się, gdy buchnął zapach stęchlizny. Co wywołuje ten wyraźny, duszący odór starzyzny? Pewnie pleśń, pomyślała, i od razu zaczęła ją swędzieć skóra na głowie.

Miała jeszcze w pamięci, jak to było, gdy znaleźli skrzynię i przejrzeli jej zawartość, wyjmując sztuka po sztuce. Rysunki jej i Anny, przedmioty wykonane na pracach ręcznych w szkole. Wszystko zachowała matka, Elsy, chociaż wydawała się taka obojętna, gdy jako dzieci wręczały jej to wszystko, zrobione z takim trudem. Erika znów wszystko wyjęła, odkładając po kolei na podłogę. To, co ją interesowało najbardziej, leżało na samym dnie. Wymacała palcami i ostrożnie wyjęła. Kaftanik, niegdyś biały, teraz pożółkły ze starości. W świetle dnia było to widać wyraźnie. Erika nie mogła oderwać wzroku od brązowych plam. Początkowo

---

[1] Kufry nazywano amerykańskimi, bo powszechnie używali ich Szwedzi emigrujący do Ameryki (przyp. tłum.).

wzięła je za rdzę, ale potem uświadomiła sobie, że to za-
schnięta krew. Przejmujący był zwłaszcza kontrast między rozmiarami kaftanika a plamami krwi. Skąd się tu
wziął? Do kogo należał i dlaczego matka go zachowała?
Erika delikatnie odłożyła kaftanik. Kiedy go z Patrikiem znaleźli, był w nim schowany pewien przedmiot. Teraz już go nie było. Zabrała tylko tę jedną rzecz.
W poplamioną koszulkę zawinięty był hitlerowski medal. Sama się zdziwiła, że ten widok wzbudził w niej takie
silne emocje. Serce zabiło jej szybciej, w ustach zaschło,
przed oczyma przesunęły się sceny z kronik filmowych
i dokumentów z czasów drugiej wojny światowej. Jak hitlerowski medal trafił do Fjällbacki? Do jej domu? Jak się
znalazł wśród rzeczy jej matki? Wydawało się to zupełnie nieprawdopodobne. Najchętniej włożyłaby go z powrotem do skrzyni i zamknęła wieko, ale Patrik nalegał,
żeby go zanieść komuś, kto się na tym zna, i dowiedzieć
się czegoś więcej. Zgodziła się, choć niechętnie, jakby jakiś wewnętrzny głos ją ostrzegał, kazał schować medal
i zapomnieć o nim. W końcu zwyciężyła ciekawość i na
początku czerwca Erika poszła z medalem do specjali-
sty od drugiej wojny światowej. Przy odrobinie szczęścia
wkrótce dowiedzą się o jego pochodzeniu czegoś więcej.

Najbardziej jednak zainteresowało Erikę coś, co leżało na samym dnie skrzyni: cztery niebieskie zeszyty.
Spojrzała na jedną z okładek i rozpoznała pismo matki.
Eleganckie, pochyłe, w starej, okrąglejszej wersji. Erika
wyjęła zeszyty i przesunęła palcem wskazującym po
okładce leżącego na wierzchu. Na wszystkich widniał
napis: Pamiętnik. Słowo to wzbudziło w niej mieszane
uczucia. Ciekawość, podniecenie, a zarazem lęk i waha-

nie: miała wtargnąć w czyjąś prywatność. Czy wolno jej czytać pamiętniki matki, poznać jej najtajniejsze myśli i uczucia? Z natury rzeczy pamiętnik nie jest przeznaczony dla cudzych oczu. Może Elsy nie życzyłaby sobie, żeby go czytała jej córka. Ale matka już nie żyła, Erika nie mogła jej zapytać. Sama musiała zdecydować, co zrobić.

– Erika! – przerwał jej głos Patrika.

– Co takiego?

– Goście idą!

Spojrzała na zegarek. Ojej, już trzecia! Pierwsze urodziny Mai, przyszli najbliżsi krewni i przyjaciele. Patrik pewnie pomyślał, że zasnęła na strychu.

– Już idę!

Otrzepała się z kurzu, chwilę się zastanowiła, a potem wzięła pamiętniki i kaftanik i ruszyła stromymi schodami na dół. Słyszała gwar głosów.

– Witamy serdecznie! – Patrik stał w drzwiach i wpuszczał pierwszych gości, Johana i Elisabeth. Poznali ich, bo mieli synka w wieku Mai. Mały William darzył Maję rzadko spotykanym uwielbieniem, chwilami aż nazbyt namacalnym. Teraz na jej widok ruszył do przodu jak czołg i zbodziczkował ją ze zręcznością ligowego hokeisty. Maja, o dziwo, nie doceniła tego manewru. Williama, choć promieniał radością, trzeba było szybko usunąć z zajętej pozycji, to znaczy zdjąć z leżącej na podłodze i wrzeszczącej wniebogłosy Mai.

– Słuchaj, stary, tak nie można. Z dziewczynkami trzeba delikatnie! – upomniał synka Johan, powstrzymując zakochaną latorośl przed kolejnym natarciem.

– Zdaje mi się, że on stosuje tę samą technikę podrywu co ty kiedyś – zaśmiała się Elisabeth, a mąż rzucił jej pełne urazy spojrzenie.

– No już, maleńka, nie było aż tak źle! Chodź na ręce. – Patrik podniósł zapłakaną córeczkę i tulił, dopóki wrzask nie przeszedł w łkanie, a potem postawił na podłodze i lekko popchnął w stronę Williama. – Zobacz, co ci przyniósł William. Jaka piękna paczka!

To magiczne słowo przyniosło zamierzony skutek. William uroczyście i z wielką powagą wyciągnął obwiązaną ozdobnymi sznurkami paczkę. Żadne z nich nie opanowało jeszcze w stopniu dostatecznym techniki chodzenia. Jednoczesne chodzenie i wręczanie prezentu okazało się dla Williama na tyle trudne, że upadł na pupę. Zobaczył, że Maja aż się rozpromieniła na widok paczki, i zapomniał o bólu. Przyczyniła się do tego również gruba pielucha.

– Iiii! – zapiszczała podniecona Maja i zaczęła szarpać za sznurki. Już po sekundzie na jej buzi pojawił się wyraz rozdrażnienia, więc Patrik rzucił się z pomocą. Wspólnie uporali się z opakowaniem i Maja wyciągnęła szarego pluszowego słonia. Z miejsca zdobył jej serce. Mocno go przytuliła, przestępując z nogi na nogę. Skutek był taki, że i ona wylądowała na pupie. William chciał pogłaskać słonia. Nadąsana mina Mai i mowa jej ciała nie pozostawiały wątpliwości. Mały wielbiciel uznał to chyba za zachętę do dalszych wysiłków, ale rodzice domyślili się, że szykuje się kolejny konflikt.

– Pora na kawę – powiedział Patrik. Wziął Maję na ręce i ruszył do salonu. Za nim William z rodzicami. Chłopiec stanął przed wielkim pudłem z zabawkami i nagle zapanował spokój. Przynajmniej na jakiś czas.

– Cześć! – Erika zeszła ze schodów i uściskała gości. Williama pogłaskała po główce.

– Kto pije kawę? – rozległ się z kuchni głos Patrika. W odpowiedzi usłyszał trzykrotne: ja!

– Jak się czujesz w małżeńskim stanie? – spytał z uśmiechem Johan, obejmując żonę.

– Dziękuję, nie widzę większej różnicy. Poza tym że Patrik ciagle mówi do mnie ślubna. Może mi podpowiesz, jak go tego oduczyć? – Erika mrugnęła do Elisabeth.

– E, nie zwracaj uwagi. Potem ze ślubnej zrobi kierowniczkę, więc nie narzekaj. A w ogóle gdzie jest Anna?

– U Dana. Zamieszkali razem... – Erika znacząco uniosła brwi.

– Coś takiego... szybko się uwinęli. – Elisabeth zrobiła taką samą minę.

Rozległ się dzwonek, Erika się zerwała.

– To na pewno oni. Albo Kristina.

Imię teściowej wypowiedziała tonem, w którym pobrzękiwały kostki lodu. Od wesela ich wzajemne stosunki jeszcze się ochłodziły. Głównie dlatego, że Kristina z wręcz obsesyjnym uporem powtarzała, że mężczyzna dbający o karierę zawodową nie powinien brać czteromiesięcznego urlopu opiekuńczego na dziecko. Ku jej zgorszeniu Patrik nie ustąpił ani na krok. Przeciwnie – to on się upierał, że jesienią zajmie się Mają.

– Halo... Zastaliśmy małą jubilatkę? – Z przedpokoju dobiegł głos Anny. Erikę przeszedł dreszcz: od tyłu lat nie słyszała w głosie młodszej siostry takiej radości. Słychać było, że Anna jest silna, szczęśliwa i zakochana. Z początku Anna bała się, że Erice może przeszkadzać, że związała się z Danem. Ale Erika wyśmiała jej obawy. Nawet gdyby poczuła się trochę nieswojo, to od czasu, gdy była z Danem, minęło tyle lat, że prędko przeszłaby nad tym do porządku dziennego. Cieszyła się, że Anna wreszcie jest szczęśliwa.

– Gdzie moja ulubienica? – Dan, jasnowłosy i postawny, rozglądał się za Mają, z którą łączyła go szczególnie serdeczna więź.

Na dźwięk jego tubalnego głosu natychmiast przydreptała z wyciągniętymi rączkami.

– Paćka? – zapytała. Już się zorientowała, o co chodzi z tymi urodzinami.

– Oczywiście, że mam dla ciebie paczkę. – Dan skinął na Annę, a ona podała Mai dużą różową paczkę obwiązaną srebrnym sznurkiem. Maja wydostała się z objęć Dana i z niecierpliwością zaczęła się dobierać do zawartości. Tym razem pomagała jej Erika. Razem wydobyły dużą lalkę z zamykanymi oczami.

– Lala – powiedziała radośnie Maja i przytuliła ją mocno do piersi. Potem ruszyła do Williama, żeby mu pokazać swój najnowszy skarb, i na wszelki wypadek powtórzyła: Lala.

Znów rozległ się dzwonek. Drzwi się otworzyły i weszła Kristina. Erika zacisnęła zęby. Nie znosiła tego nawyku teściowej, tego wchodzenia zaraz po dzwonku. Nigdy nie czekała, aż jej ktoś otworzy.

Maja znów zabrała się do otwierania paczki, ale tym razem nie okazała entuzjazmu. Ze zdziwieniem wyjęła kaftaniki. Jeszcze raz zajrzała do środka, sprawdziła, czy na pewno nie ma żadnej zabawki, i spojrzała wielkimi oczami na babcię.

– Ostatnio widziałam, że miała na sobie za mały kaftanik, więc gdy się zorientowałam, że w Lindeksie można kupić trzy w cenie dwóch, od razu kilka kupiłam. Na pewno się przydadzą. – Uśmiechnęła się z zadowoleniem, nie zwracając uwagi na zawiedzioną minę Mai.

Erika już chciała powiedzieć, że dawanie rocznemu dziecku w prezencie kaftanika to idiotyzm. Miała to na końcu języka. Nie dość, że Maja była rozczarowana, to Kristinie udało się jak zwykle wbić szpilę jej. Okazuje się, że nie potrafi nawet dziecka porządnie ubrać.

– Idzie tort! – zawołał Patrik. Włączył się w odpowiednim momencie, odwracając uwagę wszystkich. Erika przełknęła złość i wszyscy razem przeszli do salonu.

Nadszedł czas na uroczyste zdmuchnięcie świeczki. Maja skupiła się na dmuchaniu tak bardzo, że aż opryskała tort śliną. Patrik dyskretnie pomógł jej zgasić świeczkę, a goście odśpiewali „Sto lat". Erika nad jasną główką Mai spojrzała mężowi w oczy i poczuła, że ją ściska w gardle. Widziała, że Patrik też się wzruszył. Rok. Ich maleństwo ma rok. Ta mała dziewczynka umie już się samodzielnie przemieszczać, klaszcze w rączki, gdy słyszy sygnał „Bolibompy", telewizyjnego programu dla dzieci, sama je, rozdaje najwilgotniejsze całusy w tej części Europy i darzy miłością cały świat. Erika uśmiechnęła się do Patrika, odpowiedział uśmiechem. Życie było wyjątkowo piękne.

Mellberg westchnął ciężko. Ostatnio często mu się to zdarzało. Nadal psuła mu humor porażka poniesiona ostatniej wiosny, ale nawet specjalnie się nie dziwił. Pozwolił sobie na swobodny lot: po prostu być, czuć. To nie uchodzi bezkarnie. Powinien był o tym wiedzieć. Można powiedzieć, że zasłużył na to, co go spotkało, i uznać to za nauczkę. Trudno, odrobił lekcje i jedno jest pewne: na pewno nie należy do ludzi, którzy dwa razy popełniają ten sam błąd.

– Bertil! – dobiegł go rozkazujący głos Anniki.

Zręcznym ruchem odgarnął pożyczkę, która mu się zsunęła z czubka głowy, i wstał z ociąganiem. Nie miał zwyczaju słuchać rozkazów kobiet, ale Annika Jansson należała do wyjątków. Z biegiem lat, niechętnie, ale nabrał dla niej pewnego szacunku. Nie mógłby tego powiedzieć o żadnej innej kobiecie. Westchnął jeszcze raz. Dlaczego tak trudno o facetów w tej pracy? Na miejsce Ernsta Lundgrena ciągle mu przysyłają dziewczyny. Zupełna rozpacz.

Zmarszczył się, bo w recepcji rozległo się szczeknięcie. Czyżby Annika przyprowadziła do pracy któregoś ze swoich czworonogów? Przecież doskonale wie, co on sądzi o psach. Chyba będzie musiał z nią porozmawiać.

Okazało się jednak, że to nie żaden z labradorów Anniki, tylko psiak nieokreślonej rasy i barwy, ciągnący smycz, którą trzymała drobna ciemnowłosa kobieta.

– Znalazłam go na dworze, przed komisariatem – powiedziała z wyraźnym sztokholmskim akcentem.

– A jak wszedł do środka? – rzucił opryskliwie

Mellberg, odwracając się na pięcie. Chciał wrócić do gabinetu.

– To jest Paula Morales – pośpiesznie wtrąciła Annika.

Mellberg przystanął. Prawda, ta dziunia, którą mu mieli przysłać, nosiła jakieś z hiszpańska brzmiące nazwisko. Kurde, ale mała. Niska, drobna. Za to spojrzenie bynajmniej nie łagodne. Podała mu rękę.

– Miło mi. Pies biegał przed budynkiem. Sądząc po wyglądzie, jest bezpański. A już z pewnością nie jest własnością nikogo, kto by potrafił się nim opiekować.

Wyrażała się w sposób kategoryczny. Mellberg był ciekaw, do czego zmierza. Pytającym tonem powiedział:

– To może proszę go gdzieś oddać?

– Tutaj nie ma schroniska dla psów. Annika zdążyła mnie już poinformować.

– Nie ma? – zdziwił się Mellberg.

Annika potrząsnęła głową.

– W takim razie... Będzie pani musiała go zabrać do domu – powiedział Mellberg, usiłując odgonić łaszącego mu się do nóg psa. Nie zważając na to, pies usiadł mu na prawej stopie.

– To niemożliwe. My już mamy psa. Sukę. Nie lubi towarzystwa – spokojnie odparła Paula, nadal patrząc na niego przeszywającym wzrokiem.

– A ty, Anniko? Nie mógłby... zostać z twoimi psami? – spytał coraz bardziej strapiony Mellberg. Z jakiej racji ma się zajmować takimi drobiazgami? W końcu jest tu szefem!

Annika zdecydowanie potrząsnęła głową.

– Moje psy akceptują tylko siebie. Nigdy by się nie pogodziły z obecnością innego psa.

– Musi pan go wziąć – powiedziała Paula i podała mu smycz.

Mellberg był tak zdumiony jej bezczelnością, że wziął smycz. Pies zaskomlał i jeszcze mocniej przywarł do jego nóg.

– Widzi pan, że on pana lubi.

– Ale ja nie mogę... ja nie mam... – jąkał się Mellberg. Pierwszy raz nie wiedział, co powiedzieć.

– Nie masz w domu żadnych zwierząt – powiedziała Annika. – Obiecuję, że popytam, może ktoś go szuka. W przeciwnym razie trzeba będzie mu znaleźć dom. Nie można go puścić samopas, bo go rozjedzie samochód.

Mellberg wbrew sobie poczuł, że mięknie. Spojrzał na psa, a on odpowiedział błagalnym spojrzeniem wilgotnych oczu.

– Kurde, no dobrze. Wezmę tego kundla, skoro wam tak zależy. Ale tylko na kilka dni. I żebyś mi go wykąpała, zanim go zabiorę do domu.

Pogroził palcem Annice, a jej wyraźnie ulżyło.

– Wykąpię go w komisariacie. Nie ma problemu – odparła z zapałem. A potem dodała: – Wielkie dzięki, Bertil.

– Ma być wypucowany! Bo go nie wpuszczę za próg! – burknął Mellberg.

Wyszedł na korytarz. Widać było, że jest zły. Trzasnął drzwiami gabinetu.

Annika i Paula wymieniły uśmiechy. Kundel zaskomlał i radośnie zamerdał ogonem.

– Miłego dnia. – Erika pomachała Mai, ale Maja to zignorowała. Siedząc na podłodze, wpatrywała się w podskakujące na ekranie telewizora Teletubisie.

– Będzie bardzo fajnie. – Patrik pocałował Erikę w policzek. – Będziemy sobie świetnie radzić przez parę najbliższych miesięcy.

– Można by pomyśleć, że wyjeżdżam za morze – zaśmiała się Erika. – Zejdę do was na lunch.

– Jak myślisz, uda ci się pracować w domu?

– Spróbuję. A ty spróbuj udawać, że mnie nie ma.

– Nie ma problemu. Dla mnie przestaniesz istnieć z chwilą, gdy zamkniesz drzwi gabinetu. – Patrik mrugnął do niej.

– To się jeszcze zobaczy. – Erika weszła na schody. – W każdym razie warto spróbować. Może nie będę musiała wynajmować biura.

Weszła do gabinetu i z mieszanymi uczuciami zamknęła za sobą drzwi. Po roku, który spędziła w domu, opiekując się Mają, bardzo czekała na tę chwilę. Marzyła o tym, żeby przekazać pałeczkę Patrikowi i zająć się zwyczajnymi dorosłymi sprawami. Znudziły ją śmiertelnie place zabaw, piaskownice i telewizyjne programy dla dzieci. Trzeba to wyraźnie stwierdzić: perfekcyjne wykonanie babki z piasku nie było dla niej wystarczającym wyzwaniem intelektualnym. Czuła, że choćby nie wiem jak kochała swoją córeczkę, wkrótce zacznie rwać sobie włosy z głowy, jeśli kolejny raz będzie musiała śpiewać piosenkę o pajączku. Kolej na Patrika.

Uroczyście zasiadła przed komputerem i włączyła go. Rozkoszowała się znajomym szumem. Termin złożenia w wydawnictwie nowej książki o autentycznej zbrodni upływał dopiero w lutym, ale już mogła zacząć pisać. Latem zdążyła zgromadzić część materiału. Kliknęła w Worda i otworzyła dokument zatytułowany „Eliasz". Tak miała na imię pierwsza ofiara mordercy. Położyła palce na klawiaturze i nagle przerwało jej ciche pukanie.

– Przepraszam, że ci przeszkadzam. – Patrik nieśmiało wsunął głowę. – Chciałem tylko spytać, gdzie powiesiłaś kombinezon Mai.

– Jest w suszarce.

Patrik kiwnął głową i zamknął drzwi.

Erika znów położyła palce na klawiaturze i zaczerpnęła tchu. Znów pukanie.

– Jeszcze raz przepraszam. Zaraz dam ci spokój, tylko musisz mi coś powiedzieć: jak mam ją dzisiaj ubrać? Jest dość chłodno. Z drugiej strony, Maja łatwo się poci, a wtedy jeszcze łatwiej o przeziębienie... – Patrik uśmiechał się z głupią miną.

– Pod kombinezon włóż jej tylko cienki sweterek i spodenki. Na główkę wkładam jej bawełnianą czapeczkę. Inaczej się zgrzeje.

– Dziękuję.

Patrik znów zamknął drzwi. Erika już miała zacząć pisać pierwszy wiersz, gdy z dołu zaczął dobiegać coraz głośniejszy wrzask. Po dwóch minutach nasłuchiwania westchnęła, odsunęła się na krześle od biurka i zeszła na dół.

– Pomogę ci. Ubieranie jej to koszmar.

– Dzięki, właśnie widzę. – Patrik aż się spocił, zmagając się ze złoszczącą się i coraz silniejszą Mają.

Pięć minut później Maja była markotna, ale ubrana. Erika dała obojgu buziaka i lekko wypchnęła za drzwi.

– Idźcie na długi spacer, żeby mama mogła spokojnie popracować – powiedziała.

Patrik się zawstydził.

– Przepraszam... pewnie będę potrzebował paru dni, żeby się wdrożyć, ale obiecuję, że potem będziesz miała spokój.

– W porządku – odparła i zdecydowanym ruchem zamknęła za nimi drzwi. Nalała sobie spory kubek kawy i wróciła do gabinetu. Wreszcie będzie mogła przystąpić do pisania.

– Ćśśś... Nie hałasuj tak!

– E, matka mówi, że chyba obaj wyjechali. Przez całe lato nikt nie odbierał poczty. Nie dopilnowali tego, więc matka już od czerwca opróżnia ich skrzynkę. Spoko, możemy hałasować do woli.

Mattias zaśmiał się, ale Adam był nieufny. Stary dom budził w nim grozę. Ci starzy faceci też. Mattias może sobie mówić, co chce. On zamierza się zachowywać jak najciszej.

– Jak się dostaniemy do środka? – spytał z niepokojem. Wiedział, że to zabrzmiało płaczliwie. Trudno. Często myślał, że chciałby być taki jak Mattias. Odważny, wręcz zuchwały. Nic dziwnego, że lecą na niego wszystkie dziewczyny.

– To się okaże. Zwykle którędyś daje się wejść.

– Wiesz to z własnego doświadczenia, co? Często się włamujesz? – Adam zaśmiał się, ale nie za głośno.

– Robiłem mnóstwo rzeczy, o których nie masz bladego pojęcia – odparł wyniośle Mattias.

A jakże, pomyślał Adam, ale nie odważył się zaprzeczyć. Mattias czasem lubił zgrywać twardziela, niech mu będzie. W każdym razie nie ma co się wdawać w dyskusję.

– Jak myślisz, co on tam trzyma?

Mattiasowi zaświeciły się oczy. Skradali się wokół domu w poszukiwaniu okna czy klapy, przez którą można by wejść.

– Nie wiem.

Adam rozglądał się niespokojnie. Coraz mniej mu się to podobało.

– Może jakieś zajebiste rzeczy naziolskie. Mundury i tak dalej – mówił w podnieceniu Mattias.

Zupełnie go opętało, od kiedy kazano mu napisać wypracowanie o SS. Czytał wszystko, co mu wpadło w ręce na temat drugiej wojny światowej i Trzeciej Rzeszy. I coraz bardziej intrygował go sąsiad, o którym wszyscy wiedzieli, że jest znawcą Niemiec i nazizmu.

– Może on wcale nie ma nic takiego – przekonywał Adam, chociaż z góry wiedział, że nie powstrzyma Mattiasa. – Tata mówił, że przed emeryturą był nauczycielem historii. Pewnie ma tylko mnóstwo książek. Niekoniecznie coolerskie rzeczy z tamtych czasów.

– Zaraz się przekonamy. – Mattiasowi oczy zalśniły i z triumfem wskazał palcem okno w krótszej ścianie domu. – Patrz. Tamto okno jest trochę uchylone.

Adam musiał z żalem stwierdzić, że Mattias ma rację, chociaż w duchu miał nadzieję, że nie uda im się dostać do środka.

– Potrzebujemy czegoś, żeby poszerzyć szparę.

Mattias rozejrzał się. Znalazł rozwiązanie: na ziemi leżał haczyk. Widocznie odpadł z okna.

– Dobra, zaraz zobaczymy. – Mattias z niemal chirurgiczną precyzją wcisnął koniec haczyka w róg okna. Nic z tego. Okno ani drgnęło. – Kurde, musi się otworzyć!

Spróbował jeszcze raz. Trzymanie haczyka nad głową i jednoczesne podważanie okna kosztowało sporo wysiłku. Mattias sapał, wysunął koniec języka. W końcu udało mu się wcisnąć haczyk nieco głębiej.

– Będzie widać, że ktoś się włamał! – cicho perswadował Adam, ale Mattias jakby nie słyszał.

– Zaraz otworzę to cholerstwo!

Na czoło wystąpiły mu kropelki potu. Pchnął jeszcze mocniej i okno się otworzyło.

– Yes! – Zacisnął pięść w geście zwycięstwa i odwrócił się do Adama. – Pomóż mi wejść.

– Może znajdziemy jakąś drabinę albo co...

– A po co? Podsadź mnie, a potem cię wciągnę.

Adam posłusznie stanął pod ścianą i splótł ręce. Mattias stanął na nich jedną stopą. Adam skrzywił się, gdy but ucisnął mu rękę, ale nie zważając na ból, podniósł kolegę. Mattias chwycił się parapetu. Podciągnął się, postawił na parapecie jedną nogę, potem drugą. Zmarszczył nos. Fuj, ale smród. Okropny. Odsunął roletę i zajrzał do pokoju. To chyba biblioteka, ale rolety są spuszczone, całe wnętrze spowija mrok.

– Ty, strasznie tu śmierdzi.

Odwrócił się do Adama, zaciskając nos.

– No to daj sobie spokój – odpowiedział z dołu Adam. Zaświtała mu nadzieja.

– Mowy nie ma. Teraz, jak już się dostaliśmy do środka? Teraz dopiero będzie się działo! Dawaj rękę.

Puścił nos i przytrzymując się lewą ręką ramy okna, prawą wyciągnął do Adama.

– Dasz radę?

– No pewnie. Chodź.

Adam chwycił jego rękę, Mattias pociągnął z całej siły. Już się wydawało, że nic z tego nie będzie, kiedy Adam dosięgnął parapetu, chwycił się, a Mattias zrobił mu miejsce, zeskakując na podłogę. Zatrzeszczało mu pod stopami. Spojrzał. Coś tam leżało, ale w ciemnościach nie widział co. Pewnie suche liście.

– Kurde, co to jest? – powiedział Adam, kiedy i on zeskoczył na podłogę. On też się nie domyślał, co tak trzeszczy. – Ja pierdolę, ale smród – dodał. Wyglądał, jakby mu się zrobiło niedobrze.

– Przecież mówiłem – odparł pogodnie Mattias. Już zaczął się przyzwyczajać. – Zaraz sprawdzimy, co ten dziad tu ma. Podciągnij roletę.

– A jak nas ktoś zobaczy?

– Kto ma nas zobaczyć?! Podciągnij wreszcie tę roletę.

Adam zrobił, jak mu Mattias kazał. Roleta ze świstem podjechała do góry, wpuszczając do pokoju ostre światło.

– Ale superowy pokój – z podziwem powiedział Mattias, rozglądając się po wnętrzu, od podłogi po sufit zastawionym regałami z książkami.

W rogu pokoju obok okrągłego stolika stały dwa skórzane fotele. W drugim, dalszym rogu królowało olbrzymie biurko, a przed nim odwrócony do nich tyłem staroświecki fotel biurowy z wysokim oparciem. Adam zrobił krok w tym kierunku, ale trzask pod stopami skłonił go do spojrzenia pod nogi. Obydwaj zobaczyli, po czym chodzą.

– Co jest...

Podłogę pokrywały muchy. Czarne, obrzydliwe, martwe. Również na parapecie leżały całe sterty much. Obaj odruchowo wytarli ręce o spodnie.

– Kurde, ale obrzydlistwo. – Mattias się skrzywił.

– Skąd tu tyle much?

Adam ze zdumieniem patrzył na podłogę i nagle w jego umyśle, wytrenowanym na serialach „CSI", coś się nieprzyjemnie skojarzyło. Martwe muchy. Smród. Odsunął od siebie tę myśl, ale jego wzrok nieubłaganie wędrował do stojącego tyłem fotela.

– Mattias?

– Co? – powiedział Mattias z rozdrażnieniem, usiłując stanąć tak, żeby nie deptać po martwych muchach.

Adam nie odpowiedział. Powoli, z wahaniem, ruszył w kierunku fotela. Coś mu mówiło, żeby zawrócić, wyjść tak, jak weszli, uciekać jak najdalej. Zwyciężyła ciekawość. Nogi same go poniosły.

– O co chodzi? – spytał Mattias, ale umilkł, widząc napięcie w ruchach Adama.

W odległości pół metra od fotela Adam wyciągnął przed siebie rękę. Drżała, sam to widział. Bardzo powoli wyciągał ją w stronę oparcia. Słychać było tylko trzeszczenie much pod jego stopami. Pod palcami poczuł chłodne oparcie. Napiął mięśnie i przesuwając oparcie w lewo, obrócił fotel. Cofnął się o krok. Fotel obracał się powoli, stopniowo ukazując drugą stronę. Stojący za Adamem Mattias zwymiotował.

Wodził za każdym, najmniejszym jego ruchem wielkimi wilgotnymi oczami. Mellberg starał się go ignorować, ale bez powodzenia. Pies kleił się do niego, wpatrywał się w niego z uwielbieniem. W końcu Mellberg zmiękł. Z najniższej szuflady wyjął kokosową kulkę i rzucił na podłogę, pod nos psa. W ułamku sekundy było po kulce. Mellberg odniósł wrażenie, że kundel się do niego uśmiechnął. Na pewno mu się przywidziało. W każdym razie pies był już czysty. Annika go wykąpała. Naprawdę dobrze się spisała. Mimo to Mellberg poczuł niesmak, gdy obudził się rano i odkrył, że w nocy pies wskoczył mu do łóżka. Szampon chyba nie zabija pcheł i innych takich. A jeśli jego sierść roi się od małych pełzających bestii, które tylko czekają, żeby przeskoczyć na jego obfite ciało? Drobiazgowa inspekcja sierści nie ujawniła żywych organizmów, a Annika zaklinała się, że kiedy go kąpała, nie widziała żadnych pcheł. Ale, do cholery, to jeszcze nie znaczy, że pies ma spać w jego łóżku! Są granice.

– Jak my cię nazwiemy, co? – odezwał się Mellberg i natychmiast zrobiło mu się głupio, że rozmawia z czworonogiem.

Ale kundlisko musi się jakoś wabić. Mellberg zaczął się zastanawiać i rozglądać za jakąś podpowiedzią. Do głowy przychodziły mu same głupie psie imiona: Fido, Ludde... Nie, to do niczego. Nagle zachichotał. Przyszedł mu do głowy fantastyczny pomysł. Musiał przyznać, że brakuje mu Lundgrena. Ale przecież musiał go wyrzucić. Nie odczuwał dotkliwego braku, ale zawsze. A może nazwać psa Ernst? Niezły dowcip. Zachichotał jeszcze raz.

– Ernst. Co ty na to, stary? Może być, co?

Znów sięgnął do szuflady po kokosową kulkę. Należy się Ernstowi. Nie jego problem, jeśli pies się roztyje. Za kilka dni Annika na pewno znajdzie mu jakiś dom, więc nie szkodzi, jeśli przedtem zeżre jedną czy dwie kokosowe kulki.

Obaj z Ernstem drgnęli, słysząc przenikliwy dzwonek telefonu.

– Bertil Mellberg, słucham. – W pierwszej chwili nie zrozumiał głośnego histerycznego trajkotania. – Mów wolniej. Coś ty powiedział?

Słuchał w skupieniu i aż uniósł brwi, gdy do niego dotarło, o co chodzi.

– Zwłoki, mówisz? Gdzie?

Wyprostował się na krześle. Kundel nazwany Ernstem również usiadł i zastrzygł uszami. Mellberg zapisał adres w notesie i zakończył rozmowę poleceniem: proszę się stamtąd nie ruszać. Zerwał się z krzesła, a Ernst ruszył za nim jak cień.

– Zostań – powiedział Mellberg władczym tonem i ze zdziwieniem stwierdził, że pies stanął w miejscu, jakby czekał na dalsze rozkazy. – Na miejsce. – Wskazał mu kosz, który Annika postawiła w rogu gabinetu. Ernst niechętnie posłuchał. Powlókł się na legowisko, położył łeb na łapach i obrażony spojrzał na swego tymczasowego pana. Bertil Mellberg był nadzwyczaj zadowolony, że wreszcie ktoś go słucha. Poczuł się tak umocniony w roli władcy, że wybiegł na korytarz, oznajmiając wszem i wobec: – Dostaliśmy zgłoszenie o znalezieniu zwłok.

Z trzech pokoi wysunęły się trzy głowy: ruda, należąca do Martina Molina, siwa Gösty Flygarego i czarna Pauli Morales.

– Zwłoki? – odezwał się Martin i jako pierwszy wyszedł na korytarz.

Od strony recepcji nadeszła Annika.

– Dzwonił przed chwilą chłopak, nastolatek. Dla zabawy włamali się do jakiejś willi, gdzieś między Fjällbacką i Hamburgsund. W środku znaleźli trupa.

– Właściciela willi? – spytał Gösta.

Mellberg wzruszył ramionami.

– Nie wiem nic ponadto. Kazałem chłopakom zostać na miejscu, zaraz tam jedziemy. Martin, ty z Paulą jednym samochodem, ja z Göstą drugim.

– Może zadzwonić po Patrika... – ostrożnie powiedział Gösta.

– Kto to jest Patrik? – spytała Paula, patrząc to na Göstę, to na Mellberga.

– Patrik Hedström – odezwał się Martin. – Pracuje u nas, ale od dziś jest na urlopie ojcowskim.

– Do cholery, do czego nam Hedström? – prychnął z oburzeniem Mellberg. – Przecież ja tu jestem. – Nadął się i pognał do garażu.

– Hura! – mruknął Martin, gdy Mellberg już nie mógł go usłyszeć. Paula pytająco uniosła brew. – Nie przejmuj się – zaczął się tłumaczyć Martin. I dodał: – Z czasem zrozumiesz.

Paula była wyraźnie zdezorientowana, ale postanowiła nie drążyć. Niedługo na pewno się zorientuje, jak się sprawy mają w nowym miejscu pracy.

Erika westchnęła. W domu zrobiło się cicho. Aż za bardzo. Przez ostatni rok przyzwyczaiła się nasłuchiwać najmniejszego mruknięcia, nie mówiąc o płaczu. Teraz było cicho jak na pustkowiu. Kursor mrugał do niej z pierwszego wiersza dokumentu Worda. Od pół godziny nie napisała ani jednej litery. W głowie miała całkowitą pustkę. Przejrzała notatki i artykuły, które skopiowała latem. Po wielu listach z prośbą o spotkanie w końcu udało jej się umówić z główną postacią dramatu, morderczynią, ale spotkanie miało nastąpić dopiero za trzy tygodnie. Na razie to, co zgromadziła, musi wystarczyć, posłużyć za punkt wyjścia. Problem polegał na tym, że nie mogła ruszyć z tego punktu, nie przychodziło jej do głowy ani jedno słowo. Ogarnęły ją wątpliwości, jak każdego autora. Że już nie potrafi znaleźć odpowiednich słów i ułożyć z nich zdania, że wyczerpała swoją pulę i już nie ma w głowie materiału na żadną książkę. Tłumaczyła sobie, że tak samo jest na początku pracy nad każdą nową książką, ale logika nie miała tu nic do rzeczy. Za każdym razem przeżywała tę samą udrękę. Przypominało to poród. Ale dziś wyjątkowo jej nie szło. Z roztargnieniem włożyła do ust irysa, na pocieszenie. Zerknęła na niebieskie zeszyty leżące przy komputerze. Pochyłe pismo matki jakby domagało się jej uwagi. Była rozdarta między pytaniem, czy wolno jej poznać zapiski matki, a ciekawością, co w nich jest. Z wahaniem sięgnęła po pierwszy zeszyt i przez chwilę trzymała go w ręce. Cienki, taki jak te, w których pisali w podstawówce. Przesunęła palcami po okładce. Podpisano go atramentem, ale z biegiem lat atrament zblakł. Elsy Moström, tak brzmiało nazwisko panieńskie matki. Nazwisko Falck przybrała po ślubie. Erika ostrożnie otworzyła zeszyt.

Kartki w cienkie niebieskie linie. U góry widniała data:
3 września 1943 roku. Przeczytała pierwszy wiersz:
   „Czy ta wojna nigdy się nie skończy?".

Fjällbacka 1943

„Czy ta wojna nigdy się nie skończy?".

Elsy gryzła ołówek, zastanawiając się, co jeszcze napisać. Jak ująć myśli o wojnie, której tu nie było, choć była stale obecna? Nigdy dotąd nie prowadziła pamiętnika i nie wiedziała, skąd jej przyszedł do głowy ten pomysł. Ale poczuła potrzebę zapisania swoich przemyśleń na temat tej niby normalnej, a mimo to dziwnej rzeczywistości. Prawie nie pamiętała czasów sprzed wojny. Miała dziewięć lat, gdy wojna wybuchła, teraz ma trzynaście, wkrótce skończy czternaście.

Z początku wojny nie było widać, można ją było wyczuć tylko w zachowaniu dorosłych. Podniecenie, z jakim śledzili wiadomości w gazetach i w radiu. Napięta sylwetka, uszy przy radiu w salonie, lęk, a jednocześnie ożywienie. Bo na świecie działy się bardzo ciekawe rzeczy, niebezpieczne, a zarazem podniecające. Poza tym życie toczyło się po staremu. Łodzie wypływały i wracały. Raz połów był dobry, raz zły. Na lądzie kobiety robiły to co zawsze, jak kiedyś ich matki i babki. Rodziły dzieci, robiły pranie i sprzątały domy. Naturalny, niekończący się bieg rzeczy. Wojna mogła zachwiać tym wszystkim, co tak dobrze znane. Towarzyszące jej napięcie wyczuwała już wcześniej. Teraz wojna była tuż-tuż.

– Elsy! – dobiegł z dołu głos matki.

Szybko zamknęła zeszyt i włożyła go do górnej szuflady stojącego pod oknem biureczka. Przesiedziała przy nim wiele godzin nad lekcjami, ale szkolne lata miała za sobą i biurko właściwie nie było już potrzebne. Wstała, wygładziła sukienkę i zeszła na dół.

– Elsy, mogłabyś mi pomóc przynieść wodę?

Twarz matki była szara ze zmęczenia. Całe lato przemieszkali w małym pomieszczeniu w suterenie, bo wszystkie pokoje wynajęli letnikom. Opłata za wynajem obejmowała również sprzątanie w pokojach, gotowanie i usługiwanie gościom, a tegoroczni byli szczególnie wymagający. Adwokat z Göteborga z żoną i trójką rozbrykanych dzieciaków. Matka Elsy, Hilma, była na nogach od świtu do zmierzchu. Prała im, szykowała kanapki na wycieczki łodzią i sprzątała po nich. A przecież miała jeszcze własne gospodarstwo.

– Mama usiądzie na chwilę – powiedziała miękko Elsy, z wahaniem kładąc rękę na jej ramieniu.

Matka drgnęła. Nie miały w zwyczaju się dotykać. Ale po chwili położyła rękę na dłoni córki i pozwoliła się posadzić na krześle.

– W samą porę wyjechali. Co za wymagający ludzie. Może Hilma zechce... Czy Hilma mogłaby... Może by Hilma... – przedrzeźniała uprzejmy sposób wyrażania się gości, ale nagle zakryła usta ręką. Kto to widział okazywać państwu taki brak szacunku! Trzeba znać swoje miejsce.

– Musi mama być zmęczona. Trudno im dogodzić.

Elsy wlała resztkę wody do rondla i postawiła go na płycie. Do zagotowanej wody wsypała coś, co miało udawać kawę. Jedną filiżankę postawiła przed matką, drugą przed sobą.

– Zaraz pójdę po wodę, ale przedtem napijmy się kawy.

– Dobre z ciebie dziecko.

Hilma wypiła łyk lury. Przy uroczystych okazjach piła kawę ze spodka, trzymając w zębach kostkę cukru. Teraz trzeba było oszczędzać cukier. Zresztą substytut to nie to samo.

– Czy ojciec mówił, kiedy wróci do domu?

Elsy spuściła wzrok. W tych wojennych czasach to pytanie miało zupełnie inną wagę niż dawniej. Nie tak dawno storpedowano kuter „Öckerö". Cała załoga zginęła[2]. Od tamtej pory każde pożegnanie przed wypłynięciem na morze mogło być ostatnim. Ale trzeba było pracować. Nie było wyboru. Ładunek musiał być dostarczony, a połów przywieziony na ląd. Taka była rzeczywistość, i w czasie wojny, i w czasie pokoju. Należało się cieszyć, że w ogóle zezwolono na utrzymanie lokalnych połączeń handlowych z Norwegią. Uchodziły za bezpieczniejsze od tak zwanych połączeń gwarantowanych poza blokadą[3]. Łodzie z Fjällbacki mogły nadal wypływać na połowy, choć ryb było mniej niż dawniej. Dało się to uzupełnić frachtem do portów Norwegii i z powrotem. Ojciec Elsy najczęściej przywoził z Norwegii

[2] Łódź rybacka „Öckerö" została ostrzelana przez niemieckie lotnictwo w czerwcu 1942 roku (przyp. tłum.).
[3] Kiedy w kwietniu 1940 roku hitlerowska armia wkroczyła na terytorium Danii i Norwegii, Szwecja została praktycznie odcięta od Zachodu, a więc również od wielu surowców, między innymi ropy naftowej. W cieśninie Skagerrak od Skagen w Danii aż po wybrzeże Norwegii Niemcy założyli blokadę minową. Patrolowały ją marynarka wojenna i lotnictwo. Z kolei Wielka Brytania utworzyła blokadę przeciw Niemcom i krajom okupowanym. Tym samym Szwecja znalazła się za podwójną blokadą, przez co stała się całkowicie zależna od Niemiec. Dopiero po długich negocjacjach ze stronami konfliktu Szwecja uzyskała zgodę na tak zwane połączenia gwarantowane, ale musiała się zgodzić, aby zarówno Niemcy, jak i Brytyjczycy kontrolowali szwedzkie statki wypływające poza blokadę (przyp. tłum.).

lód, a przy odrobinie szczęścia miał ładunek również, kiedy płynął w tamtą stronę.

– Wolałabym jednak... – Hilma umilkła, a potem podjęła na nowo: – ...wolałabym tylko, żeby był trochę ostrożniejszy.

– Kto? Ojciec? – spytała Elsy, chociaż dobrze wiedziała, kogo matka ma na myśli.

– Tak... – Hilma wypiła łyk i skrzywiła się. – Tym razem zabrał ze sobą chłopaka od doktora... To się nie może dobrze skończyć, tyle ci powiem.

– Axel jest odważny, a ojciec chce pomóc, na ile potrafi.

– Ale to niebezpieczne. – Hilma potrząsnęła głową. – Ten chłopak na pokładzie i ci jego przyjaciele... Boję się, że ściągnie nieszczęście na ojca i na tamtych.

– Musimy robić, co się da, żeby pomóc Norwegom – cicho powiedziała Elsy. – A gdyby nas to spotkało? Też oczekiwalibyśmy od nich pomocy. Axel i jego przyjaciele robią wiele dobrego.

– Dość tego. Idziesz wreszcie po tę wodę? – burknęła Hilma, wstając, aby przy zlewie przetrzeć filiżankę.

Elsy nie czuła się urażona. Rozumiała, że matka burczy, bo się niepokoi. Rzuciła okiem na jej przedwcześnie zgarbione plecy, wzięła wiadro i poszła do studni.

Spacer sprawił Patrikowi przyjemność. Nawet go to zdziwiło. Od ładnych paru lat nie ćwiczył regularnie, ale gdyby teraz, podczas urlopu, codziennie chodził na długi spacer, może udałoby mu się pozbyć początków brzuszka. Erika pilnowała, żeby w domu nie było słodyczy. Dzięki temu on też zgubił parę kilogramów.

Minął stację benzynową OK/Q8 i szybkim krokiem szedł na południe. Zamierzał dojść do młyna i tam zawrócić. Maja wesoło paplała, siedząc przodem do kierunku jazdy. Uwielbiała spacery i witała się ze wszystkimi, wołając „hej" i uśmiechając się szeroko. Istne słoneczko, chociaż potrafiła być niezłym ziółkiem. To na pewno po Erice, pomyślał Patrik.

Szedł przed siebie, coraz bardziej zadowolony z życia. Wszystko zaczęło się świetnie układać. Nareszcie są z Eriką u siebie, sami. Nie miał nic przeciwko Annie i jej dzieciom, ale wielomiesięczne życie pod jednym dachem było trochę męczące. I jeszcze ta historia z matką. Martwił się tym. Czuł się, jakby tkwił między młotem a kowadłem. Rozumiał Erikę. Złościło ją, że matka wpada bez uprzedzenia i z miejsca zaczyna wygłaszać uwagi na temat ich sposobu prowadzenia domu i opieki nad Mają. Wolałby jednak, żeby Erika reagowała tak jak on, żeby udawała, że nie słyszy. Zresztą mogłaby okazać jego matce trochę więcej zrozumienia. Mieszkała sama, poza synem i jego rodziną nie ma tu nikogo. Siostra Patrika, Lotta, mieszkała w Göteborgu, i chociaż to nie drugi koniec świata, matka miała bliżej do nich. Poza tym bardzo im pomagała. Kilka razy została z Mają, dzięki czemu mógł pójść z Eriką do restauracji... Erika mogłaby częściej dostrzegać plusy.

– Patś, patś!

Maja z podnieceniem wskazała paluszkiem pasące się na łące koniki Rimfaxe. Patrik nie przepadał za tą rasą, ale gotów był przyznać, że konie fiordzkie są rzeczywiście bardzo ładne. A do tego wyglądają niegroźnie. Przystanęli na chwilę, żeby popatrzeć, i Patrik zanotował w pamięci, by następnym razem zabrać trochę jabłek albo marchewek. Gdy Maja napatrzyła się do syta, znów ruszył przed siebie. Pokonał ostatni odcinek drogi do młyna, a potem zawrócił do Fjällbacki.

Patrzył, jak zwykle z fascynacją, na wieżę kościoła wznoszącą się wyniośle nad szczytem wzgórza. I wtedy ujrzał znajomy samochód. Jechał bez koguta, nie na sygnale, więc sprawa chyba nie była pilna. A mimo to Patrik poczuł, że tętno mu przyśpiesza. Samochód zjeżdżał już ze szczytu, gdy Patrik dostrzegł za nim drugi. Zmarszczył czoło. Obydwa radiowozy, naraz. To musi być coś ważnego. Pomachał, gdy od samochodu dzieliło go tylko sto metrów. Samochód zwolnił i Patrik podszedł do siedzącego za kierownicą Martina. Maja z zachwytem machała rączkami. W jej świecie każde wydarzenie zapowiadało coś fajnego.

– Cześć, Hedström. Na spacerku z córeczką? – odezwał się Martin, kiwając ręką do Mai.

– Tak, trzeba dbać o formę... Co się stało, że jedziecie dwoma wozami?

Za nim zatrzymał się drugi samochód. Patrik kiwnął ręką Bertilowi i Göscie.

– Cześć, jestem Paula Morales.

Patrik dopiero teraz dostrzegł, że obok Martina siedzi nieznajoma kobieta w policyjnym mundurze. Chwycił jej wyciągniętą rękę i przedstawił się.

– Dostaliśmy zgłoszenie o znalezieniu zwłok. Tu, niedaleko – odparł Martin.

– Podejrzewacie zabójstwo? – Patrik zmarszczył czoło.

Martin rozłożył ręce.

– Nic więcej nie wiemy. Dzwoniło dwóch chłopaków, że znaleźli nieboszczyka.

Stojący z tyłu samochód zatrąbił, Maja aż podskoczyła w wózku.

– Wiesz co – szybko powiedział Martin – nie mógłbyś wskoczyć do samochodu i jechać z nami? Jakoś nie za dobrze się czuję z... no wiesz, z kim... – Wskazał głową drugi samochód.

– Niby jak? – powiedział Patrik. – Jestem z małą... i formalnie rzecz biorąc, jestem na urlopie.

– Proszę. – Martin przekrzywił głowę. – Jedź z nami. Rzucisz tylko okiem, a potem was podwiozę do domu. Wózek zmieści się w bagażniku.

– A fotelik dla dziecka?

– Racja. No to przyjdź do nas. To niedaleko, zaraz za rogiem. Pierwsza przecznica w prawo, drugi dom po lewej stronie. Na skrzynce jest nazwisko Frankel.

Patrik wahał się chwilę. Po następnym klaksonie z drugiego samochodu podjął decyzję.

– Dobrze, przyjdę i rzucę okiem. Będziesz musiał się zająć Mają, gdy będę w środku. I ani słowa Erice.

Dostanie szału, jeśli się dowie, że zabrałem Maję na akcję.

– Przyrzekam. – Martin mrugnął do niego. Machnął ręką Bertilowi i Göście, a potem wrzucił jedynkę. – Do zobaczenia.

– Okej – odparł Patrik, chociaż czuł, że będzie tego żałował.

Ciekawość wzięła jednak górę nad instynktem samozachowawczym. Odwrócił wózek i szybkim krokiem poszedł w kierunku Hamburgsund.

– Wszystkie sosnowe meble mają stąd wyjechać! – Anna wzięła się pod boki i zrobiła groźną minę.

– Ale co w nich złego? – spytał Dan, drapiąc się w głowę.

– Są brzydkie! Jeszcze jakieś pytania? – Anna nie mogła się powstrzymać od śmiechu. – Nie bądź taki przerażony, kochanie... Będę się jednak upierać, że nie ma nic brzydszego od tych mebli. A najgorsze jest łóżko. Poza tym nie chcę spać w łóżku, w którym spałeś z Pernillą. Ten sam dom od biedy może być, ale to samo łóżko... o nie!

– To potrafię jeszcze zrozumieć. Ale tyle nowych mebli naraz będzie dużo kosztować... – powiedział ze zmartwioną miną Dan.

Kiedy zostali parą, postanowił mimo wszystko zatrzymać dom, choć niełatwo było mu wiązać koniec z końcem.

– Mam jeszcze pieniądze od Eriki, ze spłaty domu po rodzicach. Lucas się do nich nie dobrał. Weźmiemy część i jeśli zechcesz, pojedziemy razem kupić trochę nowych rzeczy. Chyba że się nie boisz dać mi wolną rękę.

– Wierz mi, chętnie sobie daruję decydowanie, jakie meble kupić – odparł Dan. – Kupuj, co chcesz, byle to jakoś wyglądało. Ale dość już gadania. Chodź lepiej się całować.

Przyciągnął ją do siebie. Całowali się długo, mocno i jak zwykle dali się ponieść. Dan zaczął rozpinać Annie biustonosz, gdy ktoś wszedł do domu. Z przedpokoju było widać kuchnię, więc ten ktoś nie mógł mieć wątpliwości, co się tam odbywa.

– Kurde, migdalicie się w kuchni? Fuj, obrzydliwi jesteście! – Belinda przeleciała obok nich jak burza i pomknęła po schodach do swojego pokoju. Na ostatnim stopniu przystanęła i czerwona ze złości krzyknęła: – Wracam do mamy, jak najszybciej! Rozumiecie? Przynajmniej nie będę musiała bez przerwy patrzeć, jak sobie wpychacie języki do gardeł. Po prostu żenada! Obrzydliwość! Nie dociera do was?!

Buch! Drzwi pokoju Belindy trzasnęły. Usłyszeli, jak przekręca klucz w zamku. Chwilę później zaczęła grać muzyka, na cały regulator. Stojące przy zlewie talerze zadzwoniły do taktu.

– Ups – powiedział Dan i skrzywił się, patrząc w górę schodów.

– Właśnie, ups – powiedziała Anna, wydostając się z jego objęć. – Rozumiem, że niełatwo jej z tym wszystkim. – Chwyciła dzwoniące talerze i wstawiła je do zlewu.

– Niestety musi się pogodzić z tym, że w moim życiu pojawiła się kobieta – powiedział Dan ze złością.

– Ale spróbuj się postawić w jej sytuacji. Najpierw rozwodzicie się z Pernillą, potem przewija się przez ten dom – Anna ważyła słowa – pewna liczba dziewczyn, w końcu wprowadzam się ja z dwójką dzieci. Belinda ma dopiero siedemnaście lat. Samo to jest dla niej wystarczająco trudne. W dodatku musi się dostosować do trzech obcych osób w domu...

– Wiem, że masz rację... – Dan westchnął. – Ale nie mam pojęcia, jak postępować z nastolatką. Odpuścić? Nie poczuje się wtedy pozostawiona sama sobie? Czy upierać się przy swoim? Czy wtedy nie uzna, że się wcinam? Co mówi instrukcja obsługi?

Anna się roześmiała.

– Według mnie zaginęła już na porodówce. Postaraj się z nią porozmawiać. Jeśli ci zatrzaśnie drzwi przed nosem, przynajmniej będziesz wiedział, że próbowałeś. A potem spróbujesz jeszcze raz. I jeszcze raz. Ona się boi, że cię straci. Ciebie i prawo do bycia małą dziewczynką. Boi się, że skoro już się wprowadziliśmy, to zabierzemy jej wszystko. To wcale nie jest takie dziwne.

– Czym ja sobie zasłużyłem na taką mądrą kobietę? – spytał Dan, znów przytulając Annę.

– Nie wiem – odparła, przyciskając twarz do jego piersi. – Chyba ci się tylko wydaje, że jestem taka mądra, bo porównujesz mnie ze swoimi poprzednimi podbojami...

– Słuchaj – Dan zaśmiał się i mocno uścisnął Annę. – Nie bądź taka, bo zostawię to sosnowe łóżko.

– A chcesz, żebym została w tym domu?

– Okej. Wygrałaś. Umawiamy się, że łóżko już wyleciało.

Oboje się roześmiali. Potem zaczęli się całować. Na górze muzyka dudniła na cały regulator.

Martin podjechał pod dom i od razu zobaczył chłopców. Stali na uboczu ze skrzyżowanymi ramionami. Trzęśli się ze zdenerwowania. Martin spojrzał na ich pobladłe twarze i zobaczył, że im ulżyło, że wreszcie przyjechali.

– Jestem Martin Molin. – Wyciągnął rękę do chłopaka stojącego bliżej.

Przedstawił się, mamrocząc pod nosem: Adam Andersson. Drugi, stojący nieco z tyłu, machnął ręką i wyjaśnił z zawstydzeniem:

– Nie witam się. Wymiotowałem i wytarłem ręką...

Martin ze zrozumieniem kiwnął głową. Nie ma się czego wstydzić, on też tak reaguje na widok trupa.

– No jak, co się tu stało? – zwrócił się do Adama, który wydawał się bardziej opanowany. Był niższy od kolegi, na policzkach miał ostre wykwity trądziku, jasne, przydługie włosy.

– To było tak, że my... – Adam obejrzał się na Mattiasa. Mattias wzruszył ramionami, więc ciągnął dalej: – Pomyśleliśmy, że wejdziemy do środka się rozejrzeć. Wyglądało na to, że obaj wyjechali.

– Obaj? – spytał Martin. – Dwóch ich tutaj mieszka?

– Bracia – wtrącił Mattias. – Nie wiem, jak się nazywają, ale moja matka wie na pewno. Od początku czerwca opróżnia ich skrzynkę na listy. Jeden z nich zawsze wyjeżdża na lato, ale drugi zostaje. W tym roku nikt nie odbierał poczty, więc myśleliśmy, że... – Nie dokończył. Wpatrywał się w swoje buty. Na jednym z nich spostrzegł martwą muchę. Z obrzydzeniem potrząsnął nogą, żeby ją zrzucić. – Czy to on tam siedzi nieżywy? – spytał, podnosząc wzrok.

– W tej chwili wiemy mniej od was – odparł Martin.

– Mówcie dalej. Postanowiliście się dostać do środka. I co dalej?

– Mattias odkrył, że jedno okno da się otworzyć, i wszedł pierwszy – powiedział Adam. – Potem wciągnął mnie. Kiedy zeskoczyliśmy na podłogę, coś nam zatrzeszczało pod butami, ale nie widzieliśmy co, bo było ciemno.

– Ciemno? – przerwał Martin. – Dlaczego ciemno?

Kątem oka zobaczył, że Gösta, Paula i Bertil przystanęli z tyłu i nasłuchują.

– Wszystkie rolety były spuszczone – cierpliwie wyjaśnił Adam. – Podciągnęliśmy roletę w tym oknie, przez które weszliśmy, i wtedy zobaczyliśmy, że na podłodze jest pełno martwych much. W dodatku strasznie śmierdziało.

– Koszmarnie – powtórzył Mattias. Znów zaczęło go mdlić.

– I co dalej? – ponaglał Martin.

– Weszliśmy do pokoju. Fotel przy biurku stał tyłem, nie widzieliśmy, czy ktoś tam siedzi. Tknęło mnie przeczucie... oglądało się „CSI", prawda, więc ten smród i martwe muchy, i tak dalej... Nie trzeba być Einsteinem, żeby wydedukować, że ktoś tu umarł. Podszedłem do fotela, obróciłem... siedział w nim!

Mattias przypomniał sobie ten widok. Odwrócił się i zwymiotował na trawę. Otarł usta ręką i wyszeptał:

– Przepraszam.

– W porządku – powiedział Martin. – Każdemu się zdarza na widok trupa.

– Mnie nie – powiedział z wyższością Mellberg.

– Mnie też nie – lakonicznie stwierdził Gösta.

– Mnie też nigdy się nie przytrafiło – oświadczyła Paula.

Martin odwrócił się i rzucił im ostrzegawcze spojrzenie.

– Obrzydliwie wyglądał – skwapliwie dopowiedział Adam.

Mimo początkowego szoku wszystko to zaczęło mu chyba sprawiać pewną przyjemność. Mattiasem, który stał zgięty wpół za jego plecami, wstrząsały torsje. Wymiotował już samą żółcią.

– Czy ktoś mógłby odwieźć chłopaków do domu? – Martin zwrócił się do kolegów, ale do nikogo konkretnie. Zapadło milczenie, po chwili zgłosił się Gösta.

– Ja ich wezmę. Chodźcie, chłopcy, zawiozę was do domu.

– Mieszkamy tylko paręset metrów stąd – słabym głosem powiedział Mattias.

– No to was odprowadzę – powiedział Gösta i kiwnął na nich ręką.

Poszli za nim, powłócząc nogami w sposób charakterystyczny dla nastolatków. Na twarzy Mattiasa malował się wyraz ulgi, natomiast Adam był zawiedziony, że go ominą ciekawe wydarzenia.

Martin odprowadził ich wzrokiem aż do rogu, a potem powiedział tonem zdradzającym, że nie oczekuje zbyt wiele:

– Zobaczmy, co tu mamy.

Mellberg odchrząknął.

– Nie mam wprawdzie problemu z patrzeniem na trupy i tak dalej... naprawdę... tyle lat służby, więc niejedno widziałem, ale ktoś tu powinien zostać... na straży. Najlepiej będzie, jeśli wezmę na siebie ten obowiązek, jako szef, jako ten z największym doświadczeniem. – Znów odchrząknął.

Martin i Paula spojrzeli na siebie z rozbawieniem, ale Martin natychmiast zrobił poważną minę.

– Racja. Lepiej, żeby ktoś z twoim doświadczeniem miał oko na teren wokół domu, a my z Paulą wejdziemy do środka i się rozejrzymy.

– Właśnie... Pomyślałem, że tak będzie najlepiej. – Mellberg przez moment kołysał się na piętach, potem ociężale ruszył przez trawnik.

– To co, wchodzimy? – powiedział Martin. Paula kiwnęła głową.

– Ostrożnie – ostrzegł Martin przed drzwiami. – Nie wolno nam zatrzeć żadnych śladów, na wypadek gdyby się okazało, że śmierć nie nastąpiła z przyczyn naturalnych. Tylko się rozejrzymy, zanim przyjedzie ekipa techniczna.

– Pięć lat pracowałam w wydziale kryminalnym komendy okręgowej w Sztokholmie. Wiem, jak należy się zachowywać na domniemanym miejscu przestępstwa – powiedziała Paula bez złości.

– Przepraszam, nie wiedziałem – zawstydził się Martin, ale natychmiast skupił się na czekającym go zadaniu.

W domu panowała niesamowita cisza. Zakłócał ją

tylko stukot butów o podłogę. Martin stał w przed-pokoju i zastanawiał się, czy wydawałaby mu się równie upiorna, gdyby nie wiedział, że w domu jest trup. I doszedł do wniosku, że chyba nie.

– Tam – szepnął. Natychmiast sobie uprzytomnił, że przecież nie musi szeptać. Normalnym głosem, który odbił się echem od ścian, powtórzył: – Tam.

Paula szła zaraz za nim. Martin zrobił kilka kroków i otworzył drzwi pokoju, jak się domyślał, biblioteki. Dziwna woń, którą czuli już od progu, stała się jeszcze silniejsza. Chłopcy mówili prawdę. Na podłodze leżało mnóstwo much. Trzeszczały pod stopami, gdy wchodzili, najpierw on, potem Paula. Zapach był duszący, słodkawy, ale już nie tak nieznośny jak zapewne był na początku.

– Nie ma wątpliwości, że ktoś tu umarł, i to dość dawno temu – powiedziała Paula. Oboje z Martinem wpatrywali się w przeciwległy róg pokoju.

– Rzeczywiście – powiedział Martin.

W ustach czuł ohydny posmak. Postanowił, że się nie da, i ostrożnie przeszedł środkiem, aż do siedzącego na fotelu trupa.

– Zostań tam. – Gestem nakazał Pauli, aby się zatrzymała przy drzwiach.

Nie poczuła się urażona. Im mniej osób zostawi ślady, tym lepiej.

– Wiesz, nie wygląda to na śmierć z przyczyn naturalnych – stwierdził.

Żółć podeszła mu do gardła. Starał się zwalczyć odruch wymiotny, przełykając ślinę i skupiając się na oględzinach. Sporych rozmiarów rana tłuczona po prawej stronie głowy nie pozostawiała wątpliwości, mimo ogólnie złego stanu zwłok. Człowiek siedzący na fotelu został brutalnie pozbawiony życia.

Martin odwrócił się powoli i wyszedł z pokoju. Paula za nim. Na dworze wziął kilka głębokich oddechów i w końcu przestało go mdlić. Wtedy zobaczył, że zza rogu wychodzi Patrik. Szedł żwirową ścieżką w ich kierunku.

– To morderstwo – powiedział Martin, gdy Patrik znalazł się w zasięgu jego głosu. – Trzeba ściągnąć Torbjörna z ekipą techniczną. W tej chwili nie mamy tu nic więcej do roboty.

– Okej – powiedział z posępną miną Patrik. – Może mógłbym... – Przerwał i spojrzał na siedzącą w wózku Maję.

– Wejdź sobie do środka, przypatrz się, ja przez ten czas popilnuję Mai – powiedział z zapałem Martin. Podszedł do Mai i wziął ją na ręce. – Chodź, malutka, pooglądamy kwiatki.

– Fiatki – powtórzyła radośnie Maja i pokazała palcem rabatkę.

– Byłaś z nim w środku? – spytał Patrik.

Paula skinęła głową.

– Niezbyt atrakcyjny widok. Chyba siedzi tak od późnej wiosny. W każdym razie tak mi się zdaje.

– Pracując w Sztokholmie, na pewno niejedno widziałaś.

– Trupów leżących równie długo nie tak znowu dużo.

– Wejdę i rzucę okiem. Właściwie to jestem na urlopie ojcowskim, ale...

Paula się uśmiechnęła.

– Domyślam się, że trudno ci wytrzymać bez pracy. Ale Martin nieźle sobie radzi, strzeże pozycji...

Z uśmiechem spojrzała w stronę rabatki: Martin przykucnął obok Mai i razem podziwiali kwitnące jeszcze kwiaty.

– On jest jak opoka. Pod każdym względem – powiedział Patrik i ruszył do domu.

Wrócił po kilku minutach.

– Jestem tego samego zdania co Martin. Raczej nie ma wątpliwości, pokaźna rana tłuczona na głowie.

– Żadnych podejrzanych śladów. – Mellberg, sapiąc, wyszedł zza rogu. – I jak to wygląda? Hedström, byłeś w środku? Przyjrzałeś się?

Wyczekująco patrzył na Patrika, a Patrik kiwnął głową.

– Nie ma wątpliwości, że to morderstwo. Zadzwonisz po ekipę kryminalistyczną?

– Oczywiście – nadął się Mellberg. – W końcu jestem szefem tego domu wariatów. A ty co tu robisz? – spytał. – Najpierw się upierałeś przy urlopie ojcowskim, a teraz, jak go masz, wyskakujesz jak diabeł z pudełka. – Zwrócił się do Pauli: – Nie rozumiem tych nowomodnych wymysłów. Faceci siedzą w domach i zmieniają pieluchy, a baby wkładają mundury.

Raptownie zawrócił i sadząc wielkimi krokami, podążył do samochodu, by przez telefon wezwać techników.

– Witamy w komisariacie w Tanumshede – sucho skomentował Patrik.

Paula uśmiechnęła się z rozbawieniem.

– To nic nowego. W policji jest pełno takich dinozaurów jak on. Gdybym miała się nimi przejmować, już dawno musiałabym się poddać.

– Dobrze, że tak do tego podchodzisz – zauważył Patrik. – Mellberg ma tę zaletę, że jest konsekwentny. Dyskryminuje wszystko i wszystkich.

– Bardzo pocieszające – zaśmiała się Paula.

– Z czego się śmiejecie? – spytał Martin. Nadal trzymał na ręku Maję.

– Z Mellberga – odparli jednocześnie.

– Co znowu?

– To samo co zawsze – Patrik wyciągnął ręce do Mai.

– Ale będzie dobrze, bo Paula się nie przejmuje. Idziemy z małą do domu. Maja, zrób pa, pa.

Maja pomachała rączką i uśmiechnęła się, zwłaszcza do Martina. Martin aż się rozpromienił.

– Zabierasz mi dziewczynę? Hej, maleńka, miałem nadzieję, że coś będzie między nami... – Wysunął dolną wargę, robiąc zawiedzioną minę.

– Maja nie potrzebuje żadnych facetów poza swoim tatą, prawda, kochanie? – Patrik wtulił nos w szyjkę córeczki, a ona zapiszczała ze śmiechu. Posadził ją w wózku i pomachał kolegom. Czuł ulgę, że może ich zostawić i iść do domu, ale z drugiej strony wolałby zostać.

Zupełnie się pogubiła. Jaki dziś dzień, poniedziałek? Czy już wtorek? Britta chodziła tam i z powrotem po pokoju. Jakie to... denerwujące. Im bardziej próbowała się skupić, tym bardziej jej to umykało. W chwilach większej jasności wewnętrzny głos podpowiadał jej, że siłą woli mogłaby zmusić swój mózg do posłuchu. Jednocześnie miała świadomość, że jej mózg coraz bardziej się zmienia, rozpada się, traci zdolność pamiętania, zatrzymywania w pamięci chwil, wydarzeń, informacji i twarzy.

Poniedziałek. Tak, dziś jest poniedziałek. Wczoraj córki były u nich na niedzielnym obiedzie. To było wczoraj. Więc dziś jest poniedziałek. Na pewno. Zatrzymała się w pół kroku. Poczuła ulgę, odniosła małe zwycięstwo. Wie, jaki dzień był wczoraj.

Łzy cisnęły jej się do oczu. Przysiadła w rogu kanapy. Znajome obicie ze wzorem Josefa Franka sprawiało, że czuła się bezpieczna. Kupili tę kanapę razem z Hermanem. To znaczy ona wybierała, a on pomrukiwał z aprobatą. Z radością zgodziłby się na wszystko, byleby była szczęśliwa. Nawet gdyby zapragnęła pomarańczowej kanapy w zielone kropki. Herman, no właśnie... Gdzie on jest? Z niepokojem przebierała palcami po kwiatkach na obiciu. Przecież wie. To znaczy: w gruncie rzeczy wie. Miała przed oczami jego twarz i poruszające się usta, gdy wyraźnie mówił, dokąd idzie. Pamiętała nawet, że powtórzył to kilka razy. Ale sama informacja jej umknęła, tak jak przedtem dzień tygodnia, jakby z niej drwiła. Zdenerwowała się, chwyciła za oparcie. Musi sobie przypomnieć, tylko najpierw się skupi. Wpadła w panikę. Gdzie ten Herman? Długo go nie będzie? Chyba nie wyjechał, nie zostawił jej samej? A może ją porzucił? Co mówiły jego usta, które miała przed oczami? Musi się upewnić i sprawdzić, czy jego rzeczy są na miejscu. Raptownie wstała z kanapy i pobiegła na piętro. Paniczny strach pulsował i dzwonił jej w uszach.

Co on mówił? Rzuciła okiem do szafy i uspokoiła się. Wszystkie rzeczy wiszą na swoim miejscu. Marynarki, swetry, koszule. Wszystko jest. Ale nadal nie wiedziała, gdzie jest Herman.

Rzuciła się na łóżko, skuliła jak małe dziecko i rozpłakała. Z każdą chwilą jej mózg ogarniała coraz większa pustka, twardy dysk życia się wymazywał. Nic nie mogła na to poradzić.

– Cześć. To był naprawdę długi spacer. Długo was nie było!

Erika wyszła im na spotkanie i dostała od Mai mokrego całusa.

– Tak... Zdaje się, że miałaś popracować? – Patrik nie patrzył jej w oczy.

– Miałam... – westchnęła. – Ale jakoś nie mogę ruszyć z miejsca. Gapię się tylko w ekran i wcinam irysy. Jak tak dalej pójdzie, zanim skończę książkę, dojdę do stu kilo. – Pomogła Patrikowi rozebrać Maję. – Nie mogłam już wytrzymać i trochę poczytałam pamiętniki mamy.

– Znalazłaś coś ciekawego? – spytał Patrik. Ulżyło mu, że nie musi odpowiadać na dalsze pytania o spacer.

– Czy ja wiem... to zwykłe zapiski z codziennego życia. Przeczytałam tylko kilka stron. Będę czytać etapami. – Erika weszła do kuchni i zmieniając temat, spytała: – Napijemy się herbaty?

– Z przyjemnością – odparł Patrik.

Rozwiesił ubrania, a potem poszedł za nią do kuchni i przyglądał się, jak nalewa wody i wyciąga torebki herbaty i filiżanki. Słychać było, jak Maja buszuje w zabawkach w salonie. Po kilku minutach Erika nalała do filiżanek gorącej herbaty i zasiedli przy kuchennym stole.

– No, wykrztuś to wreszcie – powiedziała, obserwując Patrika. Tak dobrze go znała. To umykające spojrzenie, nerwowe bębnienie palcami. Nie chciał albo nie miał odwagi jej o czymś powiedzieć.

– Ale co? – Zrobił niewinną minę.

– Nie rób wielkich oczu. O czym mi nie powiedziałeś?

Wypiła łyk herbaty i z rozbawieniem czekała, aż przestanie się wić i przejdzie do rzeczy.

– Taak...

– A dalej? – Erika nie mogłaby zaprzeczyć, że odczuwa niemal sadystyczną przyjemność, przyglądając się, jak się męczy.

– Coś się stało.

– Wróciliście oboje cali i zdrowi, więc co takiego się stało?

– No więc... – Patrik wypił łyk herbaty, by zyskać na czasie i wymyślić, jak to najlepiej przedstawić. – Szliśmy w stronę młyna Lerstena i akurat moi koledzy jechali na wezwanie. – Ostrożnie podniósł na nią wzrok. Erika uniosła brew. Czekała na ciąg dalszy. – Dostali meldunek o znalezieniu zwłok w domu gdzieś przy drodze na Hamburgsund i właśnie tam jechali.

– Ale jesteś na urlopie i ciebie to nie dotyczy. – Filiżanka Eriki zatrzymała się w połowie drogi do ust. – Chyba nie chcesz powiedzieć... – Spojrzała na niego z niedowierzaniem.

– Właśnie – odparł nieco piskliwie Patrik, nie podnosząc wzroku znad stołu.

– Zabrałeś Maję tam, gdzie znaleziono trupa! – Przyszpiliła go wzrokiem.

– Tak. Ale gdy wszedłem do środka, żeby się rozejrzeć, zajmował się nią Martin. Oglądali kwiatki.

Uśmiechnął się pojednawczo, ale odpowiedziało mu lodowate spojrzenie.

– Wszedłem do środka, żeby się rozejrzeć. – Głos również miała lodowaty. – Masz urlop ojcowski. Podkreślam: urlop. I podkreślam: ojcowski! Tak trudno powiedzieć: ja teraz nie pracuję?

– Ale ja tylko rzuciłem okiem – tłumaczył się bezradnie, bo wiedział, że Erika ma rację. Istotnie, jest na urlopie. Ojcowskim. Niech koledzy prowadzą ten interes. Poza tym nie powinien zabierać Mai na miejsce zbrodni.

W tym momencie uzmysłowił sobie, że Erika nie wie. Twarz przeszył mu mimowolny skurcz. Przełknął ślinę i dodał:

– To morderstwo.

– Morderstwo! – Jej głos przeszedł w falset. – Więc nie dość, że wziąłeś Maję tam, gdzie znaleziono zwłoki, to jeszcze były to zwłoki zamordowanego człowieka! – Potrząsnęła głową, jakby słowa, które próbowała wypowiedzieć, uwięzły jej w gardle.

– Ale nigdy więcej tego nie zrobię. – Patrik rozłożył ręce. – Niech oni to wyjaśniają. Ja mam wolne do stycznia i w tym czasie poświęcę się wyłącznie Mai, w stu procentach. Masz moje słowo.

– I lepiej, żeby tak było – odwarknęła Erika. Była

taka zła, że najchętniej by nim potrząsnęła. Po chwili uspokoiła się, ciekawość zwyciężyła.

– Gdzie to było? Wiadomo już, kim jest ofiara?

– Nie mam pojęcia. Duży biały dom, po lewej stronie, sto metrów od pierwszej przecznicy w prawo, za młynem.

Erika spojrzała na niego dziwnie.

– Duży biały dom z szarymi narożnikami?

Patrik pomyślał chwilę, a potem kiwnął głową.

– Tak, zgadza się. Na skrzynce na listy było nazwisko Frankel.

– Wiem, kto tam mieszka. Axel i Erik Franklowie. Erik Frankel to ten, któremu dałam do obejrzenia ten nazistowski medal.

Patrik oniemiał. Jak mógł o tym zapomnieć? W końcu nazwisko Frankel nie należy do najczęściej spotykanych.

Z salonu dobiegało wesołe trajkotanie Mai.

– Co za beznadziejny poniedziałek – westchnął Mellberg, gdy Gösta wjechał do garażu i zaparkował.

– No – odparł Gösta, jak zawsze bardzo oszczędny w słowach.

Mellberg wszedł do budynku i zdążył tylko zarejestrować, że coś kudłatego zbliża się w szalonym tempie. Potem to coś rzuciło się na niego i próbowało lizać po twarzy.

– Zaraz, zaraz! Dość tego!

Z obrzydzeniem machnął rękami. Pies stulił uszy i poczłapał do Anniki. Przynajmniej tam był mile widziany. Mellberg, mamrocząc pod nosem, wierzchem dłoni starł psią ślinę. Gösta zmuszał się do zachowania powagi. Cała ta scena była tym zabawniejsza, że Mellbergowi przy okazji zsunęła się na bok pożyczka, uwita misternie jak gniazdo na czubku głowy. Ze złością poprawił fryzurę i nadal mrucząc do siebie, poszedł do swojego gabinetu.

Gösta, chichocząc cicho, także poszedł do swojego pokoju. Podskoczył ze zdumienia, gdy nagle usłyszał znajomy ryk:

– Ernst! Do mnie!

Rozejrzał się zaskoczony. Minął już jakiś czas, odkąd jego kolega Ernst Lundgren wyleciał z pracy, i nic mu nie było wiadomo, żeby mieli go przyjąć z powrotem.

Mellberg wrzasnął jeszcze raz:

– Ernst! Chodź tu natychmiast!

Gösta wyszedł na korytarz, żeby wyjaśnić tę zagadkę, i zobaczył, jak Mellberg, czerwony ze złości, pokazuje na coś leżącego na podłodze. W umyśle Gösty zrodziło się podejrzenie. Rzeczywiście, kundel przytelepał się jak na zamówienie. Ze wstydem zwiesił łeb.

– Ernst, co to jest?

Psisko próbowało udawać, że nie rozumie, ale kupa na środku gabinetu mówiła sama za siebie.

– Annika! – wrzasnął Mellberg.

Sekretarka przybiegła błyskawicznie.

– Ojej, widzę, że zdarzył się mały wypadek.

Rzuciła psu współczujące spojrzenie, a on z wdzięcznością podszedł bliżej.

– Ładny mi wypadek! Ernst narobił mi na podłogę.

Gösta nie mógł się już powstrzymać. Zaczął chichotać. Próbował przestać, ale śmiał się coraz głośniej. Udzieliło się to również Annice. W końcu oboje ryczeli ze śmiechu, aż im łzy ciekły po policzkach.

– Co się dzieje? – z zaciekawieniem spytał Martin. Za nim stała Paula.

– Ernst.. – Gösta nie mógł złapać tchu. – Ernst... narobił na podłogę.

Martin nie od razu zrozumiał. Patrzył to na leżącą na środku gabinetu kupę, to na psa tulącego się do nóg Anniki. W końcu coś mu zaświtało.

– Dałeś... psu na imię Ernst? – spytał i również zaczął się śmiać.

Tylko Mellbergowi i Pauli nie udzielił się ten histeryczny napad. Mellberg wyglądał, jakby zaraz miało go rozsadzić od środka, natomiast Paula nie rozumiała, o co chodzi.

– Później ci wytłumaczę – powiedział do niej Martin, ocierając oczy. – Kurde, ale dowcip. Bertil, niezły z ciebie kawalarz – dodał.

– Ta... może i tak – odparł Bertil, uśmiechając się niechętnie. – Dość tego, Annika. Trzeba posprzątać i wracamy do pracy.

Chrząknął i usiadł za biurkiem. Pies wahał się chwilę, nie wiedząc, kogo wybrać: Annikę czy Bertila. W końcu uznał, że najgorsze minęło, i merdając ogonem, podążył za nowym panem.

Wszyscy spojrzeli na tę niezwykłą parę. Zastanawiali się, co też pies mógł zobaczyć w Bertilu Mellbergu. Im to coś umknęło.

Przez cały wieczór Eriki nie opuszczała myśl o Eriku Franklu. Nie znała go bliżej, ale obaj z bratem Axelem byli częścią Fjällbacki. Mówiło się o nich „synowie doktora", chociaż od czasu, gdy ich ojciec był lekarzem we Fjällbace, minęło pięćdziesiąt lat, a czterdzieści, odkąd odszedł z tego świata.

Erika wróciła myślami do swojej wizyty w domu braci. Była tam tylko raz. Bracia, obaj kawalerowie, mieszkali razem w domu po rodzicach. Obaj pasjonowali się historią Niemiec i nazizmu, chociaż każdy na swój sposób. Erik uczył historii w gimnazjum. W wolnych chwilach kolekcjonował przedmioty z czasów Trzeciej Rzeszy. Nimi interesował się szczególnie. Axel, starszy z nich, o ile dobrze pamiętała, utrzymywał jakieś kontakty z Centrum Szymona Wiesenthala. Przypominała sobie również, że podczas wojny przytrafiło mu się coś złego.

Zadzwoniła wtedy do Erika Frankla, opowiedziała mu o swoim znalezisku i opisała medal, a potem spytała, czy mógłby jej pomóc zbadać jego pochodzenie, dowiedzieć się, jak trafił w ręce jej matki. Długo nie odpowiadał. Pomyślała nawet, że może się rozłączył. Kilka razy zawołała do słuchawki: halo. A potem dziwnym tonem powiedział, żeby przyniosła medal, to go obejrzy. Jej uwagę zwróciło najpierw to milczenie, a potem ton jego głosu. Nie wspomniała o tym Patrikowi. Pomyślała, że może się przesłyszała. Gdy do niego pojechała, nie zauważyła w jego zachowaniu niczego dziwnego. Był uprzejmy, zaprosił ją do biblioteki, i tam pokazała mu medal. Wziął go z dość obojętną miną i przyjrzał się dokładnie. Potem spytał, czy mógłby go zatrzymać na jakiś czas, żeby przeprowadzić badania. Erika kiwnęła głową. Ucieszyła się, że ktoś chce się tym zająć.

Pokazał jej również swoje zbiory. Z podziwem, a jednocześnie z przerażeniem oglądała przemioty pochodzące z mrocznego, złego okresu w historii. Nie wytrzymała. Musiała spytać, jak ktoś, kto jest przeciwnikiem nazizmu i wszystkiego, co ten system uosabiał, może zbierać i otaczać się przedmiotami, które o nim przypominają. Zwlekał z odpowiedzią. W zamyśleniu chwycił czapkę z odznaką SS i obracając ją w rękach, wyraźnie zastanawiał się nad odpowiedzią.

– Nie mam zaufania do ludzkiej pamięci – odezwał się w końcu. – Bez takich przedmiotów, które można obejrzeć i dotknąć, bardzo łatwo zapominamy o tym, czego nie chcemy pamiętać. Zbieram to, co przypomina o przeszłości. Przy okazji nie dopuszczam, by te przedmioty dostawały się w ręce ludzi, którzy patrzą na nie inaczej, wzrokiem pełnym podziwu.

Erika skinęła głową. Rozumiała, a jednocześnie nie rozumiała. Na pożegnanie podali sobie ręce.

A teraz Erik Frankel nie żyje. Został zamordowany. Możliwe, że wkrótce po jej wizycie. Z tego, co niechętnie opowiedział Patrik, wynikało, że całe lato przesiedział martwy na fotelu.

Przypomniała sobie o szczególnej reakcji Erika, gdy mu opowiadała o medalu. Zwróciła się do siedzącego obok i skaczącego pilotem po kanałach Patrika:

– Nie wiesz, czy medal jeszcze tam jest?

Patrik się zdziwił.

– Nie pomyślałem o tym. Nie mam pojęcia. Ale nie zauważyłem żadnych śladów wskazujących na

morderstwo na tle rabunkowym. Zresztą kogo by miał interesować stary nazistowski medal? Nie był to żaden unikat. Chodzi mi o to, że jest ich jeszcze sporo na świecie...
– No tak... – powiedziała Erika z ociąganiem. Nadal czuła się nieswojo. – A mógłbyś jutro zadzwonić do kolegów i poprosić, żeby się za nim rozejrzeli?
– No wiesz... – odparł. – Podejrzewam, że mają co innego do roboty. Spytamy jego brata. Poprosimy, żeby poszukał. Na pewno gdzieś u nich jest.
– A właśnie. Gdzie jest Axel Frankel? Dlaczego przez całe lato nie odkrył, że jego brat nie żyje?
Patrik wzruszył ramionami.
– Mam urlop ojcowski, nie pamiętasz? Zadzwoń, spytaj Mellberga.
– Cha, cha, bardzo śmieszne – odparła Erika z uśmiechem. Ale niepokój jej nie opuszczał. – Czy to nie dziwne, że Axel nie znalazł jego zwłok?
– Nie mówiłaś przypadkiem, że się dowiedziałaś, że wyjechał, kiedy u nich byłaś?
– Tak, Erik powiedział, że brat jest za granicą. Ale przecież to było w czerwcu.
– Dlaczego tak cię to dziwi? – Patrik znów spojrzał na telewizor. Właśnie miał się zacząć program „Nareszcie w domu"[4].
Erika sama nie wiedziała, co ją tak niepokoi, ale ciągle miała w uszach jego milczenie w słuchawce, a potem

---

[4] „Nareszcie w domu" – w oryginale „Äntligen hemma" – popularny w Szwecji program wnętrzarski nadawany od 1997 w komercyjnej telewizji TV4. Gospodarz programu, Martin Timell, demonstruje widzom swoje umiejętności stolarskie (przyp. tłum.).

ten dziwny ton, gdy powiedział, żeby przyniosła medal. To na pewno miało jakiś związek z medalem. Próbowała się skupić na umiejętnościach stolarskich Martina Timella, ale nie bardzo jej to wychodziło.

– Dziadku, szkoda, że tego nie widziałeś. Cholerny czarnuch próbował wepchnąć się do kolejki jakby nigdy nic. Już po pierwszym kopie padł jak kłoda. Potem, jak mu jeszcze skopałem jaja, to przez kwadrans jęczał i wił się na ziemi.

– Per, co chcesz osiągnąć w ten sposób? Pomijając to, że możesz zostać oskarżony o pobicie i skazany na poprawczak, dajesz przeciwnikom dodatkowy powód do mobilizacji przeciwko nam. Zamiast pomóc naszej sprawie, jeszcze umacniasz wrogów.

Frans z rezerwą spoglądał na wnuka. Chwilami nie miał pojęcia, co zrobić, żeby okiełznać tę burzę hormonów. Co taki piętnastolatek może wiedzieć? Chodzi w glanach, goli głowę na łyso i udaje twardziela, ale w gruncie rzeczy to strachliwe dziecko. Nie ma pojęcia ani o sprawie, ani o zasadach, jakie rządzą światem. Nie wie, jak pokierować swoimi niszczycielskimi odruchami, aby używając ich niczym grota włóczni, przebić strukturę społeczną.

Siedzieli obok siebie na schodach. Chłopak ze wstydem zwiesił głowę. Frans zdawał sobie sprawę, że utarł mu nosa. Wnuk chciał mu zaimponować. Ale on wyrządziłby chłopakowi niedźwiedzią przysługę, gdyby mu nie uzmysłowił, jak działa zimny, twardy i nieprzejednany świat. W tej walce zwyciężają tylko najsilniejsi.

A przecież kochał tego chłopca i chciał go chronić przed złem. Objął wnuka. Uderzyło go, jaki jest drobny. Odziedziczył budowę po nim. Wysoki i chudy, wąski w ramionach. Żadne ćwiczenia tego nie zmienią.

– Najpierw zawsze powinieneś się zastanowić – powiedział Frans łagodniejszym tonem. – Pomyśleć, zanim coś zrobisz. Używać słów zamiast pięści. Do przemocy uciekać się tylko w ostateczności. – Mocniej ścisnął chłopaka za ramiona.

Per na moment przytulił się do niego, jak kiedyś, w dzieciństwie. Ale zaraz przypomniał sobie, że nie jest już dzieckiem i powinien się zachowywać jak mężczyzna. Najważniejsze dla niego, i dawniej, i teraz, było to, żeby dziadek był z niego dumny. Wyprostował się.

– Wiem, dziadku, ale wściekłem się, że się wpycha. Właśnie tacy są. Wszędzie się rozpychają. Myślą, że cały świat do nich należy, cała Szwecja. Tak mnie to... wkurzyło!

– Rozumiem. – Frans zabrał rękę z ramion wnuka i poklepał go po kolanie. – Ale proszę cię, żebyś się zawsze zastanowił, zanim coś zrobisz. Nie będę miał z ciebie żadnego pożytku, jeśli wylądujesz w więzieniu.

Kristiansand 1943

Przez całą drogę do Norwegii męczyła go choroba morska. Innym jakoś nie dokuczała. Przyzwyczaili się. Dorastali na morzu. Ojciec mawiał, że czują morze w nogach. Poruszali się pewnie po pokładzie, amortyzując huśtanie, i nigdy nie cierpieli na mdłości podchodzące z żołądka do gardła. Axel ciężko oparł się o reling. Najchętniej wychyliłby się i zwymiotował, ale uważał, że to poniżające, i nie chciał się narażać na docinki. Wiedział, że nie byłyby złośliwe, ale duma nie pozwalała mu znosić kpin rybaków. Wkrótce dopłyną na miejsce. Wystarczy, że znajdzie się na lądzie, a mdłości miną jak za dotknięciem czarodziejskiej różdżki. Wiedział o tym z doświadczenia. Nie raz pływał już na tej trasie.

– Widać ląd! – zawołał szyper Elof. – Za dziesięć minut będziemy na miejscu. – Stojąc przy sterze, rzucił Axelowi długie spojrzenie.

Axel podszedł do niego. Stary był ogorzały od słońca i wiatru, skórę miał pomarszczoną od wystawiania się na pogodę i niepogodę.

– Wszystko u ciebie w porządku? – spytał cicho, rozglądając się dokoła. Niemieckie jednostki zacumowane jedna przy drugiej w porcie Kristiansand przypominały o rzeczywistości. Niemcy podbili Norwegię. Szwecja na razie uniknęła tego losu, ale nikt nie wiedział, jak długo to potrwa. Na razie Szwedzi bacznie obserwowali, co się dzieje się u sąsiadów z zachodu. Przyglądali się również poczynaniom Niemców w innych częściach Europy.

– Pilnujcie swoich spraw, ja przypilnuję swoich – odparł Axel. Zabrzmiało to bardziej szorstko, niż zamierzał, ale miał wyrzuty sumienia, że naraża załogę na ryzyko, które wolałby ponosić sam. Musiał sobie przypomnieć, że przecież nikogo do niczego nie zmusza. Gdy spytał, czy mógłby czasem popłynąć z nimi z... towarem, Elof z miejsca się zgodził. Nigdy nie musiał się tłumaczyć, co przewozi, a Elof nigdy nie pytał. Reszta załogi „Elfridy" też nie.

Zacumowali w porcie i przygotowali papiery do kontroli. Niemcy niczego nie zostawiali przypadkowi. Przed przystąpieniem do rozładunku musieli załatwić formalności. Kiedy to zrobili, zaczęli wyładowywać części maszyn. Oficjalnie to był ich ładunek. Norwegowie odbierali towar pod okiem Niemców stojących z bronią gotową do strzału. Axel czekał, aż zapadnie zmrok. Dopiero wtedy mógł wyładować swój towar. Najczęściej była to żywność. Żywność i informacje. Tym razem też tak było.

W pełnej napięcia ciszy zjedli obiad. Axel niecierpliwie wyczekiwał umówionej godziny. Wszyscy aż podskoczyli, gdy rozległo się ostrożne pukanie w szybę. Axel schylił się, wyjął deski z podłogi i zaczął wyładowywać drewniane paki. Ostrożnie, w milczeniu wynosili je na nabrzeże. Z pobliskiego baraku słyszeli głośną rozmowę Niemców. O tej porze sięgali już po mocniejsze trunki, więc okoliczności sprzyjały. Pijanych Niemców łatwiej było oszukać niż trzeźwych.

Krótkie „dziękuję" po norwesku i ładunek znikł w ciemnościach. Kolejny raz poszło gładko. Wszedł do nadbudówki z uczuciem ogromnej ulgi. Spojrzały na niego trzy pary oczu, ale nikt się nie odezwał. Elof tylko skinął głową, a potem odwrócił się, żeby nabić fajkę. Axel poczuł ogromną wdzięczność dla tych ludzi. Z takim samym spokojem stawiali czoło burzom i Niemcom. Już dawno zrozumieli, że nie da się zmienić kolei losu i życia. Człowiek robi, co może, i żyje, jak się da, a reszta jest w ręku Boga.

Axel poszedł się położyć. Był tak wyczerpany, że od razu zasnął, kołysany do snu lekkim bujaniem łodzi i pluskaniem wody o kadłub. W baraku stojącym na nabrzeżu głosy Niemców wznosiły się i opadały. Po jakimś czasie zaczęli śpiewać, ale wtedy Axel już spał.

– **No** to co wiemy na tę chwilę?

Mellberg rozejrzał się po pokoju socjalnym. Kawa zaparzona, drożdżówki na stole, wszyscy obecni.

Paula odchrząknęła.

– Skontaktowałam się z bratem denata, Axelem. Dowiedziałam się, że pracuje w Paryżu i tam zawsze spędza lato. Już jest w drodze do domu. Gdy mu powiedziałam o śmierci brata, wydawał się załamany.

– Wiemy, kiedy wyjechał ze Szwecji? – spytał Martin.

Paula zajrzała do notatek.

– Powiedział, że trzeciego czerwca. Oczywiście sprawdzę to.

Martin skinął głową.

– Dostaliśmy już wstępny raport od Torbjörna i jego ekipy? – Mellberg ostrożnie poruszył stopami. Zaczęły mu drętwieć, bo Ernst położył się na nich całym ciężarem. A on nie mógł się zdobyć na to, żeby go zepchnąć.

– Jeszcze nie – powiedział Gösta, sięgając po drożdżówkę. – Rano z nim rozmawiałem i może jutro coś przyśle.

– Dopilnuj tego – odparł Mellberg.

Znów spróbował odsunąć stopy, ale Ernst przesunął się za nimi.

– Czy na tym etapie mamy jakichś podejrzanych? Miał wrogów? Może dostawał pogróżki? Cokolwiek?

Mellberg spoglądał wyczekująco na Martina, ale Martin potrząsnął głową.

– W każdym razie nic nam o tym nie wiadomo. Musimy jednak pamiętać, że zainteresowania miał dość kontrowersyjne. Temat nazizmu potrafi doprowadzić ludzi do białej gorączki.

– Można by pojechać do jego domu i sprawdzić, czy w jakiejś szufladzie nie leżą listy z pogróżkami czy coś takiego.

Wszyscy spojrzeli na Göstę ze zdziwieniem. Nieczęsto występował z inicjatywą, ale jak już z czymś wyszedł, przypominało to wybuch wulkanu, którego nie da się zignorować.

– Weź Martina i jedźcie po odprawie – powiedział Mellberg, uśmiechając się z zadowoleniem do Gösty.

Ten kiwnął głową i natychmiast odzyskał swój zwykły, nieobecny wyraz twarzy. Chęć życia odzyskiwał jedynie na polu golfowym. Koledzy wiedzieli o tym od dawna, zdążyli się nawet z tym pogodzić.

– Paula, pilnuj powrotu brata, jak mu tam... Axel, tak? Żebyśmy z nim porozmawiali. Jeszcze nie wiemy, kiedy zabito Erika Frankla. Można na przykład założyć, że to brat uderzył go w głowę, a potem uciekł z kraju. Więc bądźcie na lotnisku, jak tylko wysiądzie z samolotu. Właśnie, kiedy przylatuje?

Paula znów zajrzała do notatek.

– Jutro, kwadrans po dziewiątej, na Landvetter[5].

– Okej. Najpierw go tu przywieźcie.

---

[5] Landvetter, międzynarodowe lotnisko w Göteborgu (przyp. tłum.).

Teraz już Mellberg musiał odsunąć zdrętwiałe stopy. Mrowiły go nieprzyjemnie. Ernst wstał, spojrzał na niego z urazą i ze spuszczonym ogonem wyszedł z pokoju. Poszedł na swoje posłanie w gabinecie Mellberga.

– To wygląda na prawdziwą miłość – powiedziała ze śmiechem Annika, patrząc na wychodzącego psa.

– Tak... – Mellberg patrzył w stół, odchrząknął. – Właśnie miałem spytać, kiedy stąd zabiorą tego kundla.

Annika zrobiła niewinną minę.

– To nie takie proste. Dzwoniłam po ludziach. Nikt nie może wziąć do siebie tak dużego psa, więc gdybyś mógł go przetrzymać jeszcze kilka dni... – Annika spoglądała na szefa wielkimi niebieskimi oczyma.

Mellberg stęknął.

– Dobrze, jeszcze kilka dni wytrzymam z tym psiskiem, ale jeśli nie znajdziesz mu domu, wyląduje na ulicy.

– Dzięki, Bertil, to bardzo ładnie z twojej strony. Postaram się.

Mellberg nie widział, jak Annika mruga do kolegów, a oni powstrzymali się od śmiechu. Domyślali się, co knuje. Spryciula, bez dwóch zdań.

– W takim razie wracamy do pracy – Mellberg wyszedł, powłócząc nogami.

– Słyszeliście, co powiedział szef – powiedział Martin, wstając. – Gösta, jedziemy?

Gösta wyglądał, jakby już żałował, że się odezwał. Ten pomysł oznaczał więcej pracy, ale kiwnął niedbale głową i poszedł za Martinem. Trzeba jakoś przetrwać do weekendu. Rozkwitnie o siódmej rano, w sobotę i w niedzielę. Całą resztę trzeba uznać za dojazd na pole golfowe.

Myśli o Eriku Franklu i medalu nie dawały Erice spokoju przez cały wieczór. Próbowała odsunąć je od siebie, co udawało się raz na parę godzin, bo wreszcie ruszyła z pisaniem. Wystarczyło jednak, że trochę się rozproszyła, a już wracały. Erik Frankel pozostał w jej pamięci jako miły, uprzejmy pan, który ożywiał się, gdy mówił o swojej pasji, czyli czasach nazizmu.

Zapisała dokument i przez chwilę się wahała. A potem otworzyła najpierw Explorera, a następnie wyszukiwarkę Google. W okienku wpisała „Erik Frankel" i wcisnęła enter. Wyskoczyło sporo wyników. I tylko kilka odnoszących się do innych osób. Większość dotyczyła tego Erika Frankla. Erika ponad godzinę klikała w kolejne informacje. Urodzony w 1930 roku we Fjällbace. Miał tylko jednego brata, starszego o cztery lata Axela. Ojciec był lekarzem we Fjällbace, w latach 1935–1954. Dom, w którym mieszkał z bratem, odziedziczyli po rodzicach. Szukała dalej. Nazwisko Erika Frankla pojawiało się na wielu forach dotyczących nazizmu, ale nie znalazła nic, co by świadczyło o tym, że sympatyzował z tą ideologią. Wręcz przeciwnie. W kilku wypowiedziach można się jednak było doszukać mimowolnego podziwu dla niektórych aspektów nazizmu, a przynajmniej pewnej fascynacji, która wyraźnie była motywem jego działania.

Zamknęła okienko Explorera i splotła ręce na karku. Nie miała czasu się tym zajmować, ale była bardzo zaciekawiona.

Drgnęła, kiedy usłyszała pukanie za plecami.

– Nie przeszkadzam? – Patrik wsunął głowę.

– Nie, proszę. – Obróciła się do niego na krześle.

– Chciałem tylko powiedzieć, że Maja śpi, a ja chciałbym wyskoczyć coś załatwić. Mogłabyś zerknąć? – Podał jej elektroniczną nianię.

– Wiesz... powinnam pracować. – Westchnęła w duchu. – Co masz do załatwienia?

– Dostałem awizo i chciałbym odebrać książki z poczty. Potem muszę iść do apteki po krople do nosa. Przy okazji oddałbym kupon totka. No i zrobiłbym zakupy.

W tym momencie Erika poczuła się bardzo zmęczona. Przypomniała sobie, ile spraw musiała załatwiać z Mają w wózku albo na ręku. Często była potem cała mokra. I nie miała nikogo, kto by przypilnował Mai, żeby mogła polecieć jak strzała i spokojnie wszystko załatwić. Odsunęła od siebie te myśli, nie chciała się czepiać, nie chciała wyjść na zrzędę.

– Oczywiście, popilnuję – odpowiedziała, starając się, by jej uśmiech sięgnął oczu. – Skoro śpi, będę mogła pracować.

– To miło z twojej strony. – Patrik pocałował ją w policzek i zamknął za sobą drzwi.

– Pewnie, że miło – mruknęła do siebie Erika.

Wróciła do Worda, odsuwając od siebie myśli o Eriku Franklu.

Zdążyła położyć palce na klawiaturze, gdy zatrzeszczał czujnik elektronicznej niani. Znieruchomiała. To pewnie nic takiego, Maja tylko się poruszyła w łóżeczku. Czasem czujnik podnosił fałszywy alarm. Samochód właśnie ruszył spod domu, Patrik odjechał. Erika spojrzała na ekran, chciała napisać kolejne zdanie. Znów zatrzeszczało. Spojrzała na czujnik, jakby chciała go zaczarować, zmusić do milczenia, ale usłyszała głośne: „Uaaaaa!". A potem: „Mamaaaaa... tataaaaa...".

Z rezygnacją odsunęła krzesło i wstała. Zawsze tak jest. Przeszła korytarzem do pokoju Mai i otworzyła drzwi. Córeczka stała w łóżeczku, krzycząc wniebogłosy.

– Kochanie, miałaś spać.

Maja potrząsnęła główką.

– Właśnie że tak. Masz spać.

Erika powiedziała to tak zdecydowanie, jak tylko umiała. Ułożyła córeczkę w łóżeczku, ale Maja podskoczyła jak sprężynka.

– Mamaaaa! – krzyczała tak głośno, że szyby drżały.

Erika poczuła, jak wzbiera w niej złość. Znała to na pamięć. Tyle dni karmienia, noszenia, usypiania i bawienia. Kochała swoją córeczkę, a jednocześnie czuła rozpaczliwą potrzebę przekazania odpowiedzialności za nią komuś innemu. Potrzebowała przerwy, chciała znów poczuć się dorosłym człowiekiem, który robi to, co robią dorośli. Tak jak Patrik przez ten rok, który ona spędziła w domu, zajmując się Mają.

Jeszcze raz ułożyła Maję w łóżeczku, ale mała wpadła w furię.

– Masz spać – powiedziała Erika.

Wyszła tyłem i zamknęła drzwi. Gotując się ze złości, chwyciła telefon i energicznie, za mocno naciskając klawisze, wybrała numer komórki Patrika. Uzyskała połączenie i drgnęła, słysząc sygnał dochodzący z parteru. Komórka Patrika leżała na kuchennym stole.

– Do jasnej cholery!

Cisnęła telefon na stół. Wzięła kilka głębszych oddechów. Łzy gniewu napłynęły jej do oczu, choć powtarzała sobie, że świat się nie zawali, jeśli przez chwilę
zastąpi Patrika. A jednak. Właśnie o to chodzi, że nie
może sobie pozwolić nawet na chwilę przerwy. Nie miała wrażenia, że Patrik przejął pałeczkę.

Trudno. Najważniejsze, żeby nie odbiło się to na Mai.
Przecież to nie jej wina. Jeszcze raz głęboko odetchnęła
i wróciła do pokoju córki.

Maja poczerwieniała na buzi, w pokoju czuć było wyraźny zapach. Zagadka się wyjaśniła. Dlatego nie mogła
zasnąć. Rozczulona, z poczuciem winy, że nie jest dostatecznie dobrą matką, Erika wzięła ją na ręce i zaczęła
pocieszać. Tuliła do piersi pokrytą meszkiem główkę.

– Już dobrze, malutka. Zaraz mama zabierze tę
wstrętną pieluchę, już nie płacz.

Maja pochlipywała, tuląc się do niej. W kuchni głośno dzwonił telefon Patrika.

– Upiornie tu...

Martin przystanął w przedpokoju, nasłuchując cha-
rakterystycznych odgłosów starego domu. Skrzypnięć,
zgrzytów, świstów wiatru.

Gösta potwierdził skinieniem. Rzeczywiście, atmosfera była dość upiorna. Gösta przypisywał to nie tyle
domowi, ile świadomości, co się w tych murach wydarzyło.

– Mówiłeś, że Torbjörn dał nam zielone światło
i możemy wchodzić? – spytał Martin.

– Tak, wszystkie badania już porobili.

Gösta kiwnął głową w stronę biblioteki. Wszędzie widać było wyraźne ślady po proszku do pobierania odcisków palców. Zamazane czarne plamy szpecące piękny pokój.

– Dobrze. – Martin wytarł buty o wycieraczkę i ruszył do biblioteki. – Może tu zaczniemy?

– Tak by wypadało – westchnął Gösta, niechętnie podążając za nim.

– Sprawdzę biurko, a ty przejrzyj segregatory.

– Oczywiście. – Gösta znów westchnął, ale Martin tego nie usłyszał. Gösta zawsze wzdychał, gdy miał coś do zrobienia.

Martin ostrożnie podszedł do biurka: ogromnego, misternie rzeźbionego mebla z ciemnego drewna. Według Martina pasował raczej do angielskiej rezydencji niż do tego przestronnego pokoju. Na blacie panował wzorowy porządek. Były tam tylko pióro i pudełko ze spinaczami, ułożone idealnie równo. Na zabazgranym do ostatniej strony notatniku było trochę krwi. Martin nachylił się, żeby sprawdzić, co tam nakreślono tyle razy. *Ignoto militi*. Nic mu to nie mówiło. Ostrożnie wyciągał po kolei szuflady biurka i przeglądał zawartość. Nic nie wzbudziło jego zainteresowania. Mógł tylko stwierdzić, że najwyraźniej pracowali przy nim obaj, tak jak dzielili zamiłowanie do porządku.

– Nie sądzisz, że to dziwactwo?

Gösta pokazał Martinowi zawartość jednego z segregatorów. Wszystkie kartki były ułożone niezwykle starannie. Na pierwszej stronie Erik lub Axel pieczołowicie notowali, co znajduje się pod każdą zakładką.

– Mogę powiedzieć tylko tyle, że nie mam takiego porządku w papierach – zaśmiał się Martin.

– Zawsze uważałem, że z ludźmi, którzy mają w domach taki porządek, coś jest nie tak. Według mnie ma to związek z przyuczaniem do nocnika w dzieciństwie czy z czymś takim...

– Może i tak. – Martin uśmiechnął się. Gösta bywał bardzo dowcipny, najczęściej zupełnie niezamierzenie.

– Znalazłeś coś? Bo ja nic. – Wsunął ostatnią szufladę.

– Jak dotąd nic. Rachunki, umowy, i tak dalej. Wiesz, trzymali rachunki za prąd od niepamiętnych czasów, według dat. – Gösta potrząsnął głową. – Przejrzyj to.

Sięgnął do regału stojącego za biurkiem po wielki, gruby segregator z czarnym grzbietem i podał go Martinowi.

Martin wziął segregator i usiadł na krześle. Gösta miał rację. Porządek w papierach mieli idealny. Przejrzał wszystko, kartka po kartce. Już ogarniało go zniechęcenie, gdy dotarł do litery P. Rzut oka wystarczył, żeby stwierdzić, że pod P mowa o „Przyjaciołach Szwecji". Martin z zainteresowaniem przerzucał kartki. W prawym górnym rogu każdej z nich widniało logo: korona na tle powiewającej flagi Szwecji. Wszystkie listy przyszły od tego samego nadawcy, Fransa Ringholma.

– Posłuchaj. – Martin zaczął głośno czytać list. Jak wynikało z daty, jeden z ostatnich. – „Mimo dawnych wspólnych dziejów nie mogę dłużej przechodzić do porządku nad faktem, że zwalczasz cele i działalność Przyjaciół Szwecji. Dotychczas, przez wzgląd na dawną przyjaźń, osłaniałem cię, jak mogłem, ale pewne elementy w łonie organizacji patrzą na to niechętnym okiem i przyjdzie czas, że nie będę już mógł cię chronić". – Martin uniósł brew. – Dalej mniej więcej to samo. – Szybko przekartkował pozostałe listy. W sumie było ich pięć. – Wygląda na to, że Erik Frankel nadepnął na odcisk jakiejś organizacji nazistowskiej, ale, o dziwo, miał w jej szeregach obrońcę. Chyba nie ma wątpliwości, że powinniśmy porozmawiać z Fransem Ringholmem.

– Ringholm... – Gösta patrzył przed siebie w zamyśleniu. – Znam to nazwisko. – Skrzywił się. Próbował sobie przypomnieć, ale nic z tego nie wyszło. Wrócił do segregatorów.

Po ponad godzinie Martin zamknął ostatni i stwierdził:

– Nie znalazłem już nic ciekawego. A ty?

Gösta potrząsnął głową.

– Ja też nie. I nic, co by się odnosiło do tych Przyjaciół Szwecji.

Opuścili bibliotekę i poszli przeszukać pozostałą część domu. Wszędzie znajdowali wyraźne ślady zainteresowania Niemcami i drugą wojną światową. Ale nic takiego, co by mogło zainteresować policję. Dom był urządzony ładnie, choć w staroświeckim stylu, nieco już podniszczony. Na ścianach, a także na komodach i stolikach stały oprawione w stare ramki czarno-białe zdjęcia portretowe rodziców braci i innych krewnych. Odnosiło się wrażenie, że wciąż żyją. Bracia chyba niewiele w domu zmienili i stąd ten klimat staroświeckości. Wrażenie schludności psuła cienka warstewka kurzu.

– Ciekaw jestem, czy sami sprzątają, czy ktoś tu przychodzi – odezwał się Martin i przeciągnął palcem po stojącej w jednej z trzech sypialni na piętrze komodzie.

– Nie wyobrażam sobie, żeby dwaj dziadkowie po siedemdziesiątce sami sprzątali – powiedział Gösta, otwierając drzwi najbliższej szafy. – Jak sądzisz? To pokój Erika czy Axela?

Spoglądał na rząd brązowych marynarek i białych koszul.

– Erika – odparł Martin. Sięgnął po leżącą na nocnym stoliku książkę i pokazał Göście stronę tytułową, na której widniało zapisane ołówkiem nazwisko: Erik Frankel. Była to biografia Alberta Speera. – *Architekt Hitlera* – odczytał głośno, a potem odłożył książkę na miejsce.

– Po wojnie dwadzieścia lat spędził w więzieniu Spandau – mruknął Gösta.

Martin był zdziwiony.

– Ja też się interesuję drugą wojną światową i sporo czytałem na ten temat. Oglądam programy historyczne na Discovery i tak dalej.

Martin znów się zdziwił. Od dawna razem pracują, a dopiero teraz się dowiaduje, że Gösta ma inne zainteresowania poza golfem.

Jeszcze godzinę przeszukiwali dom, ale nic nowego nie znaleźli. Mimo to gdy wracali do komisariatu, Martin był zadowolony. Nazwisko Frans Ringholm jest jakimś punktem zaczepienia.

W Konsumie panował spokój. Patrik chodził nieśpiesznie między regałami. Czuł ulgę, że mógł wyjść z domu i pobyć sam. Miał dopiero trzeci dzień jego urlopu ojcowskiego. Z jednej strony cieszył się, że jest z Mają, z drugiej jednak nie mógł się przyzwyczaić, że jest w domu, a nie w pracy. Nie dlatego, żeby narzekał na brak zajęć, bo szybko się zorientował, że opiekując się rocznym dzieckiem, ma pełne ręce roboty. Problem polegał na tym, że nie było to zbyt... inspirujące, co stwierdził z pewnym zawstydzeniem. To niesamowite, jaki człowiek jest uwiązany, nie może nawet spokojnie pójść do ubikacji, bo Maja staje pod drzwiami i waląc piąstkami, woła: „Tata, tata, tata", dopóki nie da za wygraną i nie otworzy. A potem obserwuje go z ciekawością podczas czynności, które dotąd wykonywał zawsze w samotności.

Poczuł wyrzuty sumienia, że poprosił Erikę o chwilowe zastępstwo, ale usprawiedliwił się sam przed sobą: przecież może pracować, bo Maja śpi. Może jednak powinien na wszelki wypadek zadzwonić do domu i sprawdzić. Sięgnął do kieszeni po komórkę i w tym momencie przypomniał sobie, że została na stole w kuchni. Cholera jasna! Trudno, na pewno nic złego się nie dzieje. Podszedł do regału z jedzeniem dla dzieci i zaczął oglądać słoiczki. Duszona wołowina w sosie śmietanowym, ryba w sosie koperkowym, chyba nie... Spaghetti z sosem mięsnym, to już lepiej. Niech będzie pięć słoiczków. A może sam powinien gotować dla Mai? Uznał, że to dobry pomysł, i odstawił na półkę trzy słoiczki. Mógłby od razu nagotować więcej, Maja siedziałaby sobie obok i...

– Niech zgadnę... To typowy błąd nowicjusza: zastanawiasz się, czy nie powinieneś sam gotować.

Głos wydał mu się znajomy, ale dziwnie nie na miejscu. Odwrócił się.

– Karin? Cześć! Co ty tu robisz?

Nie spodziewał się, że w Konsumie we Fjällbace spotka byłą żonę. Ostatnio widzieli się, gdy się wyprowadzała z ich wspólnego szeregowca w Tanumshede, by zamieszkać z mężczyzną, z którym ją nakrył w sypialni. Stanęła mu przed oczami ta scena, ale natychmiast znikła. To było tak dawno. Stara sprawa.

– Kupiliśmy tu z Leifem dom, w Sumpan.

– Co ty powiesz? – Patrik starał się ukryć zaskoczenie.

– Tak. Gdy się urodził Ludde, postanowiliśmy zamieszkać bliżej rodziców Leifa. – Wskazała na sklepowy wózek, w którym, Patrik dopiero teraz to spostrzegł, siedział mały szkrab, uśmiechnięty od ucha do ucha.

– No proszę, co za zbieg okoliczności – zauważył Patrik.

– Ja mam córeczkę. Maja jest w tym samym wieku.

– A jakże, doszły mnie słuchy – zaśmiała się Karin. – Słyszałam, że twoją żoną jest Erika Falck, tak? Powtórz jej, że bardzo mi się podobają jej książki.

– Powtórzę – odparł Patrik i pomachał Luddemu. Mały ewidentnie próbował go oczarować. – A ty co porabiasz? – spytał. – Zdaje się, że pracowałaś w jakimś biurze rachunkowym.

– Tak, ale odeszłam stamtąd trzy lata temu. Teraz jestem na urlopie macierzyńskim, ale pracuję w firmie zajmującej się doradztwem finansowym.

– A ja od trzech dni mam urlop ojcowski – powiedział nie bez dumy Patrik.

– Fajnie! A gdzie jest...

Karin rozejrzała się, a Patrik uśmiechnął się głupawo.

– Zostawiłem ją z Eriką. Miałem kilka spraw do załatwienia.

– Skąd ja to znam. – Karin puściła oko. – Ta po-
wszechna niezdolność facetów do ogarnięcia kilku
spraw naraz.

– Może i tak – odparł z zawstydzeniem Patrik.

– Wiesz co? Może byśmy się spotkali razem z dziećmi? Pobawiliby się ze sobą, a my moglibyśmy przez ten
czas pogadać jak dorośli. Wiesz, jakie to cenne?

Przewróciła oczami i spojrzała na Patrika pytająco.

– Bardzo chętnie. Gdzie i kiedy?

– Zazwyczaj około dziesiątej wychodzę z małym
na długi spacer. Możecie się przyłączyć. Moglibyśmy
się spotkać przed apteką kwadrans po dziesiątej. Co
ty na to?

– Świetnie. A tak w ogóle to która godzina?
Zostawiłem w domu komórkę, służy mi jako zegarek.

Karin zerknęła na zegarek.

– Piętnaście po drugiej.

– *Shit!* Już dwie godziny jestem poza domem! –
Ruszył biegiem do kasy, popychając przed sobą wózek.
– Do zobaczenia jutro!

– Piętnaście po dziesiątej. Przed apteką. I nie spóźnij
się, jak zwykle, o kwadrans! – zawołała za nim Karin.

– Nie ma obaw! – krzyknął Patrik, wyrzucając zakupy na taśmę. Miał nadzieję, że Maja nadal śpi.

Gdy samolot zaczął schodzić do lądowania w Göteborgu, za oknem zalegała jeszcze poranna mgła. Rozległ
się głuchy odgłos wysuwania podwozia. Axel oparł głowę na fotelu i zamknął oczy. Błąd. Pojawiły się te same
obrazy co od lat. Ponownie otworzył zmęczone oczy.

Niewiele spał, raczej przewracał się na łóżku w swoim paryskim mieszkaniu.

Głos kobiety w słuchawce był chłodny. Gdy mu przekazywała wiadomość o śmierci Erika, w jej głosie słychać było współczucie, ale jednocześnie jakby się od tego dystansowała. Zrobiła to tak, że domyślił się, że nie po raz pierwszy zawiadamia kogoś o śmierci bliskiej osoby.

Niemal zakręciło mu się w głowie, gdy spróbował sobie wyobrazić, ile musiało być takich zawiadomień na przestrzeni dziejów. Telefon z policji, ksiądz stojący na progu, koperta z pieczęcią armii. Miliony, miliony zmarłych. Ktoś musiał informować najbliższych. Zawsze ktoś musi o tym poinformować.

Axel złapał się za ucho. Z wiekiem nabrał tego zwyczaju, ale nie uświadamiał go sobie. Nie słyszał na lewe ucho, ale dotyk, o dziwo, sprawiał, że szum w tym uchu stawał się znośniejszy.

Chciał wyjrzeć przez okno, ale zobaczył w nim własne odbicie. Siwy, pomarszczony mężczyzna koło osiemdziesiątki. Smutne, głęboko osadzone oczy. Dotknął twarzy. Przez moment miał wrażenie, że widzi Erika.

Podwozie uderzyło o ziemię. Był w domu.

Mądry po szkodzie, a właściwie po małym incydencie w gabinecie, Mellberg wziął smycz zawieszoną na gwoździu na ścianie i przyczepił do obroży Ernsta.

– Chodź, miejmy to wreszcie z głowy – mruczał pod nosem, a Ernst z radości zaczął ciągnąć do drzwi tak mocno, że Mellberg musiał niemal biec.

– Ty masz prowadzić psa, nie odwrotnie – zauważyła Annika, gdy ją mijali.

– Jak chcesz, możesz go sama wyprowadzić – warknął Mellberg w drzwiach.

Prawdziwy łobuziak. Ręce go bolały od trzymania psa. Po chwili Ernst zatrzymał się przy jakimś krzaku, podniósł łapę i ulżył sobie. Natychmiast się uspokoił i mogli iść dalej nieco wolniej. Mellberg złapał się na tym, że pogwizduje. To nawet nie jest takie głupie. Trochę ruchu na świeżym powietrzu dobrze mu zrobi. Ernst też zrobił się całkiem posłuszny. Szedł naprzód ścieżką i węszył. Proszę, jaki spokojny. Tak samo jest z człowiekiem, gdy już się zorientuje, kto rządzi. Nauczyć posłuchu to żaden problem.

W tym momencie Ernst się zatrzymał. Zastrzygł uszami, napiął wszystkie mięśnie i ostro ruszył naprzód.

– Ernst! Kurde, co jest? – Mellberg o mało się nie przwrócił, kiedy szarpnęło smyczą. W ostatniej chwili złapał równowagę. Usiłował dotrzymać kroku gnającemu przed siebie psu.

– Ernst! Ernst! Stój natychmiast! Wróć! Do mnie! Nienawykły do takiego wysiłku sapał ciężko, co utrudniało mu pokrzykiwanie na psa. A pies całkowicie ignorował jego komendy. Gdy minęli, a raczej przelecieli zakręt, wyjaśniło się, co go skłoniło do takiego biegu. Ernst rzucił się do dużego, jasnego, podobnego do niego psa. Psy zaczęły baraszkować. Pani tamtego psa szarpała za jedną smycz, a Mellberg za drugą.

– Seniorita, fuj! Nie wolno! – Kobieta upominała swojego psa, usiłując nawiązać z nim kontakt wzrokowy.

Mellberg chciał odruchowo stanąć na baczność. Musiał się powstrzymywać.

– Bardzo... przepraszam – wyjąkał i szarpnął smycz, żeby Ernst nie mógł się znów rzucić na jej psa. Sądząc po imieniu – sukę.

– Raczej nie ma pan posłuchu u swojego psa.

Właścicielka Seniority powiedziała to ostro i spojrzała na Mellberga ciemnymi, iskrzącymi oczami. Mówiła z lekkim obcym akcentem, który pozostawał w zgodzie z jej południową urodą.

– To nie mój pies... Opiekuję się nim chwilowo... – Mellberg zdał sobie sprawę, że jąka się jak nastolatek. Chrząknął i zaczął od nowa, bardziej władczo: – Nie znam się na psach. Zresztą to nie mój pies.

– Pies najwyraźniej uważa inaczej.

Wskazała palcem na Ernsta, który zaniechał zaczepek i usiadł, tuląc się do nóg Mellberga. Spoglądał na niego z uwielbieniem.

– No tak... – mruknął Mellberg z zażenowaniem.

– Może pospacerujmy razem? Mam na imię Rita. – I wyciągnęła dłoń. Mellberg chwycił ją po chwili wahania. – Całe życie miałam do czynienia z psami. Mogę to i owo podpowiedzieć. Poza tym przyjemniej się spaceruje w towarzystwie.

Nie czekając na odpowiedź, ruszyła ścieżką przed siebie. Mellberg nie wiedział, jak to się stało, że poszedł za nią. Zupełnie jakby nogi same go poniosły. Ernst nie miał nic przeciwko temu. Z zachwytem dołączył do Seniority. Szedł obok niej, niestrudzenie merdając ogonem.

Fjällbacka 1943

– Erik? Frans?

Britta i Elsy z wahaniem weszły do domu. Pukały, ale nikt nie odpowiadał. Rozejrzały się z niepokojem. Doktorostwu na pewno nie podobałoby się, że pod ich nieobecność odwiedzają syna dwie dziewczyny. Dotychczas nie spotykali się u nich, ale Erik w nagłym przypływie odwagi zaproponował, aby przyszły do niego, bo rodzice wyjeżdżają na jeden dzień.

– Erik?! – zawołała nieco głośniej Elsy.

Aż podskoczyła, kiedy usłyszała głosy dochodzące z pokoju na wprost: Ćśśś! Erik wysunął głowę i kiwnął ręką.

– Na górze śpi Axel. Wrócił dziś rano.

– Ojej, jaki on odważny... – Britta westchnęła, ale na widok Fransa natychmiast się rozjaśniła.

– Cześć!

– Cześć – odparł Frans, omijając ją wzrokiem. Patrzył na Elsy. – Cześć, Elsy.

– Cześć, Frans – odpowiedziała Elsy, zmierzając w stronę półek z książkami.

– Jeśli chcesz, możesz sobie którąś pożyczyć – powiedział wspaniałomyślnie Erik, i od razu dodał: – Pod warunkiem że będziesz uważać. Tata bardzo dba o książki.

– No pewnie – radośnie odparła Elsy, połykając wzrokiem rzędy książek. Uwielbiała czytać. Frans wodził za nią wzrokiem.

– Według mnie książki to strata czasu – powiedziała Britta. – Lepiej samemu przeżywać, niż czytać o przeżyciach innych. Zgadzasz się ze mną, Frans? – spytała, przekrzywiając głowę, i usiadła obok niego na fotelu.

– Jedno nie musi wykluczać drugiego – odparł szorstko, nie patrząc na nią.

Nadal wpatrywał się w Elsy. Czoło Britty przecięła zmarszczka. Zerwała się z fotela.

– Idziecie na tańce w sobotę?

Zrobiła kilka tanecznych kroków.

– Rodzice chyba mi nie pozwolą – powiedziała cicho Elsy, nie odwracając się od książek.

– A komu pozwolą? – odparła Britta, robiąc jeszcze parę tanecznych kroków. Pociągnęła Fransa, ale oparł się, nadal siedział w fotelu.

– Przestań się wygłupiać – powiedział oschle, ale nie mógł się powstrzymać od śmiechu. – Ale z ciebie wariatka, Britta...

– Nie podobają ci się wariatki? W takim razie będę poważna. – Zrobiła ponurą minę. – Albo wesoła... – Roześmiała się tak głośno, że jej śmiech odbił się echem od ścian.

– Ćśśś. – Erik spojrzał w sufit.

– Albo bardzo cichutka... – powiedziała teatralnym szeptem, a Frans się roześmiał. Pociągnął ją i posadził sobie na kolanach.

– Może być wariatka.

Przerwał im głos dochodzący od drzwi.

– Strasznie hałasujecie. – Uśmiechnięty Axel opierał się leniwie o framugę.

– Przepraszamy, nie chcieliśmy cię obudzić. – W głosie Erika słychać było uwielbienie, ale wyglądał na zmartwionego.

– Nic nie szkodzi. Później odeśpię. – Axel skrzyżował ramiona na piersi. – Co ja widzę? Przyjmujesz u siebie panie, korzystając z tego, że rodzice pojechali do Axelssonów.

– Zaraz panie – Erik się zmieszał.

Frans, który nadal trzymał na kolanach Brittę, roześmiał się.

– Gdzie ty widzisz panie? Tu nie ma ani jednej pani, tylko dwa zasmarkane dziewczyniska.

– Cicho bądź! – Britta uderzyła Fransa w pierś.

Wcale nie uważała, że to zabawne.

– Elsy jest tak zajęta książkami, że nawet się nie przywita.

Zawstydzona Elsy odwróciła się do niego.

– Przepraszam... Dzień dobry, Axelu.

– Przecież żartuję. Oglądaj sobie książki. Erik pewnie powiedział, że możesz sobie którąś pożyczyć.

– Tak, tak powiedział. – Zarumieniła się i pospiesznie przeniosła wzrok na książki.

– Jak ci wczoraj poszło? – Erik patrzył na brata, gotów spijać słowa z jego ust.

Axela opuścił dobry nastrój.

– Dobrze – odparł krótko. – Dobrze poszło. – Nagle zawrócił na pięcie. – Pójdę się jeszcze położyć. Proszę, spróbujcie się zachowywać cicho.

Erik odprowadził brata spojrzeniem, w którym uwielbienie i duma mieszały się z odrobiną zazdrości.

Spojrzenie Fransa wyrażało czysty podziw.

– Masz odważnego brata... Ja też bym chciał pomagać. Gdybym był odrobinę starszy...

– To co byś zrobił? – spytała z przekąsem Britta, zła, że ją wyśmiał przy Axelu. – Nigdy byś się nie odważył. Zresztą co by twój tata na to powiedział? Mówią, że on raczej by pomagał Niemcom.

– Wiesz co, siedź cicho. – Frans gwałtownie zepchnął Brittę z kolan. – Ludzie gadają, co im ślina na język przyniesie. Myślałem, że tego nie słuchasz.

Erik, zawsze grający rolę rozjemcy, zerwał się nagle i powiedział:

– Jeśli macie ochotę, możemy chwilę posłuchać płyt ojca. Ma Counta Basiego.

Podszedł do gramofonu nastawić płytę. Nie lubił, gdy ludzie się kłócili. Nie znosił tego.

Bardzo lubiła lotniska, a zwłaszcza nastrój, w jaki wprawiały ją lądujące i startujące samoloty. Ludzie z walizkami, ze spojrzeniami pełnymi nadziei, udający się na urlop albo w podróż służbową. Spotkania, powitania i pożegnania. Przypomniała sobie pewne lotnisko sprzed wielu lat i z pozoru niewidoczne, ale wyczuwalne napięcie matki kurczowo trzymającej ją za rękę. I walizkę, kilka razy pakowaną i rozpakowywaną, a potem znów pakowaną. Nie mogło być mowy o pomyłce, bo miała to być podróż w jedną stronę. Pamiętała upał, a potem zimno, gdy się znalazły na miejscu. Nigdy by nie przypuszczała, że można aż tak marznąć. Lotnisko, na które przyleciały, było takie inne. Cichsze, w szarych, chłodnych barwach. Nikt nie mówił głośno, nie gestykulował. Wszyscy wydawali się zamknięci w osobnych małych bańkach. Nikt nie patrzył im w oczy. Podstemplowali papiery i dziwnymi głosami w dziwnym języku powiedzieli, dokąd iść. Mama kurczowo trzymała ją za rękę.

– Myślisz, że to on?

Martin wskazał mężczyznę około osiemdziesiątki przechodzącego właśnie przez kontrolę paszportową. Wysoki, siwy, z beżowym trenczem przewieszonym przez ramię. Nobliwy, pomyślała Paula.

– Sprawdzimy. – Wysunęła się do przodu. – Przepraszam, pan Frankel?

Kiwnął głową.

– Myślałem, że mam jechać na komisariat. – Wyglądał na zmęczonego.

– Pomyśleliśmy, że lepiej po pana wyjedziemy, zamiast czekać w komisariacie.

Martin ukłonił się uprzejmie.

– Aha. W takim razie dziękuję za podwiezienie. Zazwyczaj korzystam z transportu publicznego.

– Ma pan bagaż do odebrania?

Paula spojrzała w kierunku taśmy.

– Nie, mam tylko bagaż podręczny. – Wskazał na walizkę, którą ciągnął za sobą. – Zawsze zabieram jak najmniej bagażu.

– To sztuka, której mnie nie udało się opanować – zaśmiała się Paula.

Uśmiechnął się w odpowiedzi. Zmęczenie na chwilę zniknęło z jego twarzy.

Rozmawiali o błahostkach do chwili, gdy usadowili się w samochodzie i Martin ruszył w stronę Fjällbacki.

– Czy... czy ustaliliście coś nowego? – Głos mu drżał. Umilkł, jakby musiał się opanować.

Paula, siedząca razem z nim na tylnym siedzeniu, potrząsnęła głową.

– Niestety nie. Mamy nadzieję, że pan nam pomoże. Chcemy na przykład wiedzieć, czy panu wiadomo, czy brat miał jakichś wrogów. Czy ktoś mógł chcieć mu zaszkodzić?

Axel powoli potrząsnął głową.

– Nie, skąd. Brat był spokojnym człowiekiem, życzliwym... To absurdalny pomysł, żeby ktoś chciał go skrzywdzić.

– A co panu wiadomo na temat jego kontaktów

z ugrupowaniem o nazwie Przyjaciele Szwecji? – wtrącił się zza kierownicy Martin i w lusterku spojrzał mu w oczy.

– Czytaliście korespondencję Erika. Z Fransem Ringholmem.

Axel tarł nos, zwlekał z odpowiedzią. Paula i Martin czekali cierpliwie.

– Mamy sporo czasu – zauważyła Paula, dając mu do zrozumienia, że czeka na dalszy ciąg.

– Frans jest naszym przyjacielem z dzieciństwa, znamy się całe życie. Ale... jak by to powiedzieć... my poszliśmy jedną drogą, a Frans drugą.

– Jest prawicowym ekstremistą?

Martin znów spojrzał Axelowi w oczy.

– Tak. Nie bardzo się orientuję, co i jak. Wiem tylko, że przez całe dorosłe życie obracał się w tym środowisku i jest jednym z założycieli tych... Przyjaciół Szwecji. Przypuszczam, że wyniósł to z domu. Ale w czasach, kiedy się przyjaźniliśmy, nie przejawiał takich sympatii. Ale ludzie się zmieniają. – Potrząsnął głową.

– Dlaczego ta organizacja uznała, że działalność pańskiego brata jej zagraża? Z tego co wiem, nie angażował się politycznie, był historykiem specjalizującym się w dziejach drugiej wojny światowej.

Axel westchnął.

– Niełatwo oddzielić jedno od drugiego... Nie da się badać historii nazizmu i zachować politycznej neutralności ani uchodzić za człowieka zachowującego neutralność. Wiele organizacji neonazistowskich twierdzi na przykład, że nie było obozów koncentracyjnych. W związku z tym badania i publikacje na ten temat odbierają jako zagrożenie i atak na siebie. Jak już mówiłem, to skomplikowana sprawa.

– A pan? Czy pan również otrzymywał pogróżki? – spytała Paula, wpatrując się w niego.

– Oczywiście, i to znacznie poważniejsze niż Erik. Współpracę z Centrum Szymona Wiesenthala traktuję jako swoje zadanie życiowe.

– To znaczy? – spytał Martin.

– Ścigacie zbiegłych i ukrywających się nazistów. Doprowadzacie do tego, by stanęli przed sądem – uzupełniła Paula.

Axel przytaknął.

– Między innymi. W związku z tym otrzymałem odpowiednią liczbę rozmaitych gróźb.

– Może się zachowały? – spytał Martin.

– Wszystko jest w Centrum. Pracownicy Centrum przekazują wszystkie tego rodzaju listy do archiwum. Zwróćcie się do nich, na pewno wam wszystko udostępnią.

Podał wizytówkę Pauli, a ona włożyła ją do kieszeni kurtki.

– Przyjaciele Szwecji również panu grozili?

– Nie pamiętam... Chyba nie. Ale, jak mówiłem, sprawdźcie w Centrum. Tam jest wszystko.

– Co ma z tym wspólnego Frans Ringholm? Wspomniał pan, że to wasz przyjaciel z dzieciństwa, tak? – powiedział Martin.

– Ściśle rzecz biorąc, przyjaciel Erika. Ja jestem parę lat starszy, więc nie mieliśmy wspólnych kolegów.

– Erik dobrze znał Fransa? – Paula uważnie go obserwowała swymi brązowymi oczami.

– Tak, ale to naprawdę dawne dzieje. Potem już nie mieli ze sobą do czynienia.

Temat wydawał się niewygodny. Axel zaczął się wiercić.

– Mówimy o wydarzeniach sprzed sześćdziesięciu lat. Nawet jeśli się nie cierpi na demencję, pamięć zaczyna szwankować. – Uśmiechnął się słabo i popukał palcem w głowę.

– Sądząc po tych listach, to nie takie znów dawne dzieje. Frans kilkakrotnie pisał do pańskiego brata.

– Taak, sam już nie wiem. – Axel przeczesał włosy palcami. Wyglądał na przygnębionego. – Ja miałem swoje życie, brat swoje. Nie wiedzieliśmy o sobie wszystkiego. Poza tym dopiero od trzech lat na stałe mieszkamy razem we Fjällbace, ja częściowo na stałe. Erik miał mieszkanie w Göteborgu, gdy tam pracował, a ja w tym czasie jeździłem po świecie. Ale zawsze traktowaliśmy ten dom jako bazę i gdyby mnie ktoś spytał, gdzie mieszkam, odpowiedziałbym, że we Fjällbace, choć latem zawsze uciekam do swojego paryskiego mieszkania. Nie znoszę hałasu i komercji, które tutaj towarzyszą turystyce. Poza tym prowadzimy z bratem bardzo spokojne, samotnicze życie. Przychodzi do nas tylko sprzątaczka. Tak wolimy... to znaczy woleliśmy... – Głos uwiązł mu w gardle.

Paula poszukała spojrzenia Martina. Martin lekko potrząsnął głową, na chwilę odrywając wzrok od autostrady. Nie mieli więcej pytań. Do końca podróży wymieniali zdawkowe, wymuszone uwagi. Axel wyglądał, jakby był bliski załamania. Wyraźnie odczuł ulgę, gdy w końcu zajechali przed dom.

– Nie będzie dla pana problemem mieszkać teraz tutaj? – Paula nie mogła się powstrzymać.

Axel przystanął z walizką w ręku. Spojrzał na duży biały dom. Przez chwilę milczał.

– Nie. To nasz dom, mój i Erika. Należymy do niego. Obaj.

Uśmiechnął się smutno i podał im rękę, a potem podszedł do drzwi. Paula patrzyła na jego plecy. Aż od nich biła samotność.

– Dostałeś wczoraj za swoje po powrocie do domu?

Karin ze śmiechem pchała wózek z Luddem. Szła dość szybko, Patrik, sapiąc, usiłował dotrzymywać jej kroku.

– Można tak powiedzieć.

Skrzywił się na myśl o powitaniu, jakie mu zgotowała Erika. Przyznawał, że miała powód, w końcu to on miał się zajmować Mają w ciągu dnia, żeby ona mogła pisać. A jednak uważał, że trochę przesadziła. Przecież nie wyszedł z domu dla przyjemności, załatwiał sprawy związane z ich wspólnym gospodarstwem. Skąd miał wiedzieć, że akurat tym razem Maja nie będzie chciała spać o zwykłej porze? Do wieczora żona odnosiła się do niego zimno. Uznał, że to niesprawiedliwe. Ale Erika miała tę zaletę, że nie była pamiętliwa. Rano jak zwykle dostał całusa, jakby o wszystkim zapomniała. Nie odważył się jej jednak powiedzieć, kto będzie mu towarzyszył podczas spaceru. Oczywiście powie, ale później. Erika nie jest wprawdzie zazdrosna, ale spacer z byłą żoną to nie najlepszy temat do rozmowy, gdy i tak ma się obciążone konto.

Karin jakby czytała w jego myślach.

– Czy Erika nie ma nic przeciwko temu, że się spotykamy? Od naszego rozwodu minęło wprawdzie ładnych parę lat, ale ludzie... bywają przeczuleni...

– Ależ skąd. – Patrik nie przyznał się, że stchórzył. – Nie ma problemu. Zupełnie.

– Świetnie. Chcę przez to powiedzieć, że wprawdzie przyjemnie jest pospacerować w towarzystwie, ale nie chciałabym, żebyś z mojego powodu miał jakieś problemy w domu.

– A Leif? – Patrik wolał zmienić temat.

Pochylił się nad wózkiem i poprawił Mai przekrzywioną czapeczkę. Córeczka nie zwracała na niego uwagi, całkowicie pochłonięta komunikowaniem się z jadącym obok Luddem.

– Leif... – prychnęła Karin. – To cud, że Ludde go jeszcze poznaje. Zawsze jest w trasie.

Patrik ze współczuciem pokiwał głową. Nowy mąż Karin był wokalistą kapeli Leffes. Takie słomiane wdowieństwo musi być dla niej niełatwe.

– Mam nadzieję, że nie macie żadnych poważniejszych problemów, co?

– Za rzadko się spotykamy, żebyśmy mogli mieć problemy.

Karin się roześmiała, ale jej śmiech zabrzmiał gorzko.

Patrik pomyślał, że nie mówi całej prawdy, i nie wiedział, co powiedzieć. Dziwnie się czuł, rozmawiając z byłą żoną o jej problemach w nowym związku. Na szczęście zadzwoniła jego komórka.

– Cześć, mówi Pedersen. Dzwonię, żeby ci przekazać wyniki sekcji zwłok Erika Frankla. Jak zwykle przesłałem raport faksem, ale pomyślałem, że na pewno wolałbyś, żebym ci go przedstawił w skrócie przez telefon.

– Tak, naturalnie... – Patrik przeciągał słowa i patrzył za Karin. Zwolniła, żeby na niego zaczekać. – Tylko widzisz, chwilowo jestem na urlopie ojcowskim...

– Proszę! Moje gratulacje! Masz przed sobą wspaniały okres. Ja spędziłem w domu pół roku z dwójką dzieci i uważam, że to były najlepsze dni mojego życia.

Patrik zupełnie zbaraniał. Nigdy by się tego nie spodziewał po Pedersenie. Znał go jako niezwykle skutecznego, powściągliwego i chłodnego medyka sądowego. Wyobraził sobie Pedersena, jak w fartuchu lekarskim siedzi w piaskownicy i powoli, starannie stawia babki. Nie mógł się powstrzymać od śmiechu. Natychmiast usłyszał opryskliwy ton:

– Co w tym takiego śmiesznego?

– Nie, nic. – Patrik pokazał na migi zdziwionej Karin, że potem jej wyjaśni. Po chwili dodał z powagą: – Wiesz co, mógłbyś mi w skrócie zreferować wyniki sekcji? Byłem przedwczoraj na miejscu zbrodni i staram się być na bieżąco.

– Oczywiście – odpowiedział Pedersen z rezerwą. – Sprawa jest prosta. Erik Frankel otrzymał cios w głowę ciężkim przedmiotem, przypuszczalnie kamieniem, bo w ranie zostały drobne odłamki. Co by wskazywało na to, że kamień był porowaty. Śmierć nastąpiła natychmiast, ponieważ został uderzony w prawą skroń, co spowodowało silny wylew do mózgu.

– Jak sądzisz, z której strony padł cios? Z tyłu czy z boku?

- Według mnie sprawca stał za plecami ofiary. Najprawdopodobniej jest praworęczny. Cios z prawej strony jest wtedy naturalny. Osobie leworęcznej byłoby bardzo niewygodnie to zrobić.

- A narzędzie zbrodni? Co to mogło być? - spytał podekscytowany Patrik, świadom swego podniecenia. W końcu to jego żywioł.

- Ustalenie tego to wasza sprawa. Ciężki przedmiot, z kamienia. Nie ma śladów ostrego kantu. To rana tłuczona.

- Okej, zawsze jakiś punkt zaczepienia.

- Dla kogo? - z ironią w głosie spytał Pedersen. - Jesteś, zdaje się, na urlopie?

- Oczywiście. - Patrik zamilkł na chwilę, a potem powiedział: - Zadzwonisz na komisariat i przekażesz im to?

- Nie mam wyjścia - odparł z rozbawieniem Pedersen. - Mam złapać byka za rogi i telefonować bezpośrednio do Mellberga czy masz dla mnie inną propozycję?

- Dzwoń do Martina - odruchowo rzucił Patrik.

Pedersen się roześmiał.

- Wiedziałem, ale dzięki za podpowiedź. Słuchaj, nie pytasz, kiedy facet zmarł?

- No właśnie, kiedy? - zaciekawił się Patrik.

Karin rzuciła mu kolejne znaczące spojrzenie.

- Nie da się tego dokładnie określić. Ciało zbyt długo leżało w cieple. Oceniam, że dwa do trzech miesięcy. Zatem jakoś tak w czerwcu.

- Dokładniej się nie da?

Patrik znał odpowiedź, zanim skończył mówić.

– Nie jestem czarodziejem, nie mam magicznej kryształowej kuli. Czerwiec, tylko tyle mogę ci powiedzieć w obecnej sytuacji. Ustalając ten termin, uwzględniłem zarówno gatunek much, jak i liczbę pokoleń much i larw, które znaleziono wokół denata. Stadium rozkładu też wskazuje na to, że prawdopodobnie śmierć nastąpiła w czerwcu. Dokładne określenie daty to zadanie dla was, a raczej dla twoich kolegów. – Pedersen się roześmiał.

Patrik nie pamiętał, żeby kiedykolwiek słyszał, jak Pedersen się śmieje, a przecież dziś śmiał się już kilka razy. W dodatku z niego. Może właśnie to jest mu potrzebne do śmiechu. Pożegnał się i rozłączył.

– Z pracy? – spytała zaciekawiona Karin.

– Tak, chodzi o śledztwo.

– Chodzi o tego martwego dziadka, którego znaleźli w poniedziałek?

– Widzę, że poczta pantoflowa jak zwykle działa – zauważył Patrik.

Karin znów przyśpieszyła, musiał podbiec, żeby ją dogonić.

W tym momencie minął ich czerwony samochód. Przejechał około stu metrów i zwolnił. Kierowca najwyraźniej sprawdzał coś w lusterku wstecznym, bo zaczął się cofać. Patrik zaklął w duchu. Dopiero teraz się zorientował, że to samochód matki.

– Dzień dobry! Proszę, tak sobie razem spacerujecie?

Kristina opuściła szybę i ze zdumieniem patrzyła na Patrika i Karin.

– Dzień dobry! Miło cię widzieć! – Karin pochyliła się. – Przeprowadziłam się do Fjällbacki. Wpadliśmy na siebie z Patrikiem i stwierdziliśmy, że oboje jesteśmy na urlopie opiekuńczym i potrzebujemy towarzystwa. To mój synek Ludvig.

Karin wskazała na wózek, a Kristina wychyliła się z samochodu, żeby stosownie do sytuacji pogruchać do małego.

– To bardzo miłe.

Kristina powiedziała to tonem, od którego Patrika ścisnęło w żołądku. Uderzyła go pewna myśl i poczuł się jeszcze gorzej. Wolał nie znać odpowiedzi, ale spytał:

– A ty dokąd się wybierasz?

– Do was. Pomyślałam, że dawno do was nie zaglądałam. Wzięłam ze sobą trochę wypieków.

Z dumą wskazała siedzenie obok, a na nim babkę i torebkę świeżych drożdżówek.

– Erika pracuje... – próbował przekonywać Patrik, choć wiedział, że to bezcelowe.

Kristina wrzuciła jedynkę.

– Świetnie. Na pewno z przyjemnością zrobi sobie przerwę na kawę. Pewnie też niedługo wracacie, co?

Pomachała Mai, a ona wesoło pomachała do babci.

– Tak, oczywiście.

Patrik próbował wymyślić, jak powiedzieć matce, żeby nie mówiła Erice, z kim był na spacerze, ale nic mu nie przychodziło do głowy. Zrezygnowany tylko podniósł rękę, żeby jej pomachać. Ze ściśniętym żołądkiem patrzył, jak matka ostro rusza w kierunku Sälvik. Będzie miał się z czego tłumaczyć.

Dobrze jej szło pisanie. Cztery strony, stwierdziła z zadowoleniem i przeciągnęła się na krześle. Przeszła jej wczorajsza złość. Pomyślała nawet, że trochę przesadziła. Trzeba to jakoś Patrikowi wynagrodzić, na przykład ugotować coś ekstra na kolację. Przed ślubem oboje się odchudzali i zrzucili po kilka kilogramów, ale teraz wrócili do dawnych zwyczajów. Czasem trzeba sobie pozwolić na coś pysznego. Może polędwiczki wieprzowe z sosem z gorgonzoli? Patrik to lubi.

Porzuciła myśl o kolacji i sięgnęła po pamiętniki matki. Właściwie powinna je przeczytać do końca, ale nie mogła się na to zdobyć. Czytała po kawałku, od czasu do czasu zaglądając do jej świata. Położyła nogi na biurku i zaczęła się przedzierać przez staroświeckie pismo. Dotychczas czytała o jej zajęciach domowych i obowiązkach, o rozważaniach o przyszłości i lęku o ojca, który codziennie wypływał w morze. Myśli o życiu formułowała jak typowa nastolatka, naiwnie i niewinnie. Erika nie potrafiła pogodzić dziewczęcego głosiku, który dochodził do niej z tych zapisków, z twardym głosem, jakim matka zwracała się do niej i do Anny, bez jednego czułego słowa. Zawsze surowa, zawsze na dystans.

Przewróciła kartkę i aż się wyprostowała. Zobaczyła znajome imię. A właściwie dwa. Elsy zapisała, że była u Erika i Axela, pod nieobecność ich rodziców. Z zachwytem pisała o imponującym zbiorze książek ich ojca, ale Erika widziała tylko te dwa imiona: Erik i Axel. Na pewno chodzi o Erika i Axela Franklów. Z podnieceniem przeczytała, co matka napisała o tej wizycie. Domyśliła się, że często się spotykali. Elsy, Erik i dwoje innych młodych ludzi: Britta i Frans. Zaczęła szukać w pamięci. Mama nigdy o nich nie wspominała. Na pewno. Axel wyłaniał się z kartek pamiętnika matki jako bohater niemal mityczny. „Niezwykle odważny i prawie tak przystojny jak Errol Flynn". Czyżby matka kochała się w Axelu? Chyba nie, z tego, co pisała, wynikało raczej, że go bardzo podziwiała.

Erika położyła sobie pamiętnik na kolanach i zaczęła się zastanawiać, dlaczego Erik Frankel w ogóle nie wspomniał, że w młodości znał jej matkę. Przecież mu powiedziała, gdzie znalazła medal i do kogo należał. A on nie powiedział ani słowa. Erika przypomniała sobie jego milczenie. Więc miała rację. Coś przed nią ukrywał.

Przerwał jej dobiegający z dołu głośny dźwięk dzwonka. Zdjęła nogi z biurka i z westchnieniem odsunęła krzesło. Kto znowu? W odpowiedzi usłyszała gromkie „halo" – ktoś był w przedpokoju. Westchnęła, tym razem głośniej. Kristina. Teściowa. Nabrała powietrza, otworzyła drzwi i wyszła na schody. Znów usłyszała „halo", tym razem wypowiedziane z naciskiem. Ze złością zacisnęła zęby.

– Dzień dobry.

Starała się, żeby to zabrzmiało pogodnie, ale wypadło sztucznie. Na szczęście Kristina nie odznaczała się szczególną wrażliwością na odcienie tonu.

– Dzień dobry, to ja! – radośnie oznajmiła teściowa, wieszając kurtkę. – Przywiozłam trochę domowych wypieków. Pomyślałam, że będą wam smakować, zwłaszcza że pracujące kobiety nie mają czasu na takie rzeczy.

Erika prawie zazgrzytała zębami. Kristina miała niezwykłą łatwość wygłaszania krytycznych uwag.

Erika często się zastanawiała, czy to cecha wrodzona, czy efekt wieloletnich ćwiczeń. Najczęściej dochodziła do wniosku, że jedno i drugie.

– Dziękuję, na pewno będą nam smakowały – odparła uprzejmie, kierując się do kuchni.

Kristina już szykowała kawę, zupełnie jakby była u siebie.

– Usiądź sobie, ja wszystko przygotuję – powiedziała. – Przecież wiem, gdzie co jest.

– Właśnie – zauważyła Erika, licząc na to, że Kristina nie zauważy ironii. – Patrik jest na spacerze z Mają. Pewnie wrócą dopiero za jakiś czas – dodała w nadziei, że teściowa skróci wizytę.

– Nie, nie – odparła Kristina, odliczając miarki kawy. – Dwie, trzy, cztery.

Schowała miarkę do puszki i zwróciła się do Eriki:

– Zaraz tu będą. Minęłam ich w drodze. Jak to miło, że Karin sprowadziła się do Fjällbacki i że Patrik będzie miał trochę towarzystwa. Strasznie nudne muszą być te samotne spacery, zwłaszcza jeśli człowiek, tak jak Patrik, jest przyzwyczajony, że ma dużo pracy i w dodatku robi ważne rzeczy. Chyba było im razem przyjemnie.

Erika wpatrywała się w Kristinę, usiłując przyswoić to, co jakoś do niej nie docierało. Karin? Towarzystwo? Jaka Karin?

Patrik wszedł do domu i w tym samym momencie Erika zaskoczyła. Aha, Karin...

Po chwili napiętego milczenia Patrik uśmiechnął się głupawo.

– Jak dobrze będzie napić się kawy.

Spotkali się w pokoju socjalnym na krótkiej odprawie. Dochodziła pora lunchu, Mellbergowi głośno burczało w brzuchu.

– Co już mamy? – Sięgnął po jedną z drożdżówek leżących na talerzu przyniesionym przez Annikę. Mała przekąska przed lunchem. – Paulo, Martinie, rano rozmawialiście z bratem denata. Powiedział coś ciekawego? – mówił, żując kęs bułki. Okruchy spadały na stół.

– Rano odebraliśmy go z Landvetter – potwierdziła Paula. – Ale nie wygląda na to, żeby coś o tym wiedział. Pytaliśmy go o listy od Przyjaciół Szwecji. Dowiedzieliśmy się tylko, że Frans Ringholm i Erik przyjaźnili się w dzieciństwie. Nic mu nie wiadomo o pogróżkach ze strony tego ugrupowania, ale powiedział, że nie byłoby w tym nic dziwnego, zważywszy na to, co robili on i jego brat.

– A Axel? Dostawał pogróżki? – spytał Mellberg, sypiąc okruszkami na stół.

– Całkiem sporo – powiedział Martin. – Wszystkie trafiają do archiwum organizacji, dla której pracuje.

– Ale nie wie, czy przychodziły również od Przyjaciół Szwecji?

Paula potrząsnęła głową.

– Chyba naprawdę się nie orientuje. Rozumiem go. Pewnie sporo dostaje tego gówna. Po co miałby się tym zajmować?

– Jakie robi wrażenie? Słyszałam, że w młodości uchodził za bohatera – spytała zaciekawiona Annika, patrząc na Paulę i Martina.

– Elegancki, dystyngowany starszy pan – odpowiedziała Paula. – Bardzo przygaszony i przybity śmiercią brata. Zgadzasz się ze mną? – zwróciła się do Martina, a on przytaknął.

– Odniosłem takie samo wrażenie.

– Zakładam, że jeszcze będziecie go przesłuchiwać – powiedział Mellberg i spojrzał na Martina. – Zdaje się, że kontaktowałeś się z Pedersenem? – Chrząknął. – Trochę się dziwię, że nie zadzwonił do mnie.

Martin kaszlnął.

– Wydaje mi się, że byłeś wtedy na spacerze z psem. Na pewno chciał powiadomić przede wszystkim ciebie.

– Hm, może i tak. Mów dalej. Co powiedział?

Martin w skrócie zrelacjonował, co mówił Pedersen o ranie na głowie ofiary. Potem dodał ze śmiechem:

– Najpierw zadzwonił do Patrika, który chyba nie jest szczególnie zachwycony swoim urlopem. Przedstawił mu wyniki autopsji. A skoro bez większego trudu udało mi się go zwabić na miejsce zbrodni, pewnie wkrótce zjawi się tu z Mają.

Annika też się zaśmiała.

– Tak, rozmawiałam z nim wczoraj, powiedział dyplomatycznie, że pewnie będzie potrzebował trochę czasu, żeby się przestawić.

– Ja myślę – prychnął Mellberg. – Co za idiotyczny wymysł, żeby dorosły facet zmieniał pieluchy i gotował kaszki. Dawniej przynajmniej pod tym względem było lepiej. Mężczyźni z mojego pokolenia nie musieli się zajmować takimi głupotami. Robili to, do czego się lepiej nadawali, a dziećmi zajmowały się baby.

– Ja bym bardzo chętnie pozmieniał pieluchy – cicho powiedział Gösta, patrząc w stół.

Martin i Annika spojrzeli na niego zdziwieni, ale szybko przypomnieli sobie, czego niedawno się dowiedzieli. Gösta i jego nieżyjąca już żona mieli synka. Umarł zaraz po urodzeniu. Więcej dzieci nie mieli.

Zapadło kłopotliwe milczenie. Po chwili Annika powiedziała:

– Moim zdaniem to bardzo dobrze, że wy, faceci, możecie poznać na własnej skórze, jaka to ciężka praca. Ja wprawdzie nie mam dzieci – teraz ona przybrała zmartwioną minę – ale wszystkie moje przyjaciółki mają i nie można powiedzieć, żeby urlop macierzyński upłynął im na leżeniu na kanapie i wcinaniu czekoladek. Patrikowi dobrze to zrobi.

– Mnie i tak nie przekonasz – stwierdził Mellberg.

Niecierpliwie zmarszczył czoło i spojrzał na leżące przed nim papiery. Strząsnął z nich okruchy i czytał przez chwilę. Potem przemówił:

– Tak, mamy tu raport Torbjörna i jego współpracowników...

– I współpracownic – dodała Annika.

Mellberg westchnął głośno, ostentacyjnie.

– I współpracownic... Cholera, ale z was dzisiaj wojujące feministki! Prowadzimy śledztwo czy śpiewamy *Kumbayah* i gadamy o Gudrun Schyman?[6] – Potrząsnął głową i ciągnął dalej: – A więc mam przed sobą raport

---

[6] *Kumbayah* – spiritual, pieśń napisana w latach trzydziestych XX wieku, a w latach sześćdziesiątych bardzo popularna i kojarzona z amerykańskim ruchem swobód obywatelskich. Gudrun Schyman – znana działaczka feministyczna, była przewodnicząca szwedzkiej Partii Lewicy (przyp. tłum.).

Torbjörna i jego ekipy. Można by go streścić słowami: nic nowego. Jest trochę odcisków butów i palców, wszystkie trzeba dokładnie sprawdzić. Gösta, postaraj się o odciski tamtych dwóch, żeby ich wykluczyć, i oczywiście brata. Poza tym... – chwilę czytał, mrucząc pod nosem – stwierdzają, że zadano mu silny cios w głowę ciężkim przedmiotem.

– No właśnie. Sądząc po rozpryskach krwi na ścianach, jeden cios. Wypytałem o to Torbjörna przez telefon, podobno wynika to z układu plam. Cóż, pewnie się na tym znają. W każdym razie był to jeden silny cios w głowę.

– To się zgadza z protokołem z sekcji zwłok. – Martin kiwnął głową. – A narzędzie zbrodni? Pedersen uważa, że był to ciężki kamienny przedmiot.

– Właśnie! – powiedział z triumfem Mellberg, zaznaczając palcem miejsce na środku kartki. – Pod biurkiem leżało kamienne popiersie. Były na nim ślady krwi, włosy i tkanka mózgowa. Jestem przekonany, że drobinki kamienia, które Pedersen znalazł w ranie, to ten sam materiał, z którego zrobiono popiersie.

– No to mamy narzędzie zbrodni. Zawsze coś – ponuro powiedział Gösta. Wypił łyk kawy. Zdążyła już wystygnąć.

Mellberg popatrzył na swoich podwładnych.

– Jakieś propozycje? Co robimy? – Zabrzmiało to tak, jakby miał już przygotowany plan działania, choć wcale tak nie było.

– Musimy porozmawiać z Fransem Ringholmem, dowiedzieć się czegoś więcej o pogróżkach.

– I wypytać sąsiadów. Może ktoś zauważył coś szczególnego w okresie, gdy popełniono morderstwo – mówiła dalej Paula.

Annika spojrzała na nich znad notesu.

– Trzeba też przesłuchać sprzątaczkę. Sprawdzić, kiedy ostatni raz była u Franklów, czy widziała wtedy Erika i dlaczego nie przychodziła przez całe lato.

– Dobrze – przytaknął Mellberg. – No, co się lenicie? Do roboty!

Wbił w nich wzrok i czekał, aż wyjdą. Potem sięgnął po następną drożdżówkę. Delegowanie zadań. Na tym polega umiejętne kierowanie zespołem.

Chodzenie na lekcje uznali za stratę czasu, w tej sprawie byli wręcz wzruszająco zgodni. Dlatego w szkole pojawiali się tylko wtedy, gdy przyszła im ochota, czyli nieczęsto. Tego ranka spotkali się około dziesiątej. W Tanumshede nie bardzo było co robić, więc głównie siedzieli, popalając papierosy i gadając o wszystkim i o niczym.

– Słyszałeś o tym staruchu z Fjällbacki? – Nicke zaciągnął się i zaśmiał. – Pewnie zabił go twój dziadek i jego kumple.

Vanessa zachichotała.

– Co ty – powiedział Per kwaśno, ale nie bez dumy. – Dziadek nie ma z tym nic wspólnego. Przecież nie będzie zabijał jakiegoś starucha i ryzykował, że go zamkną. Przyjaciele Szwecji stawiają sobie wyższe i poważniejsze cele.

– Gadałeś już z nim? Żebyśmy mogli przyjść na zebranie? – z nadzieją spytał Nicke. Już się nie śmiał.

– Jeszcze nie... – niechętnie odparł Per.

Jako wnuk Fransa Ringholma zajmował w grupie wyjątkową pozycję. Kiedyś, w chwili słabości, obiecał kolegom, że zabierze ich na zebranie organizacji do Uddevalli. Ale jak dotąd nie było okazji. Wiedział, co by powiedział dziadek: są za młodzi, potrzebują jeszcze kilku lat na „pełne rozwinięcie potencjału". Per nie bardzo rozumiał, co tu jeszcze rozwijać. Pogląd na sprawę mieli taki sam jak starsi koledzy, już przyjęci do organizacji. Przecież to proste. Czego mieliby nie rozumieć?

Właśnie to mu się podobało. Wszystko jest proste. Czarne albo białe, żadnych szarości. Per nie pojmował, po co ludzie wszystko komplikują i dlaczego koniecznie muszą patrzeć na wszystko raz z jednej, raz z drugiej strony. Skoro wszystko jest proste. My i oni. I tylko o to chodzi. My i oni. Gdyby oni zachowywali się skromnie i grzecznie, robili, co do nich należy, nie byłoby problemów. Ale oni koniecznie muszą się wdzierać na nasze terytorium, koniecznie muszą przekraczać granice, które dla każdego powinny być oczywiste. Kurde, przecież każdy te różnice widzi. Biały albo żółty. Biały albo ciemny. Biały albo granatowoczarny, ohydny kolor ludzi z najciemniejszych ostępów Afryki. Cholernie proste. Z drugiej strony dziś już nie tak łatwo dostrzec różnice. Wszystko się zepsuło, zmieszało w jedną masę. Spojrzał na kumpli leniwie rozpartych na ławce. Co on wie o ich pochodzeniu? Kto może wiedzieć, co wyrabiały jakieś kurwy z ich rodzin? Może w ich żyłach też płynie nieczysta krew. Per się wzdrygnął.

Nicke spojrzał na niego pytającym wzrokiem.

– Kurde, co ci jest? Wyglądasz, jakbyś połknął żabę.

– Nic mi nie jest – prychnął Per. Ale nie mógł się od-czepić od tej myśli ani od uczucia obrzydzenia. Zgasił papierosa. – Chodźmy do kafejki, od tego siedzenia można tylko złapać doła.

Głową wskazał budynek szkoły i ruszył, nie oglądając się za siebie. Wiedział, że i tak za nim pójdą.

Przez chwilę myślał o zamordowanym mężczyźnie. Potem wzruszył ramionami. To nieważne.

Fjällbacka 1943

Sztućce stukały o talerze. Podczas obiadu starali się nie zerkać na puste krzesło przy stole, ale bez powodzenia.

– Szkoda, że znów musiał wyjechać tak prędko.

Matka podsunęła Erikowi salaterkę z ziemniakami. Nałożył sobie jeszcze jeden, chociaż miał pełen talerz. Tak było prościej. Gdyby tego nie zrobił, zachęcałaby go tak długo, ażby sobie nałożył. Spojrzał na talerz, zastanawiając się, jak ma to wszystko zjeść. Nie zwracał uwagi na to, co je. Jadł tylko dlatego, że musiał. Matka mówiła, że wstydzi się takiego chudzielca. Ludzie pomyślą, że go głodzą.

Co innego Axel. On zawsze jadł z apetytem. Podnosząc widelec do ust, Erik spojrzał na puste krzesło. Jedzenie rosło mu w ustach. Sos zmienił ziemniaki w mokrę breję. Żuł mechanicznie, by jak najprędzej przełknąć.

– Musi robić, co do niego należy.

Hugo Frankel surowo spojrzał na żonę, ale i on co chwila spoglądał na puste krzesło Axela. Naprzeciw krzesła Erika.

– Po prostu uważam, że mógłby parę dni odpocząć w domu.

– Sam decyduje o sobie. Nikt nie będzie mu mówić, co ma robić.

W głosie ojca słychać było dumę i Erik poczuł ukłucie w piersi. Zdarzało się to, gdy rodzice mówili o Axelu. Miał wtedy wrażenie, że jest niewidzialny, że jest cieniem rosłego, jasnowłosego Axela, który zawsze jest w centrum zainteresowania, chociaż wcale o to nie zabiega. Niechętnie wziął do ust kolejny kęs. Niech się wreszcie skończy ten obiad, żeby mógł się wymknąć do swojego pokoju i poczytać. Najlepiej coś historycznego. Fakty, nazwiska i daty miały w sobie coś, co go fascynowało. Nie podlegały żadnym zmianom, można się ich było nauczyć i polegać na nich.

Axel nie wykazywał szczególnego zapału do książek, a mimo to przez całą szkołę miał najlepsze oceny. Erik również miał dobre stopnie, ale musiał na nie solidnie zapracować. I nikt go nie poklepywał po ramieniu, nie chwalił się nim przed ludźmi. Nikt się nim nie szczycił.

Mimo to nie czuł niechęci do brata, choć czasem chciał. Nienawidzić, nie znosić, obarczyć winą za kłucie w piersi. Prawda była taka, że kochał Axela bardziej niż kogokolwiek innego. Axel był najsilniejszy, najodważniejszy. Zasługiwał na to, żeby się nim szczycić. Nie to co on. To fakt. Jak w książkach historycznych. Taki sam fakt jak to, że bitwa pod Hastings odbyła się w 1066 roku. To nie podlegało dyskusji. Nie było się nad czym rozwodzić. Tak było i już.

Erik spojrzał na talerz. Ku własnemu zdziwieniu stwierdził, że jest pusty.

– Ojcze, czy mogę już wstać od stołu? – spytał z nadzieją.

– Już zjadłeś? No proszę... Dobrze, idź. My z matką jeszcze chwilę posiedzimy.

Idąc po schodach do swego pokoju, Erik słyszał głosy rodziców dobiegające z jadalni.

– Żeby tylko Axel zbytnio się nie narażał...

– Gertrud, przestań się wreszcie tak cackać. On ma dziewiętnaście lat. Sklepikarz powiedział dziś, że jeszcze nie widział takiego chłopaka... Cieszmy się, że mamy jakiego...

Głosy umilkły, gdy zamknął za sobą drzwi. Rzucił się na łóżko i sięgnął po leżącą na wierzchu książkę o Aleksanderze Wielkim. On też jest odważny. Tak samo jak Axel.

– Chodzi mi tylko o to, że mogłeś mi chociaż o tym wspomnieć. Stałam jak głupia, gdy Kristina powiedziała, że widziała cię na spacerze z Karin.

– Wiem, masz rację.

Patrik spuścił głowę. Kristina spędziła u nich na kawie godzinę. Było mnóstwo rozmaitych aluzji i znaczących spojrzeń. Gdy tylko teściowa zamknęła za sobą drzwi, Erika wybuchła.

– Problem polega nie na tym, że spacerujesz sobie z byłą żoną. Dobrze wiesz, że nie jestem zazdrosna. Zastanawia mnie tylko, dlaczego mi nic nie powiedziałeś.

– Rozumiem...

Patrik unikał jej wzroku.

– Rozumiem! Tylko tyle masz do powiedzenia? Żadnych wyjaśnień? Myślałam, że możemy sobie powiedzieć wszystko!

Czuła, że zaczyna przesadzać, ale od kilku dni wzbierała w niej złość. Teraz znalazła ujście i Erika nie potrafiła się już powstrzymać.

– Dobrze – odparł Patrik. Wyglądał jak żółw, który ostrożnie wystawia głowę z pancerza, żeby sprawdzić, czy niebezpieczeństwo minęło. – I przepraszam, że ci nie powiedziałem. – Spojrzał na nią błagalnie.

– Tylko nie rób tego więcej...

Uśmiechnęła się słabo. Biała flaga wywieszona. Już żałowała, że tak na niego napadła, ale o tym powie mu potem. Teraz najbardziej potrzebuje świeżego powietrza.

Szybkim krokiem przeszła przez Fjällbackę, dziwnie opustoszałą po wyjeździe turystów, których przez dwa letnie miesiące wszędzie było pełno. Przypominała pokój po szalonej całonocnej zabawie. Kieliszki z niedopitym alkoholem, w kącie splątana serpentyna, na kanapie dogorywający gość w przekrzywionej czapeczce karnawałowej. W gruncie rzeczy Erika wolała tę porę roku. Lato było zbyt intensywne, zbyt nachalne. Teraz na Ingrid Bergmans torg panował spokój. Kiosk Centrum był jeszcze otwarty, ale za parę dni Maria i Mats znów go zamkną i jak co roku wyjadą uruchomić swój interes w Sälen[7]. Bardzo jej się podobała ta przewidywalność zmian. Co roku to samo, wciąż ten sam cykl. *Same procedure as last year*[8].

Mijając plac i idąc pod górę Galärbacken, Erika kłaniała się mijanym ludziom. Większość znała, przynajmniej z widzenia. Przyśpieszała jednak, gdy wyczuwała, że ktoś ma ochotę przystanąć i porozmawiać. Dziś nie miała na to ochoty. Szybkim krokiem minęła stację benzynową OK/Q8 i szła Dinglevägen. Wtedy uzmysłowiła sobie, dokąd zmierza. Cel wybrała podświadomie już w chwili, gdy opuszczała Sälvik, ale dopiero teraz to do niej dotarło.

---

[7] Sälen – miejscowość w okręgu Dalarna, popularny ośrodek sportów zimowych (przyp. tłum.).
[8] *Same procedure as last year* – ang.: Tak samo jak w zeszłym roku (przyp. tłum.).

– Trzy pobicia, dwa napady na bank i jeszcze parę drobiazgów. Ale żadnego wyroku za podżeganie do nienawiści – powiedziała Paula, zamykając drzwi radiowozu po stronie pasażera. – Znalazłam też co nieco na faceta, który nazywa się Per Ringholm, na razie same drobne sprawy.

– To jego wnuk – powiedział Martin, zamykając samochód.

Przyjechali do Grebbestad, gdzie Frans Ringholm miał mieszkanie w pobliżu dawnego klubu Gästis.

– Cha, cha, ale się tu człowiek wytańczył. – Martin kiwnął głową w kierunku wejścia.

– Domyślam się. Ale minęły te czasy, co?

– Spokojnie można tak powiedzieć. Od ponad roku nie oglądałem od środka żadnego lokalu z dansingiem.

Nie wydawał się specjalnie zmartwiony. Był zakochany w swojej Pii i najchętniej nie wychodziłby z domu. Ale zanim w końcu spotkał na swej drodze księżniczkę, musiał pocałować niejedną żabę, a nawet ropuchę.

– A ty? – Spojrzał z ciekawością na Paulę.

– Co ja? – Udała, że nie rozumie.

W następnej chwili stanęli przed drzwiami Fransa. Martin zapukał mocno i za chwilę ze środka dobiegł odgłos kroków.

– Słucham?

Drzwi otworzył mężczyzna o krótko ostrzyżonych srebrzystych włosach. Ubrany był w dżinsy i kraciastą koszulę, taką samą, jaką z uporem, ignorując zmiany zachodzące w modzie, nosił Jan Guillou[9].

---

[9] Jan Guillou – znany szwedzki dziennikarz i pisarz (przyp. tłum.).

– Pan Frans Ringholm?

Martin przyglądał mu się z ciekawością. Ringholm był dobrze znany w okolicy i nie tylko, Martin sprawdził w internecie. Należał do założycieli jednej z najaktywniej działających organizacji wrogich cudzoziemcom i, jak wynika z tego, co piszą na forach w sieci, coraz bardziej się liczącej.

– Tak, to ja. Czym państwu... – przesunął po nich wzrokiem – mogę służyć?

– Mamy do pana kilka pytań. Możemy wejść?

Frans uniósł brew, ale bez słowa odsunął się od drzwi, żeby ich wpuścić. Martin rozejrzał się ze zdziwieniem. Nie potrafiłby powiedzieć, czego się spodziewał, ale chyba jakiegoś zaniedbania, większego bałaganu. Tymczasem zobaczył schludne mieszkanie. Panował w nim taki porządek, że jego własne wydało się przy tym obskurne.

– Proszę usiąść. – Wskazał kanapę z fotelami w salonie, w głębi, po prawej. – Właśnie nastawiłem kawę. Któreś z państwa chciałoby mleka do kawy? Cukru? – Mówił spokojnie, ujmującym tonem.

Martin i Paula spojrzeli po sobie zaskoczeni.

– Ja dziękuję – odparł Martin.

– A ja poproszę mleko, bez cukru – powiedziała Paula, wchodząc do pokoju przed Martinem.

Usiedli na białej kanapie i rozejrzeli się. Był to jasny, przestronny pokój o dwóch oknach wychodzących na zatokę. Dość przytulny. Panował w nim porządek, ale bez pedanterii.

– Proszę, kawa. – Ringholm wszedł z wyładowaną po brzegi tacą. Na stole postawił trzy filiżanki gorącej kawy i spory talerz z kruchymi ciastkami. – Proszę się częstować. – Zatoczył ręką, wziął jedną z filiżanek i rozparł się w fotelu. – Słucham, czym mogę służyć?

Paula wypiła łyk kawy i powiedziała:

– Pewnie pan słyszał, że koło Fjällbacki znaleziono martwego mężczyznę.

– Tak, wiem, że chodzi o Erika Frankla. – Zrobił zmartwioną minę i kiwnął głową, potem wypił łyk kawy. – Było mi bardzo przykro, gdy się o tym dowiedziałem. Dla Axela to na pewno straszny cios.

– Tak, rzeczywiście... – Martin chrząknął. Zaskoczył go uprzejmy sposób bycia Ringholma. Było to absolutne przeciwieństwo tego, czego się spodziewał. Zmobilizował się i powiedział: – Chcielibyśmy porozmawiać o listach od pana, które znaleźliśmy u Erika Frankla.

– Zachował je. – Ringholm roześmiał się, sięgając po ciastko. – Tak, Erik lubił wszystko zbierać. Wy, młodzi, na pewno uważacie, że pisanie listów to mocno przykurzony relikt przeszłości, ale takim starym piernikom jak my trudno zmienić przyzwyczajenia.

Mrugnął poufale do Pauli. Już miała odpowiedzieć uśmiechem, gdy przypomniała sobie, że ten facet całe życie poświęcił zwalczaniu takich jak ona i utrudnianiu im życia.

– W tych listach są pogróżki... – powiedziała z surową twarzą.

– Eee... Nie określiłbym tego w ten sposób. – Obserwował ją spokojnie, wychylając się do tyłu na fotelu. Założył nogę na nogę i mówił dalej: – Uważałem, że powinienem poinformować Erika o istnieniu pewnych... sił w organizacji, które mogą działać w sposób, jak by to powiedzieć... nierozsądny.

– I uznał pan, że należy go o tym poinformować?

– Przyjaźniliśmy się w czasach, gdy obaj biegaliśmy w krótkich spodenkach. Przyznaję, oddaliliśmy się od siebie i od wielu lat nie można było mówić o prawdziwej przyjaźni. Rozeszły się nasze... drogi życiowe. – Uśmiechnął się. – Ale nie życzyłem mu źle i gdy uznałem, że należy go ostrzec, zrobiłem to. Niektórzy ludzie nie mogą pojąć, że nie trzeba od razu okładać się pięściami.

– Ale... kiedyś nie miał pan nic przeciwko okładaniu się pięściami – zauważył Martin. – Został pan trzykrotnie skazany za pobicia. I jeszcze za napady na bank, i z tego co wiem, nie odsiedział pan tych wyroków tak grzecznie jak Dalajlama.

Ringholm nie wydawał się poruszony tą uwagą. Uśmiechnął się. Całkiem jak Dalajlama.

– Na wszystko przychodzi czas. Więzienie rządzi się własnymi prawami, czasem rozumieją tam tylko jeden język. Poza tym mądrość, jak mówią, przychodzi z wiekiem. Potrafiłem wyciągnąć wnioski.

– A pański wnuk wyciągnął?

Martin sięgnął po ciastko. W tym momencie Ringholm złapał go za przegub i ścisnął. Wbił w niego wzrok i wysyczał:

– Mój wnuk nie ma z tym nic wspólnego. Zrozumiano?

Martin nie odwrócił wzroku, wyszarpnął i rozmasował rękę.

– Niech pan tego nigdy więcej nie robi – powiedział cicho.

Ringholm roześmiał się i rozparł w fotelu. Znów zachowywał się jak uprzejmy starszy pan. Ale na fasadzie pojawiły się rysy. Za pozornym spokojem czaiła się furia. Czy Erik Frankel jej doświadczył?

Ernst z zapałem ciągnął smycz. Mellberg trzymał ją, zapierając się ze wszystkich sił. Starał się iść jak najwolniej i rozglądać się wokoło. Ernst nie pojmował, dlaczego jego pan wlecze się noga za nogą. Ziajał i szarpał smycz, próbując go zmusić, żeby przyspieszył.

Mellberg prawie kończył rundkę, gdy doczekał się nagrody. Już miał dać za wygraną, gdy za plecami usłyszał kroki. Ernst aż skoczył z radości: poczuł, że zbliża się jego koleżanka.

– O, wy też jesteście na spacerze – powiedziała wesoło Rita.

Wyglądała dokładnie tak, jak ją zapamiętał. Poczuł, że kąciki ust rozciągają mu się w uśmiechu.

– Jesteśmy. Znaczy, na spacerze.

Co za głupia odpowiedź. Miał ochotę kopnąć się w tyłek. I to on, zazwyczaj taki elokwentny przy damach... Stoi i gada z nią jak ostatni głupek. Powiedział sobie, że musi wziąć się w garść, i już bardziej stanowczym tonem ciągnął:

– Rozumiem, że psy potrzebują ruchu, więc staram się codziennie z nim spacerować, co najmniej godzinę.

– Myślę, że nie tylko pieskom ruch dobrze robi. Nam obojgu też się przyda. – Rita zachichotała i poklepała swój krągły brzuszek.

Mellberg przyjął to z prawdziwą ulgą. Wreszcie kobieta, która rozumie, że troszkę tłuszczyku nie zaszkodzi.

– Co prawda, to prawda – odparł, również klepiąc się po okazałym brzuchu. – Byle nie przesadzać i wraz z wagą nie stracić powagi.

– Boże uchowaj – ze śmiechem powiedziała Rita. Ten nieco staroświecki zwrot w połączeniu z cudzoziemskim akcentem zabrzmiał wprost zachwycająco. – Dlatego zawsze dbam, żeby składzik był pełny. – Przystanęła przed blokiem, a Seniorita zaczęła ciągnąć w stronę jednej z klatek. – Zapraszam na kawę. I ciasto.

Mellberg miał ochotę podskoczyć z radości, ale zrobił minę, jakby musiał się zastanowić, i z udaną obojętnością kiwnął głową.

– Będzie mi bardzo miło, ale tylko na chwilę. Niedługo muszę wracać do pracy...

– No to idziemy.

Wstukała kod, otworzyła drzwi i weszła pierwsza. Ernst nie był tak opanowany jak jego pan. Aż podskakiwał ze szczęścia, że podąża za Senioritą do jej domu.

Przytulnie – to pierwsze słowo, jakie przyszło Mellbergowi do głowy, kiedy weszli do mieszkania. W odróżnieniu od mieszkań Szwedów, którzy na ogół wolą wnętrza minimalistyczne i chłodne, tu aż kipiało gorącymi kolorami. Uwolniony od smyczy Ernst pobiegł za Senioritą i najwidoczniej otrzymał łaskawe pozwolenie na zabawę jej zabawkami. Mellberg powiesił kurtkę w przedpokoju, porządnie ustawił buty na półce i poszedł za głosem Rity. Była w kuchni.

– Chyba dobrze się razem bawią.

– Kto? – głupio spytał Mellberg, skupiony na kontemplowaniu bujnych pośladków Rity. Stojąc tyłem do niego, odmierzała kawę do maszynki.

– Seniorita i Ernst, rzecz jasna.

Odwróciła się i roześmiała. Mellberg zaśmiał się z zażenowaniem. Rzut oka na salon upewnił go w stopniu większym, niżby chciał: Ernst obwąchiwał Senioritę pod ogonem.

– Lubi pan drożdżówki? – spytała Rita.

– Czy Dolly Parton sypia na wznak? – wypsnęło się Mellbergowi.

Rita spojrzała na niego ze zdumieniem.

– Czy ja wiem? Pewnie tak. Z takim biustem pewnie musi...

Mellberg zaśmiał się zawstydzony.

– To takie powiedzonko. Chciałem przez to powiedzieć, że oczywiście uwielbiam drożdżówki.

Ze zdziwieniem stwierdził, że Rita stawia na stole trzy filiżanki i trzy talerzyki. Po chwili zagadka się wyjaśniła. Rita wychyliła się z kuchni i zawołała do sąsiedniego pokoju:

– Johanna, kawa!

– Już idę! – padła odpowiedź, a w następnej chwili w drzwiach pojawiła się prześliczna jasnowłosa kobieta z wielkim brzuchem.

– Moja... hmm... synowa, Johanna – powiedziała Rita, wskazując na ciężarną kobietę. – A to Bertil Mellberg, właściciel Ernsta. Znalazłam go w lesie – powiedziała, chichocząc.

Mellberg wyciągnął rękę, żeby się przywitać, i o mało go nie skręciło z bólu. Nigdy w życiu nikt tak mocno nie uścisnął mu ręki, a przecież zdarzało mu się ją podawać różnym dryblasom.

Johanna przyjrzała mu się z rozbawieniem, a potem z pewnym trudem usiadła przy stole. Znalazła taką pozycję, żeby móc sięgnąć do filiżanki z kawą i do talerza z drożdżówkami, po czym z apetytem zabrała się do jedzenia.

– Kiedy przypada termin porodu? – spytał uprzejmie.

– Za trzy tygodnie – odparła krótko, ze skupieniem zjadając drożdżówkę, aż do najostatniejszego okruszka.

– Widzę, że jemy za dwoje.

Roześmiał się, ale zamilkł, widząc jej obrażoną minę. Mało kontaktowa cizia.

– To mój pierwszy wnuk – powiedziała z dumą Rita, czule głaszcząc Johannę po brzuchu.

Johanna spojrzała na teściową i pojaśniała na twarzy. Położyła dłoń na dłoni Rity.

– Ma pan wnuki? – z zaciekawieniem spytała Rita. Nalała kawę i usiadła z nimi przy stole.

– Jeszcze nie – odparł, potrząsając głową. – Ale mam syna, Simona. Ma siedemnaście lat.

Mellberg wyprostował się z dumą. Syn zjawił się w jego życiu dość późno, a wiadomość o jego istnieniu przyjął bez zachwytu. Ale stopniowo przyzwyczaili się do siebie i Mellberg nie mógł się nadziwić uczuciu, które wypełniało mu pierś, gdy o nim myślał. Dobry z niego chłopak.

– Siedemnaście lat, ma jeszcze czas. Muszę powiedzieć, że wnuki to prawdziwe zwieńczenie życia, można powiedzieć deser.

Musiała jeszcze raz pogłaskać Johannę po brzuchu. Psy bawiły się, biegając po mieszkaniu, a oni siedzieli, miło gawędząc. Mellberg dziwił się, że siedząc w kuchni Rity, odczuwa taką radość. Po tym jak ostatnio się naciął, powiedział sobie, że już nie będzie się oglądać za kobietami. A jednak. Siedzi u Rity i uśmiecha się z zadowoleniem.

– Co ty na to?

Rita patrzyła wyczekująco i Mellberg domyślił się, że nie dosłyszał pytania, a powinien odpowiedzieć.

– Słucham?

– Upewniałam się: przyjdziesz wieczorem na mój kurs salsy, prawda? To kurs dla początkujących. Nic trudnego. O dwudziestej.

Mellberg spojrzał na nią z niedowierzaniem. Kurs salsy? On? Śmieszny pomysł. Ale spojrzał głęboko w ciemne oczy Rity i z przerażeniem usłyszał własną odpowiedź:

– Kurs salsy? O dwudziestej. Oczywiście, przyjdę.

Erika wkroczyła na żwirową ścieżkę prowadzącą do domu Franklów i w tym momencie pożałowała. Pomysł już nie wydawał się tak dobry jak wtedy, gdy przyszedł jej do głowy. Z wahaniem uderzyła dłonią w drzwi. Na początku nic się nie działo. Z ulgą pomyślała, że nikogo nie ma w domu. Ale po chwili dobiegł ją odgłos kroków. Na widok otwierających się drzwi poczuła, że opuszcza ją odwaga.

– Słucham?

Axel Frankel spojrzał na nią pytająco. Wyglądał na zmęczonego, wręcz wyczerpanego.

– Dzień dobry, nazywam się Erika Falck. Ja... –
Urwała. Nie wiedziała, co mówić dalej.

– Wiem, córka Elsy. – Axel podniósł wyżej głowę i obserwował ją ze szczególnym wyrazem twarzy. Wpatrywał
się w nią, a w jego spojrzeniu już nie było zmęczenia. –
Tak, teraz widzę. Jesteś podobna do matki.

– Naprawdę? – zdziwiła się Erika. Nigdy wcześniej
nikt jej tego nie powiedział.

– Tak, widzę podobieństwo w oczach. I wokół ust.
– Przekrzywił głowę, jakby chłonął każdy szczegół jej
wyglądu. Nagle odsunął się od drzwi. – Proszę wejść.

Erika weszła do przedpokoju i przystanęła.

– Chodźmy, siądziemy na werandzie.

Przeszedł przez przedpokój, oczekując, że Erika pójdzie za nim, gdy zatrzymała się, żeby powiesić kurtkę.
Wskazał kanapę stojącą na przepięknej przeszklonej
werandzie, podobnej do tej w jej własnym domu.

– Siadaj, proszę.

Po chwili milczenia – Axel najwyraźniej nie miał zamiaru proponować kawy – Erika chrząknęła.

– Przyszłam tu... – Zaczęła jeszcze raz: – Powód, dla
którego tu przyszłam, jest taki, że zostawiłam u pańskiego brata pewien medal. – Zdała sobie sprawę, że
zabrzmiało to dość obcesowo, i dodała: – Oczywiście
składam panu wyrazy serdecznego współczucia. Ja...

Sytuacja wydała jej się bardzo niezręczna. Straciła
wątek i nie wiedziała, co robić.

Axel zbył jej skrupuły machnięciem ręki i powiedział z uśmiechem:

– Mówiłaś coś o medalu.

- Tak - odparła, wdzięczna, że przejął inicjatywę.
- Wiosną znalazłam w rzeczach matki medal. Hitlerowski. Nie wiem, dlaczego i skąd go miała, a ponieważ wiedziałam, że pański brat... - Urwała i bezradnie wzruszyła ramionami.
- Mój brat ci pomógł?
- Rozmawiałam z nim przez telefon późną wiosną, ale potem miałam mnóstwo spraw i... zamierzałam się z nim skontaktować, ale... - Umilkła.
- I zastanawiasz się, czy ten medal nadal tu jest?

Przytaknęła.

- Przepraszam, że zawracam panu głowę w takiej sytuacji... Ale mama zachowała niewiele rzeczy i...

Znów zaczęła się wiercić. Powinna była zadzwonić, zamiast przychodzić bez uprzedzenia. Teraz wydało jej się to niedelikatne.

- Rozumiem cię. Naprawdę. Uwierz mi, wiem bardzo dobrze, jak ważne jest zakorzenienie w przeszłości. Nawet jeśli ogniwem łączącym z tą przeszłością jest martwy przedmiot. Erik doskonale to wiedział. Kolekcjonował tyle różnych przedmiotów, faktów. Dla niego nie były martwe. Żyły, miały do przekazania jakąś historię, czegoś uczyły.

Zapatrzył się przed siebie i przez chwilę sprawiał wrażenie, jakby był gdzieś bardzo daleko. Potem spojrzał na Erikę.

- Oczywiście, poszukam. Ale najpierw opowiedz mi trochę o swojej matce. Jaka była? Jakie miała życie?

Pytania wydały się Erice dziwne, ale spojrzał na nią tak prosząco, że postanowiła odpowiedzieć.

– Jaka była moja matka? Szczerze mówiąc, nie wiem. Nie była już taka młoda, gdy urodziła najpierw mnie, potem siostrę i... sama nie wiem... Nie miałyśmy z nią najlepszego kontaktu. A jak wyglądało jej życie? – Erika była zakłopotana. Nie rozumiała, o co mu chodzi, i nie wiedziała, jak odpowiedzieć na to pytanie. Spróbowała: – Chyba najtrudniejsze było dla niej samo życie. Odbierałam ją jako osobę niezwykle opanowaną, nigdy nieodczuwającą... radości.

Nic innego nie przyszło jej do głowy, chociaż bardzo się starała. Nie pamiętała, żeby matka kiedykolwiek była wesoła.

– Przykro mi to słyszeć.

Axel znów patrzył przez okno, jakby nie mógł się przemóc, by spojrzeć na zdumioną jego pytaniami Erikę.

– A jaka była moja mama wtedy, gdy pan ją znał? – Nie ukrywała ciekawości.

Axel spojrzał na nią, twarz mu się rozpogodziła.

– Przyjacielem Elsy był właściwie mój brat, byli rówieśnikami. Trzymali się zawsze razem: Erik, Elsy, Frans i Britta. Nierozłączna czwórka.

Zaśmiał się, ale był to śmiech szczególny, pozbawiony radości.

– Rzeczywiście, mama wspomniała o nich w pamiętnikach. Pański brat, to już wiem, a kim byli Frans i Britta?

– W pamiętnikach? – Axel lekko drgnął. Erika pomyślała, że jej się przywidziało. – Frans Ringholm i Britta... – Axel strzelił palcami – jak się nazywała?

– Szukał w zakamarkach pamięci, ale nie mógł sobie

przypomnieć. – Wydaje mi się, że nadal mieszka we Fjällbace. Ma dwie albo trzy córki, ale chyba sporo starsze od ciebie. Mam jej nazwisko na końcu języka, ale... Zresztą kiedy wyszła za mąż, pewnie i tak zmieniła nazwisko. Już wiem. Nazywała się Johansson, za mąż wyszła również za Johanssona. Czyli nic się nie zmieniło.

– W takim razie na pewno uda mi się ją odnaleźć. Ale nie odpowiedział pan. Jaka była moja matka? Wtedy.

Axel milczał przez chwilę, a potem powiedział:

– Spokojna, zamyślona. Ale nie smutna, nie taka, jaką ją opisujesz. Miała w sobie cichą radość. Nie to co Britta – prychnął.

– A jaka była Britta?

– Nigdy jej nie lubiłem i zupełnie nie rozumiałem, dlaczego brat zadaje się z taką... gąską. – Axel potrząsnął głową. – Twoja matka była z innej gliny. Britta była płytką, rozchichotaną osóbką, uganiała się za Fransem tak... w tamtych czasach dziewczyny po prostu tak się nie zachowywały. Wtedy było inaczej, rozumiesz.

Lekko się uśmiechnął i mrugnął porozumiewawczo.

– A Frans?

Z półotwartymi ustami wpatrywała się we Frankla, chłonęła każde jego słowo. Im więcej się dowiadywała o matce, tym bardziej się przekonywała, jak mało ją znała.

– Nie byłem zachwycony przyjaźnią mojego brata z Fransem Ringholmem. Miał gwałtowne usposobienie, pewną skłonność do okrucieństwa... wolałbym nie zadawać się z kimś takim. Ani wtedy, ani teraz.

– A co on teraz robi?

– Mieszka w Grebbestad. Można powiedzieć, że wybraliśmy zupełnie różne drogi życiowe – powiedział to sucho, z pogardą.

– W jakim sensie?

– W takim, że ja poświęciłem się walce z nazizmem, natomiast Frans życzyłby sobie powtórki z historii, najlepiej tu, na szwedzkiej ziemi.

– A co ma z tym wspólnego hitlerowski medal? – spytała Erika i pochyliła się w jego stronę.

Wyraz twarzy Frankla zmienił się, jakby opadła zasłona. Wstał.

– Właśnie, medal. Chodźmy go poszukać.

Wyszedł z pokoju pierwszy, Erika, speszona, za nim. Zastanawiała się, co takiego powiedziała, że nagle się przed nią zamknął, ale uznała, że nie pora na pytania. Przystanął w przedpokoju przed drzwiami, których wcześniej nie zauważyła. Były zamknięte. Zawahał się, stał z ręką na klamce.

– Chyba lepiej będzie, jeśli wejdę sam – powiedział drżącym głosem.

Erika domyśliła się, że za drzwiami jest biblioteka, w której zginął Erik.

– Może odłóżmy to na kiedy indziej – zaproponowała. Miała wyrzuty sumienia, że zakłóciła mu żałobę.

– Nie, zróbmy to teraz – odparł szorstko. Ale natychmiast powtórzył to łagodniejszym tonem, jakby nie chciał, żeby zabrzmiało tak szorstko: – Zaraz wracam.

Otworzył drzwi, wszedł i zamknął je za sobą. Stojąc w przedpokoju, Erika słyszała, jak szpera w szufladach. Musiał szybko znaleźć, bo już po minucie czy dwóch wyszedł.

– Jest, proszę.

Z nieprzeniknionym wyrazem twarzy położył medal na jej wyciągniętej dłoni.

– Dziękuję, ja... – Nie wiedziała, co jeszcze mogłaby powiedzieć, i zamknęła dłoń. – Dziękuję. – Na tym poprzestała.

Idąc żwirową ścieżką, czuła, że na nią patrzy. Już miała zawrócić i przeprosić, że mu przeszkodziła z powodu takiej drobnostki, gdy dobiegł ją odgłos zamykania drzwi.

Fjällbacka 1943

– Ale tchórz z tego Hanssona[10], w głowie się nie mieści!

Vilgot Ringholm wyrżnął pięścią w stół, aż podskoczył kieliszek do koniaku. Kazał żonie podać coś do przegryzienia i niecierpliwił się, że tak długo to trwa. Grzebie się, jak to baba. Nie dopilnujesz, to nic nie będzie zrobione.

– Bodil! – zawołał w stronę kuchni, ale nikt się nie odezwał. Strząsnął popiół z cygara i krzyknął jeszcze raz, tym razem ze wszystkich sił: – Bodiiil!

– Może stara ci zwiała kuchennymi drzwiami? – zarechotał Egon Rudgren.

Dołączył do niego Hjalmar Bengtsson, co jeszcze bardziej rozwścieczyło Vilgota. Baba ośmiesza go przed ewentualnymi partnerami w interesach. Dosyć tego. Już miał wstać, żeby zrobić porządek, gdy żona wyszła z kuchni z wyładowaną po brzegi tacą.

– Przepraszam, trochę to trwało – powiedziała, spuszczając wzrok i stawiając tacę na stole. – Synu, mógłbyś...?

Prosząco kiwnęła głową w stronę kuchni, ale Vilgot jej przerwał.

---

[10] Per Albin Hansson (1885–1946) – socjaldemokrata, długoletni premier Szwecji, stał na czele rządu zgody narodowej w latach drugiej wojny światowej, usiłując balansować między stronami konfliktu (przyp. tłum.).

– Frans nie ma czego szukać w kuchni, to babskie sprawy. Wyrósł na mężczyznę, niech siedzi z nami. Zawsze się czegoś nauczy.

Mrugnął do syna, a siedzący naprzeciw niego Frans przeciągnął się w fotelu. Pierwszy raz wolno mu było siedzieć tak długo przy kolacji wydanej dla kontrahentów ojca. Zazwyczaj po deserze szedł do swojego pokoju. Tym razem jednak ojciec chciał, by został. Fransa rozpierała duma. Jeszcze trochę, a guziki koszuli rozprysłyby się na wszystkie strony. Wieczór zapowiadał się coraz ciekawiej.

– Może kropelkę koniaku? Co wy na to? Parę tygodni temu skończył trzynaście lat. Może już pora, żeby spróbował koniaku?

– Jakie już? – zaśmiał się Hjalmar. – Pora była już dawno. Swoim chłopakom daję posmakować, odkąd skończyli jedenaście lat, i powiem, że bardzo dobrze im to robi.

– Vilgot, naprawdę uważasz... – Bodil z rozpaczą spojrzała na męża, który ostentacyjnie nalał do kieliszka sporo koniaku i podał synowi. Frans wypił łyk i zakaszlał.

– Spokojnie, chłopcze, koniak trzeba smakować, a nie wlewać w siebie.

– Vilgot... – znów odezwała się Bodil.

Vilgotowi wzrok pociemniał.

Bodil chciała jeszcze coś powiedzieć. Zwróciła się do Fransa, ale syn z triumfem uniósł kieliszek i powiedział z uśmiechem:

– Twoje zdrowie, droga mamo.

Idąc do kuchni, słyszała za sobą salwy śmiechu. Zamknęła drzwi.

– O czym to ja mówiłem? – powiedział Vilgot, zapraszając gestem do częstowania się kanapkami ze śledziem. – Nad czym ten Per Albin jeszcze się zastanawia? Przecież to jasne, że powinniśmy się włączyć po stronie Niemiec!

Egon i Hjalmar skinęli głowami. No pewnie, można się tylko zgodzić.

– To smutne – powiedział Hjalmar – że w tych trudnych czasach nasz kraj nie potrafi się zachować uczciwie, zgodnie ze szwedzkimi ideałami. Człowiek się niemal wstydzi, że jest Szwedem.

Wszyscy jednomyślnie pokiwali głowami, a potem wypili jeszcze po łyku.

– Że też nie pomyślałem wcześniej! Przecież nie będziemy pić koniaku pod śledzika. Frans, skocz, przynieś kilka zimnych piw!

Pięć minut później zasady zostały przywrócone: kanapki ze śledziem popijali dobrze schłodzonym tuborgiem. Frans ponownie zasiadł w fotelu naprzeciw ojca i uśmiechnął się szeroko, gdy Vilgot otworzył butelkę i podał mu bez słowa.

– Wpłaciłem parę koron, by wesprzeć słuszną sprawę, i panom radzę zrobić to samo. Hitler potrzebuje poparcia wszystkich porządnych ludzi.

– To prawda, interesy idą dobrze – powiedział Hjalmar, unosząc do góry butelkę. – Ledwo nadążamy z eksportem rudy, tyle jest zamówień. Cokolwiek by mówić o wojnie, to opłacalne przedsięwzięcie.

– A jak się jeszcze pozbędziemy żydostwa i zyski się zwiększą, to będzie już całkiem dobrze. – Egon sięgnął w stronę pustoszejącego talerza po kolejną kanapkę. Odgryzł kęs i zwrócił się do Fransa, który pilnie słuchał: – Możesz być dumny ze swego ojca, chłopcze. Niewielu jest w kraju takich jak on.

– Wiem – mruknął Frans.

Czuł się skrępowany tym, że nagle zwraca się na niego uwagę.

– Mam nadzieję, że słuchasz ojca, a nie tych, co nie mają o niczym pojęcia. Chyba zdajesz sobie sprawę, że większość tych, którzy potępiają Niemców i wojnę, ma nieczystą krew. W naszej okolicy jest sporo włóczęgów różnej maści, Walonów[11] i im podobnych, więc nic dziwnego, że przekręcają fakty. Twój ojciec wie, jak jest naprawdę. Wszyscy byliśmy świadkami, jak Żydzi i cudzoziemcy próbowali wziąć górę, zniszczyć wszystko, co niezbrukane, szwedzkie. Hitler podąża słuszną drogą, zapamiętaj sobie moje słowa!

Egon rozgrzał się tak bardzo, że pluł okruszkami chleba na wszystkie strony. Frans słuchał go jak urzeczony.

– Panowie, czas pogadać o interesach.

Vilgot z hukiem postawił butelkę na stole, skupiając na sobie uwagę gości.

Frans przysłuchiwał się rozmowie jeszcze dwadzieścia minut, a potem chwiejnym krokiem poszedł do łóżka. Kładąc się w ubraniu na narzucie, miał wrażenie, że pokój wiruje. Dobiegająca z salonu rozmowa brzmiała jak brzęczenie. Zasnął w błogiej nieświadomości, jak się będzie czuł, kiedy się obudzi.

---

[11] W XVII wieku do Szwecji napłynęła liczna grupa imigrantów z Walonii. Zatrudniali się w górnictwie i przemyśle tkackim. Szwedzi mający ciemne włosy i oczy, niewyglądający na typowych Skandynawów, często powołują się na walońskie pochodzenie (przyp. tłum.).

Gösta westchnął głęboko. Lato z wolna przechodziło w jesień, co dla niego oznaczało, że wkrótce będzie musiał ograniczyć do minimum granie w golfa. Wprawdzie było jeszcze dość ciepło i teoretycznie miał przed sobą co najmniej miesiąc, ale nauczony doświadczeniem wiedział, że kilka meczów przepadnie w strugach deszczu, kilka z powodu burz, a potem z dnia na dzień temperatura zmieni się z przyjemnej w nieznośną. To poważny minus życia w Szwecji. Plusów, które mogłyby je zrównoważyć, nie dostrzegał. Chyba że kiszone śledzie[12], ale wyjeżdżając za granicę, można przecież zabrać ze sobą kilka puszek i już człowiek ma to, co najlepsze, i tu, i tam.

Na szczęście w komisariacie panował spokój. Mellberg poszedł na spacer z Ernstem, a Martin i Paula pojechali do Grebbestad porozmawiać z Fransem Ringholmem. Gösta jeszcze raz spróbował sobie przypomnieć, gdzie słyszał to nazwisko, i z ulgą stwierdził, że klapka mu się otworzyła. Ringholm. Tak się nazywa dziennikarz z „Bohusläningen". Sięgnął po leżący na biurku egzemplarz gazety i zaczął przeglądać. W końcu znalazł: Kjell Ringholm. Złośliwy skurczybyk. Uwielbiał dociskać miejscowych polityków i przedstawicieli władz regionu. Może to przypadek, choć na-

---

[12] Kiszone śledzie – specjał szwedzkiej kuchni o niezwykle silnej woni (przyp. tłum.).

zwisko nie należało do często spotykanych. Czy mógłby być synem Fransa? Na wszelki wypadek zapisał to sobie w pamięci.

Na razie czekało go pilniejsze zadanie. Znów westchnął. Była to umiejętność, którą z wiekiem przekształcił niemal w sztukę. Ale to może poczekać do powrotu Martina. Wtedy ciężar rozłoży się na dwóch. W dodatku będzie miał dla siebie jeszcze godzinkę, może dwie, jeśli Martin i Paula postanowią zjeść lunch, zanim wrócą.

Potem pomyślał, że nie ma na co czekać. Lepiej, żeby ta sprawa już nad nim nie wisiała. Wstał i włożył kurtkę. Powiedział Annice, dokąd jedzie, wziął z garażu służbowy samochód i pojechał do Fjällbacki.

Dopiero gdy zadzwonił do drzwi, uprzytomnił sobie, że zrobił głupstwo. Było dopiero po dwunastej. To oczywiste, że chłopcy są w szkole. Już miał zawrócić, gdy drzwi się otworzyły i stanął w nich Adam. Pociągał nosem, oczy miał szkliste od gorączki.

– Chory jesteś? – spytał Gösta.

Chłopak przytaknął i jakby na dowód kichnął siarczyście i wytarł nos w chusteczkę.

– Przeziębiłem się – powiedział. Słychać było, że ma całkowicie zatkany nos.

– Można wejść?

Adam odsunął się od drzwi.

– Na własne ryzyko – powiedział i znów kichnął.

Gösta poczuł, jak pełne wirusów kropelki śliny opryskują mu dłoń, ale spokojnie wytarł ją rękawem. Przydałoby się kilkudniowe zwolnienie. Z przyjemnością smarkałby w chusteczkę, leżąc na kanapie i oglądając nagranie z ostatniego turnieju Masters. Mógłby wreszcie spokojnie przestudiować uderzenie Tigera na zwolnionych obrotach.

– Baby nie ba w dobu – powiedział Adam.

Idąc za nim do kuchni, Gösta zmarszczył czoło, ale po chwili odgadł: mamy nie ma w domu. Pewnie o to mu chodziło. Przez głowę przemknęła mu myśl, że przesłuchiwanie nieletniego pod nieobecność rodziców lub opiekunów prawnych jest niedopuszczalne, ale zniknęła równie szybko, jak się pojawiła. Gösta był zdania, że takie reguły niepotrzebnie utrudniają życie. Gdyby był z nim Ernst, na pewno by go poparł. Policjant Ernst, nie pies, pomyślał i zachichotał. Adam spojrzał na niego dziwnie.

Usiedli przy kuchennym stole z pozostałościami po śniadaniu. Było tam wszystko: okruchy chleba, rozmazane masło, rozlane kakao O'boy.

– No więc...

Gösta zabębnił po stole palcami i natychmiast pożałował, bo przylepiły mu się do nich okruchy. Wytarł rękę o nogawkę i zaczął jeszcze raz:

– Tak. Już doszedłeś do siebie?

Nawet dla niego zabrzmiało to dziwnie. Nie umiał rozmawiać z młodzieżą ani z osobami po urazie psychicznym. Nie wierzył też w te brednie. Dobry Boże, gość nie żył, gdy go znaleźli, co w tym takiego strasznego? Mało się napatrzył na umarlaków w ciągu tylu lat służby? I nie miał żadnego urazu.

Adam wytarł nos i wzruszył ramionami.

– Nie ma sprawy. W szkole uważają, że to superowo.

– Jak to się stało, że tam poszliście?

– To był pomysł Mattiasa.

Adam powiedział „Battiasa", ale Gösta już się zdążył przestawić i na bieżąco tłumaczył sobie jego słowa.

– Wszyscy wiedzą, że ci starzy dziwacy zajmują się drugą wojną światową i tak dalej, a jeden chłopak w szkole mówił, że mają w domu całą masę coolerskich rzeczy. No i Mattias chciał, żebyśmy tam poszli zobaczyć...

Przerwało mu gwałtowne kichnięcie. Gösta aż podskoczył na krześle.

– To znaczy, że Mattias wpadł na pomysł, żeby się włamać do ich domu, tak? – Gösta surowo spojrzał na Adama.

– Zaraz włamać... – Adam zaczął się wiercić. – Przecież nie chcieliśmy niczego ukraść, nic z tych rzeczy, tylko trochę pooglądać. Myśleliśmy, że obaj wyjechali i nawet nie zauważą, że u nich byliśmy...

– Muszę ci uwierzyć na słowo – powiedział Gösta. – Byliście tam już kiedyś?

– Nie, jak słowo daję. – Adam spojrzał na niego błagalnie. – To był pierwszy raz.

– Będę musiał pobrać od ciebie odciski palców. Na poparcie tego, co mówisz. I żeby cię wykluczyć z kręgu podejrzanych. Nie masz nic przeciwko temu?

– A skąd. – Adamowi zalśniły oczy. – Zawsze oglądam „CSI". Wiem, jakie to ważne, żeby wykluczyć. Potem wrzucicie odciski do komputera i już będziecie wiedzieć, kto tam był.

– Właśnie – potwierdził Gösta ze śmiertelnie poważną miną, chociaż w środku pękał ze śmiechu. Wrzucacie odciski palców do komputera. A jakże.

Wyjął sprzęt potrzebny do pobrania odcisków: poduszeczkę nasączoną czarnym tuszem i kartę rejestracyjną z dziesięcioma polami. Po kolei odcisnął na nich palce chłopaka.

– Gotowe – stwierdził z zadowoleniem.

– Potem to skanujecie, czy jak? – spytał Adam z zaciekawieniem.

– Oczywiście, skanujemy. A później, tak jak mówiłeś, porównujemy z tym, co mamy w bazie. Są w niej odciski palców wszystkich obywateli szwedzkich w wieku powyżej osiemnastu lat. I jeszcze trochę cudzoziemców. No wiesz, Interpol i tak dalej. Jesteśmy podłączeni do Interpolu. Stałym łączem. I do FBI, i CIA.

– Ale superowo! – Adam z podziwem spojrzał na niego.

Gösta śmiał się przez całą drogę do Tanumshede.

Starannie nakrył do stołu. Rozłożył żółty, ulubiony obrus Britty. Na nim biały serwis w wypukły wzorek, świeczniki, które dostali jeszcze w prezencie ślubnym, i wazon z kwiatami. Britta zawsze dbała, żeby niezależnie od pory roku w domu były świeże kwiaty. Dawniej była w kwiaciarni stałą klientką. Teraz chodził tam Herman. Chciał, żeby wszystko zostało po staremu. Bo jeśli wszystko dookoła pozostanie niezmienione, być może nie zatrzyma to nakręcania się spirali, ale przynajmniej ją spowolni.

Najgorzej było na początku, zanim lekarze postawili diagnozę. Britta zawsze była taka poukładana i nagle, czego nikt nie potrafił zrozumieć, nie mogła znaleźć kluczyków do samochodu, do wnuków zaczęła się zwracać niewłaściwymi imionami, nie pamiętała numerów telefonów przyjaciółek, do których dzwoniła przez całe życie. Najpierw myśleli, że to ze zmęczenia i stresu. Zaczęła brać multiwitaminę i suplementy diety, bo podejrzewali, że to z powodu niedoboru mikroelementów w organizmie. W końcu już nie można było zamykać oczu na fakt, że to coś poważnego.

Kiedy wysłuchali diagnozy, milczeli dłuższą chwilę. Potem Britta zaszlochała, ale tylko raz, i na tym koniec. Mocno ścisnęła dłoń Hermana, odpowiedział jej uściskiem. Oboje wiedzieli, co to znaczy. Byli razem od pięćdziesięciu pięciu lat. Teraz ich życie miało się radykalnie zmienić. Choroba stopniowo doprowadzi jej umysł do rozpadu, z wolna pozbawiając ją wspomnień i osobowości. Rozwarła się przed nimi ogromna, głęboka przepaść.

Od tamtej pory minął rok. Dobre chwile zdarzały się coraz rzadziej. Herman próbował złożyć serwetki tak, jak robiła to Britta, ale trzęsły mu się ręce. Zawsze składała je w wachlarz. Widział to tyle razy, a jednak ciągle mu nie wychodziło. Po czwartej próbie ze złości i bezradności podarł serwetkę na kawałeczki. Powoli opadły na talerz. Usiadł, żeby się uspokoić, i wytarł łzę z kącika oka.

Przeżyli ze sobą pięćdziesiąt pięć lat. Dobrych, szczęśliwych lat. Oczywiście raz było lepiej, raz gorzej, jak to w małżeństwie. Ale budowali swoje życie razem, na solidnych podstawach. Razem też dojrzewali, zwłaszcza kiedy urodziła się córka. Bardzo był wtedy dumny z Britty. Musiał przyznać, że przed narodzinami dziecka czasem żona wydawała mu się płytka i niemądra. Ale w dniu, kiedy wzięła na ręce Annę Gretę, stała się inną osobą. Jakby macierzyństwo dało jej nowy punkt oparcia. Urodziły im się trzy wspaniałe córki, a po narodzinach każdej kolejnej Herman kochał żonę coraz bardziej.

Poczuł dłoń na ramieniu.

– Tato? Co się dzieje? Pukałam, ale się nie odzywałeś, więc sama weszłam.

Herman szybko wytarł oczy i widząc zmartwioną minę najstarszej córki, spróbował się uśmiechnąć. Nie dała się oszukać. Objęła go i przytuliła policzek do jego policzka.

– Masz dzisiaj ciężki dzień, prawda?

Przytaknął i przez chwilę czuł się w jej objęciach jak dziecko. Dobrze ją z Brittą wychowali. Anna Greta była ciepłą, troskliwą i kochającą babcią dwójki ich prawnuków. Czasami nie mieściło mu się w głowie, że ta siwa kobieta po pięćdziesiątce to jego mała córeczka, która tuptała po domu, owijając sobie tatusia wokół palca.

– Jak ten czas leci, córeczko – powiedział w końcu, głaszcząc ją po ramieniu.

– Oj tak, tato, czas leci – odparła i ścisnęła go jeszcze mocniej. Po chwili powiedziała: – Może zrobilibyśmy porządek na stole? Mama nie będzie zachwycona, jak zobaczy taki bałagan. – Zaśmiała się. Herman też się uśmiechnął. – Poskładam serwetki, a ty rozłóż sztućce. Tak będzie najlepiej.

Wskazała palcem na rozrzucone, porwane kawałeczki serwetki i mrugnęła porozumiewawczo.

– Masz rację. – Uśmiechnął się z wdzięcznością. – Tak będzie najlepiej.

– O której przychodzą? – zawołał Patrik z sypialni.

Właśnie się przebierał, bo Erika nalegała, by włożył coś bardziej odpowiedniego niż dżinsy i T-shirt. Nie pomogło tłumaczenie, że „przecież to tylko twoja siostra i Dan". To piątkowa kolacja i już. Musi być trochę elegancji.

Erika otworzyła piecyk, żeby zerknąć na polędwiczki. Miała wyrzuty sumienia, że wczoraj nakrzyczała na Patrika, i chcąc mu to wynagrodzić, przyrządziła jedną z jego ulubionych potraw: polędwiczki wieprzowe zapiekane w cieście z sosem porto i piure z ziemniaków. To samo podała w pamiętny wieczór, gdy zaprosiła go do siebie po raz pierwszy. W pierwszy wieczór, gdy... Zaśmiała się sama do siebie i zamknęła piecyk. Wydawało jej się, że to było tak dawno, choć minęło tylko kilka lat. Prawdziwie i gorąco kochała Patrika, ale, choć to zdumiewające, codzienność, kiedy się ma małe dziecko, szybko zabija w człowieku chęć kochania się pięć razy z rzędu, jak tamtej nocy. Teraz była zmęczona na samą myśl o ćwiczeniach w łóżku. Raz w tygodniu – to już wyczyn.

– Będą za pół godziny! – odkrzyknęła i zabrała się do robienia sosu.

Sama zdążyła się już przebrać w czarne spodnie i bluzkę w kolorze lila, ulubione ciuchy jeszcze z czasów, gdy mieszkała w Sztokholmie i miała w zasięgu mnóstwo sklepów. Na wszelki wypadek przewiązała się fartuszkiem. Patrik właśnie schodził po schodach i aż gwizdnął z uznaniem.

– Kogóż to widzą me zmęczone oczy? Po prostu boskie zjawisko, połączenie prostoty i kulinarności.

138

– Nie ma takiego słowa – powiedziała Erika ze śmiechem, gdy Patrik pocałował ją w kark.

– Teraz już jest – odparł Patrik i mrugnął do niej. Cofnął się o krok i zakręcił pirueta. – Co powiesz? Może być? Czy mam się przebrać jeszcze raz?

– Ojej, mówisz, jakbym była jakąś jędzą. – Z udawaną powagą obejrzała go od stóp do głów i roześmiała się. – Jesteś ozdobą naszego domu. Gdybyś jeszcze nakrył do stołu, tobym sobie przypomniała, dlaczego za ciebie wyszłam.

– Nakryć do stołu! Mówisz, masz!

Pół godziny później, gdy punktualnie o siódmej rozległ się dzwonek, kolacja była gotowa, a stół nakryty. W drzwiach stanęli Anna, Dan, Emma i Adrian. Dzieci od razu wbiegły, wołając Maję, swoją ulubienicę.

– Co to za przystojniak? – spytała Anna. – Gdzie podziałaś Patrika? W samą porę go zamieniłaś na ten wspaniały okaz.

Patrik uściskał Annę.

– Ja również się cieszę na twój widok, kochana szwagierko... Jak się macie, gołąbki? Jesteśmy prawdziwie zaszczyceni, że udało wam się wyrwać na chwilę z sypialni, żeby wstąpić w nasze skromne progi.

– No wiesz...

Anna zarumieniła się i trzepnęła Patrika w pierś, ale spojrzała na Dana tak, że widać było, że coś jest na rzeczy.

Wieczór był bardzo przyjemny. Emma i Adrian zabawiali Maję do chwili, gdy przyszła pora, żeby ją położyć spać, a potem sami zaczęli przysypiać na kanapie. Goście pochwalili jedzenie, jak na to zasługiwało, i opróżnili kilka butelek pysznego wina. Erika cieszyła się, że może posiedzieć z siostrą i z Danem przy spokojnej domowej kolacji. Bez ciemnych chmur na horyzoncie, bez wracania myślą do przeszłości. Niewinne pogawędki i sympatyczne przekomarzanki.

Nagle ten spokój zakłócił wściekły dzwonek komórki Dana.

– Przepraszam, sprawdzę, kto dzwoni o tej porze – powiedział Dan, idąc po telefon.

Zostawił go w kieszeni kurtki. Spojrzał na wyświetlacz i zmarszczył czoło – nieznany numer.

– Mówi Dan, słucham – powiedział z wahaniem.

– Co się stało? – zaniepokoiła się Anna.

– Chodzi o Belindę. Była na jakiejś imprezie i się upiła. Dzwoniła jej koleżanka. Wpakuje ją do taksówki i przyśle do nas.

– Ale gdzie ona jest? Przecież miała być u Pernilli, w Munkedal?

– Widać nie jest, skoro koleżanka dzwoniła z Grebbestad.

Dan wybrał jakiś numer, chyba obudził byłą żonę. Wyszedł do kuchni. Erika, Anna i Patrik słyszeli jedynie urywki rozmowy, dość nieprzyjemne. Po kilku minutach Dan wrócił do jadalni i z ponurą miną usiadł przy stole.

– Belinda powiedziała matce, że przenocuje u koleżanki. Z kolei koleżanka prawdopodobnie powiedziała w domu, że przenocuje u Belindy. Zamiast tego jakimś sposobem dotarły do Grebbestad i poszły na zabawę. Cholera! Myślałem, że mogę mieć pewność, że ona jej dopilnuje! – Nerwowym gestem przeciągnął ręką po włosach.

– Pernilla? – spytała Anna, głaszcząc go uspokajająco po ramieniu. – To wcale nie takie proste. Też byś się dał nabrać. To stara sztuczka.

– Wcale bym się nie dał! – powiedział Dan ze złością. – Wieczorem zadzwoniłbym do rodziców tej koleżanki, żeby sprawdzić, czy wszystko w porządku. Nie zaufałbym siedemnastolatce. Jak ona mogła być taka głupia? Nie mogę liczyć nawet na to, że upilnuje dzieci?

– Uspokój się – powiedziała surowo Anna. – Wszystko po kolei. Po pierwsze trzeba się zająć Belindą, jak przyjedzie. – Dan otworzył usta, żeby coś powiedzieć, ale nie pozwoliła mu się odezwać: – I dziś nie będziemy na nią krzyczeć. Porozmawiamy jutro, jak wytrzeźwieje. Okej?

Wprawdzie zakończyła pytaniem, ale dla wszystkich, również dla Dana, było jasne, że to nie podlega dyskusji. Dan kiwnął głową.

– Pościelę jej w pokoju gościnnym – powiedziała Erika.

– A ja przyniosę kubeł albo coś w tym rodzaju – powiedział Patrik. Miał nadzieję, że nie będzie musiał tego mówić, gdy Maja będzie nastolatką.

Kilka minut później usłyszeli samochód. Dan i Anna pospieszyli otworzyć drzwi. Anna zapłaciła za taksówkę, a Dan wziął na ręce Belindę: leżała na tylnym siedzeniu jak szmaciana lalka.

– Tato... – wybełkotała. Potem objęła go za szyję i przytuliła twarz do jego piersi.

Dana zemdliło od bijącego od niej zapachu wymiocin, a jednocześnie ogarnęła go wielka czułość. Nagle wydała mu się taka mała i krucha. Tyle lat minęło, odkąd ją nosił na rękach.

Wydała zdławiony odgłos i Dan odruchowo odwrócił jej głowę. Z jej ust chlusnęła na schody śmierdząca czerwona breja. Nie ulegało wątpliwości, że nadużyła czerwonego wina, a w każdym razie wina najwięcej.

– Wnieś ją do domu, a to zostaw. Potem spłuczemy schody – powiedziała Erika. – Zanieś ją pod prysznic, zajmiemy się nią z Anną i przebierzemy.

Stojąc pod prysznicem, Belinda zaczęła rozdzierająco płakać. Anna pogłaskała ją po głowie, Erika delikatnie wytarła ręcznikiem.

– Ćśśś, zobaczysz, wszystko będzie dobrze – powiedziała Anna, wkładając jej czystą koszulkę.

– Kim miał tam być... I ja myślałam, że... Ale on powiedział Lindzie, że jestem... brzyydka... – zacinała się, wyrzucając z siebie słowa i łkając.

Anna i Erika spojrzały na siebie porozumiewawczo. Nie chciałyby być na jej miejscu. Nic nie boli tak jak pęknięte serce nastolatki. Też przez to kiedyś przechodziły, więc świetnie rozumiały, że można chcieć utopić smutek w winie, choćby ukojenie miało być chwilowe. Jutro Belinda poczuje się jeszcze gorzej, wiedziały to z własnego bolesnego doświadczenia. Teraz trzeba ją położyć do łóżka, a z resztą będą sobie radzić jutro.

Mellberg przystanął przed drzwiami, z ręką na klamce ważył wszystkie za i przeciw. Zdecydowanie przeważały przeciw. Przyszedł tu z dwóch powodów. Po pierwsze, nie miał nic lepszego do roboty w ten piątkowy wieczór. Po drugie, ciągle miał w pamięci czarne oczy Rity. Nie był jednak przekonany, czy to wystarczy, żeby zrobić coś tak idiotycznie śmiesznego, jak pójść na kurs salsy. Zresztą w środku na pewno jest mnóstwo gotowych na wszystko bab, które chodzą na kurs tylko po to, żeby poderwać faceta. Żałosne. Przez chwilę chciał się obrócić na pięcie, zahaczyć o stację benzynową, kupić chipsy i potem w domu obejrzeć nagrany odcinek „Full frys med Stefan och Christer"[13]. Na tę myśl aż zarechotał. Kurde, oni to się znają na kawałach. Właśnie podjął decyzję, gdy ktoś szarpnął drzwi.

– Bertil! Jak miło, że przyszedłeś! Wejdź, właśnie zaczynamy.

Zanim zdążył się zorientować, Rita chwyciła go za rękę i pociągnęła do sali gimnastycznej. Stojący na podłodze kaseciak pompował muzykę latynoamerykańską. Na Mellberga spojrzały ciekawie cztery pary. Mieszane, co skonstatował z pewnym zdziwieniem. Wizja bycia rozszarpywanym przez chutliwe suki się rozwiała.

– Będziesz tańczyć ze mną. Pomożesz mi demonstrować figury – powiedziała Rita.

Zdecydowanym ruchem pociągnęła go na środek. Stanęła przed nim, chwyciła go za rękę, drugą otoczyła swoją talię. Mellberg najchętniej złapałby ją za ten fantastyczny tłuszczyk. Kompletnie nie rozumiał facetów, którzy lubią dotykać kości.

– Bertil, skup się – powiedziała surowo. Mellberg się wyprostował. – Obserwujcie nas uważnie. Panie: prawa noga w przód, ciężar ciała na lewą nogę, prawa noga wraca. Panowie tak samo, tylko na odwrót: lewa noga

---

[13] „Full frys med Stefan och Christer" – nadawany przez szwedzką stację TV4 popularny sitcom w rodzaju „Kiepskich" (przyp. tłum.).

w przód, ciężar ciała na prawą, lewa noga wraca. Będziemy to powtarzać, aż sobie utrwalimy.

Mellberg próbował zrobić, jak powiedziała, ale wydawało mu się, że jego mózg wymazał nawet tak podstawową informację, jak ta, która noga jest prawa, a która lewa. Ale Rita była dobrą nauczycielką. Zdecydowanymi ruchami przesuwała jego stopy w przód i w tył. Po chwili stwierdził z radością, że zaczyna łapać.

– A teraz... będziemy przy tym poruszać biodrami – powiedziała Rita, spoglądając na uczniów. – Wy, Szwedzi, jesteście strasznie sztywni. Tymczasem salsa to ruch, gibkość, miękkość.

Żeby pokazać, co ma na myśli, zakołysała biodrami w rytm muzyki. Wyglądało to, jakby falowała w przód i w tył. Mellberg jak urzeczony przyglądał się jej ruchom. Gdy to robiła, wydawało się łatwe. Chcąc jej zaimponować, zaczął naśladować jej ruchy. Jednocześnie próbował stawiać stopy tak, jak należy. Sądził, że już to umie. Tylko że teraz nic się nie zgadzało. Biodra miał sztywne jak po operacyjnym unieruchomieniu stawów. Próbował skoordynować ich ruchy z ruchami stóp i wtedy jakby całkiem go poraziło. Stanął bezradnie i na domiar złego w tym momencie pożyczka zsunęła mu się na lewe ucho. Szybko poprawił fryzurę, licząc na to, że nikt nie zauważył, ale chichot jednej z par rozwiał jego nadzieje.

– Bertil, wiem, że to trudne. Trzeba poćwiczyć – powiedziała Rita, zachęcając go do dalszych wysiłków. – Wsłuchuj się w muzykę. Wsłuchaj się i pozwól ciału za nią podążyć. I nie patrz na nogi, patrz na mnie. Tańcząc salsę, zawsze należy patrzeć kobiecie w oczy. To taniec miłości, taniec namiętności.

Wbiła wzrok w jego oczy. Mellberg zmuszał się, żeby nie patrzeć pod nogi. Na początku zupełnie mu nie szło, ale prowadzony miękko przez Ritę po chwili uświadomił sobie, że coś się z nim dzieje. Jakby dopiero teraz jego ciało usłyszało muzykę. Zakołysał miękko biodrami. Jeszcze głębiej spojrzał Ricie w oczy i poczuł, że się poddaje latynoamerykańskim rytmom.

Kristiansand 1943

Nieprawda, że Axel lubił ryzyko. Ani że był wyjątkowo odważny. Oczywiście, że się bał, byłby głupcem, gdyby się nie bał. Ale musiał to robić. Po prostu nie potrafił przyglądać się bezczynnie, jak zwycięża zło.

Stał przy relingu, wiatr smagał mu twarz. Uwielbiał zapach morskiej wody. Musiał przyznać, że zazdrości tym mężczyznom, którzy w pogoni za rybami przebywają na wodzie od świtu do zmierzchu. Wiedział, że by go wyśmiali, gdyby się z tym zdradził. On, syn doktora, który ma się dalej uczyć, zostać kimś, miałby im zadrościć! Czego? Odcisków na dłoniach, zapachu ryb niedającego się usunąć z ubrań, może niepewności, czy się wróci do domu, towarzyszącej każdemu wypłynięciu na morze? Uważaliby, że skoro pragnie takiego życia, jakie jest ich udziałem, musi być głupi i zuchwały. Nigdy by tego nie pojęli. Ale Axel każdym nerwem swego ciała czuł, że właśnie do takiego życia ma powołanie. Miał wprawdzie głowę do nauki, ale wśród książek nie czuł się tak swojsko jak na kołyszącym się pokładzie, gdy wiatr targa włosy, a w powietrzu unosi się zapach ryb.

Natomiast Erik uwielbiał przebywać wśród książek. Promieniał szczęściem, gdy wieczorem siedział na swoim łóżku i przebiegał wzrokiem przez karty książki, zbyt grubej i starej, żeby mogła wzbudzić entuzjazm kogokolwiek poza nim. Cierpiał na nieustający głód wiedzy. Nurzał się w niej, chłonął ją, pożerał fakty, daty, nazwiska i miejsca. Axela to fascynowało, a jednocześnie martwiło. Byli tak różni. Być może z powodu różnicy wieku. Cztery lata. Nigdy się ze sobą nie bawili, nie dzielili zabawkami. Martwiło go również, że rodzice różnie ich traktowali. Zakłócało to równowagę w rodzinie. Jego chwalili ponad miarę, czyniąc z niego kogoś, kim w rzeczywistości nie był, a Erika nie doceniali. Ale jak miałby się temu przeciwstawić? Mógł tylko robić to, co do niego należało.

– Zaraz zawiniemy do portu – oznajmił sucho Elof.

Axel drgnął. Nie słyszał, gdy podszedł.

– Wymknę się na ląd, jak tylko zacumujemy. Nie będzie mnie około godziny.

Elof skinął głową.

– Uważaj na siebie, chłopcze – powiedział i poszedł na rufę przejąć ster.

Dziesięć minut później Axel rozejrzał się uważnie i wyskoczył na nabrzeże. Wszędzie dookoła widać było niemieckie mundury, ale większość żołnierzy była czymś zajęta: kontrolowali łodzie zacumowane przy nabrzeżu. Poczuł, że serce zaczyna mu bić szybciej. Na lądzie kręcili się też marynarze, ładowali albo rozładowywali towar. Axel usiłował się poruszać tak samo normalnie jak robotnicy, którzy nie mieli nic do ukrycia. Tym razem nic przy sobie nie miał, miał coś zabrać. Nie wiedział, jaki dokument ma przemycić do Szwecji, i nie chciał wiedzieć. Wystarczało mu, że wie, komu go przekazać.

Otrzymał jasne instrukcje: na końcu nabrzeża znajdzie mężczyznę w brązowej koszuli i niebieskiej cyklistówce. Szedł, rozglądając się czujnie wokoło. Jak dotąd wszystko szło dobrze. Nikt się nie interesował rybakiem poruszającym się po znanym terenie. Niemcy byli zajęci swoimi sprawami. Nikt nie zwracał na niego uwagi. W końcu dostrzegł mężczyznę. Sztaplował skrzynie i wydawał się całkowicie na tym skupiony. Axel podszedł do niego. Powinien sprawiać wrażenie, że ma tu coś do zrobienia. Nie wolno mu popełnić błędu. Nie może się rozglądać rozbieganym wzrokiem. W ten sposób zwróciłby na siebie uwagę.

Podszedł do mężczyzny. Jeszcze go nie zauważył, chwycił stojącą najbliżej skrzynię i zaczął i ją sztaplować. Kątem oka zobaczył, jak pod osłoną jakichś skrzynek ten człowiek upuszcza coś na ziemię. Axel pochylił się, jakby zamierzał podnieść następną skrzynię, ale najpierw złapał zwinięty papier i włożył go do kieszeni. Już. Nie wymienili nawet jednego spojrzenia.

Axel poczuł ulgę tak wielką, że niemal zakręciło mu się w głowie. To zawsze był krytyczny moment. Potem ryzyko, że coś pójdzie nie tak, było już znacznie mniejsze...

– *Halt! Hände hoch!*

Rozkaz wypowiedziany po niemiecku padł znikąd. Axel spojrzał ze zdumieniem na stojącego obok mężczyznę i jego zawstydzony wzrok. Wtedy zrozumiał. Zasadzka. Albo całe zadanie było blefem obliczonym na to, by wpadł, albo Niemcy odkryli, co się dzieje, i zmusili zdemaskowanych ludzi do współpracy. Tak czy inaczej, Axel wiedział, że gra skończona. Niemcy prawdopodobnie obserwowali go od chwili, kiedy wyszedł na ląd, aż do momentu, kiedy wziął dokument. Palił go, miał go w kieszeni. Podniósł ręce w geście poddania. Miał przed sobą funkcjonariuszy gestapo. Gra skończona.

148

Poranny rytuał zakłóciło mu głośne pukanie. Każdy ranek wyglądał tak samo: najpierw prysznic, potem golenie. Potem śniadanie: zawsze dwa jajka, kromka żytniego chleba z masłem i serem i duża filiżanka kawy. Zawsze to samo. Zjadał to, siedząc przed telewizorem. Lata spędzone w więzieniu sprawiły, że cenił przewidywalność i nawyki. Znów pukanie. Poszedł otworzyć. Był zirytowany.

– Cześć.

Stał przed nim jego syn. Patrzył jak zawsze twardo, do czego ojciec w końcu musiał się przyzwyczaić.

Frans Ringholm już nie pamiętał czasów, gdy wszystko było inaczej. Trudno, trzeba się pogodzić z tym, czego nie można zmienić. To właśnie jedna z tych rzeczy. Tylko czasem śniło mu się, że trzyma w dłoni małą rączkę syna. Niewyraźne wspomnienie z odległej przeszłości.

Westchnął niemal niedosłyszalnie i odsunął się od drzwi, wpuszczając go do środka.

– Cześć, Kjell – powiedział. – Jaką masz dzisiaj sprawę do starego ojca?

– Erik Frankel – odparł zimno Kjell, patrząc na niego badawczo, jakby się spodziewał czegoś szczególnego.

– Jem śniadanie. Wejdź.

Kjell poszedł za nim do salonu. Nigdy tu nie był, więc rozglądał się z ciekawością. Nie potrafił tego ukryć.

Ringholm nawet nie spytał, czy syn napiłby się kawy. Z góry znał odpowiedź.

– No więc o co ci chodzi z tym Erikiem Franklem?

– Wiesz, że nie żyje. – Zabrzmiało to jak stwierdzenie.

Ringholm skinął głową.

– Tak, słyszałem, że stary Erik nie żyje. Ubolewam nad tym.

– Doprawdy? Ubolewasz?

Kjell obserwował go uważnie. Ringholm dobrze wiedział dlaczego. Nie przyszedł tu jako syn, lecz jako dziennikarz.

Ringholm dał sobie czas na zastanowienie. Tyle w nim buzowało emocji, tyle wspomnień z całego życia. Nigdy nie będzie w stanie opowiedzieć o tym synowi. Kjell by nie zrozumiał. Już dawno go osądził. Wyrósł między nimi mur tak wysoki, że całkiem zasłonił obu pole widzenia. Wyrósł wiele lat temu, zbyt dawno, w znacznej mierze z jego winy. W dzieciństwie Kjell nie widywał zbyt często tatusia kryminalisty. Matka parę razy zabrała go do więzienia na widzenie, ale gdy Ringholm w zimnej, odpychającej sali odwiedzin zobaczył pytające spojrzenie dziecka, twardo zabronił dalszych wizyt. Pomyślał, że chłopcu będzie lepiej bez ojca niż z ojcem takim jak on. Może popełnił błąd, ale już za późno, żeby to zmienić.

– Tak, ubolewam nad tym, że Erik nie żyje. Znaliśmy się w młodości, mam o nim same dobre wspomnienia. Potem nasze drogi się rozeszły i... – Ringholm rozłożył ręce. Nie musiał mu tłumaczyć. O rozchodzeniu się dróg obaj wiedzieli wszystko.

– To nieprawda. Wiem, że w ostatnim czasie kontaktowałeś się z Erikiem i że Przyjaciele Szwecji okazali pewne zainteresowanie Franklami. Nie będziesz miał nic przeciwko temu, że będę notował, prawda?

Kjell ostentacyjnie położył na stole notes i z piórem na kartce wyzywająco spojrzał na ojca.

Ringholm wzruszył ramionami i w geście przyzwolenia machnął dłonią. Już nie miał siły w to grać. Kjell aż kipiał złością. Ringholm dobrze znał ten stan. Sam przez lata nosił w sobie tę złość. Narobiła w jego życiu tyle złego, tak wiele zniszczyła. Syn użył jej inaczej. Ringholm uważnie śledził jego publikacje. Niejeden przedstawiciel lokalnych władz i biznesu miał okazję poznać siłę gniewu Kjella Ringholma. Pod tym względem nie bardzo się od siebie różnili. Szli innymi drogami, ale napędzała ich ta sama złość. Dzięki niej Ringholm już podczas pierwszego pobytu w więzieniu poczuł się jak wśród swoich, gdy spotkał więźniów o nazistowskich sympatiach. Napędzała ich ta sama nienawiść. W dodatku umiał uzasadniać swoje racje, przemawiać, bo ojciec ćwiczył go w tej sztuce. Przynależność do więziennej grupy nazistów zapewniła mu pozycję i władzę, był kimś. A złość była atutem, dowodem siły. Z czasem utożsamił się ze swoją rolą. Już nie dało się jej oddzielić od jego poglądów. Czuł, że z Kjellem jest tak samo.

– Na czym stanęliśmy? – Kjell spojrzał na wciąż pustą kartkę. – Właśnie. Kontaktowałeś się jednak z Franklem.

– Po starej przyjaźni. Nie było w tym nic szczególnego i nie miało to żadnego związku z jego śmiercią.

– To ty tak mówisz – zauważył Kjell. – Rozstrzygnie

o tym kto inny. W jakiej sprawie się z nim kontaktowałeś? Groziłeś mu?

Frans parsknął.

– Nie wiem, skąd masz te informacje. Nie groziłem Erikowi Franklowi. Wystarczająco dużo napisałeś o moich współtowarzyszach, żeby wiedzieć, że zawsze znajdą się... gorące głowy, które nie myślą racjonalnie. I właśnie o tym napisałem do Erika.

– Współtowarzysze. – Kjell wypowiedział to słowo z pogardą graniczącą z obrzydzeniem. – Masz na myśli reakcyjnych świrów, którzy wierzą, że można zamknąć granice.

– Nazwij to, jak chcesz – odparł z rezygnacją Ringholm. – Nie groziłem Erikowi Franklowi. A teraz proszę, żebyś sobie poszedł.

Przez chwilę wydawało się, że Kjell się sprzeciwi. Ale on wstał, pochylił się nad ojcem i wbił w niego wzrok.

– Byłeś kiepskim ojcem, ale z tym mogę żyć. Ale przysięgam, że jeśli nadal będziesz w to wciągał mojego syna, to...

Zacisnął pięści. Ringholm spojrzał na niego ze spokojem.

– W nic go nie wciągam. Jest dostatecznie dorosły, żeby myśleć samodzielnie. I dokonywać własnych wyborów.

– Tak jak ty? – powiedział z wyrzutem Kjell.

A potem wybiegł, jakby nie mógł dłużej wytrzymać z ojcem w jednym pomieszczeniu.

Trzasnęły drzwi. Frans czuł, jak serce wali mu w piersi. Myślał o ojcach, synach i dokonywaniu wyborów.

– Mieliście udany weekend?

Paula odmierzała porcję kawy do maszynki. Martin i Gösta poprzestali na ponurych skinieniach głową. Żaden z nich nie lubił poniedziałku, a Martin w dodatku źle spał w weekend.

Ostatnio miał problemy ze snem. Niepokoił się o dziecko, które miało przyjść na świat za parę miesięcy. Nie o to chodzi, że go nie chciał, bo chciał, i to bardzo. Ale dopiero teraz uświadomił sobie ogrom odpowiedzialności, jaki się z tym wiąże. Pojawi się mały człowieczek, którego trzeba będzie strzec, wychowywać i zajmować się nim cały czas. Ta świadomość nie pozwalała mu spać. Leżał i patrzył w sufit, a brzuch Pii unosił się i opadał w rytm jej spokojnego oddechu. On tymczasem miał przed oczami świat, w którym powszechny jest mobbing, przemoc z użyciem broni, narkomania, wykorzystywanie seksualne, rozmaite zmartwienia i nieszczęścia. Jego nienarodzone dziecko mogło spotkać nieskończenie wiele strasznych rzeczy. Po raz pierwszy zaczął się zastanawiać, czy podoła. Trochę za późno na takie rozważania. Za parę miesięcy dziecko nieodwołalnie przyjdzie na świat.

– Ale jesteście dziś weseli.

Paula usiadła przy stole i oparła łokcie na blacie. Spojrzała na Göstę i Martina i uśmiechnęła się.

– W poniedziałkowe poranki wesołość powinna być zakazana – powiedział Gösta, wstając po następną filiżankę kawy.

Woda w maszynce nie spłynęła jeszcze do końca i gdy wyjął dzbanek, na płytkę pociekła kawa. Nie zauważył tego. Napełnił filiżankę i odstawił dzbanek.

– No wiesz... – powiedziała surowo Paula, gdy nie zwracając uwagi na bałagan, którego narobił, miał wrócić na krzesło. – Chyba tego tak nie zostawisz. Wytrzyj po sobie.

Gösta rzucił okiem na maszynkę i dopiero teraz zauważył kałużę kawy na blacie.

– A, no dobrze – powiedział kwaśno i wytarł blat.

– Wreszcie ktoś się za ciebie weźmie – zaśmiał się Martin.

– Typowa kobieta. Strasznie jesteście drobiazgowe.

Paula już miała odparować, gdy z korytarza dobiegły odgłosy niezwykłe, jakich zazwyczaj nie słychać na komisariacie: wesoły głos dziecka.

Martin z nadzieją wyciągnął szyję.

– To na pewno...

Zanim zdążył skończyć, w drzwiach stanął Patrik. Na ręku trzymał Maję.

– Cześć wszystkim!

– Cześć! – wesoło odpowiedział Martin. – Długo bez nas nie wytrzymałeś.

Patrik się uśmiechnął.

– Pomyśleliśmy, że sprawdzimy, jak wam się pracuje. Prawda, Maju?

Maja zagruchała radośnie, machając rączkami. Zaczęła się kręcić, dając do zrozumienia, że chce, żeby ją postawił na podłodze. Patrik zrobił, jak chciała, a Maja, kołysząc się, ruszyła prosto do Martina.

– Witaj, malutka. Poznałaś wujka Martina? Oglądaliśmy razem kwiatki, pamiętasz? Wiesz co, wujek przyniesie ci pudełko zabawek.

Wstał i poszedł po zabawki, które trzymali w komisariacie, na wypadek gdyby ktoś przyszedł z dzieckiem i trzeba je było zabawić. Na widok pudła pełnego śmiesznych, cudownych przedmiotów, które zmaterializowało się w pokoju socjalnym, Maja nie posiadała się ze szczęścia.

– Dziękuję, Martinie – powiedział Patrik. Nalał kawy do filiżanki i usiadł przy stole. – No i jak wam idzie?

Wypił łyk i skrzywił się. Wystarczył tydzień nieobecności, żeby zapomnieć, jaką podłą kawę pije się w komisariacie.

– Nie za bardzo – odparł Martin. – Ale podjęliśmy parę wątków.

Opowiedział o rozmowie z Fransem Ringholmem i z Axelem Franklem. Patrik kiwał głową. Słuchał z zaciekawieniem.

– Gösta był w piątek u jednego z chłopaków, pobrał od niego odciski palców i butów. Musimy jeszcze pobrać od drugiego, żeby obu wykluczyć ze śledztwa.

– I co mówił ten chłopak? – spytał Patrik. – Zauważyli coś ciekawego? Dlaczego postanowili się włamać do Franklów? Dowiedzieliście się czegoś, co dałoby się dalej podrążyć?

– Nic ciekawego – opryskliwie odparł Gösta.

Odniósł wrażenie, że Patrik kwestionuje jego kompetencje, i bardzo mu się to nie podobało. Ale jego pytania nasunęły mu pewną myśl. Może powinien ją wydobyć. Pomyślał, że może mu się tylko wydaje. Gdyby o tym wspomniał, nalałby wodę na młyn Patrika.

– *Summa summarum*, póki co drepczemy w miejscu. Jest tylko jedna ciekawa rzecz, wątek Przyjaciół Szwecji.

Wygląda na to, że innych wrogów nie miał. Nie wydaje się, żeby komuś mogło zależeć na jego śmierci.

– Sprawdziliście jego konto w banku? Może tam znajdzie się coś interesującego – głośno myślał Patrik.

Martin potrząsnął głową. Był zły, że sam o tym nie pomyślał.

– Trzeba to zrobić jak najprędzej – powiedział. – Powinniśmy również wypytać Axela, czy w życiu Erika była jakaś kobieta. Albo mężczyzna. W każdym razie ktoś, komu się zwierzał w łóżku. Przesłuchamy również ich sprzątaczkę. Jeszcze dziś.

– Dobrze. – Patrik kiwnął głową. – Niech wyjaśni, dlaczego nie sprzątała przez całe lato i nie znalazła ciała Erika.

Paula wstała.

– Idę zadzwonić do Axela. Spytam go o ewentualną partnerkę czy partnera Erika.

Poszła do swojego pokoju.

– Macie listy Fransa do Erika? – spytał Patrik.

Martin wstał.

– Tak, zaraz przyniosę. Domyślam się, że chciałbyś je obejrzeć.

Patrik wzruszył ramionami, udając obojętność.

– Skoro już tu jestem...

Martin się roześmiał.

– Ciągnie wilka do lasu. Zdaje się, że jesteś na urlopie ojcowskim, prawda?

– Poczekaj, niedługo znajdziesz się w takiej samej sytuacji. W piaskownicy da się wytrzymać tylko jakiś czas. Zresztą Erika pracuje w domu i bardzo się cieszy, jak jej znikamy z oczu.

– Jesteś pewien, że chce, żebyście szukali schronienia właśnie w komisariacie? – Martinowi zabłysły oczy.

– Może i nie. Ale wpadłem tylko na chwilę. Sprawdzam, czy trzymacie dyscyplinę.

– Idę po listy, żebyś mógł na nie zerknąć...

Po chwili wrócił z pięcioma listami w plastikowych koszulkach. Maja podniosła wzrok znad pudła z zabawkami i wyciągnęła rączkę po papiery, ale Martin podał je Patrikowi.

– Nie, kochana, nie dostaniesz ich do zabawy.

Maja przyjęła ten komunikat z nieco obrażoną miną, ale natychmiast wróciła do badania zawartości pudła.

Patrik rozłożył listy na stole. Czytał ze zmarszczonym czołem.

– Nie ma tu nic konkretnego. Zresztą on się powtarza. Pisze, że Erik nie powinien zwracać na siebie uwagi, bo on już nie może go chronić. Że w szeregach Przyjaciół Szwecji są ludzie, którzy nie myślą, zanim coś zrobią. – Patrik czytał dalej. – Wydaje mi się, że Erik odpowiedział na ten list, bo Ringholm pisze: „Moim zdaniem jesteś w błędzie. Wspominasz o konsekwencjach i odpowiedzialności. A ja uważam, że należy pogrzebać przeszłość i spojrzeć w przyszłość. Inaczej patrzymy na wiele spraw, ale punkt wyjścia jest ten sam. Na jego dnie czają się te same upiory. W odróżnieniu od ciebie uważam, że budzenie upiorów byłoby niemądre. Lepiej tego nie tykać. Już w poprzednim liście wyłożyłem ci swój pogląd i nie zamierzam do tego wracać. Tobie radzę to samo. Chcę cię chronić, ale jeśli sytuacja się zmieni i upiory zostaną wyciągnięte na światło dzienne, być może zmienię zdanie". – Patrik podniósł wzrok na Martina. – Pytaliście Ringholma, co miał na myśli? O jakie upiory mu chodzi?

– Nie zdążyliśmy go spytać, ale będziemy jeszcze z nim rozmawiać.

W drzwiach znów stanęła Paula.

– Udało mi się ustalić, że w życiu Erika Frankla była kobieta. Zrobiłam, jak radził Patrik. Zadzwoniłam do Axela. Powiedział, że Erik od czterech lat miał przyjaciółkę, jak się wyraził. Nazywa się Viola Ellmander. Już z nią rozmawiałam. Może się z nami spotkać jeszcze dziś przed południem.

– Szybko się uwinęłaś – powiedział z podziwem Patrik, uśmiechając się do niej.

– Nie pojechałbyś z nami? – odruchowo spytał Martin, ale zerknął na Maję, która właśnie badała oczy lalki i dodał: – Nie, nie ma mowy.

– Oczywiście, że jest. Możesz ją zostawić ze mną – powiedziała Annika od drzwi.

Spojrzała na Patrika z nadzieją i posłała szeroki uśmiech Mai, a ona odpowiedziała tym samym. Nie mając własnego dziecka, Annika korzystała z możliwości wypożyczenia cudzego.

– Sam nie wiem... – Patrik spojrzał niepewnie na Maję.

– Nie wierzysz, że sobie poradzę? – spytała Annika, udając obrażoną i krzyżując ramiona.

– Nie o to chodzi – odparł Patrik. Nadal się wahał. Ale ciekawość wzięła górę, więc skinął głową. – Okej. Dołączę do was na jedną krótką chwilę i wrócę przed lunchem. Dzwoń, gdyby był jakiś problem. Aha, powinna zjeść koło pół do jedenastej. Najlepiej coś rozdrobnionego na papkę. Zresztą mam ze sobą słoiczek sosu mięsnego, mogłabyś odgrzać w mikrofalówce. Po jedzeniu zwykle chce jej się spać. Połóż ją w wózku i przejdź się kawałek, ale nie zapomnij smoczka i misia. Lubi go mieć przy sobie, kiedy zasypia i...

– Przestań. – Annika ze śmiechem podniosła ręce do góry. – Damy sobie z Mają radę. Nie ma problemu. Dopilnuję, żeby się nie zagłodziła pod moją opieką. O drzemkę też zadbamy.

– Dziękuję, Anniko – powiedział Patrik. Przykucnął koło córeczki i pocałował ją w jasną główkę. – Tatuś pojedzie na małą przejażdżkę, a ty zostaniesz z Anniką, dobrze? – Maja spojrzała na niego wielkimi oczami, ale zaraz wróciła do zabawy, to znaczy do wyrywania rzęs lalce. Patrik wstał i wyraźnie zawiedziony powiedział: – Teraz widać, jaki jestem niezastąpiony. Trzymajcie się.

Objął Annikę i ruszył do garażu. Siadając za kierownicą policyjnego samochodu, poczuł przypływ radosnego podniecenia. Martin wsunął się na siedzenie obok, a Paula usiadła z tyłu, z karteczką z adresem Violi Ellmander w ręku. Patrik wyjechał tyłem z garażu i ruszył w stronę Fjällbacki. Musiał się powstrzymać, żeby nie nucić z radości.

Axel powoli odłożył słuchawkę. Nagle wszystko wydało mu się takie nierzeczywiste. Jakby mu się śniło. Bez Erika dom wydawał się strasznie pusty. Bracia bardzo się pilnowali, żeby nie wchodzić sobie w drogę i nie naruszać nawzajem swojej prywatności. Bywało, że przez wiele dni nawet ze sobą nie rozmawiali. Często jadali o różnych porach i siedzieli każdy w swoim pokoju, w różnych częściach domu. Co bynajmniej nie oznaczało, że nie byli sobie bliscy. Oczywiście byli. Teraz panująca w domu cisza była inna niż wtedy, gdy Erik siedział w bibliotece. Tamtą ciszę można było przerwać, zamieniając kilka słów. Gdyby chcieli. Teraz w domu panowała cisza totalna, bezkresna, nieskończona.

Erik nigdy nie przyprowadził Violi. I nigdy o niej nie mówił. Axel znał ją tylko z rozmów telefonicznych, bo czasem odbierał, gdy dzwoniła. Wtedy Erik znikał na parę dni. Pakował do walizeczki najpotrzebniejsze rzeczy, żegnał się zdawkowo i już go nie było. Czasem, widząc, że brat wyjeżdża, Axel odczuwał zazdrość. Zazdrość o to, że Erik kogoś ma. Axelowi to się nie udało. Oczywiście też miewał kobiety. Ale żaden z tych związków nie przetrwał okresu pierwszego zakochania. Wina zawsze leżała po jego stronie. Nie wątpił w to, ale nie miał na to wpływu. Pochłonęła go pasja, która stała się wymagającą kochanką, niepozostawiającą miejsca na nic innego. Praca stała się sensem jego życia, jego istotą. Sam nie wiedział, jak to się stało. A zresztą nie, to jednak nieprawda.

Axel usiadł na wyściełanym krześle obok komody i rozpłakał się. Po raz pierwszy od śmierci brata.

Erika rozkoszowała się spokojem panującym w domu. Mogła nawet zostawić otwarte drzwi pokoju, nie przeszkadzały jej żadne odgłosy. Oparła nogi na biurku i zaczęła rozmyślać o spotkaniu z bratem Erika Frankla. Ta rozmowa otworzyła w niej jakąś śluzę. Odczuwała ogromną, nienasyconą wręcz ciekawość: chciała poznać nieznane jej cechy matki, których istnienia nawet nie przeczuwała. Instynkt podpowiadał jej, że Axel Frankel odsłonił zaledwie część tego, co o niej wiedział. Ale dlaczego miałby coś ukrywać? Co takiego kryło się w przeszłości matki, o czym nie chciał opowiadać? Sięgnęła po pamiętniki i zaczęła czytać od miejsca, w którym skończyła. Nie znalazła tam jednak żadnych wskazówek, wyłącznie rozważania nastoletniej dziewczyny o jej życiu codziennym. Żadnych tajemnic, nic, co tłumaczyłoby dziwny wyraz oczu Axela, gdy o niej mówił.

Czytała dalej. Przebiegała wzrokiem kolejne strony w poszukiwaniu czegoś szczególnego. Czegokolwiek, co by ją uspokoiło. Dopiero na ostatnich stronach trzeciego zeszytu znalazła coś, co w pewnym sensie łączyło się z Axelem.

Już wiedziała, co robić. Zdjęła nogi z biurka i ostrożnie włożyła pamiętniki do torebki. Otworzyła drzwi, żeby sprawdzić, czy jest zimno, włożyła cienką kurteczkę i raźno ruszyła przed siebie.

Weszła na strome schody prowadzące do Badis. Na ostatnim stopniu musiała przystanąć, cała się spociła z wysiłku. Stara restauracja wyglądała na opustoszałą po sezonie, chociaż ostatnio zamierała już w środku lata. Szkoda, bo piękniejszego widoku ze świecą szukać. Restauracja położona była na skale wznoszącej się nad brzegiem morza. Roztaczał się stamtąd niczym niezakłócony widok na wyspy wokół Fjällbacki. Ale budynek był już mocno zniszczony i pewnie trzeba byłoby sporo zainwestować, żeby mogło tu powstać coś sensownego.

Dom, którego szukała, stał kawałek dalej. Postanowiła spróbować, a nuż ją zastanie.

Drzwi się otworzyły i ujrzała parę bystrych oczu.

– Słucham? – odezwała się kobieta stojąca w przedpokoju.

– Nazywam się Erika Falck. – Zawahała się... – Jestem córką Elsy Moström.

W oczach Britty zobaczyła błysk. Przez chwilę milczała. Stała nieruchomo i nagle się uśmiechnęła i odsunęła od drzwi.

– Oczywiście. Córka Elsy. Teraz widzę. Wejdź, proszę.

Erika weszła i rozejrzała się z ciekawością. Wnętrze było jasne, przyjemne, na ścianach wisiało mnóstwo zdjęć dzieci, wnuków, a może i prawnuków.

– To cały nasz klan – z uśmiechem powiedziała Britta, wskazując na galerię.

– Ile państwo mają dzieci? – spytała uprzejmie Erika, patrząc na fotografie.

– Trzy córki. Ale, na miłość boską, nie mów do mnie pani. Czuję się wtedy staro. Nie przeczę, że jestem stara, ale człowiek nie musi się tak czuć. Wiek to w końcu tylko liczba lat.

– To prawda – odparła ze śmiechem Erika. Podobała jej się coraz bardziej.

– Chodźmy dalej, usiądziemy sobie.

Britta dotknęła jej łokcia. Erika zdjęła buty i kurtkę, a potem poszła za nią do salonu.

– Jak tu ładnie.

– Mieszkamy tu od pięćdziesięciu pięciu lat – powiedziała Britta. Uśmiechała się, jej twarz zmiękła i pojaśniała. Usiadła na dużej kwiecistej kanapie i dłonią klepnęła obok siebie. – Siadaj, porozmawiamy. Bardzo się cieszę, że cię poznałam. Ja i Elsy... przyjaźniłyśmy się w młodości.

Erice przez chwilę wydawało się, że usłyszała jakiś szczególny ton, ten sam co u Axela. Ale to była tylko chwila i Britta znów łagodnie się uśmiechnęła.

– Robiłam porządki na strychu i znalazłam trochę rzeczy mamy i... mówiąc wprost, zaciekawiły mnie. Niewiele wiem o mamie. Nie wiem na przykład, jak się poznałyście.

– Siedziałyśmy w jednej ławce. Od pierwszego dnia w szkole. A potem już tak zostało.

– I obie znałyście braci Franklów?

– Raczej Erika niż Axela. Axel był parę lat starszy i prawdopodobnie uważał nas za nieznośnych smarkaczy. Ale był bardzo przystojny.

– Słyszałam – zaśmiała się Erika. – Zresztą nadal jest przystojny.

– Zgadzam się. Tylko nie mów mojemu mężowi – teatralnym szeptem powiedziała Britta.

– Obiecuję. – Erika czuła coraz większą sympatię do dawnej przyjaciółki mamy. – A co z Fransem Ringholmem? Rozumiem, że on również należał do waszej paczki.

Britta zesztywniała.

– Frans. Cóż, należał.

– Zdaje się, że nie przepadałaś za nim.

– Nie przepadałam? Przeciwnie, byłam w nim okropnie zakochana. Dodam, że bez wzajemności. On patrzył w zupełnie inną stronę.

– W którą? – spytała Erika, chociaż się domyślała.

– Był wpatrzony w twoją matkę. Chodził za nią jak cień, ale na nic to się zdało. Twoja mama nigdy by nie spojrzała na kogoś takiego jak on. Mogła to zrobić tylko taka głupia gęś jak ja, patrząca na to, co z wierzchu. Bo rzeczywiście ładny był. Ładny groźną urodą, która osobie kilkunastoletniej wydaje się pociągająca, a dojrzałej odpychająca.

– Czy ja wiem... – wtrąciła Erika. – Groźni mężczyźni często wydają się pociągający nawet nieco starszym kobietom.

– Może masz rację – powiedziała Britta, patrząc w okno. – Na szczęście ja z tego wyrosłam. Przeszła mi miłość do Fransa. Nie był mężczyzną, z którym kobieta chciałaby się związać. Nie to co mój Herman.

– Nie jesteś przypadkiem niesprawiedliwa dla samej siebie? Nie pasuje do ciebie określenie głupia gęś.

– Teraz nie. Przyznaję jednak, że kiedyś, zanim poznałam Hermana i urodziłam dziecko, właśnie taka byłam... Nie byłam zbyt miłą dziewczyną.

Jej szczerość i surowość wobec samej siebie zaskoczyły Erikę.

– A Erik? Jaki był?

Britta znów spojrzała w okno, jakby musiała się zastanowić. Po chwili jej twarz się rozjaśniła.

– Erik zawsze był stary. To nie krytyka. Po prostu był taki stary malutki. Rosądny w dorosły sposób. Dużo rozmyślał, czytał. Stale siedział z nosem w książce. Dla Fransa to był pretekst, żeby się z nim drażnić.

Erikowi to dziwactwo uchodziło na sucho ze względu na brata.

– Domyślam się, że Axel był bardzo lubiany.

– Axel był bohaterem. Erik go podziwiał, jak nikt inny. Po prostu wielbił ziemię, po której stąpał jego brat. W oczach Erika Axel był absolutnie bez skazy. – Britta poklepała Erikę po nodze, a potem nagle wstała. – Nastawię kawę, potem porozmawiamy. Córka Elsy. Jak to miło.

Wyszła do kuchni. Erika słyszała, jak wyjmuje filiżanki i jak woda leje się z kranu. Potem zapadła cisza. Erika spokojnie czekała. Siedząc na kanapie, podziwiała widok, który się przed nią rozpościerał. Upłynęło kilka minut i cisza zaczęła ją niepokoić.

– Britta? – zawołała.

Żadnej odpowiedzi. Wstała i poszła do kuchni poszukać gospodyni.

Britta siedziała przy kuchennym stole, zapatrzona przed siebie niewidzącym wzrokiem. Na rozgrzanej do czerwoności płytce kuchenki stał pusty imbryk. Zaczął dymić. Erika rzuciła się, żeby go zdjąć, oparzyła się i krzyknęła. Włożyła rękę pod odkręcony kran, żeby złagodzić ból. Spojrzała na Brittę: jej spojrzenie zgasło.

– Britta? – odezwała się łagodnie.

Przestraszyła się, że mogła dostać jakiegoś ataku, ale Britta spojrzała na nią.

– Pomyśleć tylko, że przyszłaś mnie w końcu odwiedzić, Elsy.

Erika spojrzała na nią ze zdumieniem i powiedziała:

– Nie jestem Elsy, jestem Erika, jej córka.

Britta nie przyjęła tego do wiadomości i powiedziała cicho:

– Już dawno chciałam z tobą porozmawiać. Wytłumaczyć. Ale nie mogłam...

– Czego nie mogłaś wytłumaczyć? O czym chciałaś rozmawiać z Elsy?

Erika usiadła naprzeciwko niej. Rozsadzała ją ciekawość. Po raz pierwszy poczuła, że jest blisko, że się dowie, co wyczuła w rozmowach z Erikiem i Axelem. Dowie się, co ukrywają.

Ale Britta tylko patrzyła, nic nie mówiąc. Sprawiała wrażenie, jakby straciła kontakt z rzeczywistością. Erika miała ochotę nią potrząsnąć, zmusić do powiedzenia tego, co miała na końcu języka. Powtórzyła:

– Czego nie mogłaś wytłumaczyć? Jaki to ma związek z moją matką?

Britta machnęła ręką, a potem pochyliła się nad stołem w jej stronę i wyszeptała:

– Chciałam z tobą porozmawiać. Ale kości... należy... zostawić w spokoju. Nie trzeba... Erik mówił, że... nieznany żołnierz... – Mamrotała coś jeszcze, a potem zamilkła. Patrzyła przed siebie.

– Jakie kości? O czym ty mówisz? Co powiedział Erik?

Erika nawet nie zauważyła, że podniosła głos. W panującej w kuchni ciszy zabrzmiał jak krzyk. Britta zatkała uszy rękami i zaczęła niezrozumiale mamrotać coś pod nosem, jak małe dzieci, gdy nie chcą słuchać upomnień.

– Co tu się dzieje? Kim pani jest?

Za jej plecami rozległ się gniewny męski głos. Erika odwróciła się na krześle. Patrzył na nią wysoki mężczyzna z resztką siwych włosów okalających łysinę. W rękach trzymał torby z zakupami. Erika domyśliła się, że to Herman. Wstała.

– Przepraszam, ja... nazywam się Erika Falck. Britta znała moją matkę w młodości. Chciałam ją spytać o różne sprawy. Początkowo dobrze nam szło... ale potem... i włączyła kuchenkę. – Erika zdała sobie sprawę, że plecie trzy po trzy. Zrobiło się nieprzyjemnie. Britta nadal jak dziecko mamrotała pod nosem.

– Moja żona ma alzheimera – powiedział Herman, stawiając torby na podłodze. W jego głosie słychać było wielki smutek.

Erice zrobiło się głupio. Powinna się domyślić. To nagłe przejście od absolutnej jasności umysłu do całkowitego zagubienia. Przypomniała sobie, że czytała, że umysł chorych spycha ich w rejony, w których panuje wieczna mgła.

Herman podszedł do żony i ostrożnie zdjął jej ręce z uszu.

– Britta, kochanie. Musiałem pojechać po zakupy, ale już jestem. Już dobrze. – Kołysał ją w ramionach tak długo, aż przestała mamrotać. Podniósł wzrok na Erikę. – Niech pani już idzie. I proszę, żeby pani już do nas nie przychodziła.

– Ale Britta wspomniała... Chciałabym się dowiedzieć…

Potykała się o słowa, próbując trafić na właściwe, ale Herman powtórzył, patrząc jej w oczy:

– Proszę tu więcej nie przychodzić.

Wychodząc, poczuła się jak intruz, niemal jak złodziej. Słyszała, jak Herman uspokaja żonę, ale w uszach wciąż dźwięczały jej słowa Britty: coś o kościach. O co jej chodziło?

Tego lata pelargonie urosły wyjątkowo pięknie. Viola chodziła koło nich, starannie odrywając zwiędłe liście. Tak trzeba robić, żeby ładnie rosły. Jej rośliny były naprawdę imponujące. Co roku odcinała sadzonki od wyhodowanych okazów, pieczołowicie wsadzała do małych doniczek, by potem, gdy urosną, przesadzić do większych. Najbardziej lubiła odmianę Mårbacka. Nic nie mogło przebić jej urody. Połączenie delikatnych różowych kwiatów z trochę niekształtnymi, rozczapierzonymi łodygami dostarczało prawdziwych doznań estetycznych. Ale pelargonia różana też była piękna.

Okazało się, że pelargonie mają liczne grono wielbicieli. Odkąd syn wprowadził ją do wspaniałego świata internetu, Viola zaczęła się udzielać na trzech różnych forach poświęconych pelargoniom i zaprenumerowała cztery biuletyny internetowe. Największą przyjemność sprawiało jej jednak korespondowanie z Lassem Anrellem[14], prawdziwym pasjonatem. Zaczęli korespondować po jego wieczorze autorskim po publikacji jego najnowszej książki o pelargoniach. Viola zadała mu wtedy wiele pytań. Zawiązała się między nimi nić sympatii i od tamtej pory wypatrywała maili od

[14] Lasse Anrell jest popularnym dziennikarzem i pisarzem, znanym miłośnikiem pelargonii. Napisał o nich książkę (przyp. tłum.).

niego. Wpadały do jej skrzynki regularnie. Erik lubił się z nią droczyć: mówił, że za jego plecami ma romans z Anrellem, a wymiana poglądów na temat uprawy pelargonii to w rzeczywistości szyfr ukrywający miłosne uniesienia. Miał własną hipotezę na temat znaczenia określenia „pelargonia różana" i od tej pory nazywał jej... no właśnie, pelargonią różaną. Viola zarumieniła się na to wspomnienie, ale rumieniec natychmiast zniknął i w jej oczach pojawiły się łzy. Po raz tysięczny uzmysłowiła sobie, że Erika nie ma już wśród żywych.

Ostrożnie lała z konewki wodę na spodki, a ziemia piła ją chciwie. Pelargonii nie wolno podlewać za mocno, najlepiej, żeby ziemia zdążyła wyschnąć. Można to uznać za trafną metaforę jej związku z Erikiem. Gdy się spotkali, ziemia obojga zdążyła dobrze wyschnąć. Pilnowali się, żeby nie podlać za mocno tego, co między nimi wyrosło. Mieszkali osobno, żyli osobno i spotykali się wtedy, kiedy mieli siłę i ochotę. Zgodnie z obietnicą, którą dali sobie nawzajem na wczesnym etapie znajomości, że będzie to związek oparty na dawaniu sobie radości, nieobciążony codziennymi, trywialnymi sprawami. Tylko wzajemne okazywanie sobie czułości, miłość i interesujące rozmowy. Gdy przyjdzie ochota.

Słysząc pukanie do drzwi, odstawiła konewkę i otarła łzy rękawem bluzki. Odetchnęła głęboko, rzuciła okiem na pelargonie, żeby nabrać sił, i poszła otworzyć.

Fjällbacka 1943

– Britta, uspokój... Co się stało? Znów się upił?

Elsy pogładziła po plecach siedzącą obok przyjaciółkę. Britta skinęła głową. Chciała coś powiedzieć, ale
Elsy usłyszała tylko szloch. Przyciągnęła ją do siebie,
wciąż głaszcząc po plecach.

– Już niedługo będziesz mogła się wyprowadzić. Idź
gdzieś na służbę, nie będziesz musiała przeżywać tego
koszmaru.

– Jak już odejdę, to nigdy... nie wrócę – szlochała
Britta w pierś Elsy.

Elsy zobaczyła, że przód jej bluzki zrobił się całkiem
mokry od łez przyjaciółki, ale nie przejęła się tym.

– Znów był niedobry dla matki?

Britta skinęła głową.

– Uderzył ją w twarz. Co było później, nie wiem, bo
uciekłam. Gdybym była chłopcem, stłukłabym go na
kwaśne jabłko.

– E, szkoda by było takiej ładnej buzi dla chłopca –
zaśmiała się Elsy, tuląc ją. Znała przyjaciółkę i wiedziała, że małe pochlebstwo poprawi jej humor.

– Mmm... – zamruczała Britta, uspokajając się trochę. – Ale strasznie mi żal rodzeństwa.

– Nic na to nie poradzisz.

Oczyma wyobraźni Elsy zobaczyła trójkę młodszego rodzeństwa Britty. Dławiła ją złość na jej ojca, że

zgotował swojej rodzinie taki los. Tord był znany z pijackich wybryków. W całej Fjällbace nie było nikogo, kto by nie wiedział, że w ciągu tygodnia potrafił kilka razy pobić żonę, Rut. Kobiecina chowała posiniaczoną twarz pod chustką, jeśli już musiała pójść do osady, zanim znikły ślady pobicia. Dzieci też dostawały za swoje, najczęściej dwaj młodsi bracia Britty. Jej samej i młodszej siostrze częściej udawało się ujść cało.

– Niechby w końcu skonał, niechby wpadł po pijanemu do wody i się utopił – szepnęła Britta.

– Nie wolno tak mówić, nawet myśleć. Z bożą pomocą wszystko jakoś się ułoży. I nie musisz brać takiego grzechu na swoje sumienie.

– Z bożą pomocą? – powiedziała Britta z goryczą. – Bóg nie zna drogi do naszego domu, chociaż matka co niedziela siedzi w kościele. Wielką pomoc za to dostaje. Łatwo ci mówić o Bogu. Masz takich dobrych rodziców i żadnego rodzeństwa, nie musisz się dzielić wszystkim ani nikim się opiekować – przez Brittę przemawiała bezgraniczna gorycz.

Elsy rozluźniła objęcia. Serdecznym tonem, ale stanowczo, powiedziała:

– Wiesz co, nam też nie jest lekko. Matka tak się martwi o ojca, że chudnie z dnia na dzień. Od czasu storpedowania „Öckerö” za każdym razem, kiedy ojciec wypływa na morze, spodziewa się, że to ostatni raz. Widzę czasami, jak stoi przy oknie, patrzy na morze i modli się, żeby tylko wrócił do domu.

– Wiem, ale to jednak nie to samo – sprzeciwiła się Britta i żałośnie zaszlochała.

– Pewnie, że nie to samo. Chodziło mi o to, że...
zresztą zapomnij o tym.

Elsy wiedziała, że mówienie o tym nie ma sensu. Znała Brittę od dzieciństwa, lubiła ją i dostrzegała
w niej wiele zalet, chociaż wiedziała, że bywa egoistką.

Usłyszały kroki na schodach. Britta usiadła i pośpiesznie wytarła łzy.

– Masz gości.

Matka powiedziała to z wyraźną rezerwą. Za nią na
schodach stali Frans i Erik.

– Cześć!

Elsy widziała po minie matki, że wcale nie jest zadowolona z tej wizyty. Zostawiła ich samych, ale zaznaczyła:

– Elsy, nie zapomnij, że za dziesięć minut masz od-
nieść pranie Östermanom. I pamiętaj, ojciec może
wrócić lada chwila.

Zeszła na dół. Frans i Erik usiedli na podłodze.

– Coś mi się zdaje, że twojej matce się nie podoba, że
do ciebie przychodzimy – powiedział Frans.

– Moja matka uważa, że człowiek powinien znać
swoje miejsce – wyjaśniła Elsy. – Wy zaliczacie się do
państwa, jak by na to nie patrzeć.

Uśmiechnęła się złośliwie. W odpowiedzi Frans pokazał jej język. Erik obserwował Brittę.

– Co ci jest, Britto? – spytał cicho. – Wyglądasz, jakbyś płakała.

– Nie twoja rzecz – obruszyła się.

– To na pewno jakieś babskie sprawy – zaśmiał się
Frans.

Britta spojrzała na niego z uwielbieniem i uśmiechnęła się, ale oczy nadal miała czerwone.

– Ty zawsze musisz się drażnić, Frans – powiedziała Elsy, zaciskając pięści. – Wiesz, niektórym ludziom jest ciężko. Nie wszystkim żyje się tak jak tobie i Erikowi. Wojna dała się we znaki wielu rodzinom. Moglibyście czasem o tym pomyśleć.

– My? Dlaczego mnie w to mieszasz? – spytał Erik z urazą. – Wszyscy wiedzą, że Frans jest ograniczonym głupkiem, ale żeby mnie zarzucać obojętność wobec cierpień ludu...

Erik spojrzał na Elsy z obrażoną miną i krzyknął, gdy Frans uderzył go w ramię.

– Ograniczony głupek? Tak mnie nazwałeś? A ja uważam, że tylko głupek mówi o obojętności wobec cierpień ludu. Gadasz, jakbyś miał z osiemdziesiąt lat. Co najmniej. Zaszkodziły ci te wszystkie książki, co je czytasz. Coś ci się od nich pomieszało.

Frans popukał się w skroń.

– Nie zwracaj na niego uwagi – powiedziała Elsy. Chwilami miała dość ich ciągłych sprzeczek. Byli jeszcze tacy dziecinni.

Z dołu dobiegł jakiś odgłos i twarz Elsy się rozjaśniła.

– Ojciec wrócił!

Wstała z uśmiechem. Chciała zejść na dół, żeby się przywitać. Ale słysząc głosy rodziców, zatrzymała się w pół ruchu. Coś się stało. Głosy to podnosiły się, to cichły. Żadnej radości, jak zwykle po powrocie ojca. Po chwili usłyszała na schodach ciężkie kroki. Spojrzała na ojca i wiedziała na pewno, że stało się coś złego. Miał szarą twarz. Przesuwał dłonią po włosach, co u niego było oznaką wielkiego zmartwienia.

– Ojcze? – odezwała się.

Serce waliło jej w piersi. Co się mogło stać? Szukała jego wzroku, ale ojciec patrzył na Erika. Otwierał usta, żeby coś powiedzieć, i znów zamykał, jakby słowa nie chciały mu przejść przez gardło. W końcu powiedział:

– Eriku, powinieneś iść do domu. Rodzice... będą cię potrzebować.

– Co się stało? Dlaczego...

Erik nagle zasłonił ręką usta. Zrozumiał, jaką złą wiadomość może dla niego mieć ojciec Elsy.

– Axel? Czy on...

Nie mógł dokończyć zdania. Łykał ślinę, żeby się pozbyć guli z gardła. Myśli galopowały, oczyma wyobraźni zobaczył zwłoki Axela. Jak ma stanąć przed rodzicami? Jak...

– Axel nie zginął. – Elof w geście zaprzeczenia podniósł dłoń, gdy do niego dotarło, o czym pomyślał Erik. – Nie zginął – powtórzył. – Ale Niemcy go zabrali.

Erik był kompletnie oszołomiony. Ulżyło mu, że Axel żyje, ale targał nim niepokój: brat jest w rękach wroga.

– Chodźmy, odprowadzę cię do domu – powiedział Elof, garbiąc się pod ciężarem czekającego go obowiązku. Musi powiadomić rodziców Axela, że tym razem ich syn nie wróci do domu.

Paula siedziała na tylnym siedzeniu i uśmiechała się. Była zadowolona. Z przyjemnością słuchała, jak Patrik droczy się z Martinem. Martin właśnie wywodził, że wcale mu się nie podoba, że Patrik prowadzi. Widać było, że się lubią. Już zdążyła nabrać szacunku dla Patrika.

Ogólnie rzecz biorąc, Tanumshede okazało się dla niej szczęśliwym miejscem. Nie umiałaby powiedzieć, na czym to polega, ale od chwili, kiedy tu przyjechała, miała poczucie, jakby wróciła do domu. Tyle lat mieszkała w Sztokholmie, że zdążyła zapomnieć, jak się żyje na prowincji. Może Tanumshede przypominało jej trochę wieś w Chile, w której mieszkała w dzieciństwie, zanim uciekły do Szwecji. Nie znajdowała innej odpowiedzi na pytanie, dlaczego tak szybko dostosowała się do tutejszego tempa życia i atmosfery. Nie tęskniła za Sztokholmem. Na jej stosunek do tego miasta wpłynęły pewnie straszne rzeczy, które widziała na służbie. Tak naprawdę nigdy nie pasowała do Sztokholmu. Ani jako dziecko, ani kiedy dorosła. Przyjechały z matką do Szwecji z jedną z pierwszych fal imigrantów i dostały przydział na małe mieszkanko na peryferiach Sztokholmu. Była jedyną cudzoziemką w klasie. Musiała za to drogo zapłacić. Stale, codziennie płaciła za samo to, że się urodziła w innym kraju. Nie pomogło nawet to, że już po roku doskonale mówiła po szwedzku, bez śladu obcego akcentu. Zdradzały ją ciemne oczy i czarne włosy.

Natomiast w policji, wbrew temu, co wielu myślało, nie spotkała się z przejawami rasizmu. Szwedzi zdążyli się już przyzwyczaić do ludzi pochodzących z innych krajów i właściwie nie uważali jej za imigrantkę. Po pierwsze dlatego, że mieszkała w Szwecji od dawna. Po drugie, Latynosi nie wydawali się Szwedom tak obcy jak uchodźcy z krajów arabskich czy Afryki. Dostrzegała ten absurd: przestała być postrzegana jako imigrantka dzięki temu, że wydawała się mniej niezwykła od późniejszych przybyszów.

Dlatego przerażali ją ludzie pokroju Fransa Ringholma. Tacy, którzy nie widzą żadnych różnic i wszystkich obcych wrzucają do jednego worka. Patrzą przez sekundę i od razu odwołują się do stereotypów starych jak świat. Taki sposób postrzegania świata zmusił ją i jej matkę do ucieczki z Chile. Ktoś zadecydował, że istnieje tylko jedna słuszna droga i jeden właściwy rodzaj ludzi. Jakaś despotyczna władza uznała, że wszystko inne jest złe. Tacy ludzie jak Frans Ringholm istnieli od zawsze. Uważali, że mają prawo decydować, co jest normą, ponieważ są odpowiednio inteligentni, silni lub mają władzę.

– Jaki numer? – spytał Martin, budząc ją z zamyślenia.

Zerknęła na kartkę.

– Siedem.

– To tam, przed nami.

Martin pokazał palcem, a Patrik zajechał przed budynek i zaparkował. Byli na osiedlu Kullen, nad boiskiem.

Wizytówka na drzwiach była wyjątkowa: drewniana, z ozdobnie wypisanym nazwiskiem Viola Ellmander i wijącymi się wokół namalowanymi kwiatkami. Pasowała do kobiety, która im otworzyła. Viola miała krągłą, lecz proporcjonalną sylwetkę, a jej twarz promieniała życzliwością. Widząc romantyczną kwiecistą suknię, Paula wyobraziła sobie Violę w słomkowym kapeluszu chyboczącym się na wysoko upiętych siwych włosach.

– Proszę wejść – powiedziała, wpuszczając ich do środka.

Paula rozejrzała się z uznaniem po przedpokoju. Mieszkanie było całkiem inne niż jej własne, ale podobało jej się. Nigdy nie była w Prowansji, ale wyobrażała sobie, że tak właśnie tam jest. Rustykalne meble w połączeniu z kwiecistymi tkaninami i obrazami. Wyciągnęła szyję, żeby zajrzeć do salonu, i przekonała się, że urządzono go w tym samym stylu.

– Zaparzyłam kawę – powiedziała gospodyni, prowadząc ich do pokoju.

Na stoliku przed kanapą stały kruche filiżanki w różowe kwiatki i talerz z ciasteczkami.

– Bardzo dziękujemy – powiedział Patrik, siadając ostrożnie na kanapie.

Przedstawili się. Viola nalała kawy z pięknego dzbanka i czekała na pytania.

– Jak udało się pani wyhodować tak piękne pelargonie? – wymsknęło się popijającej kawę Pauli. Patrik i Martin spojrzeli na nią zdziwieni. – U mnie albo gniją, albo usychają – dodała tytułem wyjaśnienia.

Patrik i Martin unieśli brwi.

Viola Ellmander wyprostowała się dumnie.

– To wcale nie takie trudne. Trzeba tylko dopilnować, żeby ziemia porządnie wyschła, zanim się znów podleje. I nie wolno podlewać zbyt obficie. Dostałam też świetną radę od Lassego Anrella: jeśli nie bardzo chcą rosnąć, należy je od czasu do czasu podlać odrobiną moczu.

– Od Lassego Anrella? – jak echo powtórzył Martin.

– Komentatora sportowego z „Aftonbladet"? I z TV4? Co on ma do pelargonii?

Viola przybrała taką minę, że widać było, że nawet jej się nie chce odpowiadać na tak głupie pytania. Dla niej Lasse był przede wszystkim ekspertem od pelargonii, a fakt, że był również dziennikarzem sportowym, ledwie docierał do jej świadomości.

Patrik chrząknął.

– Jak rozumiem, spotykała się pani regularnie z Erikiem Franklem. – Zawahał się, a potem dodał: – Proszę przyjąć wyrazy szczerego współczucia.

– Dziękuję – powiedziała Viola, patrząc na filiżankę. – Tak, spotykaliśmy się. Czasem tu nocował, może ze dwa razy w miesiącu.

– Jak się państwo poznali? – spytała Paula, bo trudno jej było wyobrazić sobie zejście się dwojga tak różnych, sądząc po ich mieszkaniach, ludzi.

Viola się uśmiechnęła i na jej policzkach pojawiły się dwa urocze dołeczki. Paula od razu to zauważyła.

– Jakiś czas temu Erik miał wykład w bibliotece. Ile to lat temu? Ze cztery? Opowiadał o tym, co się działo w Bohuslän[15] w latach drugiej wojny światowej. Byłam

---

[15] Bohuslän – województwo nad cieśniną Skagerrak, od północy graniczy z Norwegią. To tam znajduje się większość miejscowości, w których rozgrywa się akcja powieści (przyp. tłum.).

na tym wykładzie. Potem zaczęliśmy rozmawiać i... tak się zaczęło. – Uśmiechnęła się na to wspomnienie.

– Nie spotykaliście się u niego? – Martin sięgnął po ciasteczko.

– Nie. Erik uważał, że u mnie jest lepiej. Mieszka... mieszkał przecież z bratem, chociaż Axel często wyjeżdżał... ale wolał przyjeżdżać do mnie.

– Czy kiedykolwiek wspominał, żeby mu ktoś groził? – spytał Patrik.

Gwałtownie potrząsnęła głową.

– Nigdy. Nawet sobie tego nie wyobrażam... Dlaczego ktoś miałby grozić Erikowi, emerytowanemu nauczycielowi historii? To absurd.

– Ale faktem jest, że mu grożono, chociaż nie wprost. Wiązało się to z jego zainteresowaniami, historią drugiej wojny światowej i nazizmem. Są ugrupowania, którym się nie podoba, gdy się przedstawia inny obraz tej wojny, niż oni chcieliby widzieć.

– Erik nie przedstawiał żadnego obrazu, jak pan się nonszalancko wyraził – odparła Viola z błyskiem wściekłości w oku. – Był prawdziwym historykiem. Trzymał się faktów i skrupulatnie ukazywał prawdę taką, jaka była, a nie taką, jaką on sam lub ktokolwiek inny chciałby widzieć. Erik nie przedstawiał, tylko układał puzzle. Metodycznie, po kawałeczku składał rzeczywistość taką, jaką była naprawdę. Tu fragment błękitnego nieba, tam kawałek zielonej łąki, aż złożył tyle, że było coś widać. Oczywiście nigdy nie skończyłby tej układanki – dodała miękko. – Praca historyka nigdy się nie kończy. Zawsze brakuje jakichś faktów i fragmentów rzeczywistości.

– Dlaczego tak go fascynowała historia drugiej wojny światowej? – spytała Paula.

– A skąd się w ogóle biorą ludzkie pasje? Dlaczego ja interesuję się pelargoniami? A nie różami? – Viola rozłożyła ręce, a w jej oczach pojawił się wyraz zadumy. – Jeśli chodzi o Erika, nie trzeba być Einsteinem, żeby się domyślić dlaczego. Wydaje mi się, że przeżycia jego brata podczas wojny podziałały na niego silniej niż cokolwiek innego. Nigdy o tym ze mną nie rozmawiał, ale się domyślam. Wyczytałam to między wierszami. Jeden jedyny raz wspomniał o losach brata. Nawiasem mówiąc, wtedy jedyny raz widziałam, żeby nadużywał alkoholu. To było wtedy, kiedy się widzieliśmy po raz ostatni. – Głos jej się załamał. Po kilku sekundach uspokoiła się i mówiła dalej: – Erik przyjechał do mnie bez uprzedzenia, co samo w sobie było niezwykłe. A do tego wyraźnie był pod wpływem aloholu. Nigdy go nie widziałam w takim stanie. Poszedł prosto do barku i nalał sobie dużą szklankę whisky. Potem usiadł na tej kanapie i popijając tę whisky, zaczął mówić. Niewiele zrozumiałam. Mówił nieskładnie, to był raczej pijacki bełkot. Domyśliłam się tylko, że chodzi o Axela, o to, co przeżył, będąc w rękach Niemców, i o to, jaki to miało wpływ na rodzinę.

– Powiedziała pani, że wtedy widziała pani Erika Frankla po raz ostatni. Dlaczego? Dlaczego już się nie spotkaliście? Latem? Nie zastanawiała się pani, gdzie może być?

Viola starała się powstrzymać łzy, grymas wykrzywił jej twarz. W końcu zduszonym głosem powiedziała:

- Bo Erik pożegnał się ze mną na zawsze. Około północy wyszedł ode mnie, a raczej się wytoczył. Na koniec powiedział, że musimy się pożegnać. Podziękował za wspólnie spędzone chwile, pocałował mnie w policzek i poszedł sobie. Myślałam, że to tylko pijackie gadanie. Następnego dnia jak głupia cały dzień przesiedziałam przy telefonie, czekając, aż zadzwoni, wytłumaczy się, przeprosi... Cokolwiek... Ale się nie odezwał. A ja uniosłam się głupim honorem i oczywiście nie zamierzałam dzwonić. Gdybym to zrobiła, gdybym się nie zacięła w sobie, może nie musiałby tam siedzieć... - Nie dokończyła i wybuchnęła płaczem.

Paula zrozumiała. Położyła dłoń na jej ręce i powiedziała cicho:

- Nic by pani nie poradziła. Skąd miała pani wiedzieć?

Viola niechętnie kiwnęła głową i wytarła łzy wierzchem dłoni.

- Pamięta pani, kiedy to było? - spytał z nadzieją Patrik.

- Sprawdzę w kalendarzu - powiedziała Viola i wstała. Wyraźnie jej ulżyło, że na chwilę może się od tego oderwać. - Wszystko zapisuję, więc zaraz dojdę, kiedy to było.

Wyszła z pokoju.

- To było piętnastego czerwca - oznajmiła, kiedy wróciła. - Jestem pewna. Pamiętam, że po południu byłam u dentysty.

- Dziękujemy, to wszystko - powiedział Partrik, podnosząc się.

Pożegnali się i wyszli na ulicę. Wszyscy myśleli o tym

samym. Co takiego stało się piętnastego czerwca, że Erik wbrew swoim zwyczajom się upił i na dodatek zerwał z Violą? Co się wtedy stało?

– Pernilla nie ma nad nią żadnej kontroli!
 – Dan, uważam, że jesteś niesprawiedliwy! Jak możesz być taki pewien, że sam byś się nie nabrał?
 Anna stała oparta o zlew. Ręce skrzyżowała na piersi i patrzyła na Dana ze złością.
 – Bo nie... nie nabrałbym się!
 Włosy sterczały mu na wszystkie strony. W poczuciu bezradności ciągle się za nie szarpał.
 – Akurat... Przecież całkiem poważnie brałeś pod uwagę możliwość, że ktoś się włamał do spiżarni i wyjadł całą czekoladę. Gdybym nie znalazła papierka pod poduszką Belindy, szukałbyś włamywacza ze śladami czekolady wokół ust...
 Anna zdusiła śmiech. Złość trochę jej przeszła.
 Dan spojrzał na nią i też nie mógł się powstrzymać od śmiechu.
 – Ale była bardzo przekonująca, gdy zapewniała, że jest niewinna.
 – Oczywiście. Kiedyś dostanie Oscara. Teraz wyobraź sobie, że Belinda jest tak samo przekonująca. Nic dziwnego, że Pernilla jej uwierzyła. Więc nie zarzekaj się, że ty byś nie uwierzył.
 – Może masz rację – przyznał Dan. Widać było, że nie jest zadowolony. – Ale nadal uważam, że powinna zadzwonić do mamy tej koleżanki, żeby to sprawdzić. Ja bym tak zrobił.

– Na pewno. Od dziś Pernilla też tak będzie robić.

– Dlaczego rozmawiacie o mamie?

Belinda zeszła na dół, wciąż w koszuli nocnej. Włosy sterczały jej na wszystkie strony. Nie wychodziła z łóżka, od kiedy w sobotę rano zabrali ją od Eriki i Patrika, a potem przywieźli do domu, skacowaną i skruszoną. Teraz najwyraźniej uznała, że tej skruchy wystarczy. Wyparła ją furia, która ostatnio stale jej towarzyszyła.

– Nie rozmawiamy o twojej mamie – powiedział Dan z niechęcią. Czuł, że zanosi się na awanturę.

– Znowu obrabiasz moją mamę? – syknęła do Anny.

Anna z rezygnacją spojrzała na Dana. Zwracając się do Belindy, odparła spokojnie:

– Nigdy nie powiedziałam o twojej mamie jednego złego słowa. Wiesz o tym bardzo dobrze, więc nie mów do mnie takim tonem.

– Będę mówić takim tonem, jakim zechcę! – krzyknęła Belinda. – To mój dom, nie twój! Wynoś się stąd razem ze swoimi bachorami!

Dan zrobił krok w jej stronę, oczy pociemniały mu z gniewu.

– Nie wolno ci tak mówić do Anny! Teraz ona też tu mieszka. Adrian i Emma też. Jak ci się nie podoba, to...

Gdy tylko zaczął, uświadomił sobie, że nie mógł powiedzieć nic głupszego.

– Właśnie że mi się nie podoba! Pakuję się i wyjeżdżam do mamy! Zostanę u niej, dopóki oni się stąd nie wyprowadzą!

Odwróciła się na pięcie i wbiegła na schody. Dan i Anna drgnęli, gdy trzasnęły drzwi jej pokoju.

– Może ona ma rację, Dan – powiedziała Anna niewyraźnie. – Może to się stało za szybko. Nie zdążyła się przyzwyczaić, a już wtargnęliśmy do jej domu i do jej życia.

– Ona ma siedemnaście lat, a zachowuje się jak pięcioletnie dziecko.

– Zrozum ją. Na pewno nie było jej łatwo. Kiedy się rozstawaliście z Pernillą, akurat weszła w trudny wiek...

– Bardzo ci dziękuję, mogłabyś mi tego nie wypominać. Wiem, że rozwód to była moja wina, ale nie musisz mi tego rzucać w twarz.

Dan minął Annę i gwałtownie ruszył do drzwi. Po raz drugi w ciągu minuty rozległo się głośne trzaśnięcie. W całym domu zadźwięczały szyby. Anna chwilę tkwiła bez ruchu przy zlewie. Potem osunęła się na podłogę i rozpłakała.

Fjällbacka 1943

– Słyszałem, że Niemcy zgarnęli wreszcie tego Axela, chłopaka Franklów.

Vilgot się śmiał. Był zadowolony. Powiesił płaszcz na haku, teczkę podał Fransowi. Frans postawił ją tam gdzie zawsze, oparł o krzesło w przedpokoju.

– Najwyższy czas. To, co on wyprawiał, to nic innego jak zdrada ojczyzny. U nas, we Fjällbace, większość uważa inaczej, ale ludzie dają się prowadzić jak stado baranów i beczą na rozkaz. Tacy jak ja, ci, którzy umieją myśleć samodzielnie, wiedzą, jak sprawy się mają naprawdę. Zapamiętaj sobie moje słowa: ten chłopak jest zdrajcą narodu szwedzkiego. Miejmy nadzieję, że szybko się z nim rozprawią.

Wszedł do salonu i rozsiadł się w ulubionym fotelu, a potem spojrzał wyczekująco na Fransa, który nie odstępował go na krok.

– Gdzie moja wódka? Coś się dzisiaj guzdrzesz – powiedział z niezadowoleniem.

Frans pośpieszył do barku, żeby nalać ojcu kielicha. Robił to od dzieciństwa. Matce nie podobało się, że syn ma do czynienia z alkoholem w tak młodym wieku, ale jak zwykle nie miała wiele do powiedzenia.

– Siadaj, synu.

Z kieliszkiem w ręku Vilgot wskazał stojący obok fotel. Siadając, Frans poczuł zapach wódki. Kieliszek, który przed chwilą nalał ojcu, z całą pewnością nie był tego dnia pierwszy.

– Twój ojciec zrobił dziś świetny interes. – Pochylił się, zapach alkoholu drażnił nozdrza. – Podpisałem kontrakt z niemiecką firmą. Na wyłączność. Będę ich jedynym szwedzkim dostawcą. Mówili, że nie mogli znaleźć dobrego partnera... Chętnie w to wierzę, a jakże. – Vilgot rechotał, wielki brzuch aż mu podskakiwał. Wychylił kieliszek do dna i podał Fransowi. – Jeszcze jednego. – Wzrok miał szklisty od alkoholu.

Fransowi drżała ręka, gdy brał kieliszek od ojca i nalewał przezroczysty płyn o ostrym zapachu. Kilka kropli się wylało.

– Sobie też nalej – powiedział Vilgot.

Zabrzmiało to raczej jak rozkaz niż zachęta. I tak właśnie było. Frans odstawił pełny kieliszek ojca i sięgnął po pusty, dla siebie. Już mu nie drżała ręka, gdy nalewał do pełna. Z pełnym skupieniem podniósł kieliszek i usiadł. Ojciec podniósł swój.

– No już, do dna.

Frans poczuł, jak palący płyn spływa mu do żołądka, jak rozchodzi się ciepło. Ojciec się uśmiechnął. Wódka pociekła mu po podbródku.

– Gdzie matka? – spytał cicho.

Frans wpatrywał się w punkt na ścianie.

– U babci. Wróci późno. – Jego głos brzmiał głucho, jakby dobiegał z puszki. Jakby mówił ktoś inny, ktoś z zewnątrz.

– Doskonale. Możemy sobie spokojnie porozmawiać w męskim gronie. Nalej sobie jeszcze jednego.

Frans czuł, że ojciec na niego patrzy, gdy szedł napełnić kieliszek. Tym razem przyniósł ze sobą butelkę. Vilgot uśmiechnął się z zadowoleniem i podstawił kieliszek.

– Dobry z ciebie chłopak.

Frans znów poczuł, jak wódka pali go w gardle i jak błogie ciepło rozchodzi się od przepony. Otaczające go kształty zaczęły się rozmazywać, zaczął się unosić w próżni, między rzeczywistością i nierzeczywistością.

Vilgot mówił miękkim głosem:

– Tylko w najbliższych latach zarobię na tym interesie ładnych kilka tysięcy. A jak Niemcy nadal będą się zbroić, będzie jeszcze więcej. Miliony. Obiecali, że mnie skontaktują z innymi firmami, które potrzebują naszych usług. Jak już raz się wcisnę... – Oczy mu lśniły w zapadającym zmroku. Oblizał wargi. – Niezłą firmę przejmiesz kiedyś, Frans. – Nachylił się i położył dłoń na nodze syna. – To będzie naprawdę dobra firma. Nadejdzie dzień, kiedy będziesz mógł powiedzieć wszystkim, żeby się wypchali. Jak wejdą Niemcy i my będziemy tu rządzić, zarobimy więcej pieniędzy, niż oni mogliby sobie wymarzyć. Więc wypij jeszcze z ojcem za tę świetlaną przyszłość.

Podniósł do góry kieliszek i stuknął o kieliszek Fransa. Nalał mu do pełna.

Frans czuł się coraz bardziej błogo. Wypił z ojcem.

Gösta właśnie otwierał w komputerze nową rozgrywkę golfa, gdy usłyszał kroki Mellberga w korytarzu. Szybko zamknął grę, chwycił jakiś raport i udawał bardzo zajętego pracą. Mellberg się zbliżał, ale brzmiało to inaczej niż zwykle. A co to za dziwne stękanie? Gösta podjechał na krześle do drzwi, żeby wyjrzeć na korytarz. Najpierw zobaczył Ernsta, który z wywalonym językiem truchtał przed swoim panem. A potem dziwną postać, zgiętą w pałąk i poruszającą się z wielkim trudem. Podobną do Mellberga i jakby niepodobną.

– Co się gapisz?

Głos i ton z pewnością należały do szefa.

– Co ci się stało? – spytał Gösta.

Annika też wyjrzała na korytarz z pokoju socjalnego, gdzie karmiła Maję.

Mellberg mruknął coś niewyraźnie.

– Przepraszam? Nie dosłyszałam.

Mellberg spojrzał na nią ze złością i powiedział:

– Tańczyłem salsę. Jeszcze jakieś pytania?

Gösta i Annika spojrzeli na niego zdumieni. Musieli się mocno starać, żeby zachować powagę.

– No! – wrzasnął Mellberg. – Może jeszcze ktoś chce pożartować? Jest szansa, że obetnę komuś pensję!

I trzasnął drzwiami swojego gabinetu.

Annika i Gösta patrzyli przez chwilę na drzwi i już się nie hamowali. Płakali ze śmiechu, ale starali się to robić jak najciszej. Gösta poszedł z Anniką do pokoju socjalnego i upewniwszy się, że drzwi gabinetu Mellberga nadal są zamknięte, wyszeptał:

– Czy on naprawdę powiedział, że tańczył salsę? Naprawdę?

– Obawiam się, że tak – odparła Annika, ocierając rękawem łzy.

Maja wpatrywała się w nich jak urzeczona.

– Ale jak? Dlaczego tańczył? – dopytywał się Gösta z niedowierzaniem. Miał tę scenę przed oczami.

– Pojęcia nie mam, pierwsze słyszę.

Annika ze śmiechem potrząsnęła głową i usiadła, żeby nakarmić Maję.

– Widziałaś, jaki połamany? Wygląda jak Gollum z *Władcy Pierścieni*.

Gösta spróbował chodzić jak Mellberg i Annika musiała zatkać ręką usta, żeby się nie roześmiać na całe gardło.

– Dla jego ciała to musiał być szok. Nie ćwiczył od... W ogóle nigdy nie ćwiczył.

– Też tak myślę. Dziwne, że zaliczył sprawdziany w szkole policyjnej.

– Kto wie, może w młodości był wysportowany? – powiedziała Annika, ale po chwili potrząsnęła głową. – Wątpię. Niezły numer. Mellberg chodzi na kurs salsy. Czego to się człowiek w życiu nie nasłucha. – Próbowała włożyć Mai łyżkę do buzi, ale mała nie chciała jeść. – Panienka urządza strajk głodowy. Jeśli nie zje chociaż trochę, to już nigdy mi nie pozwolą się nią opiekować – westchnęła. Buzia Mai pozostała niezdobyta jak Fort Knox.

– Mogę spróbować? – spytał Gösta, sięgając po łyżkę.

Annika spojrzała na niego ze zdumieniem.

– Ty? Proszę bardzo. Tylko za wiele się nie spodziewaj.

Gösta nie odpowiedział. Zamienili się miejscami, Gösta usiadł obok Mai. Zrzucił z łyżki połowę tego, co nabrała Annika, i podniósł do góry.

– Brum, brum, leci, leci samolocik... – Łyżka szybowała w powietrzu jak samolot. Maja nagrodziła go pełnym skupienia spojrzeniem. – Brum, brum, samolocik leci prosto do...

Maja jak na sygnał otworzyła buzię i samolocik z ładunkiem spaghetti w sosie mięsnym wylądował.

– Mmm... jaka pycha – powiedział Gösta i przygotował następną łyżkę. – Buch, buch, teraz jedzie pociąg... Buch, buch, jedzie pociąg prooosto do tunelu.

Maja znów otworzyła buzię, spaghetti wjechało do tunelu.

– A niech mnie, gdzieś ty się tego nauczył? – zdziwiła się Annika.

– E tam, przecież to nic takiego – odparł skromnie, ale uśmiechnął się z dumą, gdy do buzi Mai trafił trzeci kęs, wieziony przez samochód wyścigowy.

Annika siedziała przy stole i patrzyła z podziwem, jak talerz pustoszeje i Maja wyjada wszystko, do ostatniego okruszka.

– Wiesz co, Gösta – powiedziała łagodnie – życie jest czasem okropnie niesprawiedliwe.

– A nie myśleliście nigdy o adopcji? – spytał, nie patrząc na nią. – Za moich czasów adopcje zdarzały się rzadko. Ale dziś bym się nie wahał. Teraz niemal co drugie dziecko jest adoptowane.

– Rozmawialiśmy o tym – powiedziała Annika, rysując palcem kółka na obrusie. – Ale jakoś do niczego nie doszło. Staraliśmy się wypełnić sobie życie inaczej... ale...

– Jeszcze nie jest za późno – zauważył. – Gdybyście od razu się tym zajęli, nie musiałoby to długo trwać. Nieważny kolor skóry. Bierzcie dziecko z kraju, w którym są najkrótsze kolejki. Tyle dzieci potrzebuje domu. Gdybym był dzieckiem i trafił do waszego domu, uważałbym się za szczęściarza.

Annika przełknęła ślinę, patrzyła na swój palec krążący po stole. Słowa Gösty obudziły w niej coś, co od lat od siebie z mężem odsuwali. Może ze strachu. Tyle było poronień i zawiedzionych nadziei, że bali się kolejnej porażki. Ale może już nabrali sił? Może by się odważyli? Przecież nadal pragnęli dziecka równie mocno i gorąco jak kiedyś. Nie udało im się przestać tęsknić za dzieckiem, za kochaniem go i braniem na ręce.

– Dość tego, muszę w końcu popracować. – Gösta wstał, nie patrząc na Annikę. Niezdarnie pogłaskał Maję po główce. – W każdym razie zjadła. Niech Patrik nie myśli, że grozi jej u nas głód.

Stał już w drzwiach, gdy Annika powiedziała cicho:

– Dziękuję.

Zażenowany skinął głową. Poszedł do swojego pokoju i zamknął za sobą drzwi. Siadł przed komputerem i niewidzącymi oczami wpatrywał się w ekran. Przed oczami miał Maj Britt. I synka, który żył zaledwie kilka dni. Tyle czasu minęło, kawał życia, a on ciągle czuł małą piąstkę zaciśniętą na swoim palcu.

Westchnął i kliknął myszą, otwierając rozgrywkę.

Przez trzy godziny Erice udało się nie myśleć o fatalnych odwiedzinach u Britty. Przez ten czas napisała pięć stron książki. Potem musiała się poddać, powróciły myśli o Britcie.

Wracając od niej, strasznie się wstydziła. Nie potrafiła się otrząsnąć. Ciągle miała w pamięci spojrzenie Hermana, gdy zastał ją w kuchni obok żony w stanie kompletnego rozpadu. Musiała mu przyznać rację: nie zauważyła pewnych sygnałów. Ale nie żałowała, że tam poszła. Dostała nowe kawałki układanki o życiu matki. Niezbyt zrozumiałe, ale zawsze coś.

Swoją drogą to dziwne. Wcześniej nie znała tych imion: Erik, Britta i Frans. Przecież musieli być dla matki bardzo ważni w pewnym okresie jej życia, a jednak chyba nie kontaktowali się ze sobą jako dorośli. Wszyscy nadal mieszkali w niewielkiej Fjällbace, ale jakby każde w osobnym świecie. Axel i Britta zgodnie nakreślili obraz Elsy, który w ogóle nie przystawał do wyobrażenia Eriki o matce. Nie postrzegała matki jako osoby ciepłej, troskliwej, czyli takiej, jaką była opisana przez nich młoda Elsy. Nie mogłaby powiedzieć o matce, że była złym człowiekiem. Ale na pewno trzymała ludzi na dystans i była zamknięta w sobie. Widocznie ciepło, które kiedyś w sobie miała, ulotniło się na długo przed narodzinami Eriki i Anny. Erice zrobiło się żal, że coś ją ominęło i już się nie da tego nadrobić, ponieważ matki już nie ma. Cztery lata temu zginęła w wypadku samochodowym razem z mężem, ich ojcem. Erika nie potrafiła ani wzbudzić w sobie uczuć do niej, ani oczekiwać zadośćuczynienia. Nie mogła ani błagać, ani oskarżać.

Co najwyżej liczyć, że uda jej się zrozumieć matkę. Co się stało z tą Elsy, o której mówili jej przyjaciele? Co się stało z miłą, ciepłą i czułą Elsy?

Przerwało jej pukanie do drzwi. Poszła otworzyć.

– Anna? Wchodź.

Przenikliwym wzrokiem starszej siostry od razu dostrzegła czerwone obwódki wokół jej oczu.

– Co się stało? – spytała, choć nie chciała okazywać aż takiego niepokoju.

W ostatnich latach Anna wiele przeszła i Erika ciągle nie mogła przestać jej matkować, co zresztą robiła już w dzieciństwie.

– Zwykłe problemy wynikające z połączenia dwóch rodzin. – Anna próbowała się uśmiechnąć. – Nic takiego, poradzę sobie, ale będzie mi łatwiej, jak się wygadam.

– Chodź, napijemy się kawy. A jak dobrze poszukam w szafkach, znajdę coś słodkiego na pocieszenie.

– Jako mężatka nie musisz już sobie zawracać głowy dietą, co?

– Nawet mi nie przypominaj. – Erika westchnęła i ruszyła do kuchni. – Wystarczył tydzień siedzenia przy komputerze i za chwilę będę musiała kupić nowe spodnie, bo te nie dopinają mi się w talii.

– Skąd ja to znam – powiedziała Anna, siadając przy stole. – Mam wrażenie, że od czasu jak zamieszkałam z Danem, mnie również przybyło w okolicach talii. W dodatku on może jeść, ile chce, i wcale od tego nie tyje.

– Paskuda jedna – zauważyła Erika, wykładając na talerz drożdżówki. – Nadal je na śniadanie bułki cynamonowe?

– Czyli robił to również za waszych czasów? – Anna ze śmiechem potrząsnęła głową. – A teraz wyobraź sobie, jak mam nauczyć dzieci zdrowych nawyków żywieniowych, jeśli Dan siedzi przy stole i macza bułki w gorącym kakao.

– Wiesz, kanapek z pastą kawiorową, które Patrik macza w kakao, też nie polecam... Mów, co się stało. Belinda znowu się awanturuje?

– Wszystko się od tego zaczyna i o to rozbija. W dodatku pokłóciliśmy się dzisiaj z Danem... – mówiła Anna, sięgając po drożdżówkę. Widać było, że jest zmartwiona. – W gruncie rzeczy to nie jest wina Belindy. Próbowałam to tłumaczyć Danowi. Przerasta ją ta sytuacja. W dodatku nie miała na nic wpływu. Ona ma rację. Nie prosiła się o macochę z dwójką nieznośnych dzieciaków.

– W zasadzie masz rację. Ale z drugiej strony macie prawo się domagać, żeby się zachowywała przyzwoicie. To już sprawa Dana. Doktor Phil[16] uważa, że macocha i ojczym nie powinni dyscyplinować starszych dzieci partnera...

– Doktor Phil... – Anna zakrztusiła się ze śmiechu. – Widzę, że był już najwyższy czas, żebyś sobie darowała urlop macierzyński. Doktor Phil!

– A żebyś wiedziała. Bardzo dużo się nauczyłam z tych programów – powiedziała urażona Erika.

Nie zamierzała słuchać kpin ze swego idola. Jego talk-show przez rok był główną atrakcją jej dnia. Teraz

---

[16] Phil McGraw, amerykański psycholog, autor książek i gospodarz popularnego talk-show o sprawach rodziny i wychowania (przyp. tłum.).

również zamierzała robić sobie przerwę na lunch w porze jego nadawania.

– Jest w tym oczywiście trochę racji – przyznała niechętnie Anna. – Mam wrażenie, że albo Dan nie traktuje tego poważnie, albo aż za poważnie. Od ubiegłego piątku tłumaczę mu, żeby nie walczył z Pernillą o opiekę nad dziećmi, a on mi bredzi, że nie wierzy, że Pernilla sobie z nimi poradzi... Nieźle się nakręcił. Na to wpada Belinda i robi się afera. Ona mówi, że nie chce już mieszkać u nas. Więc Dan wsadził ją do autobusu do matki, do Munkedal.

– A co na to wszystko Emma i Adrian?

Erika sięgnęła po następną drożdżówkę. W przyszłym tygodniu się za siebie weźmie. Na pewno. Ale teraz musi się rozkręcić z pisaniem...

– Odpukać. – Anna popukała w stół. – Oni uważają, że jest super. Uwielbiają Dana i dziewczynki. Uważają, że to wspaniale mieć starsze rodzeństwo. Więc przynajmniej na tym froncie jest spokój.

– A Malin i Lisen? – Erika zapytała o młodsze siostry Belindy, jedenasto- i ośmioletnią.

– W porządku. Lubią się bawić z Emmą i Adrianem. Mnie tolerują, przynajmniej takie mam wrażenie. Tylko z Belindą się pochrzaniło. Taki wiek, że wszystko się chrzani. – Anna westchnęła i również sięgnęła po następną drożdżówkę. – A co u ciebie? Dobrze ci się pisze?

– W zasadzie tak. Początki zawsze są trudne, ale mam już sporo materiału. Poza tym jestem umówiona na kilka rozmów. Rzecz zaczyna nabierać kształtów. Tylko że... – zawahała się.

Od zawsze miała odruch, żeby w każdej sytuacji chronić młodszą siostrę. Doszła jednak do wniosku, że Anna ma prawo wiedzieć. Szybko jej wszystko opowiedziała. Zaczęła od medalu i innych rzeczy, które znalazła w skrzyni matki, opowiedziała o pamiętnikach i o tym, że rozmawiała z ludźmi, którzy kiedyś znali matkę.

– I dopiero teraz mi o tym mówisz? – powiedziała Anna z wyrzutem.

Erika poruszyła się niespokojnie.

– No wiem... Ale w końcu ci powiedziałam, prawda?

Przez chwilę Anna zastanawiała się, czy zbesztać siostrę, ale postanowiła dać spokój.

– Chcę zobaczyć te rzeczy – powiedziała sucho.

Erika zerwała się z krzesła. Ulżyło jej, że siostra już nie ma do niej żalu.

– Zaraz przyniosę.

Pobiegła na piętro, do gabinetu. Przyniosła wszystko. Rozłożyła na stole pamiętniki, kaftanik i medal.

Anna otworzyła szeroko oczy.

– Skąd ona to wzięła? – Wzięła medal do ręki i oglądała go ze wszystkich stron. – A to? Czyje to jest? – Podniosła kaftanik i trzymała go na wysokości oczu, przyglądając się plamom. – Czy to rdza?

– Patrik uważa, że to krew – powiedziała Erika.

Anna, niemile zaskoczona, opuściła kaftanik.

– Krew? Dlaczego mama miałaby trzymać w skrzyni zakrwawiony dziecięcy kaftanik?

Odłożyła go z obrzydzeniem i sięgnęła po pamiętniki.

– Jest w nich coś nie dla dzieci? – spytała, wymachując niebieskimi zeszytami. – Jakieś opowieści erotyczne, których lektura grozi urazem psychicznym do końca życia?

– Nie – zaśmiała się Erika. – Ale jesteś pokręcona. Nic niestosownego w nich nie ma. W ogóle niewiele jest. Jakieś banalne zapiski na temat codzienności. Ale zastanawiałam się nad jednym... – Po raz pierwszy miała powiedzieć o czymś, co ją nurtowało już od dawna.

– Nad czym? – zaciekawiła się Anna, przerzucając kartki.

– Czy nie ma więcej zeszytów... Ostatni, czwarty, kończy się w maju 1944 roku. I na tym koniec. Oczywiście mogło jej się znudzić pisanie pamiętnika. Ale akurat wtedy, gdy zapisała czwarty zeszyt? Dziwne.

– Więc myślisz, że jest ich więcej? I co, wyczytałabyś z nich więcej niż z tych? Nie wydaje mi się, żeby mama wiodła życie pełne wrażeń. Tu się urodziła i wychowała, poznała tatę, my się urodziłyśmy i... wiele więcej nie będzie.

– Żebyś się nie pomyliła – powiedziała w zamyśleniu Erika.

Zastanawiała się, ile powinna siostrze powiedzieć. Niby nie miała na myśli nic konkretnego, ale intuicja podpowiadała jej, że natknęła się na większą sprawę, która rzuciła cień również na ich życie, jej i Anny. Medal i kaftanik musiały odegrać ważną rolę w życiu matki, a jednak nigdy o nich nie wspomniała, ani słowem.

Erika zaczerpnęła tchu i szczegółowo opowiedziała o spotkaniach z Erikiem, Axelem i Brittą.

– Poszłaś do Axela Frankla prosić o zwrot medalu w kilka dni po tym, jak odnaleziono zwłoki jego brata? Kurde, musiał pomyśleć, że zachowujesz się jak sęp! – zauważyła Anna z brutalną szczerością, jakiej można oczekiwać tylko od młodszego rodzeństwa.

– Chcesz wiedzieć, co mi powiedzieli, czy nie? – powiedziała Erika z irytacją.

Do pewnego stopnia skłonna była przyznać Annie rację. Nie zachowała się zbyt delikatnie.

Erika skończyła opowiadać i Anna zmarszczyła czoło.

– To brzmi tak, jakby znali zupełnie inną osobę. A co ci powiedziała Britta? Wie, skąd mama miała ten medal?

Erika potrząsnęła głową.

– Nie zdążyłam jej spytać. Ma alzheimera i w pewnej chwili zupełnie się pogubiła. Wrócił jej mąż, bardzo się zdenerwował i... – Erika chrząknęła – ...wyprosił mnie.

– Erika! – wykrzyknęła Anna. – Poszłaś wypytywać starą, chorą kobietę?! Nie dziwię się, że cię wyrzucił... Musiałaś chyba zgłupieć. – Anna z niedowierzaniem kręciła głową.

– A ciebie to nie ciekawi? Dlaczego mama trzymała to wszystko? Dlaczego ludzie, którzy ją znali dawniej, mówią o niej jak o nieznanej nam osobie? Elsy, o której mówią, nie jest tą osobą, którą myśmy znały. Coś musiało się stać... Britta właśnie chciała o tym powiedzieć, ale nagle się pogubiła, zaczęła coś mamrotać o starych kościach i... nie pamiętam dokładnie. Wydaje mi się, że to była metafora... czegoś, co ukryte i... może sobie coś wmawiam, ale coś w tym jest i mam zamiar się dowiedzieć co...

Zadzwonił telefon. Erika poszła odebrać, przerywając ten zagmatwany wywód.

– Erika, słucham. A, cześć, Karin. – Odwróciła się do Anny i zrobiła wielkie oczy. – Dziękuję, wszystko dobrze. Mnie też jest miło, że wreszcie mamy okazję porozmawiać. – Skrzywiła się. Anna nie rozumiała, o co chodzi. – Patrik? Nie, nie ma go. Wziął Maję i pojechali w odwiedziny do komisariatu, i nie wiem, gdzie się teraz podziewają. Aha... na pewno mają ochotę z wami pospacerować. Jutro o dziesiątej. Koło apteki. Dobrze, przekażę mu. Zadzwoni do ciebie, gdyby się okazało, że ma inne plany, ale nie wydaje mi się. Dzięki. Do usłyszenia.

– Kto to był? – zdziwiła się Anna. – Co za Karin? Po co Patrik ma się z nią spotkać koło apteki?

Erika usiadła przy stole i po dłuższej chwili odparła:

– Karin, była żona Patrika. Ona i ten jej Leffe od orkiestry tanecznej sprowadzili się mianowicie do Fjällbacki i tak się złożyło, że Karin i Patrik są jednocześnie na urlopie wychowawczym, więc jutro pójdą razem na spacer.

Anna pękała ze śmiechu.

– Czyli umówiłaś Patrika z jego byłą żoną? Boże, ale piękna historia! Mogłabyś jeszcze obdzwonić parę jego byłych dziewczyn, żeby dołączyły. Biedaczek, nie powinien się nudzić na urlopie.

Erika spojrzała na nią ze złością.

– Może nie zauważyłaś, ale to ona dzwoniła, nie ja. Nie ma w tym nic dziwnego. Są rozwiedzeni, i to od lat. A teraz oboje mają urlop wychowawczy. Naprawdę, wcale mi to nie przeszkadza.

– Oczywiście – śmiała się Anna, trzymając się za brzuch. – Właśnie widzę, jak ci nie przeszkadza... Tylko nos ci się wydłuża coraz bardziej.

Erika miała ochotę cisnąć w siostrę drożdżówką, ale rozmyśliła się. Nie jest zazdrosna, niech sobie Anna myśli, co chce.

– Może od razu pogadamy z tą sprzątaczką? – zaproponował Martin.

Patrik pomyślał i sięgnął po komórkę. Jak tylko Annika opowiedziała mu, jak się sprawy mają, schował komórkę do kieszeni i skinął głową.

– W porządku. Właśnie uśpiła Maję w wózku. Masz adres? – spytał Paulę.

– Mam. – Paula przerzuciła kartki i głośno odczytała adres. – Nazywa się Laila Valthers. Powiedziała, że będzie w domu cały dzień. Wiesz, gdzie to jest?

– Tak, to jeden z tych domów koło ronda przy południowym wjeździe do Fjällbacki.

– Tych żółtych? – spytał Martin.

– Właśnie. Trafisz? Kawałek za szkołą skręcisz w prawo.

Jechali minutę, może dwie. Laila była w domu. Kiedy otwierała drzwi, wyglądała na lekko przestraszoną. Wyraźnie nie miała ochoty zapraszać ich do środka, więc zostali w przedpokoju. Zresztą nie było powodu, żeby wchodzić dalej, nie mieli zbyt wielu pytań.

– Sprząta pani regularnie u braci Franklów, zgadza się? – Patrik mówił spokojnie i łagodnie. Starał się, żeby nie poczuła się zagrożona.

– Tak. Mam nadzieję, że nie będę miała problemów w związku z tym... – wyszeptała cicho.

Była drobną kobietą. Miała na sobie wygodny, welurowy brązowy dres. Włosy niewyraźnego koloru, takie, o jakich mówi się mysie, ostrzyżone krótko, praktycznie, ale niezbyt ładnie. Przestępując niespokojnie z nogi na nogę, z rękami założonymi na piersiach, czekała na odpowiedź. Patrik domyślił się, dlaczego się niepokoi.

– Pracowała pani u nich na czarno, o to chodzi, tak? Na pewno nie będziemy w to wnikać ani nikomu donosić. Prowadzimy śledztwo w sprawie morderstwa i skupiamy się na zupełnie innych sprawach. – Uśmiechnął się uspokajająco.

Laila przestała się nerwowo kiwać.

– Po prostu kładli kopertę z pieniędzmi dla mnie na komodzie w przedpokoju. Umówiliśmy się, że będę przychodzić co drugą środę, w tygodniach parzystych.

– Miała pani własny klucz?

Potrząsnęła głową.

– Nie. Zostawiali mi zawsze klucz pod wycieraczką, a ja odkładałam na miejsce, kiedy kończyłam.

– A jak to się stało, że tego lata nie przychodziła pani sprzątać? – Paula zadała najważniejsze pytanie.

– Myślałam, że mam przychodzić. W każdym razie nie umawialiśmy się inaczej. Ale kiedy jak zwykle przyszłam, klucza nie było. Zapukałam, ale nikt nie otworzył. Potem jeszcze dzwoniłam, żeby sprawdzić, czy nie zaszło jakieś nieporozumienie. Ale nikt nie odbierał. Oczywiście wiedziałam, że ten starszy, Axel, wyjeżdża na lato, bo tak było zawsze, odkąd tam sprzątałam. Więc gdy się okazało, że nikogo nie ma, pomyślałam, że młodszy też wyjechał. Chociaż uważałam, że to nieładnie. Nawet im się nie chciało mnie zawiadomić. Teraz już wiem, dlaczego tak było... – Spuściła wzrok.

– Nie zauważyła pani nic niezwykłego? – spytał Martin.

Gwałtownie potrząsnęła głową.

– Nie, nie mogę tak powiedzieć. Nie zwróciłam na nic uwagi.

– Może pani pamięta, kiedy dokładnie pani tam poszła? – odezwał się znów Patrik.

– Pamiętam, bo miałam wtedy urodziny. Pomyślałam nawet, że to pech, że akurat tego dnia nic nie wyszło ze sprzątania. Za te pieniądze chciałam sobie coś kupić.

Umilkła, a Patrik spytał delikatnie:

– Czyli jaki to był dzień? Którego ma pani urodziny?

– Ojej, jaka ja głupia. – Zrobiła zmartwioną minę. – Siedemnastego czerwca. Na pewno. Siedemnastego czerwca. Później poszłam tam jeszcze dwa razy, popatrzeć. Nadal nikogo nie było, klucza pod wycieraczką też nie. Pomyślałam, że zapomnieli mnie zawiadomić, że latem nie będzie ich w domu.

Wzruszyła ramionami, co miało oznaczać, że jest przyzwyczajona do takiego traktowania.

– Dziękuję, to dla nas cenne informacje.

Patrik na pożegnanie podał jej rękę i wzdrygnął się, gdy dotknął jej wiotkiej dłoni. Jakby trzymał w ręku martwą rybę.

– Co o tym myślicie? – spytał Patrik, gdy już siedzieli w samochodzie i wracali do komisariatu.

– Myślę, że można postawić tezę, że bardzo prawdopodobne jest, że Erik Frankel został zamordowany między piętnastym a siedemnastym czerwca – powiedziała Paula.

– Też skłaniam się do takiego wniosku.

Patrik skinął głową. Właśnie stanowczo zbyt szybko wziął ostry zakręt przed Anrås i o mały włos nie zderzył się ze śmieciarką. Śmieciarz Leif pogroził mu pięścią, a przerażony Martin złapał za uchwyt nad drzwiami.

– Dostałeś prawo jazdy od Mikołaja na Gwiazdkę, czy co? – odezwała się Paula z tylnego siedzenia. Wydawała się nieporuszona.

– O co ci chodzi? Jestem doskonałym kierowcą! – odparł z oburzeniem Patrik i spojrzał na Martina, szukając poparcia.

– Oczywiście! – Martin zaśmiał się szyderczo i odwrócił się do Pauli: – Chciałem go zgłosić do programu „Najgorszy kierowca Szwecji", ale go nie wzięli. Chyba uznali, że byłyby nici z konkursu, inni uczestnicy byliby bez szans.

Paula zachichotała, a Patrik prychnął z oburzeniem:

– Nie wiem, o czym mówisz. Przejechaliśmy razem tyle kilometrów i co? Było jakieś zderzenie albo inny wypadek? Nie. No właśnie. Ani jednego punktu karnego, więc to zwykła potwarz.

Znów prychnął z oburzeniem i spojrzał na Martina. Skutek był taki, że musiał ostro hamować, by nie wjechać w jadącego przed nimi saaba.

– *I rest my case*[17] – powiedział Martin, podnosząc ręce do góry, a Paula zwijała się ze śmiechu.

Patrik boczył się do końca podróży, ale przynajmniej trzymał się przepisowej prędkości.

---

[17] *I rest my case* (ang.) – Nie mam nic do dodania (przyp. tłum.).

Nadal był wściekły po spotkaniu z ojcem. Frans zawsze tak na niego działał. Chociaż nie. W dzieciństwie przeważało uczucie zawodu. Mieszanka zawodu i miłości, która z czasem przerodziła się w nienawiść i gniew. Miał świadomość, że te uczucia wpłynęły na jego wybory życiowe, co w praktyce oznaczało, że ojciec sterował jego życiem, ale nie umiał na to nic poradzić. Wystarczyło, że przypomniał sobie wrażenia z widzeń z ojcem w więzieniu. Zimna, szara i bezosobowa sala odwiedzin. Ojciec nieporadnie próbował rozmawiać z nim w taki sposób, jakby uczestniczył w jego życiu, choć obserwował je tylko z oddali, zza krat.

Od ostatniej odsiadki minęło wiele lat. Ale nie znaczyło to, że ojciec stał się lepszym człowiekiem. Na pewno stał się bardziej przebiegły. Wybrał inną drogę. Więc Kjell poszedł w drugą stronę. O organizacjach wrogich cudzoziemcom pisał z pasją, która zapewniła mu nazwisko i szacunek również poza redakcją „Bohusläningen". Często latał z Trollhättan do Sztokholmu, żeby brać udział w dyskusjach w telewizji o destrukcyjnej roli neonazizmu i o tym, jak społeczeństwo może się przed nim bronić. W odróżnieniu od ludzi, którzy z przesadnej grzeczności byli gotowi zapraszać neonazistów do udziału w debacie, był zwolennikiem twardej postawy. Mówił, że nie wolno ich tolerować, należy na każdym kroku zwalczać, sprzeciwiać się, gdziekolwiek zabiorą głos, i wyrzucać za drzwi. Tępić jak zarazę.

Zaparkował w pobliżu domu byłej żony. Nie zadzwonił, bo mogłaby wyjść, ale upewnił się, że będzie. Dłuższą chwilę spędził w samochodzie. Czekał, aż się pokaże. Przyjechała po godzinie i zaparkowała na wjeź-dzie, przed domem. Widocznie wróciła z zakupów, bo wyjęła z samochodu kilka toreb. Kjell zaczekał, aż wej-dzie, i podjechał pod dom, pokonując ostatnie sto me-trów. Wysiadł i głośno zapukał. Na twarzy Cariny pojawił się wyraz znużenia, gdy zobaczyła, kto stoi na progu.

– Czego chcesz? – spytała szorstko.

Kjell się rozzłościł. Dlaczego ona nie zdaje sobie sprawy z powagi sytuacji, nie rozumie, że nie wolno się patyczkować, że należy reagować ostro. Odezwały się wyrzuty sumienia i rozzłościł się jeszcze bardziej. Czy ona zawsze musi wyglądać na taką... zgnębioną? Przecież minęło już dziesięć lat.

– Musimy porozmawiać. O Perze.

Przepchnął się i wszedł do środka. Ostentacyjnie zdjął buty i powiesił kurtkę. Carina sprawiała wraże-nie, jakby zamierzała zaprotestować, ale tylko wzru-szyła ramionami i weszła do kuchni. Oparła się o zlew i skrzyżowała ramiona na piersi, jakby się szykowała do walki. Odbyli już niejedną taką rundę.

– Co znowu?

Potrząsnęła głową, kosmyk ciemnych włosów opadł jej na oczy. Musiała go odsunąć palcem. Tyle razy wi-dział ten gest. Zachwycał go, gdy się poznali, i jeszcze w pierwszych latach, zanim górę wzięło znużenie co-dziennością, zanim miłość zbladła i postanowił pójść inną drogą. Wcale nie miał pewności, czy dokonał wte-dy właściwego wyboru.

Wysunął krzesło i usiadł.

– Musimy coś z tym zrobić, samo się nie rozwiąże. Jak człowiek raz w to wpadnie...

Przerwała mu gestem.

– A kto powiedział, że ja tak myślę? Uważam tylko, że problemy trzeba rozwiązywać inaczej. Zrozum, że wysyłanie Pera w świat to żadne rozwiązanie.

– Czy ty nie rozumiesz, że trzeba go wyrwać z tego środowiska?!

Gniewnym gestem przesunął dłonią po włosach.

– Mówisz o środowisku, a masz na myśli swojego ojca – powiedziała z pogardą. – Myślę, że powinieneś zacząć od rozwiązania swoich problemów w relacjach z ojcem i dopiero potem zabierać się za Pera.

– Jakich problemów? – Kjell podniósł głos. Musiał kilka razy głęboko odetchnąć, żeby się uspokoić. – Po pierwsze, mówiąc o konieczności wyrwania go stąd, mam na myśli nie tylko ojca. Myślisz, że nie wiem, co się tu dzieje? Że masz flaszki poutykane w szafkach i szufladach?

Zatoczył dłonią po kuchni.

Carina nabrała powietrza. Chciała zaprotestować, ale powstrzymał ją, podnosząc rękę.

– Między mną i ojcem nie ma co rozwiązywać – wycedził przez zęby. – Nie chciałbym już mieć z nim nic wspólnego i na pewno nie pozwolę mu wpływać na Pera. A skoro nie jesteśmy w stanie go pilnować na okrągło, nie przypuszczam zresztą, żeby cię to interesowało, nie widzę innego rozwiązania, jak szkoła z internatem i z kadrą, która umie sobie radzić z takimi problemami.

– Niby jak to sobie wyobrażasz, co? – krzyknęła Carina. Grzywka znów opadła jej na oczy. – Nastolatków nie wsadza się do poprawczaka bez powodu. Najpierw musiałby coś przeskrobać. A ty pewnie zacierasz ręce i czekasz, kiedy...

– Włamał się – przerwał jej Kjell.

– Co ty opowiadasz? Jak to się włamał?

– Na początku czerwca. Właściciel domu złapał go na gorącym uczynku. Zadzwonił po mnie. Pojechałem i zabrałem Pera. Dostał się tam przez okienko do piwnicy i właśnie ładował kieszenie do pełna, kiedy został przyłapany. Właściciel zamknął go na klucz i zagroził, że wezwie policję, jeśli mu nie poda numeru rodziców. Per podał mój.

Nie potrafił ukryć satysfakcji, kiedy zobaczył jej minę: była zdumiona i zawiedziona.

– A dlaczego nie mój?

Kjell wzruszył ramionami.

– Kto to wie? Ojciec to zawsze ojciec.

– Gdzie się włamał?

Nadal nie mogła się pogodzić z tym, że Per wolał, żeby przyjechał ojciec.

Kjell zwlekał kilka sekund. Potem powiedział:

– Do tego gościa, którego w zeszłym tygodniu znaleźli martwego we Fjällbace. Erik Frankel. Do jego domu.

– Ale dlaczego?

– Właśnie próbuję ci wyjaśnić! Erik Frankel był ekspertem od drugiej wojny światowej, miał mnóstwo rzeczy z tamtych czasów. Per prawdopodobnie chciał zaimponować kumplom, pokazać im jakieś autentyki.

– Policja wie?

– Jeszcze nie – odparł Kjell zimno. – Wszystko zależy od...

– Zrobiłbyś to własnemu synowi? Doniósłbyś na niego na policję? – wyszeptała, wpatrując się w niego.

Kjell poczuł gulę w żołądku. Zobaczył Carinę taką, jaką ją widział za pierwszym razem, gdy się poznali, na zabawie w Wyższej Szkole Dziennikarstwa. Przyszła z koleżanką, która tam studiowała i która od razu się zmyła z jakimś chłopakiem. Carina czuła się samotna i była bardzo speszona. Przysiadła na jakiejś kanapie, a Kjell zakochał się w niej od pierwszego wejrzenia. Miała na sobie żółtą sukienkę i żółtą wstążkę we włosach, wówczas długich i ciemnych, jak dziś, tylko bez tych srebrnych nitek. Było w niej coś takiego, że chciał się nią zaopiekować, chronić ją i kochać. Pamiętał ślub. Miała na sobie suknię, która wtedy wydawała jej się niezwykle piękna, a dziś, z tymi wszystkimi falbankami i bufkami, zostałaby uznana za relikt lat osiemdziesiątych. On uważał, że jest zjawiskowa. A potem ta chwila, gdy pierwszy raz zobaczył ją z Perem. Umęczoną, nieumalowaną, w brzydkiej szpitalnej koszuli. Trzymając na ręku synka, podniosła wzrok i uśmiechnęła się, a on poczuł, że byłby gotów stanąć do walki ze smokiem albo wziąć się za bary z największą armią, i nawet ją pokonać.

Stali naprzeciwko siebie jak dwoje wojowników i przez mgnienie oka oboje widzieli obrazy z przeszłości. Chwile, gdy śmiali się i kochali. Zanim miłość odeszła w zapomnienie, stała się krucha, łamliwa, a jego pociągnęły nowe wyzwania. Gula w żołądku jeszcze stwardniała.

Odsunął od siebie te myśli.

– Jeśli będę musiał, to postaram się, żeby policja się dowiedziała. Albo razem się postaramy, żeby Per zmienił środowisko, albo zajmie się tym policja.

– Ty świnio! – powiedziała. W jej głosie słychać było rozpacz i rozczarowanie, że nie dotrzymał słowa.

Kjell wstał. Narzucając sobie chłód, powiedział:

– Tak się przedstawia sytuacja. Mam parę pomysłów, dokąd moglibyśmy wysłać Pera. Prześlę ci je mejlem, żebyś mogła rzucić okiem. I pod żadnym pozorem nie wolno mu utrzymywać kontaktów z moim ojcem. Żadnych. Zrozumiałaś?!

Carina nie odpowiedziała. Opuściła głowę na znak, że się poddaje. Minęły czasy, gdy umiała mu się sprzeciwić. Poddała się w dniu, gdy ją zostawił.

Kjell wsiadł do samochodu, przejechał kilkaset metrów i zatrzymał się. Oparł głowę na kierownicy i zamknął oczy. Przed oczami miał Erika Frankla. Myślał o tym, czego się od niego dowiedział. Co powinien z tym zrobić?

Grini pod Oslo 1943

Najgorsze było zimno, nie sposób było się rozgrzać. Unosząca się w powietrzu wilgoć zasysała każdą najmniejszą odrobinę ciepła i mokry chłód otulał ciało jak koc. Axel skulił się na pryczy. Dni w pojedynczej celi dłużyły się, ale wolał nudę od przerw w postaci przesłuchania, bicia i gradu pytań. Co miałby odpowiedzieć? Niewiele wiedział, a reszty i tak im nie powie. Prędzej da się zabić.

Przeciągnął ręką po głowie. Została na niej tylko szczecina. Krótkie włoski kłuły go w dłoń. Jak tylko przyjechali na miejsce, kazali im się wykąpać i ogolić. Potem musieli się ubrać w norweskie mundury gwardyjskie. Już w chwili kiedy go aresztowano, domyślił się, że trafi do tego więzienia, dwanaście kilometrów od Oslo. Ale nie był przygotowany na to, co się będzie działo, na nieopuszczający go nawet na chwilę potworny strach, odrazę i ból.

– Jedzenie.

Usłyszał szczęk i młody strażnik postawił tacę przed kratą.

– Jaki dziś dzień? – spytał Axel po norwesku.

Doskonale znał ten język, bo razem z Erikiem prawie wszystkie letnie wakacje spędzali u dziadków w Norwegii. Potrzebował kontaktu z drugim człowiekiem tak bardzo, że codziennie próbował porozmawiać

ze strażnikiem. A on najczęściej odpowiadał zdawkowo. Tak jak teraz:

– Środa.

– Dziękuję.

Axel zmusił się do uśmiechu. Chłopak odwrócił się.
Już miał odejść, ale Axel, któremu dokuczała samotność w zimnej celi, spróbował go zatrzymać. Rzucił
jeszcze jedno pytanie:

– Jaka pogoda?

Chłopak przystanął, rozejrzał się i zawrócił.

– Pochmurno. I dość zimno – odparł.

Axela uderzył jego młody wygląd. Był mniej więcej w tym samym wieku co on, może parę lat młodszy.
A on prawdopodobnie wyglądał znacznie starzej, czyli
tak, jak się czuł.

Chłopak znów się oddalił na kilka kroków.

– Trochę zimno jak na tę porę roku, co?

Głos mu się rwał. Zdał sobie sprawę, że w tych okolicznościach jego uwaga zabrzmiała co najmniej dziwnie. Kiedyś uznałby taką błahą rozmowę za stratę
czasu. Teraz chwycił się jej jak ostatniej deski ratun-
ku. Przypominała o życiu, którego wspomnienie blakło
coraz bardziej.

– Można tak powiedzieć. Ale w Oslo często jest zimno o tej porze roku.

– Jesteś stąd? – pośpiesznie spytał Axel, żeby strażnik znów nie odszedł.

Chłopak zawahał się, jakby nie chciał odpowiedzieć.
Znów się rozejrzał, ale nie zobaczył nikogo.

– Mieszkamy tu dopiero parę lat.

Axel spróbował inaczej:

– Jak długo tu jestem? Mam wrażenie, że całą wieczność.

Zaśmiał się, a potem się przestraszył, bo zabrzmiało to chropawo i nienaturalnie. Dawno nie miał powodu się śmiać.

– Nie wiem, czy mi wolno...

Strażnik pociągnął za kołnierz kurtki. Chyba nie był oswojony z mundurem. Jeszcze się przyzwyczai, pomyślał Axel. Oswoi się i z mundurem, i z takim traktowaniem ludzi. Taka już ludzka natura.

– Co ci szkodzi powiedzieć, od jak dawna tu jestem? – nalegał Axel. Nieznośne było takie trwanie poza czasem, bez godzin, dat i dni tygodnia, na których można by się oprzeć.

– Mniej więcej od dwóch miesięcy. Nie pamiętam dokładnie.

– Mniej więcej od dwóch miesięcy. A dziś jest środa i na dworze jest pochmurno. To mi wystarczy.

Axel uśmiechnął się do chłopaka, a on odpowiedział ostrożnym uśmiechem.

Kiedy strażnik poszedł, Axel opadł na pryczę i postawił sobie tacę na kolanach. Jedzenie było marne. Zawsze to samo: pastewne ziemniaki i ohydna potrawka z jakichś ochłapów. Miał to być kolejny sposób na łamanie więźniów. Niemrawo zanurzył łyżkę w szarej brei. Głód zmusił go w końcu, żeby ją podniósł do ust. Udawał przed samym sobą, że je potrawkę ugotowaną przez mamę, ale bez szczególnego powodzenia. Co gorsza zrobił to, czego sobie stanowczo zakazał, to znaczy pomknął myślami do domu, do rodziny, do mamy, ojca, do Erika. Głód przestał być wystarczającym powodem, żeby jeść. Odłożył łyżkę i oparł głowę o chropowatą ścianę. Od razu stanęli mu przed oczyma. Ojciec z tym swoim wielkim siwym wąsem, rozczesywanym starannie co wieczór przed snem. Matka z długimi włosami zwiniętymi w kok na karku, w okularach, które zjeżdżały jej na koniec nosa, gdy wieczorami szydełkowała w świetle lampy. I Erik. Na pewno tkwi w swoim pokoju z nosem w książce. Co robią? Czy myślą o nim w tej chwili? Jak rodzice przyjęli wiadomość, że został uwięziony przez Niemców? A milczący, szukający samotności Erik? Ten jego niezwykły intelekt i jednocześnie niezdolność do okazywania uczuć. Czasem obejmował go mocno, żeby się z nim podrażnić, a Erik wtedy sztywniał, bo zazwyczaj unikał bliskiego kontaktu. Ale po chwili się odprężał i poddawał uściskowi na kilka sekund, żeby w końcu syknąć „puszczaj" i się wyrwać. Axel dobrze znał brata. Lepiej, niż Erik mógłby przypuszczać. Rozumiał, że czasem Erik ma wrażenie, że odstaje od reszty rodziny, ponieważ nie jest w stanie mu dorównać. Teraz na pewno jest mu jeszcze ciężej. Zdawał sobie sprawę, że obawy rodziców o niego na pewno odbiją się na Eriku, że jego pozycja w rodzinie stanie się jeszcze słabsza. Wolał nie myśleć o tym, co dla Erika mogłaby znaczyć śmierć starszego brata.

– Cześć, jesteśmy!

Patrik zamknął drzwi i posadził Maję na podłodze. Maja natychmiast ruszyła dalej, musiał ją przytrzymać za kurteczkę.

– Słuchaj, kochana. Najpierw trzeba zdjąć buciki i kurteczkę. Dopiero potem możesz biec do mamy. – Rozebrał ją i puścił. – Erika? Jesteś? – zawołał.

Nie usłyszał odpowiedzi. Ale gdy się dobrze wsłuchał, dobiegło go z góry stukanie w klawisze. Wziął na ręce Maję i poszedł na piętro, do Eriki.

– Cześć, tutaj jesteś?

– Tak, napisałam dziś ładnych kilka stron. Była Anna, wypiłyśmy razem kawę.

Uśmiechnęła się i wyciągnęła ręce do Mai, która natychmiast przydreptała, żeby dać mamie mokrego całusa w same usta.

– Cześć, maleńka, co dziś porabialiście z tatusiem? – Potarła nosem o nosek Mai. Maja pękała ze śmiechu. Wyspecjalizowały się w tych eskimoskich pocałunkach. – Ale długo was nie było – powiedziała, patrząc na Patrika.

– No, udało mi się dołączyć do kolegów i trochę popracować – powiedział z entuzjazmem. – Ta nowa dziewczyna wydaje się bardzo dobra, ale nie wzięli pod uwagę wszystkiego, więc pojechałem z nimi do Fjällbacki i złożyliśmy parę wizyt. Udało nam się ustalić, kiedy najprawdopodobniej zginął Erik Frankel i...

Zobaczył minę Eriki i urwał w połowie. Uzmysłowił sobie, że chyba powinien był chwilę pomyśleć, zanim się odezwał.

– A gdzie była Maja, gdy ty dołączyłeś, żeby popracować? – spytała Erika lodowatym tonem.

Patrika aż skręciło w środku. Nie mogłaby tak – całkiem przypadkiem – zawyć syrena alarmowa? Oczywiście nie zawyje. Odetchnął i rzucił się na głęboką wodę.

– Annika jej pilnowała. W komisariacie.

Nie mógł zrozumieć, jak to jest, że głośno wypowiedziane słowa brzmią tak fatalnie, chociaż wcześniej nie przyszło mu do głowy, że zrobił źle.

– A więc Annika pilnowała naszej córki w komisariacie, a ty w tym czasie mogłeś popracować parę godzin. Dobrze zrozumiałam?

– E... no tak... – odparł Patrik. Gorączkowo szukał jakiegoś sposobu, żeby obrócić wszystko na swoją korzyść. – Było jej bardzo dobrze. Podobno pięknie zjadła, a potem Annika poszła z nią na krótki spacer i Maja zasnęła w wózku.

– Jestem przekonana, że Annika jest znakomitą opiekunką, ale nie w tym rzecz. Jestem zła, bo umówiliśmy się, że teraz, gdy pracuję, ty będziesz się zajmował Mają. I nie chodzi o to, że się domagam, żebyś aż do stycznia był z nią cały czas, co do minuty. Na pewno opiekunka nieraz nam się przyda. Uważam tylko, że pośpieszyłeś się z oddawaniem jej pod opiekę sekretarce, żeby móc się urwać do pracy, skoro dopiero od tygodnia jesteś na urlopie. Nie sądzisz?

Patrik zastanawiał się przez chwilę, czy pytanie Eriki

nie jest retoryczne, ale żona wyraźnie czekała na odpowiedź, więc doszedł do wniosku, że jednak nie.

– Jak tak to przedstawiasz, to... no oczywiście, to głupie... Ale oni nawet nie sprawdzili, czy Erik się z kimś spotykał, i tak się zapaliłem, że... To głupie! – zakończył pokrętny wywód. Zmierzwił włosy, które po tym zabiegu zaczęły sterczeć na wszystkie strony. – Od tej chwili żadnej pracy. Słowo. Tylko ja i mała. Na bank.

Podniósł do góry oba kciuki i zrobił minę, która miała oznaczać, że można mu ufać.

Erice chyba jeszcze coś leżało na sercu, ale tylko westchnęła i wstała.

– Dobrze, mała. Nie wydaje mi się, żebyś ucierpiała, a skoro tak, to przebaczmy tacie i chodźmy do kuchni coś ugotować, co? – Maja z zapałem kiwnęła głową. – Tata może nam zrobić carbonarę na przeprosiny – powiedziała Erika.

Maja znów z zapałem kiwnęła głową. Bardzo lubiła carbonarę taty. Erika posadziła sobie Maję na biodrze i zeszła na dół.

– No i do czego doszliście? – spytała Erika po dłuższej chwili.

Siedząc przy stole, patrzyła, jak Patrik smaży boczek i gotuje spaghetti.

Maja zainstalowała się przed telewizorem. Właśnie leciała „Bolibompa", dzięki czemu mogli spokojnie porozmawiać, jak dorośli.

– Do tego, że zmarł prawdopodobnie między piętnastym a siedemnastym czerwca. – Zamieszał na patelni. – Au! – Tłuszcz prysnął i oparzył go w ramię. – Kurde, ale boli! Całe szczęście, że człowiek nie smaży nago.

– Wiesz co, kochanie? Ja również jestem zdania, że to szczęście...

Erika mrugnęła okiem, a Patrik podszedł do niej i pocałował ją w usta.

– Znowu jestem kochanie? I na plusie?

Erika udawała, że się zastanawia.

– Na plusie to może nie, raczej na zerze. Jeśli ci się uda ta carbonara, to może będziesz na plusie...

– A tobie jak minął dzień? – spytał Patrik, wracając do kuchenki.

Ostrożnie wziął z patelni kawałki boczku i położył na papierowym ręczniku, żeby się odsączyły. Boczek musi być chrupiący, żeby carbonara się udała. Nie ma nic obrzydliwszego od sflaczałego boczku.

– Od czego by tu zacząć? – powiedziała Erika z westchnieniem.

Najpierw opowiedziała mu o odwiedzinach Anny i jej problemach z pasierbicą. Potem nabrała tchu i zrelacjonowała wizytę u Britty.

Patrik spojrzał na nią ze zdumieniem i odłożył łopatkę.

– Poszłaś ją wypytać? Chociaż ma alzheimera? Nic dziwnego, że jej stary dostał białej gorączki. Też bym dostał.

– Piękne dzięki. Anna powiedziała to samo, więc już dostałam za swoje. Dziękuję. – Erika spochmurniała. – Przecież nie wiedziałam o tym, kiedy do niej szłam.

– Co ci powiedziała? – spytał Patrik, wkładając makaron do wrzątku.

– Wiesz oczywiście, że taka ilość wystarczy dla

całego pułku – powiedziała Erika, widząc, jak do garn-
ka trafiają prawie dwie trzecie opakowania spaghetti.

– Kto tu gotuje: ty czy ja? – Patrik pogroził jej łopat-
ką. – Więc co ci powiedziała?

– Po pierwsze, że w młodości dużo czasu spędza-
ły razem. I mocno się przyjaźniły z Erikiem Franklem
i jakimś Fransem.

– Z Fransem Ringholmem? – spytał Patrik z napię-
ciem, mieszając makaron.

– Tak, chyba tak się nazywał. Frans Ringholm. Bo
co? Wiesz, kto to jest?

Spojrzała na niego z zaciekawieniem, ale tylko wzruszył ramionami.

– Powiedziała jeszcze coś? Czy utrzymuje kontakty
z Erikiem albo z Fransem? A może z Axelem?

– Nie wydaje mi się – odparła Erika. – Chyba żadne
z nich nie kontaktuje się z pozostałymi, ale mogę się
mylić. – Zmarszczyła brwi. Wyglądała, jakby powtarzała sobie w myślach całą rozmowę. – Była jedna rzecz... –
powiedziała z wahaniem.

Patrik przestał mieszać, czekał, co powie.

– Powiedziała coś... tak, coś o Eriku i starych kościach. Że należy je zostawić w spokoju. Że Erik powiedział... nie. Potem zanurzyła się w tej swojej mgle
i więcej się nie dowiedziałam. Była już wtedy bardzo za-
gubiona, więc nie wiem, czy jej słowa brać na poważnie.
To pewnie głupstwa.

– Niekoniecznie – powoli odparł Patrik. – Niekoniecznie. Drugi raz dzisiaj słyszę te słowa i drugi raz od-
noszą się do Erika Frankla. Stare kości... O co tu chodzi?

Zamyślił się, a makaron tymczasem wykipiał.

Frans przygotował się starannie do spotkania. Zarząd zbierał się raz w miesiącu, należało poruszyć wiele spraw. Zbliża się rok wyborów, co oznacza poważne wyzwanie.

– Są już wszyscy?

Popatrzył na siedzących przy stole i doliczył się pięciu pozostałych członków zarządu. Sami mężczyźni. Prądy równościowe nie dotarły do organizacji neonazistowskich. I zapewne nie dotrą.

Lokal w Uddevalli, udostępniony przez Bertolfa Svenssona, znajdował się w piwnicy jego kamienicy. Na co dzień organizowano w nim różne imprezy. Zostały jeszcze ślady po przyjęciu, które w weekend urządził jeden z lokatorów. Mieli też biuro w tym samym domu, ale niewielkie, nie dało się w nim robić zebrań.

– Nie posprzątali po sobie. Już ja z nimi porozmawiam – mruknął Bertolf. Kopnął butelkę po piwie, potoczyła się po podłodze.

– Wracamy do naszych spraw – powiedział oschle Frans. Nie ma czasu na głupstwa. – Jak idą przygotowania? – zwrócił się do Petera Lindgrena, najmłodszego członka zarządu.

Wybrano go na koordynatora kampanii wyborczej wbrew sprzeciwom Fransa, który mu po prostu nie ufał. Nie wierzył, że Lindgren, który ostatniego lata został zatrzymany za pobicie Somalijczyka na rynku w Grebbestad, potrafi zachować niezbędny teraz spokój.

Jakby na potwierdzenie tych wątpliwości Peter nie odpowiedział. Powiedział za to:

– Słyszeliście, co się stało we Fjällbace? – Zaśmiał się. – Ktoś się rozprawił z Franklem, tym zdrajcą naszej rasy.

– Rzeczywiście. A ja chcę wierzyć, że nikt z naszych nie miał z tym nic wspólnego. Dlatego proponuję, żebyśmy wrócili do tematu – powiedział Frans, wbijając w niego wzrok.

Zapadła cisza, mierzyli się spojrzeniami. W końcu Peter odwrócił wzrok.

– Przygotowania idą dobrze. Ostatni nabór był udany. Upewniliśmy się, że wszyscy członkowie, zarówno nowi, jak i starzy, są gotowi wyruszyć w teren, żeby aż do wyborów głosić nasze idee.

– Dobrze – powiedział krótko Frans. – A co z rejestracją w państwowej komisji wyborczej? I z kartami wyborczymi?

– Wszystko pod kontrolą.

Peter zabębnił palcami o blat. Był zły, że się go odpytuje jak uczniaka. Nie oparł się pokusie, żeby dogryźć Fransowi.

– Nie udało ci się osłonić dawnego kumpla. Dlaczego ten facet był dla ciebie taki ważny, że byłeś gotów nadstawiać za niego karku? Wiesz, ludzie sarkali. Zaczęli nawet wątpić w twoją lojalność...

Frans wstał, wpatrywał się w Petera. Siedzący obok Werner Hermansson chwycił go za ramię.

– Frans, nie słuchaj go. A ty, Peter, weź się w garść, do cholery, i uspokój się. Przecież to śmieszne. Powinniśmy gadać o tym, jak się posuwać naprzód, zamiast się nawzajem obrażać. No już, podajcie sobie ręce – powiedział, patrząc na Petera i na Fransa.

Był obok Fransa najstarszym członkiem Przyjaciół Szwecji i tym, który go najdłużej znał. Interweniował z troski – nie tyle o Fransa, ile o Petera. Wiedział, do czego Frans jest zdolny.

Przez chwilę nie było wiadomo, jak to się skończy. Potem Frans usiadł.

– Niestety muszę się powtórzyć: proponuję wrócić do tematu. Jakiś sprzeciw? Czy wolicie tracić czas na międlenie?

Kolejno spoglądał na zebranych. Wszyscy spuścili wzrok. Mówił więc dalej:

– Wygląda na to, że większość problemów praktycznych da się rozwiązać. Omówmy może zatem te, które powinny zostać poruszone w naszym manifeście. Przysłuchiwałem się uważnie wypowiedziom mieszkańców naszej gminy i naprawdę wierzę, że tym razem mamy szansę wejść do zarządu. Ludzie wreszcie zdali sobie sprawę, że jeśli chodzi o imigrantów, władze działają nieporadnie. Widzą, że nie-Szwedzi zabierają im pracę, a zasiłki dla nich zjadają budżet gminy. Niezadowolenie ze sposobu prowadzenia tych spraw na szczeblu gminy jest powszechne i powinniśmy to wykorzystać. – W jego kieszeni głośno zadzwonił telefon. – Cholera. Przepraszam, zapomniałem wyłączyć. Zaraz to zrobię.

Wyjął telefon z kieszeni spodni i spojrzał na wyświetlacz. Znał ten numer. Domowy numer Axela. Odrzucił rozmowę i wyłączył telefon.

– Przepraszam, to gdzie jesteśmy? Właśnie, nadarza się fantastyczna okazja, żeby wykorzystać nieudolność gminy w radzeniu sobie z problemem uchodźców... – mówił dalej.

Siedzący przy stole słuchali go uważnie, ale jego myśli pomknęły w zupełnie innym kierunku.

Decyzja, żeby się urwać z matematyki, była oczywista. Nawet nie przyszłoby mu do głowy pokazać się na tej lekcji. Skóra mu cierpła od tych wszystkich cyfr i tym podobnych rzeczy. W ogóle tego nie rozumiał. Wystarczyło, że spróbował coś dodać czy odjąć, a w głowie robiła mu się pustka. Zresztą do czego mu te rachunki? Przecież nie będzie jakimś zasranym ekonomistą czy kimś podobnym, to po co tracić czas, pocąc się nad rachunkami.

Per zapalił następnego papierosa i rozejrzał się po szkolnym dziedzińcu. Koledzy kopnęli się do domu towarowego Hedemyrs, żeby napchać sobie kieszenie. Nie chciało mu się z nimi iść. Wczoraj nocował u Tomasa i do piątej rano grali w Tomb Raidera. Matka wydzwaniała do niego na komórkę, więc w końcu ją wyłączył. Poleżałby sobie rano w łóżku, ale matka Tomasa wyrzuciła go, zanim wyszła do pracy, więc z braku lepszego pomysłu poczłapali obaj do szkoły.

Czuł się okropnie znudzony. Może jednak powinien był iść z chłopakami. Wstał z ławki i już miał się powlec za nimi, gdy zobaczył Mattiasa. Stanął w drzwiach szkoły. Z tą ugrzecznioną laską, za którą nie wiadomo dlaczego tak się wszyscy uganiali. W ogóle jej nie kupował. Blond anielica, nie jego typ.

Nadstawił uszu, żeby podsłuchać, o czym rozmawiają. Mattias wstawiał gadkę. Chyba coś ciekawego, bo Mia z zachwytu wytrzeszczyła te swoje wymalowane gały, błękitne jak u niemowlaka. Zbliżyli się na tyle, że Per słyszał urywki rozmowy. Nie ruszał się. Mattias był tak zajęty Mią, że nawet nie zauważył siedzącego kawałek dalej Pera.

– Żebyś widziała, jak Adam zbladł na jego widok. Ja się od razu zorientowałem, co trzeba robić, i kazałem mu się wycofać, żeby nie zatarł śladów.

– Ojej! – z podziwem powiedziała Mia.

Per zaśmiał się pod nosem. Mattias całkiem nieźle zabiera się do rzeczy. Dziewczyna na pewno z wrażenia ma mokre majtki.

Nasłuchiwał dalej.

– Wiesz, najlepsze, że poza nami nikt nie odważył się tam iść. Coś tam o tym bąkali, ale wiesz, gadać to jedno, a co innego zrobić...

Per miał dość. Zerwał się ławki i dopadł Mattiasa. Rzucił się na niego od tyłu. Zanim Mattias się zorientował, powalił go na ziemię, usiadł mu na plecach i wykręcił ramię tak, że aż krzyknął z bólu. Potem złapał go za włosy. Idiotyczna fryzura na surfera okazała się jak znalazł. Podniósł jego głowę i uderzył o asfalt. Nie zwracał uwagi na Mię. Stojąc parę metrów dalej, zaczęła krzyczeć, a potem pobiegła do szkoły po pomoc. Waląc głową Mattiasa o asfalt, Per przez zęby mówił do rytmu:

– Co ty pieprzysz?! Ty zasrańcu jeden, co ty sobie myślisz? Że będziesz tak chodzić i nadawać? Ty cholerny... kretynie...

Wpadł w furię, pociemniało mu przed oczami. Nic nie widział, wszystko zniknęło. Tylko ten chwyt za włosy, uderzenia, walenie głową Mattiasa o asfalt i krew. Na widok czerwonej plamy, która zabarwiła asfalt, poczuł w piersi niezwykłą błogość. Była jak pieszczota. Nawet nie próbował powściągnąć furii. Poddał się jej. Delektował się tym prymitywnym uczuciem. Wyparło wszystko inne, wszystko, co złożone, smutne i nieważne. Nie chciał, nie umiał przestać. Krzyczał i walił, patrząc na to czerwone, lepkie i mokre pod głową Mattiasa, aż poczuł, jak ktoś łapie go od tyłu i odciąga.

– Co ty wyprawiasz, do cholery?

Odwrócił się i spojrzał, jakby go zdziwił gniew i zaskoczenie na twarzy nauczyciela matematyki. We wszystkich oknach stali ludzie, na dziedzińcu też zgromadziła się grupka ciekawskich. Per spojrzał obojętnie na bezwładne ciało Mattiasa i pozwolił się odciągnąć od ofiary.

– Czy ty jesteś nienormalny?!

Twarz nauczyciela znajdowała się w odległości zaledwie kilku centymetrów od jego twarzy. Głośno krzyczał, ale Per obojętnie odwrócił głowę.

Przedtem przez chwilę czuł się dobrze. Teraz czuł tylko pustkę.

Długo stał w przedpokoju, patrząc na zdjęcia. Tyle szczęśliwych chwil, tyle miłości. Czarno-biała fotografia ślubna, na której wypadli dość sztywno, choć wcale tak się nie czuli. Anna Greta w objęciach Britty. Sam zrobił to zdjęcie. Jeśli dobrze pamiętał, zaraz potem odłożył aparat i po raz pierwszy wziął córkę na ręce. Zaniepokojona Britta podpowiedziała mu, żeby podparł główkę, ale sam instynktownie wiedział, co robić. Od tamtej pory stale uczestniczył w opiece nad małą, wbrew temu, czego w tamtych czasach oczekiwano od ojców. Teściowa nie raz zwracała mu uwagę, że zmienianie pieluszek i kąpanie dziecka to nie zajęcia dla mężczyzny. Ale nie mógł się powstrzymać. Zresztą było to dla niego oczywiste. Dlaczego to Britta miałaby sama ponosić trud opieki nad trzema córeczkami, które urodziły się jedna po drugiej? Mieli nawet ochotę na więcej dzieci, ale po trzecim porodzie, który okazał się dziesięć razy cięższy od poprzednich, doktor wziął go na stronę i powiedział, że organizm Britty może nie wytrzymać kolejnej ciąży. Britta bardzo wtedy płakała. Spuściła głowę i roniąc łzy, przepraszała, że nie może mu dać syna. Herman był zdumiony. Nie przyszło mu do głowy życzyć sobie niczego innego niż to, co dostał. Wśród swoich czterech dziewczyn czuł się prawdziwym bogaczem. Musiał ją długo przekonywać, ale w końcu zrozumiała, że Herman mówi prawdę. Przestała płakać i mogli się skupić na swoich dziewczynkach.

Teraz mieli jeszcze więcej osób do kochania. Całym sercem przylgnęli do wnuków, a Herman mógł demonstrować, jak sprawnie zmienia pieluszki, gdy od czasu do czasu pomagali córkom i ich rodzinom. Takie czasy, że trudno wszystko pogodzić: pracę, dom i rodzinę. Ale oboje z Brittą cieszyli się, że w życiu dzieci jest miejsce dla nich, że mają komu pomagać i kogo kochać. Nawet kilkorgu wnukom urodziły się maleństwa. Herman miał wprawdzie nieco zesztywniałe palce, ale radził sobie z tymi nowymi pieluszkami *up-and-go*. Potrząsnął głową. Gdzie się podziały te wszystkie lata?

Poszedł na piętro, do sypialni, i przysiadł na łóżku. Britta jak zwykle spała po obiedzie. Miała zły dzień i chwilami go nie poznawała. Myślała, że jest w domu rodziców. Pytała o matkę, a potem, z wyraźnym strachem, o ojca. Herman głaskał ją po głowie, tłumaczył, że ojca od wielu nie ma lat wśród żywych, więc nie może jej skrzywdzić.

Pogładził jej rękę leżącą na szydełkowej narzucie. Dłonie miała pomarszczone, ze starczymi plamami, jak on, ale wciąż te same, długie i wypielęgnowane palce. Spojrzał na pomalowane różowe paznokcie i uśmiechnął się. Britta zawsze była trochę próżna. To jej nie przeszło. Ale nie narzekał. Była piękna i w ciągu pięćdziesięciu pięciu lat małżeństwa nigdy nie pomyślał o innej, nawet na inną nie spojrzał.

Jej oczy poruszały się pod powiekami. Śniła. Herman pomyślał, że chciałby się wedrzeć do jej snu, być z nią w tym śnie i udawać, że wszystko jest jak dawniej.

Dziś z tego pomieszania zaczęła mówić o tym, o czym zgodnie nigdy nie wspominali. Ale w miarę rozpadu jej umysłu pękały również tamy i mury zbudowane wokół tajemnicy, którą dzielili od tak dawna, że splotła się z ich życiem i stała się niewidzialna. Herman się odprężył, pozwolił sobie zapomnieć.

Niedobrze się stało, że Erik ją odwiedził. Bardzo niedobrze. W murze powstało pęknięcie i powiększało się coraz bardziej. Jeśli nic nie zrobią, buchnie przez nie fala i poniesie ich wszystkich.

Ale Erika już nie trzeba się bać. Nie trzeba. Herman ciągle głaskał rękę Britty.

– Właśnie, zapomniałam ci wczoraj powiedzieć. Dzwoniła Karin. Jesteście umówieni na spacer dziś o dziesiątej. Koło apteki.

Patrik zatrzymał się w pół kroku.

– Karin? Dziś? Za... – zerknął na zegarek – pół godziny.

– Sorry – Erika powiedziała to tonem, który wskazywał na to, że bynajmniej nie jest jej przykro. Potem zmiękła. – Wybieram się do biblioteki, poszperam trochę w różnych materiałach. Więc jeśli za dwadzieścia minut będziecie z Mają gotowi, to was podrzucę.

– Nie masz ... – zawahał się – nic przeciwko temu?

Erika podeszła i pocałowała go w usta.

– Spacer z byłą żoną to pestka w porównaniu z tym, że z komisariatu zrobiłeś przedszkole dla naszej córki.

– Cha, cha, bardzo śmieszne – powiedział Patrik z naburmuszoną miną.

Miała rację. Nie zachował się wczoraj zbyt mądrze.

– No to nie stój, nie grzeb się! Ubieraj się! Nie podobałoby mi się, gdybyś poszedł w takim stroju na spotkanie z byłą żoną.

Erika roześmiała się, mierząc go wzrokiem od stóp do głów. Stał przed nią w sypialni w samych kalesonach i skarpetkach.

– Niezły ze mnie przystojniak, co? – Patrik napiął mięśnie jak kulturysta.

Erika ze śmiechu zatoczyła się na łóżko.

– Boże, przestań!

– Bo co? – Patrik udawał obrażonego. – Jestem umięśniony jak nie wiem co! A to zmyłka, niech menele myślą, że im się upiecze.

Klepnął się po brzuchu, który trząsł się nieco bardziej, niż powinien się trząść brzuch kulturysty. Przygotowania do ślubu nie zmniejszyły mu znacznie obwodu w pasie.

– Przestań! – pisnęła Erika ze śmiechem. – Bo nigdy więcej nie pójdę z tobą do łóżka...

Patrik rzucił się na nią z rykiem i zaczął łaskotać.

– Odszczekaj to zaraz! Słyszysz? No mów!

– Tak, odszczekuję, przestań! – Erika miała straszne łaskotki.

– Mama! Tata! – rozległ się od drzwi zachwycony głosik Mai.

Sprowadziły ją interesujące odgłosy. Na widok takiego przedstawienia radośnie zaklaskała w ręce.

– Chodź tu, ciebie też tata połaskocze – powiedział Patrik, podnosząc córkę.

Po chwili obie piszczały ze śmiechu. Odpoczęli przytuleni i nagle Erika się zerwała.

– Słuchajcie, trzeba dodać gazu. Ja ubiorę Maję, a ty postaraj się wyglądać przyzwoicie.

Dwadzieścia minut później ruszyli w stronę ośrodka opiekuńczego, apteki i biblioteki. Erika była ciekawa, jaka jest Karin. Nie znała jej, ale sporo o niej słyszała, chociaż nie od Patrika. On nie miał ochoty rozmawiać o swoim pierwszym małżeństwie.

Zaparkowała, pomogła Patrikowi wyjąć wózek z bagażnika i razem z nim podeszła do Karin, żeby się przywitać. Odetchnęła głębiej i wyciągnęła rękę.

– Cześć, jestem Erika. Rozmawiałyśmy wczoraj przez telefon.

– Bardzo mi miło! – odparła Karin, a Erika stwierdziła ze zdziwieniem, że czuje do niej sympatię.

Kątem oka widziała, jak Patrik kołysze się na piętach, wyraźnie skrępowany. Odczuła coś w rodzaju satysfakcji. Niezła zabawa.

Z ciekawością przyglądała się byłej żonie swego męża. Stwierdziła, że Karin jest od niej szczuplejsza, nieco niższa, ma ciemne włosy ściągnięte w koński ogon. Nieumalowana twarz o drobnych rysach i wyraz... zmęczenia. No tak, ma małe dziecko, pomyślała Erika. Zdała sobie sprawę, że sama też nie wypadłaby najlepiej, gdyby ktoś ją poddał oględzinom w czasach, gdy Maja jeszcze nie przesypiała nocy.

Chwilę rozmawiały, a potem Erika poszła do biblioteki. Pomachała im na do widzenia. Nawet jej ulżyło, że już wie, jak wygląda kobieta, która przez osiem lat odgrywała ważną rolę w życiu Patrika. Nie znała jej nawet ze zdjęcia. Patrik nie zachował zdjęć z lat spędzonych z Karin, co było całkiem zrozumiałe, zważywszy na okoliczności, w jakich się rozstali.

W bibliotece jak zwykle panował spokój. Spędziła tu wiele godzin. Zresztą sama atmosfera biblioteki wprawiała ją w błogostan.

– Cześć, Christianie!

Bibliotekarz podniósł wzrok i uśmiechnął się szeroko na jej widok.

– Cześć, Eriko! Miło cię widzieć. W czym mógłbym ci dzisiaj pomóc?

Jego smalandzki akcent brzmiał jak zawsze przyjemnie. Erika zastanawiała się, dlaczego ludzie mówiący z takim akcentem od razu wydają jej się sympatyczni. W przypadku Christiana pierwsze wrażenie było słuszne: był sympatyczny, pomocny, w dodatku znał się na swojej pracy. Wiele razy jej pomógł, sypiąc jak z rękawa informacjami, na których zdobycie nawet nie liczyła.

– Czy chodzi o to samo co ostatnio?

Spojrzał na nią z nadzieją. Zlecenia Eriki oznaczały dla niego miłą odmianę, dzięki nim mógł się oderwać od codzienności, od wyszukiwania informacji o rybach, żaglówkach i faunie regionu Bohus.

– Nie, dziś nie – odparła i usiadła przed nim. – Dzisiaj interesują mnie tutejsi ludzie. I to, co się tu działo.

– Ludzie i wydarzenia. A dokładniej? – Mrugnął porozumiewawczo.

– Spróbuję.

Wyrecytowała nazwiska: Britta Johansson, Frans Ringholm, Axel Frankel, Elsy Falck, to znaczy nie, Elsy Moström i... zawahała się na parę sekund i dodała: Erik Frankel.

Christian drgnął.

– Czy to nie jego znaleźli martwego?

– Owszem – odparła krótko.

– A Elsy? To twoja...

– Moja mama, zgadza się. Potrzebuję informacji o tych osobach, z czasów drugiej wojny światowej. Wiesz co, ogranicz się do lat wojny.

– Innymi słowy do lat 1939–1945.

Erika przytaknęła i z niecierpliwością patrzyła, jak Christian wstukuje dane do komputera.

– Właśnie, jak posuwa się praca nad twoim projektem?

Po twarzy Christiana przesunął się cień. Natychmiast zniknął i Christian odpowiedział:

– A, dziękuję, jestem chyba w połowie, czyli całkiem daleko, co w znacznej części zawdzięczam twoim podpowiedziom.

– E, drobiazg – Erika poczuła się zakłopotana. – Powiedz, gdybyś tylko potrzebował dalszych podpowiedzi albo gdybyś chciał, żebym rzuciła okiem na scenariusz. Masz jakiś roboczy tytuł?

– „Syrenka" – odpowiedział, nie patrząc jej w oczy. – Tytuł brzmi „Syrenka".

– Bardzo dobry. Skąd... – zaczęła, ale Christian ostro jej przerwał.

Zdziwiła się, było to całkiem do niego niepodobne. Może go uraziła? Ale czym?

– Jest trochę artykułów, które mogą cię zainteresować – powiedział. – Wydrukować ci?

– Poproszę – powiedziała, nadal zdziwiona. Christian wrócił po paru minutach z plikiem kartek wyjętych z drukarki i jak zawsze był uosobieniem uprzejmości.

– Masz. I powiedz, gdybyś jeszcze czegoś potrzebowała.

Erika podziękowała i wyszła. Miała szczęście, właśnie otworzono kawiarnię naprzeciwko. Mogła zamówić kawę, usiąść i poczytać. To, co czytała, było tak ciekawe, że zapomniała o kawie. Wystygła w filiżance.

– A więc, co wiemy do tej pory?

Mellberg skrzywił się, wyciągając przed siebie nogi. Ależ go bolą mięśnie. Jak tak dalej pójdzie, zdąży wydobrzeć akurat przed kolejną piątkową lekcją salsy. Ta myśl wcale go, o dziwo, nie odstraszyła. To na pewno dzięki tej szczególnej kombinacji porywającej muzyki, dotyku Rity i tego, że pod koniec poprzedniej lekcji zaczął łapać, o co chodzi. Postanowił nie dawać za wygraną, skoro ma szansę zostać królem salsy w Tanumshede.

– Przepraszam, co powiedziałaś?

Mellberg drgnął. Tak się pogrążył w marzeniach o latynoskich rytmach, że nie usłyszał, co powiedziała Paula.

– Ustaliliśmy, kiedy najprawdopodobniej zamordowano Erika Frankla – powiedział Gösta. – Otóż piętnastego czerwca był u swojej... dziewczyny czy jak zwać osobę w tym wieku. Zerwał z nią, będąc w stanie wyraźnego upojenia alkoholowego, co według niej nigdy się nie zdarzało.

– Z kolei siedemnastego czerwca przyszła do nich sprzątaczka i nie weszła do środka – uzupełnił Martin. – Co oczywiście nie musi znaczyć, że już wtedy nie żył, chociaż raczej na to wskazuje. Wcześniej się nie zdarzyło, żeby nie mogła posprzątać w wyznaczonym dniu. Jeśli żadnego z nich nie było, zawsze zostawiali klucz.

– Okej. Czyli wychodzimy z założenia, że zginął między piętnastym a siedemnastym czerwca. Spytajcie jego brata, gdzie wtedy był.

Mellberg pochylił się i podrapał Ernsta za uszami. Pies jak zwykle ułożył się pod stołem, na stopach pana.

– Naprawdę sądzisz, że Axel Frankel może mieć z tym coś... – Paula przerwała, widząc niezadowolenie na twarzy Mellberga.

– Na razie nic nie sądzę. Ale wiesz równie dobrze jak ja, że większość morderstw popełniają osoby z najbliższego otoczenia ofiary. Więc proszę potrząsnąć tym braciszkiem, zrozumiano?

Skinęła głową. Choć raz Mellberg miał rację. Fakt, że Axel Frankel wydał jej się bardzo sympatycznym człowiekiem, nie powinien wpływać na jej pracę.

– A chłopcy, którzy znaleźli ciało? Czy ich ślady zostały zabezpieczone?

Mellberg popatrzył wyczekująco na zebranych. Wszyscy spojrzeli na Göstę, a on poruszył się niespokojnie.

– Taa... To jest... Tak i nie... Pobrałem odciski butów i palców od jednego z nich, Adama, ale jakoś nie zdążyłem... od tego drugiego...

Mellberg wbił w niego wzrok.

– Miałeś na to proste zadanie kilka dni i mimo to, cytuję, nie zdążyłeś? Dobrze zrozumiałem?

Gösta osowiale kiwnął głową.

– Cóż, tak... zgadza się. Jeszcze dziś to załatwię.

Mellberg znów na niego spojrzał.

– Zaraz, za chwilę – powiedział Gösta, spuszczając głowę.

– I lepiej niech tak będzie – powiedział Mellberg, po czym zwrócił się do Martina i Pauli: – Co dalej? Co z tym Ringholmem? Da się z niego coś wycisnąć? Mnie osobiście ten trop wydaje się najbardziej obiecujący. Powinniśmy dokładnie przenicować tych Przyjaciół Szwecji czy jak ich zwał.

– Byliśmy u Fransa Ringholma, ale niewiele wynikło z tej rozmowy. Według niego listy z pogróżkami słały do Erika Frankla „określone elementy w łonie organizacji", czemu on sam próbował przeszkodzić. Próbował chronić Erika przez wzgląd na dawną przyjaźń.

– I co z tymi elementami? – Mellberg narysował palcami cudzysłów. – Zostały przesłuchane?

– Jeszcze nie – spokojnie odparł Martin. – Zaplanowaliśmy to na dziś.

– No dobrze, dobrze – powiedział Mellberg, usiłując zepchnąć Ernsta, bo stopy zaczęły mu drętwieć.

Osiągnął tylko tyle, że Ernst głośno puścił bąka i znów ułożył się na stopach tymczasowego pana.

– Okej, została jeszcze jedna sprawa. Chodzi o to, że komisariat to nie przedszkole! Zrozumiano?!

Wbił wzrok w Annikę, która robiła notatki. Spojrzała na niego znad okularów. Odezwała się dopiero po dłuższej chwili, gdy Mellberg już zaczął się wiercić i pomyślał, że może przesadził, mówiąc do niej tym tonem.

– Robiłam, co do mnie należy, nawet gdy przez jakiś czas zajmowałam się Mają. Już ty się o to nie martw.

Przez chwilę mierzyli się wzrokiem. W końcu Mellberg spuścił oczy i mruknął:

– No cóż, ty wiesz najlepiej, co do ciebie należy...

– Zresztą dzięki temu, że przyszedł Patrik, wpadliśmy na to, że zapomnieliśmy sprawdzić konto Erika Frankla.

Paula mrugnęła porozumiewawczo do Anniki.

– Naturalnie wcześniej czy później sami byśmy na to wpadli... ale dzięki temu zajmiemy się tym wcześniej... zamiast później... – Gösta również zerknął na Annikę. Potem spuścił wzrok i nie odrywał wzroku od stołu.

– No nic. Myślałem, że jak już Patrik jest na tym urlopie ojcowskim, to jest – burknął Mellberg, zdając sobie sprawę, że przegrał to starcie. – Dobra, koniec, do roboty.

Wszyscy się podnieśli i wstawili filiżanki do zmywarki.

W tym momencie zadzwonił telefon.

Fjällbacka 1944

– Tak właśnie myślałam, że cię tu znajdę.

Elsy zajęła miejsce koło Erika, który schronił się w skalnej rozpadlinie.

– Tu mam najwięcej spokoju – odparł opryskliwie, ale jego twarz natychmiast się rozjaśniła i zamknął trzymaną na kolanach książkę. – Przepraszam – powiedział. – Nie chciałem się wyładowywać na tobie.

– Chodzi o Axela, co? – spytała miękko. – Jak nastrój w domu?

– Jakby już umarł – powiedział Erik, spoglądając na niespokojne wody u wejścia do portu. – W każdym razie matka zachowuje się tak, jakby Axel już nie żył. A ojciec... tylko coś mamrocze. Nie chce o nim rozmawiać.

– A ty jak się czujesz? – spytała Elsy, patrząc uważnie na przyjaciela.

Znała go tak dobrze, znacznie lepiej, niż przypuszczał. Tyle godzin wspólnych zabaw: ona, Erik, Britta i Frans. Niewiele im tego zostało, wkrótce będą dorośli. Ale teraz nie widziała większej różnicy między czternastoletnim Erikiem a pięcioletnim chłopczykiem w krótkich spodenkach, który nawet wtedy był starcem w ciałku dziecka. Jakby się urodził jako starszy pan i stopniowo dorastał do swego prawdziwego ja, a ciała dziecka, potem chłopca i wreszcie młodzieńca były niezbędnymi etapami dorastania do właściwego wcielenia.

– Sam nie wiem – odparł sucho. Odwrócił twarz, ale nie dość szybko. Elsy dostrzegła błysk w kąciku oka.

– Właśnie że wiesz – powiedziała, wpatrując się w jego profil. – Opowiadaj.

– Mam... sprzeczne uczucia. Po tym, co się stało i nadal dzieje się z Axelem, z jednej strony boję się i jest mi smutno. Na samą myśl, że mógłby umrzeć... – Nie znajdował właściwego słowa, ale Elsy wiedziała, co chciał powiedzieć. W milczeniu czekała na dalszy ciąg. – Z drugiej strony jestem... strasznie zły. – Głos mu się obniżył. Pewnie tak będzie brzmiał, kiedy stanie się dorosły. – Zły, bo dla rodziców stałem się jeszcze bardziej niewidzialny. Nie ma mnie, w ogóle nie istnieję. Dopóki był Axel, część jego blasku padała na mnie. Choćby promyk, a i to tylko czasem. To wystarczyło, więcej mi nie było trzeba. Axel zasługiwał na to, żeby być w centrum zainteresowania. Zawsze był lepszy ode mnie. Nigdy bym się nie odważył na to co on. Nie jestem odważny, nie przyciągam ludzkich spojrzeń, nie mam tego daru, że ludziom jest dobrze w moim towarzystwie. Bo wydaje mi się, że na tym polegała... polega... jego tajemnica, że ludzie czują się dobrze w jego obecności. Ja nie mam tej cechy. Ja ludzi denerwuję, niepokoję. Nie wiedzą, co ze mną zrobić. Za dużo wiem, za mało się śmieję. Ja...

Musiał zaczerpnąć powietrza po tej przemowie, chyba najdłuższej w życiu.

Elsy się roześmiała.

– Uważaj, bo zaraz ci zabraknie słów. Zwykle jesteś taki małomówny. – Uśmiechała się, ale Erik zacisnął szczęki.

– Ale właśnie tak czuję. Wiesz co, myślę, że gdybym tak ruszył przed siebie, tobym szedł i szedł, i już bym nie wrócił. A w domu nawet by nie zauważyli, że mnie nie ma. Dla rodziców jestem tylko cieniem przemykającym się gdzieś na skraju ich pola widzenia. Może by im nawet ulżyło, gdyby ten cień zniknął i wreszcie mogli się skupić tylko na Axelu. – Głos mu się załamał. Ze wstydem odwrócił twarz.

– Eriku, na pewno by zauważyli, gdybyś zniknął. Słowo daję. Tylko że oni cały czas usiłują poradzić sobie z tym, co się stało z Axelem.

– Minęły cztery miesiące od chwili, gdy go złapali – odpowiedział głucho. – Ile czasu jeszcze potrzebują? Pół roku? Rok? Dwa lata? Całe życie? Przecież ja jestem tu i teraz. Niezmiennie jestem. Dlaczego dla nich to nic nie znaczy? Czuję się przy tym jak ostatni podlec, że jestem zazdrosny o brata, który prawdopodobnie siedzi w więzieniu. Mogą go skazać na śmierć i już go nigdy nie zobaczymy. Fajny ze mnie brat.

– Nikt nie wątpi, że kochasz Axela. – Elsy pogładziła go po koszuli. – Ale nie ma też nic dziwnego w tym, że chcesz, żeby cię dostrzegali. Wiem, że o to ci chodzi... Musisz im powiedzieć, co czujesz. Zmuś ich, żeby cię zobaczyli.

– Nie mam odwagi. – Erik potrząsnął głową. – A jak pomyślą, że jestem złym człowiekiem?

Elsy chwyciła w dłonie jego twarz, zmusiła go, żeby na nią spojrzał.

– Posłuchaj. To nieprawda, że jesteś złym człowiekiem. Kochasz swojego brata i rodziców. I tak jak oni czujesz żal. Opowiedz im o tym, zażądaj, żeby uwzględnili ten twój żal. Zrozumiano?!

Chciał odwrócić twarz, ale przytrzymała ją. Patrzyła mu w oczy. W końcu skinął głową.

– Masz rację. Porozmawiam z nimi...

Elsy objęła go i uściskała. Poczuła, że się odprężył, gdy go pogłaskała po plecach.

– Co jest, do cholery?

Odskoczyli od siebie, słysząc te słowa. Elsy odwróciła się i zobaczyła Fransa. Patrzył na nich z pobladłą twarzą i zaciśniętymi pięściami.

– Co jest, do cholery! – powtórzył, nie znajdując innych słów.

Elsy zdała sobie sprawę, jak to musiało wyglądać, i zaczęła spokojnie tłumaczyć, żeby Frans zrozumiał, jak było, zanim da upust złości. Zapalał się jak zapałka, nie raz to widziała. Stale sprawiał wrażenie, jakby się gotował ze złości i tylko szukał pretekstu, by dać się jej ponieść. Elsy domyślała się, że Frans ma do niej słabość, i pomyślała, że będzie źle, jeśli jej się nie uda go przekonać.

– Myśmy tylko rozmawiali – mówiła spokojnie, powoli.

– Właśnie widziałem – odparł Frans. W oczach miał coś takiego, że przeszył ją dreszcz.

– Rozmawialiśmy o Axelu, o tym, jak trudno się pogodzić z tym, że on tam jest – powiedziała, nie uciekając przed spojrzeniem Fransa, już nie tak dzikim i zimnym jak przed chwilą. – Pocieszałam Erika. Tak właśnie było. A teraz siadaj i porozmawiaj z nami. – Rozkazującym gestem klepnęła w skałę obok siebie. Wahał się jeszcze, ale rozluźnił zaciśnięte pięści, chłód w jego spojrzeniu ustąpił. Westchnął i usiadł.

– Przepraszam... – powiedział, nie patrząc na nią.

– Nie szkodzi – odparła. – Ale na przyszłość nie wyciągaj pochopnych wniosków.

Frans milczał, po chwili spojrzał na Elsy. Siła uczuć, jaką w nich zobaczyła, przeraziła ją bardziej niż jego zimna furia. Przeczuwała, że to się dobrze nie skończy.

Pomyślała również o Britcie i zakochanych spojrzeniach, jakie mu rzuca. Powtórzyła w myślach, że to się nie może dobrze skończyć.

– Jaka sympatyczna.

Karin uśmiechnęła się, pchając wózek z synkiem.

– Erika jest super.

Patrik poczuł, że kąciki jego ust się unoszą. Wprawdzie ostatnio było trochę zgrzytów, ale to drobiazg. Czuł się bardzo szczęśliwy, budząc się co rano u jej boku.

– Chciałabym móc powiedzieć to samo o Leifie – powiedziała Karin. – Ale zaczynam mieć dosyć bycia żoną muzyka estradowego. Oczywiście wiedziałam, w co się pakuję, więc pewnie nie powinnam narzekać.

– Wszystko się zmienia, kiedy pojawia się dziecko – powiedział Patrik, jakby jednocześnie stwierdzał fakt i pytał.

– Doprawdy? – z ironią odparła Karin. – Pewnie jestem naiwna. Nie miałam pojęcia, ile jest pracy przy małym dziecku ani jakie to wyczerpujące... I że nie jest łatwo, jak trzeba samemu to wszystko ciągnąć. Czasem mam wrażenie, że na mnie spada cała czarna robota: nieprzespane noce, zmienianie pieluszek, bawienie się z dzieckiem, karmienie i wizyty u lekarza, gdy zachoruje. A potem zjawia się w domu Leif i Ludde zachowuje się, jakby przybył sam Święty Mikołaj. Wydaje mi się to cholernie niesprawiedliwe.

– A do kogo Ludde idzie, jak sobie zrobi krzywdę? – spytał Patrik.

Uśmiechnęła się.

– Do mnie, masz rację. Nie jest dla niego bez znaczenia, że to ja go nosiłam po nocach. Mimo to czuję się jakoś... oszukana. Nie tak miało być.

Westchnęła i poprawiła Luddemu przekrzywioną czapeczkę, spod której wystawało uszko.

– A według mnie jest jeszcze fajniej, niż się spodziewałem – powiedział Patrik.

Dostrzegł przenikliwy wzrok Karin i domyślił się, że powiedział coś głupiego.

– Erika też tak uważa? – spytała ostro.

Patrik rozumiał, do czego zmierza.

– Nie. W każdym razie nie uważała – odparł. Ścisnęło go w żołądku na wspomnienie pierwszych miesięcy życia Mai, gdy Erika zachowywała się, jakby uszła z niej cała radość.

– Może dlatego, że opieka nad Mają wyrwała ją z dotychczasowego dorosłego życia, podczas gdy ty codziennie chodziłeś do pracy.

– Ale pomagałem, jak mogłem – zaprotestował Patrik.

– Pomagałeś, właśnie – odparła Karin. Wyprzedziła go z wózkiem, bo doszli do wąskiego odcinka ulicy wiodącej do Badholmen. – To wielka różnica: pomagać i ponosić odpowiedzialność. Wcale niełatwo wymyślić, jak uspokoić pobudzone niemowlę, ustalić, jak i kiedy dziecko ma jeść, wymyślić, co z dzieckiem robić przez pięć dni w tygodniu, najczęściej bez kontaktu z drugim dorosłym. Co innego zarządzać firmą o nazwie niemowlę, a co innego być pomocnikiem, który stoi z boku i czeka na polecenia.

– Ale nie możesz wszystkiego zwalać na ojców. – Patrik pchał wózek pod stromą górkę. – Wydaje mi się, że często matki nie chcą oddać władzy ojcom, krytykują, że źle założyli pieluszkę albo źle trzymają butelkę, i tak dalej. Więc myślę, że ojcom bywa ciężko uczestniczyć w zarządzaniu tą firmą.

Karin milczała przez chwilę. Potem spojrzała na Patrika.

– Erika tak się zachowywała, kiedy się opiekowała Mają? Nie dopuszczała cię do dziecka?

Czekała na odpowiedź, a Patrik musiał się dobrze namyślić.

– Nie, nie zachowywała się tak. Było raczej tak, że się cieszyłem, że jestem zwolniony z odpowiedzialności. Jeśli Maja płakała, a ja ją pocieszałem, to wiedziałem, że choćby nie wiem ile krzyczała i nie dawała się uspokoić, zawsze mogę ją oddać Erice i ona to załatwi. Rano z przyjemnością szedłem do pracy, żeby z równą przyjemnością wieczorem wrócić do Mai.

– Bo miałeś swoją dawkę dorosłego świata – zauważyła sucho Karin. – A teraz jak ci idzie? Gdy głównie ty ponosisz odpowiedzialność za dziecko? Wszystko działa, jak trzeba?

Po namyśle Patrik potrząsnął głową.

– Pewnie nie zasługuję na piątkę z opieki nad dzieckiem, że tak to ujmę. Ale to naprawdę niełatwe. Erika pracuje w domu, wie, gdzie co leży i... – Znów potrząsnął głową.

– Skąd ja to znam! Ile razy Leif wraca do domu, tyle razy staje i woła: Kaarin! Gdzie są pieluszki?! Czasem się zastanawiam, jak wy, faceci, możecie funkcjonować w pracy, jeśli w domu nie jesteście w stanie zapamiętać, gdzie są pieluszki.

– E, nie przesadzaj. – Patrik lekko szturchnął Karin
w bok. – Aż tacy beznadziejni nie jesteśmy. Sama przy-
znaj, że jednak się sprawdzamy. Od ojców, którzy nawet
nie umieli zmienić dziecku pieluszki, dzieli nas dopiero jedno pokolenie, więc jest postęp. W takich sprawach
nie tak łatwo coś zmienić. Wzorowaliśmy się na swoich
ojcach, oni nas kształtowali, a na zmiany potrzeba czasu. Ale robimy, co możemy.

– Może ty – powiedziała Karin. W jej głosie znów
dała się słyszeć gorycz. – Bo na pewno nie Leif.

Patrik nic nie powiedział, nie było nic do powiedzenia. Dopiero potem, kiedy już się pożegnali w Sälvik,
przy towarzystwie żeglarskim Norderviken, i poszli
każde w swoją stronę, Patrikowi zrobiło się smutno.
Kiedy Karin go zdradziła, długo życzył jej jak najgorzej. Ale teraz było mu jej naprawdę żal.

Po telefonie wszyscy rzucili się do samochodu. Mellberg
jak zwykle znalazł jakiś wykręt i pośpieszył do swojego gabinetu, a Martin, Paula i Gösta pomknęli w dół
Affärsgatan do gimnazjum. Dzwonili z sekretariatu.
Martin trafił bez problemu. Nie była to bynajmniej
pierwsza wizyta policji w tej szkole.

– Co się stało?

Martin rozejrzał się po pokoju. Na krześle siedział
naburmuszony nastolatek. Obok niego stali dyrektor
i dwaj mężczyźni, zapewne nauczyciele.

– Per pobił jednego z naszych uczniów – odparł ponuro dyrektor, przysiadając na biurku. – Dobrze, że tak
szybko przyjechaliście.

– Co z nim? – spytała Paula.

– Kiepsko. Jedzie po niego karetka, a na razie jest przy nim pielęgniarka. Wezwałem matkę Pera, powinna tu zaraz być.

Dyrektor spojrzał z gniewem na chłopaka, a on w odpowiedzi ziewnął z obojętną miną.

– Zabieramy cię na komisariat. – Martin pokazał chłopakowi, żeby wstał. Zwrócił się do dyrektora: – Może pan jeszcze złapie jego matkę, żeby już tu nie jechała. Jeśli nie, to proszę ją skierować na komisariat. Na miejscu zostanie moja koleżanka, Paula Morales. Przesłucha świadków.

Paula skinęła głową.

– Zabieram się do roboty – powiedziała i wyszła.

Chwilę później Per, z ciągle tą samą obojętną miną, powlókł się za policjantami. Na korytarzu stała spora grupka ciekawskich. Na ten widok Per uśmiechnął się szeroko i pokazał im środkowy palec.

– Idioci cholerni – mruknął.

Gösta spojrzał na niego ostro.

– Masz milczeć aż do chwili, gdy się znajdziesz na komisariacie.

Per wzruszył ramionami, ale posłuchał. Przez ten krótki czas, kiedy jechali do niedużego budynku, w którym znajdował się zarówno komisariat policji, jak i straż pożarna, wyglądał bez słowa przez okno.

Jak tylko dotarli na miejsce, zaprowadzili chłopaka do pokoju, w którym miał poczekać na matkę. Nagle zadzwonił telefon Martina. Martin przez chwilę słuchał z zaciekawieniem, a potem zwrócił się do Gösty:

– Dzwoniła Paula. Wiesz, kto to jest ten pobity?

– Nie, znamy go?

– Otóż to. Mattias Larsson, chłopak, który znalazł zwłoki Erika Frankla. Wiozą go do szpitala. Przesłuchanie trzeba odłożyć na później.

Gösta przyjął tę wiadomość bez słowa, ale zbladł.

Dziesięć minut później wpadła bez tchu matka Pera, pytając o syna. Annika skierowała ją do Martina.

– Gdzie jest Per? Co się stało?

Była roztrzęsiona i mówiła zduszonym głosem, jakby płakała. Martin podał jej rękę i przedstawił się. Oficjalność często uspokaja. Sprawdziło się to w tym przypadku. Carina powtórzyła pytanie, ale już spokojniej, i usiadła na krześle, które jej wskazał. Martin usiadł na swoim miejscu za biurkiem i skrzywił się lekko, gdy poczuł od niej znajomy zapach przetrawionego alkoholu. Na pewno, bardzo wyraźny. Może była wczoraj na przyjęciu, ale jakoś w to nie wierzył. Lekko nabrzmiała twarz i rozmyte rysy wskazywały na alkoholizm.

– Per został zatrzymany za pobicie. Według pracowników szkoły napadł na kolegę na dziedzińcu przed budynkiem.

– Boże kochany. – Matka Pera chwyciła mocno za poręcz krzesła. – Jak... Ten kolega... – Nie dokończyła.

– W tej chwili wiozą go do szpitala. Jest mocno poszkodowany.

– Ale co? Dlaczego? – Połykała ślinę, potrząsając głową.

– Chcemy to właśnie ustalić. Per siedzi w pokoju przesłuchań. Chcielibyśmy za pani zgodą zadać mu kilka pytań.

Carina skinęła głową.

– Tak, oczywiście. – Znów przełknęła ślinę.

– Dobrze. W takim razie chodźmy z nim porozmawiać. – Martin poszedł przodem. Na korytarzu przystanął przed pokojem Gösty i lekko zapukał we framugę.

– Chodź, idziemy pogadać z chłopakiem.

Carina i Gösta przywitali się, po czym wszyscy troje poszli do Pera. Siedział w pokoju przesłuchań, udając znudzonego. Maska opadła na chwilę, gdy zobaczył w drzwiach matkę. Zdradziło go lekkie drgnienie w okolicach oczu, drżenie rąk. Znów zmusił się do obojętności i wpatrzył się w ścianę.

– Per, coś ty narobił? – Carinie zadrżał głos.

Usiadła obok syna i próbowała go objąć, ale odepchnął jej rękę. Nie odpowiedział.

Martin i Gösta usiedli po drugiej stronie stołu. Na środku Martin postawił magnetofon, a obok położył notes i długopis. Z przyzwyczajenia zawsze je miał przy sobie. Potem głośno podał datę i godzinę.

– A więc, Per, możesz nam opowiedzieć, co się stało? Na wypadek gdyby cię to interesowało, Mattias jedzie w tej chwili karetką do szpitala.

Per tylko się uśmiechnął. Matka szturchnęła go łokciem.

– Per! Odpowiadaj. Oczywiście, że interesuje, prawda? – Głos znów jej zadrżał. Syn nadal na nią nie patrzył.

– Dajmy mu odpowiedzieć – powiedział Gösta, mrugając do niej porozumiewawczo.

Czekali chwilę. Per milczał, a potem powiedział hardo:

– Bo Mattias opowiadał głupoty.

– Jakie głupoty? – Martin mówił bardzo spokojnie. – Mógłbyś to wyjaśnić?

Znów milczenie. W końcu się odezwał:

– No, chciał się przypodobać Mii, takiej szkolnej anielicy, wiecie. No więc słyszałem, jak się nadymał, że niby z niego taki chojrak, że poszli z Adamem do domu tego starucha i go znaleźli, a nikt inny się nie odważył! Jak to? Przecież wpadli na to dopiero po tym, jak ja tam poszedłem! Uszy miał jak anteny satelitarne, jak mu opowiadałem o różnych coolerskich rzeczach u tego starego. Wiadomo, że nie odważyliby się pójść pierwsi. Gnojki jedne.

Per się roześmiał. Zawstydzona Carina wpatrywała się w stół. Martin połapał się dopiero po chwili.

– Mówisz o domu Erika Frankla? We Fjällbace?

– Tak, tego starucha, co go Mattias i Adam znaleźli martwego. Co ma te hitlerowskie klamoty. Ale tam tego jest! – Oczy mu zalśniły z podziwu. – Chciałem tam jeszcze iść z kumplami, żeby sobie trochę wziąć, ale przyszedł ten stary i zamknął mnie w pokoju, i zadzwonił po ojca, i...

– Czekaj, czekaj. – Martin podniósł obie ręce. – Powoli. Mówisz, że Erik Frankel cię przyłapał, kiedy się do niego włamałeś, i zamknął cię w pokoju?

Per przytaknął.

– Myślałem, że go nie ma w domu, i wszedłem przez okno do piwnicy. Ale zszedł, kiedy byłem w tym pokoju z książkami i tym całym gównem, no i zamknął drzwi na klucz. A potem kazał mi podać telefon ojca i zadzwonił po niego.

– Czy pani o tym wiedziała?

Martin spojrzał ostro na Carinę. Skinęła głową.

– Tak, ale dowiedziałam się dopiero parę dni temu. Powiedział mi Kjell, mój były mąż. Wcześniej nie miałam pojęcia. Per, nie rozumiem, dlaczego nie podałeś mu mojego numeru. Zamiast mieszać w to ojca.

– I tak byś nic nie zrozumiała – odparł i po raz pierwszy spojrzał na matkę. – Albo leżysz w łóżku, albo chlejesz. Masz gdzieś całą resztę. Teraz też jedziesz wódą, wiesz?

Ręce mu zadrżały, jak wtedy, gdy weszli do pokoju i na chwilę przestał nad sobą panować.

Carina spojrzała na syna, łzy napłynęły jej do oczu. Potem powiedziała cicho:

– Tylko tyle masz mi do powiedzenia po tym wszystkim, co dla ciebie zrobiłam? Karmiłam cię, ubierałam i przez wszystkie te lata byłam z tobą, po tym jak twój ojciec się na nas wypiął. – Zwróciła się do Martina i Gösty: – Pewnego dnia po prostu odszedł. Spakował walizki i sobie poszedł. Okazało się, że zrobił dziecko jakiejś dwudziestopięciolatce, więc nas zostawił i nawet się nie obejrzał. Założył nową rodzinę, a nas potraktował jak śmieci.

– Minęło już dziesięć lat od tego czasu – zauważył niechętnie Per. W tym momencie wyglądał na więcej niż swoje piętnaście lat.

– Jak się nazywa twój ojciec? – spytał Gösta.

– Mój były mąż nazywa się Kjell Ringholm – odparła bezbarwnym głosem Carina. – Mogę wam dać jego numer.

Martin i Gösta wymienili spojrzenia.

– Kjell Ringholm z „Bohusläningen"? – upewnił się Gösta. Wszystko wreszcie zaczęło mu się składać w całość. – Syn Fransa Ringholma?

– Frans to mój dziadek – powiedział z dumą Per. –

Jest super. Siedział nawet w więzieniu, a teraz zajmuje się polityką. Wystartują w następnych wyborach i wygrają, a wtedy czarnuchy wylecą z naszej gminy.

– Per! – zawołała z przerażeniem Carina, a potem zwróciła się do policjantów. – On jest w tym wieku, kiedy człowiek szuka, próbuje różnych ról. Dziadek rzeczywiście ma na niego zły wpływ. Kjell zabronił Perowi się z nim spotykać.

– Tylko spróbujcie – mruknął Per. – A ten staruch od tych hitlerowskich rupieci dostał za swoje. Słyszałem, jak gadali, kiedy ojciec po mnie przyjechał. Pieprzył, że mu dostarczy dobre materiały do artykułów o Przyjaciołach Szwecji, zwłaszcza na temat dziadka. Myśleli, że nic nie słyszę, ale się umówili, że się spotkają innym razem. Podły zdrajca. Wcale się nie dziwię, że dziadek się wstydzi mojego ojca – powiedział hardo.

Trzask! Carina wymierzyła mu policzek. Zapadła cisza. Matka i syn patrzyli na siebie ze zdumieniem i jednocześnie z nienawiścią. Po chwili twarz Cariny zmiękła.

– Przepraszam, przepraszam, kochanie. Nie chciałam... ja... Przepraszam. – Chciała objąć syna, ale ją odepchnął.

– Won, ty pijaczko! Nie dotykaj mnie, słyszysz?!

– Proszę o spokój. – Gösta spojrzał na nich surowo i podniósł się z krzesła. – Nie sądzę, żeby w tej chwili udało nam się dowiedzieć czegoś więcej. Per, na razie możesz iść do domu. Ale... – spojrzał pytająco na Martina, a on ledwie dostrzegalnie kiwnął głową – ale skontaktujemy się z opieką społeczną. Mamy tu kilka niepokojących wątków, którym powinni się przyjrzeć. Śledztwo w sprawie pobicia potoczy się swoim trybem.

– Czy to naprawdę konieczne? – spytała Carina drżącym głosem, bez przekonania.

Gösta odniósł wrażenie, że jej ulżyło, że ktoś się zajmie jej problemami.

Per i jego matka wyszli z komisariatu razem, ale nie patrzyli na siebie. Gösta poszedł za Martinem do jego pokoju.

– Jest się nad czym zastanawiać, co? – powiedział Martin, siadając.

– No jest – odparł Gösta, przygryzając wargę i kiwając się na piętach.

– Wyglądasz, jakbyś miał mi coś do powiedzenia.

– No tak, jest pewien drobiazg.

Gösta musiał się zastanowić. Od kilku dni coś mu nie dawało spokoju, a podczas przesłuchania nagle uzmysłowił sobie, co to takiego. Pytanie tylko, jak to sformułować. Martin się nie ucieszy.

Wahał się dłuższą chwilę, stojąc na ganku. W końcu zapukał. Herman otworzył prawie natychmiast.

– Jednak jesteś.

Axel skinął głową.

– Wejdź. Nie mówiłem jej, że przyjdziesz. Nie byłem pewien, czy będzie coś pamiętać.

– Aż tak źle?

Axel spojrzał na Hermana ze współczuciem. Wyglądał na zmęczonego. Musi mu być ciężko.

– To cały wasz klan?

Kiwnął głową w stronę zdjęć. Twarz Hermana rozjaśnił uśmiech.

– Tak, cała gromadka.

Stojąc z rękoma splecionymi na plecach, Axel przyglądał się fotografiom. Wieczory świętojańskie, urodziny, święta Bożego Narodzenia i dni powszednie. Całe mrowie ludzi, dzieci, wnuków. Pozwolił sobie na chwilę refleksji: jak wyglądałaby jego galeria, gdyby ją miał. Zdjęcia z biura. Sterty papierów. Mnóstwo kolacji z ważnymi politykami i innymi wpływowymi ludźmi. Niewielu przyjaciół, właściwie żadnych. Tylko nieliczni wytrzymywali takie życie. Nieustający pościg za kolejnym zbrodniarzem, niezasługującym na swoje przyjemne życie. Pragnienie, by dopaść kolejnego oprawcę, który mimo krwi na rękach może dziś pieścić wnuki. Jak miałaby z tym konkurować rodzina, przyjaciele, zwyczajne życie? Przez większą część życia nie pozwolił sobie nawet na chwilę zastanowienia, czy przypadkiem czegoś nie stracił. Oczywiście jeśli jego wysiłki przynosiły efekty, uważał to za nagrodę. Gdy po całych latach przeszukiwania archiwów i przesłuchiwania ludzi, których pamięć coraz bardziej zawodziła, udawało mu się sprawić, że przeszłość w końcu dopadała winnych i można było im wymierzyć sprawiedliwość, satysfakcja była tak wielka, że odsuwała w cień tęsknotę za normalnym życiem. W każdym razie dotychczas mu się tak wydawało. Teraz jednak, gdy stał przed obrazami z życia Hermana i Britty, przyszło mu do głowy, że może popełnił błąd, dając pierwszeństwo śmierci zamiast życiu.

– Wspaniali – powiedział, odwracając się.

Poszedł za Hermanem do salonu i na widok Britty stanął jak wryty. Nie widział jej od kilkudziesięciu lat, chociaż obaj z Erikiem mieszkali we Fjällbace. Nie było jednak powodu, żeby ich drogi życiowe się przecięły. Miał wrażenie, jakby wszystkie minione lata spadły z niego. Stało się to tak nagle, że się zachwiał. Britta wciąż była piękna. Dużo bardziej urodziwa od Elsy, która była tylko ładna, ale za to promieniała wewnętrznym światłem i życzliwością. W porównaniu z tym uroda Britty wydawała się powierzchowna. Ale coś w jej wyglądzie zmieniło się z upływem czasu. Z dawnej twardości i szorstkiego sposobu bycia nic nie zostało. Britta promieniała matczynym ciepłem, dojrzałością, która przyszła z wiekiem.

– To ty? – spytała, wstając z kanapy. – To naprawdę ty? Axel?

Wyciągnęła do niego obie ręce. Chwycił je. Tyle lat minęło. Bardzo wiele. Sześćdziesiąt. Całe życie. Nawet sobie nie wyobrażał, kiedy był młodszy, że czas może płynąć tak szybko. Dłonie Britty były pomarszczone, usiane drobnymi starczymi plamkami. Włosy już nie ciemne, lecz w pięknym siwym odcieniu. Spokojnie patrzyła mu w oczy.

– Dobrze cię znów widzieć, Axelu. Ładnie się zestarzałeś.

– Zabawne, to samo pomyślałem o tobie – odparł z uśmiechem.

– Siadaj, porozmawiamy sobie. Hermanie, zaparzysz nam kawy?

Herman skinął głową i zaczął się krzątać w kuchni. Britta usiadła na kanapie, wciąż trzymając Axela za rękę. Usiadł obok niej.

– Popatrz, w końcu i my się zestarzeliśmy. Kto by pomyślał. – Przekrzywiła głowę.

Axel pomyślał z rozbawieniem, że jednak zostało w niej trochę kokieterii.

– Słyszałam, że udało ci się zrobić wiele dobrego – powiedziała, przyglądając mu się badawczo.

Uciekł wzrokiem.

– Czy ja wiem... Robiłem, co należało. Pewnych rzeczy nie można zamieść pod dywan – powiedział i umilkł.

– Masz rację, Axelu – odparła z powagą. – Masz rację.

Przez chwilę siedzieli w milczeniu. Patrzyli na zatokę, aż przyszedł Herman z kwiecistą tacą, kawą i filiżankami.

– Jest kawa.

– Dziękuję, kochanie – powiedziała Britta.

Widząc, jak na siebie patrzą, Axel poczuł ucisk w sercu. Musiał sobie przypomnieć, że jego praca wielu ludziom przyniosła ukojenie, satysfakcję, że ich dręczyciele stanęli przed sądem. To również był wyraz miłości, może nie do jednej, konkretnej osoby, ale jednak miłości.

Britta jakby czytała w jego myślach, bo podając mu filiżankę, spytała:

– Udało ci się życie?

Było to pytanie tak wielowymiarowe i wielowarstwowe, że Axel nie wiedział, co odpowiedzieć. Ujrzał przed sobą Erika i jego przyjaciół, jak siedzą w ich domowej bibliotece, tacy niefrasobliwi, beztroscy. Elsy z tym swoim łagodnym uśmiechem i miłym sposobem bycia. Frans, przy którym wszyscy czuli się tak, jakby stąpali po krawędzi wulkanu. A jednocześnie miał w sobie jakąś kruchość i wrażliwość. Britta, która teraz wydawała się zupełnie inna niż dawniej, w czasach, gdy uważała swoją urodę za tarczę. Wtedy mu się nie podobała. Uważał ją za puste opakowanie, niewarte uwagi. Może rzeczywiście tak było. Ale czas wypełnił to opakowanie. Teraz wydawała się lśnić wewnętrznym blaskiem. No i Erik. Myśl o nim była tak bolesna, że wolał ją od siebie odsunąć. Ale siedząc w domu Britty, zmusił się do spojrzenia na brata, takiego, jakim był wtedy, zanim nastały trudne czasy. Siedzącego przy biurku ojca, z nogami na blacie. Wiecznie potargane brązowe włosy i wyraz roztargnienia na twarzy. Wydawał się przez to znacznie starszy, niż był w rzeczywistości. Erik. Kochany Erik.

Axel zdał sobie sprawę, że Britta czeka na odpowiedź. Musiał zostawić za sobą przeszłość i poszukać odpowiedzi w teraźniejszości, choć były ze sobą mocno splecione, a sześćdziesiąt minionych lat było w jego pamięci jednym wielkim tyglem ludzi, spotkań i zdarzeń. Ręka z filiżanką zadrżała. W końcu powiedział:

– Nie wiem. Chyba tak. Na tyle, na ile zasłużyłem.

– Mnie się udało. I bardzo dawno temu postanowiłam sobie, że na to zasłużyłam. Ty też powinieneś.

Ręka zadrżała mu jeszcze mocniej, kawa chlupnęła na kanapę.

– Ojej, przepraszam... ja...

Herman się zerwał.

– Nic się nie stało, zaraz przyniosę ścierkę.

Po chwili wrócił z kuchni ze zmoczoną ścierką w biało-niebieską kratkę i ostrożnie przyłożył ją do plamy.

Axel drgnął, gdy Britta jęknęła.

– Ojej, mama będzie się gniewać. Taka piękna kanapa. Niedobrze.

Axel spojrzał pytająco na Hermana, a on tylko potarł mocniej plamę.

– Jak myślisz, uda się ją wyczyścić? Ale mama będzie się gniewać!

Britta obserwowała wysiłki Hermana, kiwając się w przód i w tył. Mąż wstał i objął ją ramieniem.

– Będzie dobrze, kochanie. Wyczyszczę plamę. Słowo.

– Na pewno? Bo jeśli mama się rozgniewa, to może powie ojcu i...

Britta zaczęła nerwowo gryźć knykieć zaciśniętej pięści.

– Przyrzekam, że ją wyczyszczę. Mama się nie dowie.

– Jak dobrze. To bardzo dobrze. – Rozluźniła się, ale spojrzała na Axela i zesztywniała. – Kto ty jesteś? Czego chcesz?

Axel nie wiedział, co powiedzieć, i zerknął na Hermana.

– Zawsze tak jest – powiedział, siadając obok żony i głaszcząc ją uspokajająco po ręce.

Britta wpatrywała się w twarz Axela jak w coś irytującego, jakby coś z niej drwiło i uparcie umykało jej świadomości. Mocno chwyciła jego rękę i przysunęła twarz do jego twarzy.

– On mnie woła, wiesz?

– Kto?

Axel musiał się powstrzymać, żeby nie odsunąć twarzy, ręki, żeby nie odsunąć całego ciała.

Zamiast odpowiedzi usłyszał echo własnych słów:

– Pewnych rzeczy nie da się zamieść pod dywan – wyszeptała powoli, z twarzą przy jego twarzy.

Wyrwał jej rękę i ponad siwą głową Britty spojrzał na Hermana.

– Sam widzisz – powiedział Herman. Słychać było, że jest zmęczony. – To co robimy?

– Adrianku! Uspokój się!

Anna aż się spociła przy ubieraniu synka, który ostatnio tak się przy tym kręcił, że nie sposób było włożyć mu choćby skarpetki. Przytrzymała go, próbując włożyć mu majtki, ale wyrwał się z głośnym śmiechem i zaczął biegać po domu.

– Adrian! Przestań wreszcie! Kochanie, mamusia nie ma siły. Przecież mamy jechać z Danem do Tanumshede. Po zakupy. Moglibyśmy pójść do działu z zabawkami w Hedemyrs – kusiła, choć zdawała sobie sprawę, że przekupstwo to nie najlepszy sposób radzenia sobie z jego niechęcią do ubierania się.

– Jeszcze nie jesteście gotowi? – Dan schodził po schodach i patrzył na Annę. Siedziała na podłodze wśród ubrań, a Adrian biegał jak oparzony. – Za pół godziny zaczynam lekcje, muszę jechać.

– No to sam spróbuj go ubrać – syknęła Anna i rzuciła mu ubranka Adriana.

Dan spojrzał na nią zdziwiony. Ostatnio była w nieszczególnym nastroju, ale może to nie takie dziwne. Połączenie dwóch rodzin okazało się większym wyzwaniem, niż się spodziewali.

– Chodź, Adrian. – Dan schwytał małego dzikuska. – Zobaczymy, czy jeszcze umiem sobie z tym radzić.

Włożenie majtek i skarpetek poszło nieoczekiwanie łatwo, ale na tym koniec. Adrian postanowił wypróbować swoje umiejętności na Danie i nie dał sobie włożyć spodenek. Dan podjął kilka prób, a potem i jemu skończyła się cierpliwość.

– Adrian, siedź spokojnie!

Adrian zamarł, a potem poczerwieniał.

– Ty nie jesteś moim tatusiem! Idź sobie! Ja chcę mojego tatusia! Tatusiuuu!

Tego było dla Anny za wiele. Wróciły wspomnienia o Lucasie, o strasznych czasach, gdy żyła we własnym domu jak więzień. Z płaczem pobiegła na górę do sypialni. Rzuciła się na łóżko i zaniosła szlochem.

Po chwili poczuła dłoń Dana na plecach.

– Kochanie, co się z tobą dzieje? Przecież to nic takiego. Mały znalazł się po prostu w nowej sytuacji i nas testuje. Zresztą to i tak nic w porównaniu z tym, co wyprawiała Belinda, gdy była mała. Przy niej Adrian jest zwykłym amatorem. Opierała się przy ubieraniu tak bardzo, że kiedyś miałem dość i wystawiłem ją na dwór w samych majtkach. Pernilla strasznie się na mnie rozzłościła. Bądź co bądź był grudzień. Inna rzecz, że mała stała na dworze najwyżej minutę, bo zaraz zrobiło mi się jej żal.

Anna się nie śmiała. Płakała jeszcze bardziej, wręcz trzęsła się od płaczu.

– Kochanie, co jest? Zaczynam się niepokoić. Wiem, że jesteś po ciężkich przejściach, ale z tym sobie poradzimy. Wszyscy potrzebujemy trochę czasu, potem się wszystko ułoży. Poradzisz... Razem sobie z tym poradzimy.

Zwróciła w jego stronę zapłakaną twarz i podniosła się z łóżka.

– W... wiem – jąkała się, powstrzymując szloch. – Wiem... i ssama... nnie rozumiem, co... się ze mną dzieje.

Dan pogładził ją po plecach. Powoli przestawała płakać.

– Jestem... jakaś taka... przeczulona, nie... rozumiem. Nachodzi mnie tak... tylko, gdy... – nagle przerwała i spojrzała na Dana z otwartymi ustami.

– Co? Kiedy cię nachodzi?

Anna nie mogła wydusić słowa. Po chwili zdała sobie sprawę, że Dan zaczyna się domyślać.

Kiwnęła głową i z szeroko otwartymi oczami powiedziała:

– Nachodzi mnie tak, gdy jestem... w ciąży.

W sypialni zapadła absolutna cisza. A potem od drzwi dobiegł głosik:

– Ubrałem się. Sam. Bo ja już jestem duży. Jedziemy do tego sklepu z zabawkami?

Dan i Anna spojrzeli na Adriana: stał w drzwiach i puchł z dumy. Rzeczywiście. Wprawdzie spodnie włożył tył na przód, a koszulkę na lewą stronę, ale ubrał się, i to zupełnie sam.

Zapachniało przyjemnie już w przedpokoju. Mellberg wszedł do kuchni pełen oczekiwania. Rita zadzwoniła krótko przed jedenastą z pytaniem, czy przyszedłby na lunch, bo Seniorita chciałaby podokazywać z Ernstem. Nie pytał, w jaki sposób suka zakomunikowała to swojej pani. Pewne rzeczy należy po prostu przyjąć niczym mannę z nieba.

– Cześć.

Johanna stała obok Rity i pomagała jej kroić jarzyny. Przychodziło jej to z pewnym trudem, bo z powodu brzucha musiała stać w pewnej odległości od blatu.

– Cześć. Ale ładnie pachnie – powiedział Mellberg, pociągając nosem.

– Będzie chili con carne.

Mówiąc to, Rita podeszła do niego i pocałowała go w policzek. Mellberg musiał się powstrzymać, by nie dotknąć ręką miejsca, do którego przylgnęła wargami. Usiadł przy stole, nakrytym dla czterech osób.

– Będzie jeszcze ktoś? – Spojrzał pytająco na Ritę.

– Moja druga połowa przychodzi na lunch – wyjaśniła Johanna, masując krzyż.

– Może byś usiadła? – Mellberg wysunął krzesło. – Na pewno ci ciężko z tym brzuchem.

Johanna posłuchała, sapnęła i usiadła.

– Jeszcze jak. Na szczęście niedługo koniec. Dobrze będzie się tego pozbyć. – Przesunęła dłonią po brzuchu. – Chcesz dotknąć? – spytała, gdy zobaczyła spojrzenie Mellberga.

– A można? – spytał tępo.

O istnieniu własnego syna dowiedział się dopiero, gdy Simon był nastolatkiem, więc ten etap rodzicielstwa był dla niego całkowitą zagadką.

– O, tu, właśnie kopie.

Johanna chwyciła jego rękę i przyłożyła do lewej strony brzucha. Mellberg drgnął, gdy pod dłonią poczuł silne kopnięcie.

– O, cholera. Nieźle sobie poczyna. To nie boli?

Patrzył na jej brzuch i czuł kolejne kopnięcia.

– Niespecjalnie. Przeszkadza tylko czasem, jak chcę spać. Mówią, że będzie mały piłkarz.

– Też tak sądzę.

Mellberg musiał się zmusić, żeby cofnąć rękę. Szczególne przeżycie, ale nie umiałby go nazwać. Tęsknota, fascynacja, poczucie straty... Sam nie wiedział co.

– Czy przyszły tatuś ma do przekazania talent piłkarski? – spytał ze śmiechem.

Zapadło milczenie. Mellberg podniósł wzrok i ujrzał zdumienie w oczach Rity.

– Bertil, to ty nie wiesz, że...

W tym momencie otworzyły się drzwi.

– Jak ładnie pachnie, mamo – usłyszeli z przedpokoju. – Co będzie na lunch? Twoje chili?

Do kuchni wkroczyła Paula. Zdziwienie malujące się na jej twarzy było równe zdziwieniu Mellberga.

– Paula?

– Szefie?

Nagle wszystkie elementy układanki ułożyły się Mellbergowi w całość. Paula, która przeprowadziła się do Fjällbacki z mamą. Rita, która mieszka tu od niedawna. I te czarne oczy. Że też wcześniej nie zauważył. Miały dokładnie takie same oczy. Tylko ta jedna rzecz, nie całkiem....

– Widzę, że już poznałeś moją partnerkę.

Paula ostentacyjnie objęła Johannę i spojrzała na Mellberga wyzywająco, jakby się spodziewała, że powie albo zrobi nie to, co trzeba.

Kątem oka widział, że Rita obserwuje go w napięciu. Trzymała w ręku drewnianą łyżkę, ale przestała mieszać i czekała. Przez głowę przemknęły mu tysiące myśli, uprzedzeń, wcześniejszych, dość nieprzemyślanych wypowiedzi. Wiedział jednak, że oto nadszedł ten moment w życiu, gdy trzeba powiedzieć i zrobić to, co należy. Że gra toczy się o bardzo wysoką stawkę. Czując na sobie spojrzenie Rity, spokojnie powiedział:

– Nie wiedziałem, że będziesz mamą, i to tak niedługo. Gratuluję. Johanna była tak miła, że pozwoliła mi poczuć ruchy tego małego urwisa. Przychylam się do poglądu, że to przyszły piłkarz.

Paula znieruchomiała z Johanną w objęciach. Wpatrywała się w jego oczy. Sprawdzała, czy w jego słowach na pewno nie było ironii albo drugiego dna. A potem się rozluźniła i uśmiechnęła.

– Niezłe przeżycie, prawda?

Wszystkim ulżyło.

Rita znów zaczęła mieszać w garnku i roześmiała się.

– To i tak nic w porównaniu z tym, jak ty kopałaś. Pamiętam, jak twój ojciec żartował, że chyba chcesz się wydostać inną drogą niż to przyjęte.

Paula pocałowała Johannę w policzek i usiadła przy stole. Nie umiała ukryć zaskoczenia, że widzi Mellberga u matki. A on był bardzo z siebie zadowolony. Nadal dziwiło go, jak dwie kobiety mogą żyć ze sobą, a historia z dzieckiem była dla niego prawdziwą zagadką. Prędzej czy później będzie musiał zaspokoić ciekawość w tej kwestii... Nie ma co. Powiedział to, co należało, i ku własnemu zdziwieniu naprawdę tak pomyślał.

Rita postawiła garnek na stole i poprosiła, żeby sobie nakładali. Spojrzała na Mellberga tak, że przekonał się ostatecznie, że dobrze się zachował.

Nadal myślał o chwili, gdy dotknął napiętego brzucha Johanny i poczuł pod dłonią kopnięcia małej stópki.

– Przyszłaś w sam raz na lunch. Właśnie miałem dzwonić po ciebie.

Patrik spróbował zupy pomidorowej, a potem postawił garnek na stole.

– Co za wspaniała obsługa! Z jakiegoż to powodu?

Erika weszła do kuchni, stanęła za mężem i pocałowała go w kark.

– A ty myślisz, że to wszystko? Chcesz powiedzieć, że wystarczy przygotować lunch, żeby ci zaimponować? Widzę, że całkiem niepotrzebnie zrobiłem pranie, posprzątałem w salonie i zmieniłem żarówkę w ubikacji.

Odwrócił się i pocałował ją w usta.

– Nie wiem, coś ty zażył, ale poproszę o trochę tego samego – Erika patrzyła na niego zadziwiona. – Gdzie Maja?

– Śpi od kwadransa. Będziemy mogli spokojnie zjeść, tylko we dwoje. Potem pomkniesz na górę popracować, a ja pozmywam.

– Dobra... Zaczynam się bać – powiedziała Erika. – Albo przegrałeś wszystkie nasze pieniądze, albo zaraz mi zakomunikujesz, że masz kochankę, albo wzięli cię do programu kosmicznego NASA i powiesz, że przez rok będziesz krążyć wokół Ziemi... Albo też mój mąż został porwany przez kosmitów, a ty jesteś hybrydą człowieka i robota...

– Jak wpadłaś na to, że to NASA? – spytał Patrik, puszczając oko. Pokroił chleb, włożył go do koszyczka i usiadł przy stole naprzeciwko Eriki. – Prawda jest taka, że podczas dzisiejszego spaceru Karin dała mi do myślenia... Pomyślałem, że powinienem bardziej się starać dbać o dom. Ale nie licz, że to na zawsze, bo niczego nie gwarantuję. Może mi się przydarzyć nawrót.

– Czyli jeśli się chce skłonić męża, żeby się bardziej udzielał w domu, wystarczy go wysłać na randkę z byłą żoną. Muszę to powiedzieć przyjaciółkom...

– Mmm... prawda? – Patrik nabrał zupy na łyżkę i podmuchał. – Chociaż to nie była randka. Zresztą nie jest jej łatwo.

Pokrótce opowiedział, co mówiła Karin.

Erika słuchała i kiwała głową na znak, że to zna, chociaż ma w mężu znacznie większe oparcie niż Karin.

– A tobie jak poszło? – spytał Patrik, siorbiąc zupę.

Erika się rozjaśniła.

– Znalazłam całe mnóstwo ciekawych materiałów. Nie masz pojęcia, ile tu się działo podczas drugiej wojny światowej, i we Fjällbace, i w okolicy. Przez granicę norweską przemycano żywność, informacje, broń i ludzi, zbiegłych Niemców i Norwegów z ruchu oporu. No i jeszcze te miny. Wpadło na nie sporo łodzi rybackich i frachtowców. Zatonęły wraz z załogami. Wiedziałeś, że koło Dingle zestrzelono niemiecki samolot? W 1940 roku. Zestrzeliła go szwedzka obrona przeciwlotnicza. Zginęła cała trzyosobowa załoga. Popatrz, nigdy o tym nie słyszałam. Myślałam, że nas wojna właściwie nie dotknęła, poza tym że były kłopoty z zaopatrzeniem, kartki i tak dalej.

– Widzę, że coraz bardziej się rozkręcasz – zaśmiał się Patrik, nalewając jej jeszcze zupy.

– To jeszcze nie wszystko! Prosiłam Christiana, żeby mi wyszperał materiały o mojej mamie i jej przyjaciołach. Nawet nie sądziłam, że będzie coś takiego. Przecież byli wtedy tacy młodzi. Ale zobacz... – Głos jej zadrżał.

Wstała i poszła po teczkę. Wyjęła z niej gruby plik papierów.

– Ojej, sporo tego znalazłaś.

– Właśnie, czytanie zajęło mi trzy godziny – powiedziała Erika, przerzucając kartki drżącymi palcami. W końcu znalazła to, czego szukała. – Jest. Spójrz tutaj.

– Wskazała na artykuł opatrzony dużym czarno-białym zdjęciem.

Patrik wziął do ręki kartkę i przyjrzał się dokładnie. Najpierw zwrócił uwagę na fotografię. Przedstawiała pięć stojących obok siebie osób. Zmrużył oczy, żeby odczytać podpis pod zdjęciem i rozpoznał cztery nazwiska: Elsy Moström, Frans Ringholm, Erik Frankel i Britta Johansson. Piątego nie znał. Chłopak na oko w tym samym wieku co reszta. Nazywał się Hans Olavsen. Patrik przeczytał artykuł. Erika obserwowała go uważnie.

– No i? Co ty na to? Nie wiem, co to znaczy, ale wydaje mi się, że to nie przypadek. Spójrz na datę. Zjawił się we Fjällbace w tym samym czasie, prawie co do dnia, kiedy mama przestała pisać pamiętnik. Jak myślisz? To nie może być zbieg okoliczności. To musi coś znaczyć! – Erika w podnieceniu chodziła po kuchni.

Patrik jeszcze raz pochylił się nad fotografią, wpatrywał się w pięcioro ludzi. Jeden z nich nie żyje, zamordowany sześćdziesiąt lat później. Coś mu mówiło, że Erika ma rację. To musi coś znaczyć.

Paula szła z powrotem na komisariat. Po głowie krążyły jej różne myśli. Matka jej wspominała o sympatycznym mężczyźnie towarzyszącym jej podczas spacerów, którego potem udało się również zwabić na kurs salsy. Ale Paula nie wyobrażała sobie, że mógłby to być jej szef. Nie była zachwycona tą sytuacją. Mellberg był chyba ostatnim mężczyzną, którego chciałaby widzieć u boku matki. Musiała jednak przyznać, że wiadomość o jej związku z Johanną przyjął zupełnie dobrze. Wręcz zaskakująco dobrze. Tym bardziej że właśnie obawa przed uprzedzeniami była według niej argumentem przeciwko przeprowadzce do Tanumshede. Bo nawet w Sztokholmie było jej i Johannie trudno uzyskać akceptację. A w małej miejscowości... Mogło się skończyć katastrofą. Po długiej dyskusji z Johanną i z matką doszły razem do wniosku, że jeśli się nie uda, najwyżej wrócą do Sztokholmu. Do tej pory wszystko szło nad podziw dobrze. Paula czuła się doskonale w swoim nowym miejscu pracy, matka zaś odnalazła się, prowadząc kurs salsy i pracując na pół etatu w Konsumie. Johanna jest wprawdzie na zwolnieniu lekarskim, a potem ma wziąć urlop macierzyński, ale już była na wstępnej rozmowie w miejscowej firmie zainteresowanej zatrudnieniem wykwalifikowanej ekonomistki. Jednak na widok miny Mellberga, gdy zobaczył ją, jak wchodzi do kuchni i obejmuje Johannę, przez moment pomyślała, że wszystko to zaraz runie jak domek z kart. Mellberg ją zaskoczył. Może nie jest aż tak beznadziejny, jak sądziła.

W recepcji zamieniła parę słów z Anniką, a potem zapukała we framugę drzwi Martina i weszła.

– Jak wam poszło?

– Z tym pobiciem? Przyznał się, nie miał wyboru. Matka zabrała go do domu, ale Gösta właśnie zawiadamia opiekę społeczną. Sytuacja w domu nie wydaje się najlepsza.

– Najczęściej tak bywa w podobnych przypadkach – powiedziała Paula, siadając.

– Co ciekawe, okazało się, że wszystko zaczęło się od tego, że Per włamał się do Erika Frankla. Wiosną.

Paula uniosła brew, ale nic nie powiedziała. Czekała na dalszy ciąg.

Martin dokończył, potem oboje chwilę milczeli.

– Ciekawe, czym Erik chciał zainteresować Kjella – powiedziała w końcu Paula. – Może chodziło o jego ojca?

Martin wzruszył ramionami.

– Nie mam pojęcia. Myślę, że możemy z nim porozmawiać, zapytać. I tak musimy jechać do Uddevalli, żeby przesłuchać kilku panów z Przyjaciół Szwecji. Tam ma przecież siedzibę „Bohusläningen". A po drodze zatrzymamy się, żeby pogadać z Axelem.

– Dobra – powiedziała Paula, podnosząc się.

Dwadzieścia minut później znów stali przed domem Axela i Erika. Paula pomyślała, że Axel postarzał się od poprzedniego razu. Jakby poszarzał, wychudł, stał się przezroczysty. Uśmiechnął się na powitanie i nie pytając o powód wizyty, zaprosił ich na werandę.

– Zrobiliście jakieś postępy? – spytał, gdy już usiedli.
– W śledztwie – dodał, całkiem niepotrzebnie.

Martin zerknął na Paulę i powiedział:

– Mamy kilka tropów. Najważniejsze, że udało nam się w przybliżeniu określić, kiedy zginął pański brat.

– To już postęp. – Axel uśmiechnął się, ale uśmiech nie złagodził smutku i zmęczenia w jego oczach. – A więc kiedy to nastąpiło?

– Piętnastego czerwca spotkał się ze swoją... znajomą, Violą Ellmander, a zatem wiemy, że wtedy żył. Drugiej daty nie jesteśmy tacy pewni, ale wydaje nam się, że siedemnastego czerwca musiał być martwy, gdy wasza sprzątaczka...

– Laila – wtrącił Axel, widząc, że Martin szuka w pamięci.

– Właśnie, Laila. Przyszła tutaj siedemnastego czerwca, żeby jak zwykle posprzątać, ale nikt jej nie otworzył. Nie znalazła też klucza, który podobno jej zostawialiście, jeśli was nie było.

– Tak. Erik bardzo tego pilnował i o ile wiem, nigdy nie zapomniał zostawić jej klucza. Tak więc jeśli jej nie otworzył i klucza nie było, to...

Umilkł i przesunął dłonią po oczach, jakby ujrzał brata i chciał go od siebie odsunąć.

– Bardzo pana przepraszam – powiedziała miękko Paula – ale muszę spytać, gdzie pan był w dniach od piętnastego do siedemnastego czerwca. Zapewniam, że to czysta formalność.

Axel machnął ręką.

– Nie musi pani przepraszać. Wiem, że na tym polega wasza praca. Zresztą statystycznie rzecz biorąc, większość morderstw popełniają najbliżsi krewni, prawda?

Martin skinął głową.

– Tak. Musimy to wiedzieć, żeby móc wykluczyć pana ze śledztwa.

– Oczywiście. Pójdę po kalendarz.

Po chwili wrócił z grubym kalendarzem. Usiadł i zaczął przewracać kartki.

– Zaraz zobaczymy... Wyjechałem ze Szwecji bezpośrednio do Paryża trzeciego czerwca i wróciłem dopiero, gdy... byliście tak uprzejmi wyjechać po mnie na lotnisko. A między piętnastym i siedemnastym... Zaraz zobaczymy... Piętnastego czerwca miałem spotkanie w Brukseli, szesnastego pojechałem do Frankfurtu, a siedemnastego wróciłem do centrali w Paryżu. Jeśli chcecie, mogę się postarać o kopie biletów.

Podał kalendarz Pauli. Przejrzała go starannie i spojrzała pytająco na Martina. Martin lekko potrząsnął głową. Paula położyła kalendarz na stole i przesunęła w stronę Axela.

– Nie sądzę, żeby to było konieczne. Czy te daty nic panu nie przypominają? W związku z Erikiem? Nic szczególnego? Jakaś rozmowa telefoniczna? Może coś wspominał?

Axel potrząsnął głową.

– Nie, niestety. Jak już mówiłem, nie mieliśmy zwyczaju dzwonić do siebie zbyt często, gdy byłem zagranicą. Erik pewnie zadzwoniłby tylko wtedy, gdyby dom stanął w płomieniach. – Zaśmiał się i znów przesunął dłonią po oczach. – Czy to wszystko? Mogę jeszcze w czymś pomóc? – spytał, zamykając starannie kalendarz.

– Tak, jest jeszcze jedna rzecz – powiedział Martin, obserwując Axela. – W związku z pobiciem przesłuchiwaliśmy dziś niejakiego Pera Ringholma. Powiedział, że na początku czerwca włamał się do pańskiego domu i został przyłapany przez pańskiego brata, który zamknął go na klucz w bibliotece i wezwał jego ojca, Kjella Ringholma.

– Syna Fransa – stwierdził Axel.

Martin skinął głową.

– Właśnie. Per podsłuchał kawałek rozmowy pańskiego brata i Ringholma. Umawiali się na spotkanie, ponieważ Erik wiedział coś, co według niego mogło zainteresować Ringholma. Czy to panu coś mówi?

– Nic a nic. – Axel potrząsnął głową.

– Co pański brat chciał powiedzieć Kjellowi Ringholmowi? Nie wie pan, co by to mogło być?

Axel milczał chwilę, jakby się zastanawiał. Potem potrząsnął głową.

– Nie, nie mam pojęcia. Oczywiście, Erik poświęcał mnóstwo czasu na badanie historii drugiej wojny światowej, a zatem i nazizmu, z kolei Kjell zajmuje się współczesnym ruchem neonazistowskim w Szwecji. Wyobrażam sobie, że może odkrył jakieś ciekawe powiązania, które Kjell mógłby spożytkować w swojej pracy. Trzeba spytać Kjella, pewnie wam powie, o co chodziło...

– No tak, właśnie jedziemy do Uddevalli, żeby z nim porozmawiać. Ale gdyby się panu coś jeszcze przypomniało, to proszę, tu jest numer mojej komórki.

Martin zapisał numer na kartce i podał Axelowi. Axel włożył ją do kalendarza.

Paula i Martin milczeli przez całą drogę na komisariat, chociaż myśleli o tym samym. Co im umknęło? O co powinni byli zapytać?

– Dłużej nie da się tego odsuwać. Niedługo nie będzie już mogła mieszkać w domu.

Herman miał taką rozpacz w oczach, że córki nie mogły na to patrzeć.

– Wiemy, tato. Masz rację, nie ma innej możliwości. Opiekowałeś się mamą, dopóki się dało. Teraz muszą tę opiekę przejąć inni. Znajdziemy jej świetne miejsce.

Anna Greta objęła ojca od tyłu i wzdrygnęła się, gdy poczuła, jaki jest chudy. Choroba matki bardzo podkopała jego zdrowie. Bardziej, niż sądziły. A może nie chciały wiedzieć. Pochyliła się i przytuliła policzek do jego policzka.

– Tato, jesteśmy z tobą. Wszystkie: ja, Birgitta, Maggan i nasi najbliżsi. Wiesz, że możesz na nas liczyć. Nie musisz się obawiać, że zostaniesz sam.

– Czuję się samotny bez waszej matki. Nic na to nie poradzę – odparł głucho Herman i rękawem starł łzę z kącika oka. – Ale wiem, że tak będzie dla Britty najlepiej. Jestem o tym przekonany.

Wymieniły spojrzenia nad jego głową. Wokół rodziców kręciło się ich życie, byli podstawą i oparciem. Teraz ta podstawa się zachwiała i żeby przywrócić równowagę, musiały sobie nawzajem pomóc. Obserwowanie, jak jedno z rodziców kurczy się, stopniowo niknie i staje się jak dziecko, było przerażającym doświadczeniem. Musiały się stać doroślejsze od tych, których kiedyś postrzegały jako nieomylne i niezniszczalne, niemal boskie stworzenia, znające odpowiedź na każde pytanie. I nawet jeśli to należało już do przeszłości, widok rodziców tracących siły był bolesny.

Anna Greta jeszcze raz uściskała ojca i usiadła przy stole.

– Jak ona sobie radzi w tej chwili, kiedy ty tu jesteś? – zaniepokoiła się Maggan. – Może do niej zajrzę?

– Zasnęła, gdy wychodziłem – odparł Herman. – Ale zazwyczaj nie śpi dłużej niż godzinę, więc chyba już pójdę do domu – powiedział, podnosząc się z trudem.

– Może byśmy poszły do niej i zostały parę godzin, żebyś ty mógł się położyć i odpocząć – powiedziała Birgitta. – Tata może się położyć w pokoju gościnnym, prawda? – zwróciła się do Maggan, bo rozmawiali u niej.

– Świetny pomysł – z zapałem odparła Maggan. – Połóż się trochę, a my pójdziemy do was.

– Dziękuję, kochane moje – powiedział Herman, idąc do przedpokoju. – Ale my z mamą opiekowaliśmy się sobą nawzajem przeszło pięćdziesiąt lat. I dlatego chciałbym się nią zająć jeszcze przez ten krótki czas, który nam pozostał. Jak już ją przyjmą do tego domu, to...

Nie dokończył i pośpiesznie wyszedł, żeby córki nie zobaczyły jego łez.

Britta uśmiechnęła się przez sen. We śnie widziała jasno, chociaż umysł odmawiał jej tego na jawie. Niektóre wspomnienia nie dawały jej spokoju, choć były niemiłe, jak wspomnienie pasów wymierzanych przez tatę na dziecięce pupy. Albo zapłakanej twarzy matki. Czy ciasnoty panującej w domku na górce. Cały rozbrzmiewał wrzaskami dzieci. Miała ochotę zatkać uszy i również zacząć krzyczeć. Inne wspomnienia były przyjemniejsze. Na przykład te z letniej zabawy na skałach rozgrzanych słońcem. Elsy ubrana w sukienkę w kwiatki, którą uszyła jej mama. Erik w krótkich spodniach, za to z poważną miną. Frans z tymi swoimi jasnymi, kręconymi włosami, których zawsze chciała dotknąć, nawet wtedy, gdy byli jeszcze mali i różnica między chłopcem i dziewczynką nie miała większego znaczenia.

Przez to wspomnienie przedarł się jakiś głos, znany jej aż za dobrze. Odzywał się ostatnio aż za często, nie dawał jej spokoju ani na jawie, ani we śnie, ani we mgle. Przenikał do niej, nalegał i naciskał, żeby zaistnieć w jej świecie. Ten głos nie pozwalał jej się pojednać i zapomnieć. Myślała, że już go nigdy nie usłyszy. Ale wrócił. Jakie to dziwne. Jakie przerażające.

Tłukła głową o poduszkę, żeby nie słyszeć tego głosu i odsunąć od siebie wspomnienia, które zakłócały jej spokój. W końcu się udało. Napłynęły wspomnienia szczęśliwych chwil, gdy po raz pierwszy zobaczyła Hermana, i później, gdy już wiedziała, że przeżyje z nim życie. Wesele. Ona w pięknej białej sukni, oszołomiona szczęściem. Bóle porodowe, potem miłość do Anny Grety. I do Birgitty, i Margarety, które pokochała równie mocno. Herman zmieniający pieluszki, pielęgnujący dzieci mimo głośnych sprzeciwów jej matki. Robił to z miłości, nie z obowiązku, i nie dlatego, że ktoś tego żądał. Uśmiechnęła się. Jej oczy poruszały się pod powiekami. Chciała zostać wśród tych wspomnień. Gdyby miała wybrać jedno jedyne, żeby zostało w jej głowie na resztę życia, byłaby to scena, jak Herman kąpie najmłodszą córeczkę w niemowlęcej wanience. Ostrożnie podpiera jej dłonią główkę i nuci, przesuwając delikatnie myjką po maleńkim ciałku, a córeczka śledzi każdy jego ruch szeroko otwartymi oczami. Zobaczyła siebie, jak się skrada, a potem stoi w drzwiach, żeby na nich popatrzeć. Nawet gdyby miała zapomnieć wszystko inne, ze wszystkich sił będzie się starać zatrzymać to wspomnienie. Herman i Margareta, jego dłoń podtrzymująca jej główkę, czułość i bliskość.

Jakiś dźwięk wytrącił ją ze snu. Próbowała śnić dalej, znów usłyszeć plusk, gdy Herman zwilża myjkę, i gaworzenie Margarety, której tak przyjemnie w ciepłej wodzie. Ale kolejny dźwięk kazał jej wychynąć na powierzchnię, w tę mgłę, przed którą chciała uciec. Jeśli się obudzi, otuli ją mętna szarość, weźmie w posiadanie jej głowę i wypełni czas.

Niechętnie otworzyła oczy. Stała nad nią jakaś postać. Patrzyła na nią. Britta się uśmiechnęła. Może to jednak sen. Może dzięki wspomnieniom uda jej się stawić opór mgle.

– To ty? – spytała, spoglądając na pochylającą się nad nią postać.

Ciało miała odrętwiałe, ociężałe od snu, nie mogła się poruszyć. Oboje milczeli. Niewiele było do powiedzenia. Potem chory umysł Britty zyskał pewność. Na powierzchnię wypłynęły wspomnienia, odżyły dawno zapomniane uczucia, strach, od którego dzięki stopniowemu zapominaniu czuła się uwolniona. Zobaczyła, że przy jej łóżku stoi śmierć, i w tym momencie poczuła całą swoją istotą, że się nie zgadza, nie chce odchodzić i zostawiać wszystkiego. Mocno chwyciła prześcieradło, z suchych ust wydobył się charkot. Strach ogarniał całe ciało, zaczęła rzucać głową o poduszkę. W myślach wzywała Hermana, jakby mógł je usłyszeć, chociaż wiedziała, że nie może. Przyszła po nią śmierć, kosa jej nie oszczędzi, nie ma nikogo, kto by jej pomógł. Zaraz umrze samotnie w swoim łóżku. Bez Hermana i córek, bez słowa pożegnania. Nie otaczała jej mgła, umysł miała jasny jak dawniej. W końcu poczuła tak obezwładniający, zwierzęcy strach, że nabrała powietrza i krzyknęła. Śmierć się nie poruszyła. Obserwowała leżącą na łóżku Brittę i uśmiechała się. Nie był to uśmiech złowrogi, i tym bardziej ją przerażał.

Śmierć nachyliła się i sięgnęła po poduszkę Hermana. Britta patrzyła z przerażeniem, jak zbliża się do niej biała, niedająca się rozproszyć mgła.

Przez chwilę ciało się opierało. Dusiła się, wpadła w panikę, usiłowała nabrać w płuca powietrza. Ręce puściły prześcieradło, zaczęły machać bezładnie, napotkały opór, czyjeś ręce. Drapały, szarpały, walczyły, by jeszcze choć chwilę żyć.

Potem zapadła ciemność.

Grini pod Oslo 1944

– Pobudka! – W baraku rozległ się głos strażnika. – Za
pięć minut zbiórka na dziedzińcu i apel.

Axel z trudem otworzył jedno oko, potem drugie.
Był zdezorientowany. W baraku panowała ciemność.
Było tak wcześnie, że z zewnątrz nie wpadało żadne
światło. A przecież uważał, że to lepsze od jednooso-
bowej celi, w której spędził pierwsze miesiące. Wolał
tłok i smród w baraku od dłużących się dni w samotności. Słyszał, że w Grini przebywa trzy tysiące pięciu-
set więźniów. Nie dziwił się, bo gdziekolwiek spojrzał,
widział twarze, na których malowała się ta sama dobrze
mu znana rezygnacja.

Usiadł na pryczy i przetarł oczy. Kilka razy dziennie
mieli apele, bo tak się podobało strażnikom. Biada temu, kto się ociągał. Ale dzisiaj wstawało mu się wyjątkowo ciężko. Śniło mu się, że jest we Fjällbace, siedzi na
Veddeberget[18], spogląda na morze i zawijające do portu
rybackie łodzie wyładowane śledziami. We śnie prawie
słyszał krzyk mew krążących pożądliwie wokół masz-
tów. Brzmiał dość nieprzyjemnie, ale zrósł się w jedno
z miejscowością i jej atmosferą. Śniło mu się, że wciąga
w nozdrza zapach wodorostów, docierający aż na górę,
niesiony przez ciepły letni wiatr omiatający jego postać.

---

[18] Veddeberget – skała w centrum Fjällbacki, wznosząca się na wysokość 74 metrów (przyp. tłum.).

Rzeczywistość była zbyt zimna i wilgotna, żeby mógł spać. Poczuł szorstki dotyk koca na policzku. Zrzucił go z siebie i spuścił nogi z rozklekotanej pryczy. Skręcał go głód. Owszem, dawali im jeść, ale rzadko i mało.

– Pora wychodzić – powiedział młodszy strażnik. Przystanął obok niego. – Zimno dziś – powiedział miłym głosem.

Axel unikał jego spojrzenia. Był to ten sam chłopak, którego wypytywał po przybyciu do więzienia, ponieważ wydał mu się życzliwy. To wrażenie okazało się słuszne. Nigdy nie widział, żeby bił albo poniżał ludzi, jak większość jego kolegów. Ale miesiące spędzone w więzieniu zaznaczyły między nimi wyraźną granicę. Więzień i strażnik, dwa różne byty, żyjące życiem tak odmiennym, że Axel ledwie mógł patrzeć na przechodzących strażników. Przydzielony mu mundur gwardyjski był pierwszym sygnałem, że należy do mniej wartościowej części ludzkości. Dowiedział się od współwięźniów, że mundury wprowadzono po ucieczce więźnia w 1941 roku. Zdziwił się, że ktoś miał siłę uciekać. On sam czuł się absolutnie bezsilny i pozbawiony energii. Wpłynęły na to ciężka praca, skąpe wyżywienie, mało snu i ogromny niepokój o najbliższych. I nadmiar nieszczęść.

– Rusz się – powiedział młody strażnik i pchnął go lekko.

Axel posłuchał i przyśpieszył kroku. Spóźnienie na zbiórkę mogło go drogo kosztować.

Schodząc po schodach na dziedziniec, potknął się. Poczuł, jak jego stopa traci oparcie, i poleciał w przód, na idącego przed nim strażnika. Machnął rękami,

żeby złapać równowagę, ale niechcący złapał strażnika za mundur i wylądował mu na plecach. Uderzył
o nie piersią i na chwilę stracił oddech. Najpierw zapadła absolutna cisza. Potem jedno szarpnięcie i już stał
na nogach.

– Napadł na ciebie – odezwał się strażnik, który trzymał Axela za kołnierz. Był to Jensen, jeden z najokrut-
niejszych strażników w więzieniu.

– Nie sądzę... – powoli powiedział młody strażnik,
wstając i otrzepując mundur.

– A ja ci mówię, że na ciebie napadł! – Twarz Jensena
poczerwieniała. Korzystał z każdej okazji, żeby atako-
wać wszystkich, nad którymi miał jakąś władzę. Gdy
szedł przez obóz, tłum rozstępował się przed nim jak
Morze Czerwone przed Mojżeszem.

– Nie, on...

– Widziałem, jak cię zaatakował! – krzyknął Jensen
i postąpił krok naprzód. – To jak? Dasz mu nauczkę czy
ja mam to zrobić?

– Ale on...

Młodszy strażnik, chłopak jeszcze, rzucił Axelowi
rozpaczliwe spojrzenie, potem spojrzał na Jensena.

Axel obserwował go obojętnie. Dawno przestał reagować, przestał czuć. Niech się dzieje, co chce. Kto
spróbuje stawić opór, nie przeżyje.

– W takim razie ja się... – Jensen podniósł do góry
karabin.

– Nie! Ja to zrobię! To mój obowiązek... – powiedział
chłopak niewyraźnie, stając między nimi.

Spojrzał Axelowi w oczy, jakby przepraszał. Potem
uniósł dłoń i wymierzył mu policzek.

– To ma być kara?! – ochryple wrzasnął Jensen.

Wokół nich zebrała się mała gromadka. Kilku strażników śmiało się, czekając niecierpliwie na coś, co wypełni zwykłą więzienną nudę.

– Uderz mocniej! – krzyknął Jensen, czerwieniejąc jeszcze bardziej.

Chłopak spojrzał na Axela, Axel znów odwrócił wzrok. Strażnik zamachnął się i zaciśniętą pięścią uderzył go w podbródek. Głowa mu odskoczyła, ale utrzymał się na nogach.

– Mocniej! – krzyczało kilku strażników.

Na czole chłopaka pokazały się kropelki potu. Już nie szukał wzroku Axela. Oczy mu błyszczały. Schylił się po leżący na ziemi karabin i zamierzył się.

Axel odruchowo odwrócił głowę, karabin trafił go w lewe ucho. W środku jakby coś pękło, ból był nie do opisania. Następny cios odebrał prosto w twarz. Nic więcej nie zapamiętał. Czuł jedynie ból.

Na drzwiach nie było żadnej informacji o tym, że mieści się tu lokal Przyjaciół Szwecji. Tylko kartka nad skrzynką na listy: Nie wrzucać reklam, i tabliczka z nazwiskiem Svensson. Martin i Paula dostali ten adres od kolegów z Uddevalli, którzy mieli oko na działalność organizacji.

Nie zadzwonili, żeby uprzedzić o swojej wizycie. Postanowili sprawdzić, czy zastaną kogoś w godzinach urzędowania. Martin nacisnął dzwonek. Za drzwiami rozległ się głośny sygnał, ale nikt się nie odezwał. Już miał zadzwonić drugi raz, gdy drzwi się otworzyły.

– Słucham?

Mężczyzna około trzydziestki spojrzał na nich pytającym wzrokiem. Kiedy zobaczył mundury, między jego brwiami pojawiła się zmarszczka. Stała się jeszcze głębsza, gdy spojrzał na Paulę. Przez kilka sekund mierzył ją wzrokiem, z góry na dół, i to tak, że miała ochotę wsadzić mu kolano między nogi.

– Tak. W czym mogę pomóc władzy? – spytał złośliwie.

– Chcielibyśmy zamienić kilka słów z przedstawicielem Przyjaciół Szwecji. Czy dobrze trafiliśmy?

– Oczywiście, proszę wejść.

Mężczyzna, jasnowłosy, wysoki, aż nazbyt mocno zbudowany, wpuścił ich do środka.

– Nazywam się Martin Molin, a to Paula Morales. Policja z Tanumshede.

– Proszę, goście z daleka – odparł, prowadząc ich do niewielkiego biura. – Nazywam się Peter Lindgren.

Usiadł za biurkiem, wskazując im dwa krzesła dla gości.

Martin zapamiętał nazwisko, żeby po powrocie do komisariatu sprawdzić w rejestrze. Coś mu mówiło, że znajdzie sporo przydatnych informacji.

– Słucham, czego sobie państwo życzą?

Lindgren rozparł się na krześle, ręce splótł na kolanach.

– Prowadzimy śledztwo w sprawie zamordowania Erika Frankla. Czy mówi panu coś to nazwisko?

Paula narzuciła sobie spokój. Mężczyźni tego rodzaju budzili w niej odrazę, od której aż cierpła jej skóra. Jak na ironię Peter Lindgren zapewne czuł do niej dokładnie to samo.

– A powinno? – spytał, patrząc na Martina, nie na Paulę.

– Tak, powinno – odparł Martin. – Utrzymywaliście z nim... kontakt. Ściślej mówiąc, groziliście mu. Ale panu pewnie nic o tym nie wiadomo? – spytał z przekąsem.

Peter Lindgren potrząsnął głową.

– Nie, nic o tym nie wiem. Macie jakieś dowody na te... pogróżki? – Uśmiechnął się.

Martin poczuł, że przejrzał go na wylot. Po chwili wahania odparł:

– Mamy czy nie mamy, to w tej chwili nieistotne. Wiemy, że groziliście Erikowi Franklowi. Wiemy też, że znał go i ostrzegał członek waszej organizacji Frans Ringholm.

– Nie traktowałbym Fransa zbyt poważnie – powiedział Lindgren. W jego oczach pojawił się groźny błysk.

– Cieszy się wielkim poważaniem w naszej organizacji, ale posunął się w latach, a my... cóż, jesteśmy nowym pokoleniem, gotowym do przejęcia władzy. Nowe czasy, nowe uwarunkowania, a... tacy jak Frans nie zawsze rozumieją, że obowiązują nowe zasady.

– A tacy jak pan rozumieją? – spytał Martin.

Peter rozłożył ręce.

– Trzeba wiedzieć, kiedy należy przestrzegać zasad, a kiedy je łamać. Chodzi o to, żeby działać tak, żeby na dłuższą metę służyło to sprawie.

– A w tym przypadku? – wtrąciła ostro Paula.

Zdawała sobie sprawę ze swego tonu. Upewniło ją ostrzegawcze spojrzenie Martina.

– Poprawie warunków życia – spokojnie odparł Peter. – Nasi rządzący nie postępowali dobrze, bo pozwolili... obcym siłom rozprzestrzenić się kosztem prawdziwej szwedzkości. – Spojrzał wyzywająco na Paulę. Paula zmusiła się do milczenia i tylko przełykała ślinę. Nie to miejsce, nie ta okazja. Zdawała sobie sprawę, że Lindgren próbuje ją sprowokować. – Ale czujemy, że powiał inny wiatr. Ludzie są coraz bardziej świadomi, że jeszcze trochę i zbliżymy się do przepaści, jeśli pozwolimy rządzącym zburzyć, co zbudowali nasi przodkowie. Nasza propozycja to lepsze społeczeństwo.

– W jaki sposób... teoretycznie... starszy, emerytowany nauczyciel historii miałby zagrażać... temu celowi?

– Teoretycznie... – Peter znów splótł dłonie. – Teoretycznie nie mógł stanowić większego zagrożenia. Ale przyczyniał się do szerzenia fałszywego obrazu, o którego stworzenie postarali się ci, którzy wygrali drugą wojnę światową. Tego oczywiście nie można tolerować. Teoretycznie.

Martin chciał coś powiedzieć, ale Peter jeszcze nie skończył.

– Wszystkie te zdjęcia, opowieści z obozów koncentracyjnych i tym podobne zostały spreparowane. To kłamstwa, a ludziom wmówiono, że to prawda. A wie pan dlaczego? Żeby pognębić, zniszczyć nasze przesłanie. Historię piszą zwycięzcy. A oni postanowili utopić prawdę we krwi, zniekształcić ją w oczach świata, żeby nikt nie odważył się wątpić, że wygrali ci, co powinni. Erik Frankel brał udział w zaciemnianiu tego obrazu, w tej propagandzie. Dlatego... teoretycznie... ktoś taki jak Erik Frankel mógł stanowić przeszkodę na drodze do budowania nowego społeczeństwa.

– Ale, o ile panu wiadomo, nie kierowaliście żadnych gróźb pod jego adresem?

Martin obserwował go, chociaż i tak wiedział, co usłyszy.

– Nie kierowaliśmy. Działamy zgodnie z zasadami demokracji. Kartka do głosowania. Manifest wyborczy. Zdobycie władzy dzięki poparciu ludu. Inne metody są nam zdecydowanie obce.

Spoglądał na Paulę. Zacisnęła pięści na kolanach. Przypomnieli jej się żołnierze, którzy przyszli po jej ojca. To samo spojrzenie.

– Cóż, nie będziemy panu dłużej przeszkadzać. – Martin wstał. – Nazwiska pozostałych członków zarządu otrzymaliśmy od policji z Uddevalli... Oczywiście z nimi również porozmawiamy.

Lindgren skinął głową i wstał.

– Naturalnie. Nie powiedzą nic ponad to, co ja powiedziałem. A co do Fransa... nie słuchałbym starego człowieka, który żyje przeszłością.

Erika nie mogła się skupić na pisaniu, przeszkadzały jej myśli o matce. Sięgnęła po stertę artykułów, na wierzchu położyła ten ze zdjęciem. Jakie to frustrujące patrzeć na twarze tych ludzi i nie móc wyczytać żadnej odpowiedzi. Pochyliła się, wpatrując się kolejno w postaci na zdjęciu. Najpierw Erik Frankel. Poważna mina i oczy patrzące w obiektyw. Sztywna sylwetka. Otaczała go aura smutku. Erika doszła do wniosku, słusznego czy nie, że to pewnie z powodu uwięzienia jego brata. Jednak tę samą aurę powagi i smutku wokół niego dostrzegła w czerwcu, gdy przyszła do niego w sprawie medalu.

Spojrzała na człowieka stojącego obok Erika. Frans Ringholm. Przystojny. Nawet bardzo. Jasne, wijące się na karku przy kołnierzu włosy, chyba dłuższe, niżby chcieli jego rodzice. Patrzył w obiektyw z szerokim, ujmującym uśmiechem, obejmując niedbale dwie osoby stojące najbliżej. Żadna z nich nie wydawała się tym zachwycona.

Erika wpatrywała się w osobę stojącą na prawo od Fransa. W swoją matkę. Elsy Moström. Wyglądała na milszą, niż zapamiętała, ale w jej skromnym uśmiechu była też rezerwa: widać było, że nie podoba jej się ta ręka na jej ramieniu. Erika nie mogła nie zauważyć, że matka była kiedyś śliczna i wyglądała na miłą osobę.

Tymczasem ona pamiętała ją jako osobę chłodną i nie-
przystępną. Nikt by się tego nie spodziewał po tej dziew-
czynie ze zdjęcia. Erika przesunęła palcem po jej twarzy.
Wszystko byłoby inaczej, gdyby znała matkę właśnie taką. Co się stało z tą dziewczyną, gdzie się podziała ta
miękkość? Skąd się wzięła obojętność? Dlaczego nie potrafiła się zdobyć na to, żeby tymi miękkimi ramionami
wyglądającymi spod rękawków kwiecistej sukienki objąć i przytulić swoje córki?

Przesunęła wzrok na kolejną osobę. Britta nie patrzyła w obiektyw, tylko na Elsy. A może na Fransa. Nie
sposób stwierdzić. Erika sięgnęła na biurko po szkło powiększające. Przytrzymała je nad twarzą Britty i zmrużyła oczy, żeby obraz się wyostrzył. Nadal trudno jej
było coś stwierdzić, ale pierwsze wrażenie było takie,
że Britta jest zła. Kąciki ust miała opuszczone, szczęki mocno zaciśnięte. A jej spojrzenie! Erika była prawie pewna, że Britta obserwuje któreś z nich, Elsy albo
Fransa, albo oboje.

Ostatnia osoba: chłopak w mniej więcej tym samym
wieku co pozostali. Blondyn, jak Frans, ale włosy krót-
sze, kręcone. Wysoki, smukły, zamyślony. Ani wesoły, ani
smutny. Właśnie zamyślony – tak by to Erika określiła.

Jeszcze raz przeczytała artykuł. Hans Olavsen, członek norweskiego ruchu oporu, uciekł z kraju na pokładzie kutra rybackiego „Elfrida", z Fjällbacki. Szyper Elof
Moström przyjął go pod swój dach. Podpis pod zdjęciem oznajmiał, że Hans Olavsen wraz z przyjaciółmi
świętuje zakończenie wojny.

Erika odłożyła kartkę na kupkę. Zastanowiło ją napięcie, które wyczytała ze zdjęcia. Wydawało jej się,

że między tymi młodymi ludźmi... Nie umiała tego nazwać. Coś, może intuicja, podpowiadało jej, że to jest odpowiedź na wszystkie jej pytania. A było ich tym więcej, im więcej się dowiadywała. Musi się dowiedzieć prawdy o tym zdjęciu, o relacjach między przyjaciółmi i o członku norweskiego ruchu oporu Hansie Olavsenie. Mogła spytać tylko dwie osoby: Axela Frankla i Brittę Johansson. Najprościej byłoby zwrócić się do Britty. Musi się dowiedzieć, skąd ta złość w jej spojrzeniu. Zrobiło jej się głupio na samą myśl o pójściu do starszej pani, która miała zamęt w głowie. Ale może uda jej się przekonać jej męża, że to konieczne, i porozmawiać z nią, kiedy będzie miała jasny umysł. Postanowiła chwycić byka za rogi. Jutro pójdzie tam jeszcze raz.

Coś jej mówiło, że Britta zna odpowiedzi na jej pytania.

Fjällbacka 1944

Podkopała mu zdrowie ta wojna. Wszystkie te rejsy po morzu, które z przyjaciela stało się wrogiem. Przedtem kochał morze u wybrzeży Bohuslän, jego zapach i odgłos fal rozbijających się o dziób. Ale gdy przyszła wojna, jego stosunki z morzem przestały być przyjacielskie. Morze stało się wrogiem. Pod jego powierzchnią czaiły się zagrożenia w postaci min, na których mógł wylecieć w powietrze z całą załogą kutra. Patrolujący te wody Niemcy byli niewiele lepsi. Nigdy nie było wiadomo, co im przyjdzie do głowy. Morze stało się nieprzewidywalne w zupełnie inny sposób niż dotąd. Ze sztormem i mieliznami potrafili sobie radzić, uczyli się tego od wielu pokoleń. Jeśli górę brał żywioł, przyjmowali to z zimną krwią i spokojem ducha.

Ta nieprzewidywalność była znacznie gorsza. Jeśli udawało się przetrwać podróż przez morze, nowe niebezpieczeństwa pojawiały się w portach, do których zawijali z ładunkiem lub po ładunek. Przypominało mu o tym to, co się stało z Axelem Franklem. Niemcy go zabrali. Wpatrzył się w horyzont, myślał o tym chłopcu. Taki odważny i z pozoru niewzruszony. Nie wiadomo, gdzie jest teraz. Doszły go słuchy, że trafił do Grini, ale nie wiadomo, czy to prawda ani czy nadal tam siedzi. Mówiło się, że część więźniów z Norwegii przetransportowano do Niemiec. Może tam jest. A może w ogóle już go nie ma. W końcu minął już rok, odkąd go zabrali, i nikt nie dostał od niego nawet znaku życia. Dlatego spodziewali się najgorszego. Elof odetchnął głęboko. Czasem wpadał na jego rodziców, państwa Franklów. Doktora i doktorową. Nie potrafił im spojrzeć w oczy. Jeśli tylko mógł, przechodził na drugą stronę ulicy i mijał ich pośpiesznie, ze spuszczoną głową. Wydawało mu się, że powinien był zrobić więcej. Sam nie wiedział co. Cokolwiek. Może nie powinien się zgodzić, żeby z nim płynął.

Bolało go serce również z powodu jego brata, Erika. Zawsze taki poważny. Wprawdzie i przedtem nie należał do wesołków, ale teraz stał się jeszcze bardziej milkliwy. Zamierzał porozmawiać o tym z Elsy. Nie podobało mu się, że spotyka się z tymi chłopcami, Erikiem i Fransem. Nie miał wprawdzie nic przeciwko Erikowi, miał takie miłe wejrzenie. Co innego Frans. Zuchwały, tak by określił tego chłopca. Ale żaden z nich nie był odpowiednim towarzystwem dla jego córki. Wywodzili się z innej warstwy społecznej, z innego świata. Świat Elofa i Hilmy był tak odległy od tego, do którego należały rodziny Franklów i Ringholmów, że równie dobrze mogłyby się znajdować na innych planetach. Te dwa światy nie powinny się ze sobą stykać. Nic dobrego z tego nie wyniknie. Uchodziło jeszcze, gdy jako dzieci bawili się w wojnę róż albo w berka. Ale teraz są starsi. To się źle skończy.

Hilma tyle razy mu o tym mówiła. Prosiła, żeby porozmawiał z córką, ale jakoś nie miał serca. I tak jest ciężko przez tę wojnę. Koledzy to być może jedyny luksus, na jaki młodzież może sobie pozwolić. Więc jakże mógłby pozbawić Elsy przyjaciół? Ale prędzej czy później będzie musiał. Chłopcy to zawsze chłopcy. Zabawy w berka i wojnę róż zastąpią potajemne uściski. Dobrze o tym wiedział z własnego doświadczenia. Sam był kiedyś młody, chociaż teraz wydawało mu się, że było to bardzo dawno. Trzeba będzie rozdzielić te dwa światy. Trzeba, i już, taki jest porządek rzeczy, nie da się tego zmienić.

– Kapitanie! Niech pan pozwoli na chwilę.

Z zamyślenia wyrwał go czyjś głos. Spojrzał tam, skąd dochodził. Jeden z członków załogi kiwał ręką, żeby zaraz przyszedł. Zdziwił się. Zmarszczył czoło i ruszył w jego stronę. Byli na pełnym morzu, potrzebowali jeszcze kilku godzin, żeby dopłynąć do portu we Fjällbace.

– Mamy pasażera na gapę – stwierdził Calle Ingvarsson sucho i wskazał na ładownię.

Elof się zdumiał. Za jednym z worków kulił się chłopak. Kiedy ich zobaczył, wyczołgał się.

– Znalazłem go, bo usłyszałem hałas. Strasznie kaszlał. Prawdziwy cud, że nie było słychać na pokładzie – powiedział Calle, wkładając szczyptę snusu[19] pod górną wargę. Natychmiast się skrzywił. Wojenny snus to bardzo kiepska rzecz.

– Ktoś ty i co robisz na moim kutrze? – surowo spytał Elof. Zastanawiał się, czy nie wezwać na pomoc któregoś z członków załogi.

---

[19] Snus – używka popularna w północnej Europie, sporządzana na bazie tytoniu. Przypomina tabakę, ale zażywa się ją, umieszczając pod górną lub dolną wargą (przyp. tłum.).

– Nazywam się Hans Olavsen. Wsiadłem w Kristiansand – odparł chłopak po norwesku.

Wstał i wyciągnął rękę, żeby się przywitać. Elof po chwili podał mu swoją. Chłopak spojrzał mu prosto w oczy.

– Miałem nadzieję, że się dostanę do Szwecji. Niemcy... powiem tak: nie mogę zostać w Norwegii, jeśli mi życie miłe.

Elof myślał przez dłuższą chwilę. Był trochę zły, że go oszukano. Z drugiej strony: co chłopak miał zrobić? Podejść na oczach Niemców i uprzejmie spytać, czy mógłby się z nimi zabrać do Szwecji?

– Skąd jesteś? – spytał w końcu, obserwując go bardzo uważnie.

– Z Oslo.

– A co takiego zrobiłeś, że nie możesz zostać w Norwegii?

– Nie opowiada się o tym, co się musiało robić na wojnie – odparł Hans i twarz mu pociemniała. – Powiedzmy, że ruch oporu już nie będzie miał ze mnie pożytku.

Pewnie przerzucał ludzi przez granicę, pomyślał Elof. Niebezpieczna robota. Jak Niemcy wpadną na ślad kogoś takiego, lepiej, żeby uciekał, póki żyje. Elof czuł, że mięknie. Pomyślał o Axelu, który tyle razy płynął do Norwegii, nie zważając na konsekwencje, i w końcu za to zapłacił. Miałby być gorszy od dziewiętnastoletniego syna doktora? Podjął decyzję.

– Dobrze, płyniesz z nami. Zmierzamy do Fjällbacki. Jadłeś coś?

Hans potrząsnął głową i przełknął ślinę.

– Nie, od przedwczoraj nic. Droga z Oslo była... trudna. Nie dało się jechać prosto do celu. – Spojrzał w dół.

– Calle, dopilnuj, żeby chłopak coś zjadł. Ja dopilnuję, żebyśmy trafili do domu. Te cholerne miny. Niemcy uparcie rozsiewają je po naszych wodach...

Pokiwał głową i wszedł na schody. Odwrócił się i napotkał wzrok chłopaka. Sam się zdziwił, że tak bardzo mu współczuje. Ile lat mógł mieć? Osiemnaście? Na pewno nie więcej. A jego spojrzenie wyrażało więcej, niż powinno. Utraconą młodość i towarzyszącą jej niewinność. Wojna niewątpliwie zebrała wiele ofiar. Nie tylko wśród martwych.

Gösta czuł się trochę winny. Gdyby zrobił, co do niego należało, Mattias może nie leżałby teraz w szpitalu. Zresztą kto wie, czy to by coś zmieniło. Ale może by się dowiedział, że Per jeszcze wiosną włamał się do Franklów, i może wszystko potoczyłoby się inaczej. Gdy był u Adama i pobierał od niego odciski palców, chłopak rzeczywiście mówił, że ktoś w szkole wspominał o fantastycznych rzeczach w domu Franklów. Utkwiło mu to w podświadomości i próbowało o sobie przypomnieć. Gdyby był trochę uważniejszy, dokładniejszy. Krótko mówiąc: gdyby zrobił, co do niego należało. Westchnął tym swoim szczególnym westchnieniem. Dzięki wieloletnim ćwiczeniom doprowadził je do perfekcji. Przecież wie, co musi zrobić: musi spróbować naprawić, co się da.

Poszedł do garażu i wziął drugi służbowy samochód. Pierwszym Martin i Paula pojechali do Uddevalli. Po czterdziestu minutach zaparkował przed szpitalem w Strömstad. W recepcji powiedzieli mu, że stan Mattiasa jest stabilny, i wytłumaczyli, jak do niego trafić.

Przed drzwiami zaczerpnął powietrza. Na pewno zastanie jego rodzinę. Nie lubił się spotykać z krewnymi ofiar. Za dużo emocji. Trudno wtedy zachować dystans. Czasem jednak potrafił okazać niezwykłą delikatność w stosunku do ludzi w trudnej sytuacji. Zaskakiwał tym nie tylko kolegów, ale również siebie. Gdyby mu wystarczyło sił i energii, mógłby ten talent wykorzystać w pracy, uczynić z niego swój atut, zamiast traktować jako obciążenie.

– Złapaliście go?

Na jego widok podniósł się potężny mężczyzna. Miał na sobie garnitur, krawat mu się przekrzywił. Chwilę wcześniej obejmował płaczącą kobietę, zapewne matkę chłopaka – była do niego podobna. Podobna raczej do twarzy, którą Gösta zapamiętał ze spotkania przed domem Franklów, bo ten Mattias, którego zobaczył na szpitalnym łóżku nie był podobny do nikogo. Jego opuchnięta twarz była jedną wielką raną. Miał grube, spuchnięte wargi i tylko jednym okiem widział jako tako. Drugie miał zupełnie zamknięte.

– Niech ja dostanę w swoje ręce tego cholernego... chuligana.

Ojciec Mattiasa zacisnął pięści, łzy napłynęły mu do oczu. Gösta znów pomyślał, że wolałby nie mieć do czynienia z krewnymi ofiar i ich emocjami, ale skoro już tu jest, lepiej mieć to za sobą. Zwłaszcza że im dłużej patrzył na zmasakrowaną twarz Mattiasa, tym bardziej czuł się winny.

– Proszę to zostawić policji – powiedział, siadając koło nich. Przedstawił się, patrząc im prosto w oczy, by się upewnić, że go słuchają. – Przesłuchaliśmy Pera Ringholma. Przyznał się do pobicia, poniesie konsekwencje. Nie wiem jakie, to zależy od prokuratora.

– Ale chyba został zatrzymany? – Matce Mattiasa drżały wargi.

– Nie. Prokurator tylko w wyjątkowych wypadkach podejmuje decyzję o zatrzymaniu w areszcie nieletniego. W praktyce to się prawie nie zdarza. Dlatego na czas postępowania wrócił z matką do domu. Zawiadomiliśmy też opiekę społeczną.

– Więc on sobie jedzie do domu, do mamusi, podczas gdy mój syn leży tutaj i...

Ojcu Mattiasa załamał się głos. Patrzył to na Göstę, to na syna.

– To tymczasowa sytuacja. Ale poniesie konsekwencje. Gwarantuję. A teraz chciałbym, o ile to możliwe, zamienić kilka słów z państwa synem, żeby się upewnić co do wszystkich faktów.

Rodzice Mattiasa spojrzeli po sobie i skinęli głowami.

– Okej, ale pod warunkiem że go to nie zmęczy. Budzi się co jakiś czas, dostał leki przeciwbólowe.

– Nie będę go naciskać – zapewnił ich Gösta i przyciągnął krzesło do łóżka Mattiasa.

Musiał się mocno starać, żeby zrozumieć jego mamrotanie. W końcu się dowiedział, że było tak, jak zeznał Per. Potem znów zwrócił się do rodziców Mattiasa:

– Czy mógłbym jeszcze pobrać jego odciski palców?

Rodzice Mattiasa znów spojrzeli po sobie. I znów odpowiedział ojciec:

– Jeśli to konieczne... – Nie dokończył, spojrzał na syna oczyma pełnymi łez.

– To potrwa minutę – powiedział Gösta, wyjmując sprzęt.

Chwilę później siedział w samochodzie, na parkingu, i patrzył na pudełko z odciskami palców Mattiasa. Być może okażą się bez znaczenia dla śledztwa, ale w końcu zrobił, co do niego należało. Choć to akurat marna pociecha.

– To ostatni przystanek na dziś, co? – powiedział Martin, wysiadając z samochodu przed redakcją „Bohusläningen".

– Tak, powinniśmy już wracać.

Paula spojrzała na zegarek. Milczała od chwili, kiedy opuścili biuro Przyjaciół Szwecji. Martin zostawił ją z jej myślami. Rozumiał, że nie jest jej łatwo stawać twarzą w twarz z typami, którzy z góry osądzają człowieka tylko po kolorze skóry, nie zamieniwszy z nim jednego słowa. Wiedział, że to nie może być przyjemne, chociaż jego biała, piegowata twarz i ognistorude włosy nie narażały go na takie spojrzenia. Swoją drogą nasłuchał się w szkole docinków pod swoim adresem. Od tamtej pory minęło jednak sporo czasu. Zresztą to przecież nie to samo.

– Chcielibyśmy porozmawiać z panem Kjellem Ringholmem – powiedziała Paula, podchodząc do recepcji.

– Zaraz go poproszę.

Recepcjonistka podniosła słuchawkę i zawiadomiła Ringholma, że ma gości.

– Proszę usiąść, zaraz po państwa przyjdzie.

– Dziękuję.

Usiedli na fotelach, przy ławie. Po kilku minutach zjawił się tęgawy, ciemnowłosy mężczyzna z wielką brodą. Paula pomyślała, że jest bardzo podobny do Björna. A może Benny'ego[20]. Nie umiała ich rozróżnić.

– Kjell Ringholm – przedstawił się, wyciągając rękę. Uścisk miał tak mocny, że Martin aż się skrzywił.

---

[20] Björn Ulväus i Benny Andersson – członkowie zespołu Abba (przyp. tłum.).

– Chodźmy do mojego pokoju.

Poprowadził ich przez redakcję.

– Proszę siadać. Myślałem, że znam wszystkich policjantów z Uddevalli, ale was sobie nie przypominam. Z jakiego wydziału jesteście?

Usiadł za zawalonym papierami biurkiem.

– Nie jesteśmy stąd. Jesteśmy z komisariatu w Tanumshede.

– Ach tak? – zdziwił się.

Pauli wydało się, że poza zdziwieniem było w jego minie jeszcze coś, coś, co natychmiast znikło.

– Słucham, jaką macie do mnie sprawę?

Rozsiadł się wygodnie i splótł ręce na brzuchu.

– Przede wszystkim musimy pana powiadomić, że zatrzymaliśmy dziś pańskiego syna. Za pobicie kolegi ze szkoły – powiedział Martin.

Ringholm gwałtowie wyprostował się na krześle.

– Co pan mówi? Zatrzymaliście Pera? Kogo... Jak się czuje ten... – mówił szybko, potykając się o słowa.

Paula zwlekała z odpowiedzią.

– Na szkolnym dziedzińcu pobił kolegę, Mattiasa Larssona. Chłopak trafił do szpitala w Strömstad. Podobno jego stan jest stabilny, ale odniósł poważne obrażenia.

– Co... – Ringholm sprawiał wrażenie, jakby to do niego nie docierało. – Dlaczego nikt wcześniej do mnie nie dzwonił? Z tego, co mówicie wynika, że było to kilka godzin temu.

– Per prosił, żebyśmy wezwali matkę. Przyjechała na komisariat i była obecna przy przesłuchaniu. Potem pozwoliliśmy mu z nią wrócić do domu.

– Cóż, pewnie zdążyliście zauważyć, że sytuacja rodzinna nie jest idealna.

Przyglądał im się badawczo.

– Rzeczywiście, podczas przesłuchania zorientowaliśmy, że są pewne.... problemy – Martin zrobił małą przerwę. – Dlatego zgłosiliśmy sprawę do opieki społecznej. Niech się temu przyjrzą.

Ringholm westchnął.

– Przyznaję, powinienem był się tym zająć wcześniej... Ale ciągle mi coś wypadało... Sam nie wiem...

Spojrzał na stojące na biurku zdjęcie: blondynka z dwojgiem dzieci, mniej niż dziesięcioletnich. Zapadła cisza.

– Co teraz będzie?

– Zajmie się tym prokurator. Zdecyduje, czy i jakie wdrożyć postępowanie. Ale sprawa jest poważna...

Ringholm machnął ręką.

– Wiem, rozumiem. Wierzcie, że nie chcę tego bagatelizować i zdaję sobie sprawę z powagi sytuacji. Chciałbym od was usłyszeć jakieś konkrety. Jak wam się wydaje...

Znów spojrzał na zdjęcie, potem na policjantów.

– Trudno powiedzieć – odpowiedziała Paula. – Domyślam się, że trafi do zakładu poprawczego.

Ringholm z rezygnacją kiwnął głową.

– Może to i dobrze. Od dawna są z nim... problemy. Może teraz coś do niego dotrze. Nie było mu łatwo. Nie kontaktowałem się z nim dostatecznie często, a jego matka... Wiecie, jak wygląda sytuacja. Kiedyś tak nie było. To ten rozwód... – Znów zerknął na zdjęcie. – Ciężko to zniosła...

– Jest jeszcze jedna rzecz.

Martin pochylił się do przodu, uważnie obserwując Ringholma.

– Słucham?

– Podczas przesłuchania wyszło na jaw, że w czerwcu Per włamał się do pewnego domu i został przyłapany przez właściciela, Erika Frankla. O ile nam wiadomo, nie jest to dla pana nowina.

Ringholm chwilę milczał, potem potrząsnął głową.

– To prawda. Erik Frankel zamknął Pera w bibliotece i zadzwonił do mnie. Pojechałem tam. – Uśmiechnął się krzywo. – Nawet zabawny widok: Per wśród książek. Prawdopodobnie pierwszy i jedyny raz w życiu.

– Włamanie to nic śmiesznego – stwierdziła sucho Paula. – To poważna sprawa. I mogła się źle skończyć.

– Wiem, przepraszam. Kiepski dowcip. – Ringholm uśmiechnął się przepraszająco. – Ale uzgodniliśmy, że nie będziemy z tego robić sprawy. Erik był zdania, że Per już dostał nauczkę i że to się już nie powtórzy. I tyle. Zabrałem Pera, zmyłem mu głowę i...

Z rezygnacją wzruszył ramionami.

– Ale rozmawialiście chyba o czymś jeszcze. Syn słyszał, jak Frankel mówił panu, że wie coś, co mogłoby pana zainteresować jako dziennikarza. Według Pera umówiliście się na spotkanie przy innej okazji. Coś pan sobie przypomina?

Cisza. Po chwili Ringholm potrząsnął głową.

– Nie, nic takiego sobie nie przypominam. Per albo zmyśla, albo źle zrozumiał. Erik mówił, że mogę się do niego zgłosić, gdybym potrzebował pomocy, gdybym nie mógł dotrzeć do jakichś dokumentów dotyczących nazizmu.

Martin i Paula spojrzeli na niego z powątpiewaniem. Nie wierzyli w ani jedno słowo. Było dla nich oczywiste, że kłamie, ale nie mieli dowodów.

– Nie wie pan przypadkiem, czy pański ojciec i Erik Frankel utrzymywali kontakty? – spytał w końcu Martin.

Ringholm rozluźnił się, jakby mu ulżyło, że zmienili temat.

– O ile wiem, nie. Z drugiej strony nie orientuję się, co robi mój ojciec, i nie jestem ciekaw. Chyba że dotyczy to tego, o czym piszę w gazecie.

– Nie ma pan wrażenia, że to dziwne? – powiedziała z zaciekawieniem Paula. – Że donosi pan na własnego ojca?

– Kto jak kto, ale pani powinna sobie zdawać sprawę, jak ważna jest walka z ksenofobią – odparł Ringholm. – Nienawiść do cudzoziemców toczy to społeczeństwo jak rak. Trzeba z tym walczyć wszelkimi środkami. A skoro tak się złożyło, że mój własny ojciec szerzy tę chorobę... trudno. To jego wybór. – Ringholm rozłożył ręce. – Nic nas nie łączy poza tym, że zrobił dziecko mojej matce. Przez całe dzieciństwo spotykałem się z nim tylko podczas widzeń w więzieniu. Gdy dorosłem na tyle, żeby samodzielnie myśleć i podejmować decyzje, uznałem, że ojciec nie jest w moim życiu osobą pożądaną.

– I nie utrzymujecie żadnych kontaktów? A Per utrzymuje? – spytał Martin raczej z ciekawości niż z przekonania, że może to być istotne dla śledztwa.

– Ja nie utrzymuję. Niestety udało mu się wmówić mojemu synowi całą masę bzdur. Dopóki Per był mały, pilnowaliśmy, żeby się nie spotykali, ale odkąd chodzi własnymi drogami... niestety nie udaje się to tak, jak byśmy chcieli.

– Nie mamy więcej pytań. Na razie – dodał Martin, wstając.

Paula poszła za jego przykładem. Już w drzwiach Martin przystanął.

– Jest pan pewien, że nie wie pan o Eriku Franklu ani od niego o niczym, o czym powinniśmy wiedzieć?

Ich spojrzenia się spotkały. Przez mgnienie oka wydawało się, że Ringholm się waha. Potem zdecydowanie potrząsnął głową i powiedział:

– Nie, nie wiem. Na pewno.

Tym razem też mu nie uwierzyli.

Margareta się denerwowała. Od wczorajszej wizyty ojca dzwoniła do rodziców i nikt nie odbierał telefonu. Było to dziwne i niepokojące. Zawsze uprzedzali, gdy gdzieś się wybierali, ale ostatnio nie robili tego zbyt często. Co wieczór dzwoniła do nich i chwilę gawędzili. Od wielu lat był to swoisty rytuał, nie przypominała sobie, żeby rodzice kiedykolwiek nie odebrali telefonu. Tym razem wielokrotnie wybierała znany na pamięć numer, ale nikt nie podnosił słuchawki. Już wczoraj wieczorem chciała do nich zajrzeć, ale mąż, Owe, przekonał ją, żeby dała spokój i poczekała do rana, bo pewnie po prostu poszli wcześniej spać. Nastał ranek, zaraz będzie przedpołudnie, ale nadal nikt nie odbiera. Ogarniał ją coraz większy niepokój. Była coraz bardziej przekonana, że coś się stało. Było to jedyne wytłumaczenie.

Włożyła buty i kurtkę i wyszła. Do domu rodziców doszła w dziesięć minut. Przez całą drogę złościła się na siebie, że posłuchała męża i nie poszła już wczoraj. Czuła, że coś jest nie tak.

Z odległości kilkuset metrów dostrzegła stojącą przed drzwiami postać. Zmrużyła oczy, żeby lepiej widzieć, ale dopiero gdy podeszła bliżej, rozpoznała Erikę Falck, pisarkę.

– Mogę w czymś pomóc? – spytała uprzejmie, choć zdawała sobie sprawę, że w jej głosie wyraźnie słychać niepokój.

– Chciałabym się spotkać z Brittą, ale nikt nie otwiera. Stojąca na ganku jasnowłosa kobieta była zakłopotana.

– Dzwonię do rodziców od wczoraj, ale nikt nie odbiera. Sprawdzę, czy wszystko u nich w porządku – powiedziała Margareta. – Proszę wejść ze mną, może pani zaczekać w przedpokoju. – Margareta sięgnęła do belki podtrzymującej daszek nad drzwiami i wzięła klucz. Ręka jej drżała, kiedy otwierała drzwi. – Proszę, niech pani wejdzie. Ja pójdę zobaczyć – powiedziała.

Cieszyła się, że nie jest sama. Właściwie należało przed wyjściem z domu zadzwonić do którejś z sióstr, może nawet do obu, ale nie umiałaby ukryć, że zżera ją niepokój.

Obeszła parter. Wszędzie panował ład i porządek, wszystko wyglądało jak zwykle.

– Mamo? Tato? – zawołała, ale nie usłyszała odpowiedzi. Wystraszyła się, niemal zaparło jej dech. Zdecydowanie powinna była przyjść z siostrami. – Niech pani tu zostanie, pójdę zobaczyć na górę – powiedziała do Eriki.

Szła powoli po schodach, niemal umierając ze strachu. Na piętrze panowała nienaturalna cisza, ale gdy doszła do ostatniego stopnia, dobiegł ją cichy odgłos. Jakby szloch, płacz małego dziecka. Przystanęła i nasłuchiwała. Odgłos dochodził z sypialni rodziców. Z walącym sercem powoli otworzyła drzwi. Potrzebowała kilku sekund, żeby zrozumieć, co widzi. Potem jak przez mgłę usłyszała własny głos wołający na pomoc.

Gdy zadzwonił do drzwi, otworzył Per.

– Dziadek...

Wyglądał jak psiak, który bardzo chciałby, żeby go ktoś pogłaskał.

– Coś ty znowu narobił? – powiedział szorstko Frans, wciskając się do przedpokoju.

– Ale ja... on pieprzył straszne głupoty. Miałem może nic nie mówić? – Per czuł się urażony. Liczył, że chociaż dziadek go zrozumie. – To i tak nic w porównaniu z tym, co ty robiłeś – powiedział wyzywająco, ale nie odważył się spojrzeć mu w oczy.

– Właśnie dlatego wiem, co mówię! – Frans złapał wnuka za ramiona i potrząsnął nim, zmuszając, żeby na niego spojrzał. – Usiądziemy, porozmawiamy. Może wleję trochę oleju do tego twojego zakutego łba. A gdzie mama?

Frans rozejrzał się, gotów walczyć z Cariną o prawo do spotkania się z wnukiem.

– Pewnie śpi. Musi wytrzeźwieć – powiedział Per, człapiąc do kuchni. – Zaczęła chlać już wczoraj, zaraz jak wróciliśmy do domu. A jak się kładłem w nocy, jeszcze piła. Ale od jakiegoś czasu jest cisza.

– Zajrzę do niej. A ty nastaw kawę – powiedział Frans.

– Ale ja nie wiem jak... – zaprotestował płaczliwie Per.

– No to czas się nauczyć – wypalił Frans, idąc do sypialni Cariny.

– Carina – powiedział głośno i wszedł do pokoju.

W odpowiedzi usłyszał głośne chrapnięcie. Leżała na łóżku w takiej pozycji, jakby miała zaraz spaść na podłogę. Jedna ręka zwisała. W pokoju śmierdziało przetrawionym alkoholem i wymiocinami.

– Cholera jasna – zaklął.

Musiał głębiej odetchnąć. Dopiero potem podszedł, położył jej rękę na ramieniu i potrząsnął.

– Carina, trzeba wstawać.

Nadal nie reagowała. Rozejrzał się. Rzucił okiem w stronę łazienki. Wszedł i zaczął przygotowywać kąpiel. Wanna zaczęła się napełniać. Z obrzydzeniem rozebrał Carinę. Poszło mu szybko, bo miała na sobie tylko stanik i majtki. Potem zawinął ją w kołdrę i tak zaniósł do łazienki, a później bez ceregieli wrzucił do wody.

– Co jest, do cholery! – parsknęła wyrwana ze snu była synowa. – Co ty wyprawiasz?

Nie odpowiedział. Otworzył szafę, wyjął czyste ubrania i położył je na sedesie, obok wanny.

– Per nastawił kawę. Umyj się, ubierz i przyjdź do kuchni.

Przez chwilę wydawało mu się, że Carina będzie protestować, ale tylko przytaknęła.

– Udało ci się w końcu uruchomić maszynkę? – spytał wnuka.

Per siedział przy kuchennym stole i ogryzał skórki u paznokci.

– Coś tam leci – burknął. – Ale kawa na pewno będzie ohydna.

Frans spojrzał na smolisty płyn ściekający do szklanego pojemnika.

– W każdym razie mocna.

Dłuższą chwilę siedzieli naprzeciwko siebie w milczeniu. Dziwne uczucie, patrzeć na drugiego człowieka i widzieć powtórkę własnej historii. Bo widział u wnuka cechy własnego ojca. Ojca, którego nie zabił, i nie mógł tego odżałować. Gdyby to zrobił, może wszystko potoczyłoby się inaczej. Gdyby całą kipiącą złość skierował przeciw człowiekowi, który na to zasłużył, nie buzowałaby w nim teraz bez kierunku i celu. Zdawał sobie sprawę, że ta złość nadal w nim jest, chociaż nie pozwalał jej wybuchać, jak dawniej, w latach młodości. Teraz on panował nad gniewem, nie odwrotnie. To właśnie próbował uzmysłowić wnukowi. Gniew to nic złego. Chodzi tylko o to, żeby samemu decydować, kiedy mu dać upust. Wściekłość jest jak dobrze wycelowana strzała, a nie jak topór, którym się wywija nad głową. Sam tego doświadczył i miał z tego tyle, że kawał życia spędził w więzieniu. A teraz jego własny syn nie może na niego patrzeć. Teraz nie ma nikogo. Również wśród członków organizacji. Nie popełnił błędu, nie uważał ich za przyjaciół. Wszyscy byli zbyt pochłonięci własnym gniewem, aby móc nawiązywać takie relacje. Mieli jedynie wspólny cel. To wszystko.

Patrzył na Pera i widział w nim swego ojca, ale i siebie. I Kjella. Syna, którego próbował poznać podczas krótkich widzeń w więzieniu i wtedy, kiedy przez jakiś czas przebywał na wolności. Ale było to przedsięwzięcie z góry skazane na niepowodzenie. Nie był nawet pewien, czy go kocha. Może kiedyś kochał. Może kiedyś drgnęło mu serce, gdy Rakel przyszła z nim na widzenie. Nie pamiętał.

Najdziwniejsze, że siedząc z wnukiem przy kuchennym stole, nie przypominał sobie, by kochał kogokolwiek poza Elsy. Minęło sześćdziesiąt lat, ale ona wryła mu się w pamięć. Ona i wnuk. Jedyne osoby, na których mu kiedykolwiek zależało. Które umiały wyzwolić w nim jakieś uczucia. Wszystko inne było martwe, zabite przez ojca. Dawno nie wracał myślami do tamtych czasów. Do ojca i całej reszty. A teraz, nagle, przeszłość powróciła. Pora o niej pomyśleć.

– Ojciec dostanie szału, jak się dowie, że tu przychodzisz.

Carina stała w drzwiach. Chwiała się lekko, ale była czysta i ubrana. Włosy miała zupełnie mokre. Zarzuciła ręcznik na ramiona, żeby nie zmoczyć sweterka.

– Nie obchodzi mnie, co pomyśli Kjell – odparł sucho Frans.

Wstał i nalał kawy sobie i Carinie.

Usiadła i spojrzała na filiżankę smolistej cieczy.

– To się nie nadaje do picia – powiedziała.

– Masz to wypić.

Frans przystąpił do otwierania wszystkich szafek i szuflad.

– Co ty robisz? – Carina wypiła łyk kawy i skrzywiła się. – Odwal się od moich szafek!

Frans nie odpowiedział. Po kolei wyjmował z szafek butelki, a zawartość wylewał do zlewu.

– Nie wtrącaj się! Nic ci do tego! – krzyknęła.

Per wstał, chciał wyjść.

– Siedź – powiedział rozkazującym tonem Frans. – Doprowadzimy sprawę do końca.

Per posłuchał i opadł na krzesło.

Po godzinie w całym domu nie było nawet kropli wódki. Tylko sama naga prawda.

Kjell patrzył na ekran komputera. Sumienie nie dawało mu spokoju. Po wczorajszej rozmowie z policjantami zbierał się, żeby pojechać do Pera i Cariny, ale nie miał siły. Nie wiedział, jak się do tego zabrać, i przeraził się, bo czuł, że daje za wygraną. Zawsze był gotów stawać do walki z wrogami, z władzą i neonazistami. Nie czuł znużenia, nawet gdy była to walka z wiatrakami. Ale gdy chodziło o jego byłą rodzinę, Pera i Carinę, nie wystarczyło mu siły. Zjadły ją wyrzuty sumienia.

Spojrzał na zdjęcie Beaty i dzieci. Oczywiście kochał Magdę i Lokego, nie chciałby, żeby ich nie było w jego życiu... ale wszystko potoczyło się za szybko, i w dodatku nie w tę stronę. Porwał go bieg wydarzeń. Czasem się zastanawiał, czy nie wynikło z tego więcej złego niż dobrego. Może po prostu miał zły okres. Może przeżywał coś w rodzaju kryzysu wieku średniego i spotkał Beatę w złym momencie. Początkowo nie mógł uwierzyć, że taka ładna, młoda dziewczyna mogła się zainteresować kimś takim jak on. Przecież powinna go uważać za starca. Ale ona się zakochała, a on nie umiał się jej oprzeć. Szedł z nią do łóżka, odurzał się nagim jędrnym ciałem i pełnymi podziwu spojrzeniami. Nie potrafił trzeźwo myśleć, zrobić kroku w tył i podjąć racjonalnej decyzji. Dał się ponieść, odurzyć. Jak na ironię sytuacja wymknęła mu się z rąk właśnie wtedy, gdy pojawiły się pierwsze oznaki otrzeźwienia. Gdy poczuł się znudzony, bo rozmawiając z nią, nie mógł liczyć na żadną ripostę, bo nie miała pojęcia ani o lądowaniu na Księżycu, ani o powstaniu na Węgrzech. Znudził go nawet dotyk jej gładkiej skóry.

Pamiętał chwilę, gdy wszystko runęło. Jakby to było wczoraj. Randka w kawiarni. Jej wielkie, promienne niebieskie oczy, gdy mu oznajmiła, że zostanie ojcem. Będą mieli dziecko i musi powiedzieć Carinie, jak od dawna obiecywał.

Wtedy nagle zdał sobie sprawę, że popełnił błąd. Pamiętał, jaki poczuł ciężar w piersi, gdy sobie uświadomił, że to błąd nie do naprawienia. Miał ochotę wstać i zostawić ją w kawiarni. Pójść do domu, położyć się na kanapie obok Cariny i razem z nią obejrzeć dziennik. Pięcioletni Per spałby spokojnie w swoim łóżeczku.

Ale męski instynkt podpowiedział mu, że to nie wchodzi w rachubę. Bo są kochanki, które nie pójdą do żony, i takie, które pójdą. Domyślał się, do której kategorii należy Beata. Nie będzie się zastanawiać, kogo i co zniszczy, jeśli sama poczuje się zraniona. Podepcze wszystko, całe jego życie, i nawet się nie obejrzy. A on zostanie sam na zgliszczach.

Wiedział o tym, więc zachował się jak tchórz. Nie mógł znieść myśli, że mógłby zostać sam w jakiejś nędznej kawalerce i wpatrując się w ściany, zadawać sobie pytanie, co się stało z jego życiem. Więc wybrał jedyne możliwe wyjście. To, które zaproponowała Beata. Wygrała. Rzucił Carinę i Pera, jak rzuca się śmieć przy drodze. Tak właśnie się poczuli: odrzuceni. Upokorzył i zniszczył Carinę, a jednocześnie utracił Pera. Taką cenę zapłacił za przyjemność dotykania młodego ciała.

Może udałoby mu się nie stracić syna, gdyby umiał sobie poradzić z poczuciem winy. Ciążyło mu w piersi jak głaz. Ale nie umiał. Co jakiś czas wtrącał się w jego wychowanie, pozował na autorytet i z kiepskim skutkiem bawił się w tatusia.

Już nie znał swojego syna, stał się dla niego obcym człowiekiem. Wiedział, że nie będzie nawet próbował. Stał się taki sam jak jego ojciec. Taka była gorzka prawda. Całe życie nienawidził ojca za to, że wybrał życie, które go odcięło od syna.

Zdał sobie sprawę, że zrobił to samo.

Grzmotnął pięścią w stół, jakby chciał zagłuszyć ból w sercu bólem fizycznym. Nie pomogło. Wysunął dolną szufladę biurka, żeby się zająć jedyną rzeczą, która była w stanie odwrócić jego uwagę.

Spojrzał na teczkę. Przez chwilę kusiło go, żeby oddać materiały policjantom, ale nie pozwolił mu na to dziennikarski honor. Frankel nie przyniósł tego dużo. Zjawił się w redakcji i długo krążył wokół tematu, jakby nie był pewien, co i ile może powiedzieć. W pewnym momencie Kjellowi wydawało się nawet, że obróci się na pięcie i wyjdzie, nie ujawniając nic.

Otworzył teczkę. Żałował, że nie zdążył wypytać Erika, co ma zrobić i gdzie szukać. Dostał tylko kilka wycinków. Erik dał mu je bez słowa wyjaśnienia.

– Co mam z tym zrobić? – spytał Kjell, rozkładając ręce.

– To już twoja sprawa – odparł Erik. – Rozumiem, że jesteś zdziwiony, ale nie odpowiem. Nie potrafię. Dostarczam ci narzędzi. Reszta należy do ciebie.

I wyszedł, zostawiając Kjella przy biurku, z teczką z trzema wycinkami z gazet.

Kjell podrapał się w brodę i otworzył teczkę. Czytał te materiały, nawet po kilka razy, ale ciągle coś mu wypadało i nie pozwalało zająć się nimi na serio. Właściwie wątpił, czy jest sens poświęcać im aż tyle czasu. Staremu mogło się już zacząć mieszać w głowie. Zresztą jeśli materiały są rzeczywiście tak sensacyjne, jak sugerował, mógłby mówić otwartym tekstem. Ale teraz wszystko się zmieniło, Erik Frankel został zamordowany. Nagle Kjell poczuł, że ta teczka go parzy.

Pora zakasać rękawy i wziąć się do roboty. Już wiedział, od czego zacząć. Od jedynego wspólnego mianownika łączącego trzy teksty, czyli od Hansa Olavsena, bojownika norweskiego ruchu oporu.

Fjällbacka 1944

– Hilma!

W głosie Elofa było coś takiego, że żona wybiegła z domu razem z córką.

– Jezu, dlaczego tak się wydzierasz? Co się dzieje? – Hilma urwała, gdy zobaczyła, że Elof nie jest sam. – Mamy gościa? – nerwowo wytarła ręce w fartuch. – A ja właśnie zmywam...

– Uspokój się – odrzekł Elof. – Chłopakowi to nie przeszkadza. Przypłynął z nami. Uciekł przed Niemcami.

Chłopak podał rękę Hilmie i ukłonił się.

– Hans Olavsen – przedstawił się z wyraźnym norweskim akcentem, wyciągając rękę do Elsy.

Elsy niezgrabnie podała swoją i lekko dygnęła.

– Ciężką miał podróż. Może znajdziesz coś, żeby go poczęstować? – powiedział Elof.

Powiesił czapkę i podał płaszcz Elsy. Wzięła go, ale nie ruszyła się z miejsca.

– Nie stój tak, dziewczyno. Powieś ojcu płaszcz – powiedział surowo, ale pogłaskał córkę po policzku.

Wypływanie w morze stało się tak niebezpieczne, że widok żony i córki po powrocie do domu był darem niebios. Chrząknął. Był zakłopotany, że okazał tyle uczuć przy obcym człowieku. Zaprosił go gestem do domu.

– Wchodź, wchodź. Myślę, że Hilma da nam zaraz coś i do zjedzenia, i do wypicia – powiedział, siadając w kuchni na żeberkowym krześle.

– Nie ma tego za wiele – Hilma mówiła ze spuszczonym wzrokiem. – Ale chętnie się podzielimy.

– Dziękuję z całego serca – powiedział chłopak.

Siadając na krześle naprzeciwko Elofa, spojrzał głodnym wzrokiem na talerz z kanapkami, który Hilma postawiła na stole.

– Proszę się częstować – powiedziała, podchodząc do kredensu.

Ostrożnie nalała im po kieliszku wódki. Napoju drogocennego i w tych okolicznościach stosownego.

Jedli w milczeniu. Gdy na talerzu została już tylko jedna kanapka, Elof podsunął go Norwegowi i zachęcił wzrokiem, żeby ją wziął. Elsy zerkała na nich, stojąc przy zlewie i pomagając matce. Dla niej było to niesamowite przeżycie: w ich kuchni siedzi człowiek, który uciekł spod niemieckiej okupacji! Nie mogła się doczekać, kiedy będzie mogła o tym opowiedzieć przyjaciołom. Uderzyła ją pewna myśl i już miała ją wypowiedzieć, gdy ojciec, który widocznie pomyślał o tym samym, spytał:

– Był tu chłopak, z naszych stron, wzięli go Niemcy. Minął już ponad rok, odkąd go nie ma. Może ty...

Rozłożył ręce i patrzył na siedzącego naprzeciw chłopaka.

– Mało prawdopodobne, żebym go znał. W podziemiu jest tylu ludzi. Jak on się nazywa? – spytał.

– Axel Frankel – odparł Elof z wyrazem oczekiwania na twarzy.

Oczekiwanie szybko zamieniło się w zawód, bo po namyśle chłopak potrząsnął głową.

– Niestety. Nie wydaje mi się, żebym się z nim zetknął. Nie wiecie, co się z nim stało? Nic, żadnej informacji?

– Nic. – Elof potrząsnął głową. – Niemcy złapali go w Kristiansand. Od tamtej pory cisza. Kto wie, może nawet...

– Nie, ojcze, to niemożliwe!

Elsy poczuła, że łzy napływają jej do oczu. Zawstydziła się i pobiegła na górę, do swojego pokoju. Przyniosła wstyd rodzicom! Płakać przy obcym człowieku!

– Czy wasza córka znała tego... Axela? – spytał Norweg ze smutkiem.

– Przyjaźni się z jego młodszym bratem, Erikiem, który bardzo to przeżywa, jak cała rodzina Axela – odparł Elof z westchnieniem.

– Wojna przyniosła cierpienie wielu ludziom – powiedział chłopak ponuro.

Elof domyślił się, że musiał być świadkiem rzeczy, których chłopak w jego wieku nie powinien oglądać.

– A twoja rodzina... – zagadnął ostrożnie.

Stojąca przy zlewie Hilma zastygła z talerzem i ścierką w rękach.

– Nie wiem, gdzie są – odpowiedział w końcu Hans, patrząc w stół. – Odszukam ich, jak wojna się skończy. Jeśli to w ogóle nastąpi. Wcześniej nie mogę wrócić do Norwegii.

Hilma spojrzała na męża ponad jasną głową chłopaka. Porozumieli się wzrokiem i Elof chrząknął.

– Latem wynajmujemy dom letnikom. Sami mieszkamy wtedy w suterenie. Przez resztę roku suteryna stoi
pusta. Może... chciałbyś zostać tu na jakiś czas, odpocząć i zastanowić się, co dalej. Mógłbym ci znaleźć jakąś
pracę. Nie w pełnym wymiarze, ale żebyś miał przynajmniej jakiś grosz w kieszeni. Muszę zgłosić policji, że
cię przywiozłem, ale jeśli obiecam, że będę miał na ciebie oko, nie powinno być problemów.

– Pod warunkiem że z zarobionych pieniędzy będę
mógł wam płacić za mieszkanie – powiedział Hans.

Patrzył na nich wzrokiem, w którym była i wdzięczność, i świadomość, jaki dług zaciąga.

Elof spojrzał na Hilmę, a potem skinął głową.

– Niech będzie. W czas wojny przyda się każdy dodatkowy zarobek.

– Pójdę przygotować suterenę – powiedziała Hilma,
wkładając palto.

– Bardzo dziękuję. Bardzo – odparł chłopak, spuszczając wzrok, ale Elof zdążył zobaczyć, że oczy mu
zalśniły.

– Nie ma o czym mówić – powiedział zażenowany. –
Naprawdę nie ma o czym.

– **Na** pomoc!

Erika drgnęła, słysząc krzyk dobiegający z piętra. Pognała na górę. Pokonała schody kilkoma susami.

– Co się stało? – spytała, ale widząc twarz stojącej w drzwiach Margarety, urwała.

Podeszła bliżej i zobaczyła duże podwójne łóżko. Musiała wziąć głęboki oddech.

– Tato – jęknęła Margareta, wchodząc do środka.

Erika stanęła w drzwiach. Wciąż nie miała pewności, co się stało ani co powinna zrobić.

– Tato... – powtórzyła Margareta.

Herman leżał na łóżku. Nie reagował, w oczach miał pustkę. Obok niego leżała Britta, z bladą, martwą twarzą. Nie mogło być wątpliwości, że nie żyje. Herman przytulał się do niej, obejmował sztywne ciało.

– Zabiłem ją – powiedział cicho.

Margareta gwałtownie zaczerpnęła powietrza.

– Tato, co ty opowiadasz? Przecież nie zabiłeś mamy!

– Zabiłem ją – powtórzył monotonnym głosem i jeszcze mocniej objął martwe ciało żony.

Córka obeszła łóżko i przysiadła po stronie ojca. Po chwili udało jej się uwolnić jego ręce. Pogłaskała go po czole i powiedziała cicho:

– Tatusiu, to nie twoja wina. Mama była chora. Pewnie serce nie wytrzymało. Zrozum, to nie twoja wina.

– Zabiłem ją – powtórzył, wpatrując się w plamę na ścianie.

Margareta spojrzała na Erikę.

– Proszę, niech pani zadzwoni po karetkę.

Erika zawahała się.

– Czy zadzwonić również na policję?

– Tata jest w szoku i nie wie, co mówi. Nie potrzeba żadnej policji – ostro odparła Margareta. Odwróciła się do ojca i chwyciła jego dłoń. – Tatusiu, pozwól, że się wszystkim zajmę. Zadzwonię po Annę Gretę i Birgittę. Pomożemy ci, jesteśmy z tobą.

Nie odpowiadał, leżał bez ruchu na łóżku. Pozwolił córce trzymać się za rękę, ale nie odwzajemnił uścisku.

Erika zeszła na dół i sięgnęła po komórkę. Musiała się zastanowić, zanim wybrała numer.

– Martinie, mówi Erika. Słuchaj. Jestem w domu niejakiej Britty Johansson. Ona nie żyje, a jej mąż mówi, że ją zabił. Wygląda to na naturalną śmierć, ale...

– Dobrze, zaczekam. Zadzwonisz po karetkę czy ja mam to zrobić?

– Okej.

Odkładała słuchawkę z nadzieją, że nie popełniła głupstwa. Wszystko wskazywało na to, że Margareta miała rację, że Britta umarła we śnie. Ale dlaczego Herman powiedział, że ją zabił? Co za zbieg okoliczności: umiera kolejna osoba z kręgu przyjaciół matki, zaledwie dwa miesiące od śmierci Erika. Dobrze zrobiła, że zadzwoniła na policję.

Wróciła na piętro.

– Wezwałam pomoc – powiedziała. – Co jeszcze mogłabym...

– Proszę zaparzyć kawy. Spróbuję sprowadzić tatę na dół.

Margareta delikatnie posadziła Hermana na łóżku.

– Chodź, tatusiu, zejdziemy na dół i zaczekamy na karetkę.

Erika zeszła do kuchni. Chwilę musiała szukać. Wreszcie znalazła wszystko, co potrzebne, i zaparzyła duży dzbanek kawy. Po kilku minutach usłyszała na schodach kroki. Margareta ostrożnie sprowadziła ojca na parter, a potem przyprowadziła do kuchni. Osunął się na krzesło jak worek.

– Mam nadzieję, że dadzą mu coś na uspokojenie – powiedziała Margareta. Była wyraźnie zmartwiona. – Musiał tak przy niej leżeć od wczoraj. Nie rozumiem, dlaczego nie zadzwonił po nas...

– Zadzwoniłam... – Erika urwała. Po chwili dokończyła: – Zadzwoniłam też na policję. Na pewno ma pani rację, ale musiałam... – Nie znajdowała słów.

Margareta spojrzała na nią, jakby chciała powiedzieć, że straciła rozum.

– Na policję? Pani naprawdę myśli, że ojciec mówi poważnie? Czy pani oszalała? Przeżył szok, gdy znalazł martwą żonę, a teraz na dodatek będzie przesłuchiwany przez policję? Jak pani śmie?

Margareta zrobiła krok w kierunku Eriki. Erika podniosła dzbanek z kawą. W tym momencie zadzwonił dzwonek.

– To pewnie oni, pójdę otworzyć – powiedziała Erika, odstawiając dzbanek.

Rzeczywiście. Za drzwiami stał Martin. Ponuro kiwnął głową.

– Cześć, Erika.

– Cześć – odparła cicho, odsuwając się od drzwi.

A jeśli się pomyliła i naraziła załamanego człowieka na niepotrzebne cierpienie? Już za późno, żeby się wycofać.

– Leży w sypialni, na górze – powiedziała cicho i wskazując na kuchnię, dodała: – Mąż jest tam. Z córką. To ona ich znalazła... Zdaje się, że ona nie żyje już od jakiegoś czasu.

– Okej. Rozejrzyjmy się.

Martin skinął na Paulę i załogę karetki. Przedstawił Pauli Erikę i poszedł do kuchni. Margareta stała przy ojcu, głaszcząc go po ramieniu.

– To jakiś absurd – powiedziała, patrząc na Martina. – Matka zmarła we śnie, ojciec jest w szoku. Czy to naprawdę konieczne?

Martin podniósł ręce w uspokajającym geście.

– Na pewno jest tak, jak pani mówi. Ale skoro już tu jesteśmy, pozwoli pani, że rzucimy okiem. Zaraz będzie po wszystkim. Naprawdę szczerze pani współczuję.

Spojrzał jej w oczy, Margareta niechętnie skinęła głową.

– Matka leży na górze. Mogę zadzwonić po siostry i męża?

– Oczywiście – odparł Martin, idąc w stronę schodów.

Erika zastanawiała się chwilę. W końcu ruszyła za nim i załogą karetki. Stanęła z boku i powiedziała cicho do Martina:

– Przyszłam, żeby z nią porozmawiać, między innymi o Eriku Franklu. Może to zbieg okoliczności, ale trochę dziwny, prawda?

Martin spojrzał na nią, przepuszczając lekarza.

– Uważasz, że jest jakiś związek między tymi sprawami? Jaki?

– Nie wiem. – Erika potrząsnęła głową. – Ale szperam w przeszłości mojej matki, która od dzieciństwa przyjaźniła się z Erikiem Franklem i Brittą. Był jeszcze jakiś Frans Ringholm.

– Frans Ringholm? – Martin drgnął.

– Tak. Znasz go?

– No, tak... Musieliśmy z nim porozmawiać o zabójstwie Erika – odparł Martin w zamyśleniu. Poczuł, jak w jego głowie ruszają kółeczka jakiegoś mechanizmu.

– Czy to nie dziwne, że teraz umiera Britta? Dwa miesiące po Eriku Franklu? – naciskała Erika.

Martin nadal miał wątpliwości.

– Przecież to nie są młodzi ludzie. W ich wieku przydarzają się różne rzeczy: udary, zawały, co tylko chcesz.

– Cóż, od razu mogę stwierdzić, że to nie był ani zawał, ani udar – z sypialni usłyszeli głos lekarza.

Drgnęli.

– Co w takim razie? – spytał Martin, wchodząc do pokoju.

Przystanął za lekarzem, przy łóżku. Erika wolała zostać w drzwiach. Wyciągała szyję, żeby lepiej widzieć.

– Ta pani została uduszona – powiedział lekarz, wskazując na oczy Britty. Drugą ręką podniósł jej powiekę. – W oczach ma punktowe wybroczyny.

– Co takiego? – Martin nie zrozumiał.

– Małe czerwone plamki na białkach oczu. Skutek niewielkich krwawień z uszkodzonych naczyń włosowatych. Co z kolei jest skutkiem zwiększonego ci- śnienia krwi. Bez wątpienia wskutek duszenia.

– A czy mogła się udusić sama, z tym samym skut- kiem? – spytała Erika.

– Oczywiście, że mogła – odparł lekarz. – Ale po- nieważ już podczas wstępnego badania znalazłem w jej gardle piórko, zaryzykuję stwierdzenie, że to jest narzę- dzie zbrodni. – Wskazał na białą poduszkę przy głowie Britty. – Wybroczyny wskazują jednak na to, że duszo- no ją również, naciskając na szyję. Jakby ktoś ją chwy- cił za gardło. Ostatecznie rozstrzygnie to sekcja zwłok. Jedno jest pewne: nie napiszę w akcie zgonu, że zmar- ła z przyczyn naturalnych, dopóki lekarz sądowy mnie nie przekona, że się mylę. Od tej chwili należy trakto- wać ten pokój jako miejsce zbrodni.

Wstał i ostrożnie wyszedł. Martin zrobił to samo, a potem zadzwonił po techników, żeby dokładnie zba- dali ślady.

Kazał wszystkim zejść na dół, a potem sam zszedł do kuchni i usiadł przed Hermanem. Margareta spojrzała na niego i na jej czole pojawiła się pionowa zmarszczka. Patrząc na niego, domyśliła się, że coś jest nie tak.

– Jak ma na imię pani ojciec? – spytał.

– Herman – odparła. Pionowa zmarszczka jeszcze się pogłębiła.

– Panie Hermanie – odezwał się Martin. – Czy mógł- by mi pan powiedzieć, co tu się stało?

Herman nie odpowiedział. Słychać było tylko, jak załoga karetki rozmawia w salonie przez telefon. W końcu podniósł wzrok i powiedział wyraźnie:

– Zabiłem ją.

Nadszedł piątek, a wraz z nim cudowna pogoda. Mellberg wybrał się na długi spacer, żeby dać się wybiegać Ernstowi. Pies był wyraźnie uradowany babim latem.

– Wiesz, Ernst – powiedział, czekając na psa, który zatrzymał się przy krzaku i podniósł łapę. – Wieczorem twój pan znów idzie pohasać.

Ernst przekrzywił łeb, jakby się zastanawiał, a potem skupił się na załatwianiu swojej potrzeby.

Mellberg złapał się na tym, że pogwizduje na myśl o lekcji i o przytulaniu Rity w tańcu. Naprawdę wciągnęła go ta salsa.

Nagle spochmurniał. Marzenia o gorących rytmach zakłóciły rozważania o śledztwie, a właściwie śledztwach. Niech to szlag trafi. Człowiek nigdy nie ma spokoju, bo inni koniecznie muszą się nawzajem zabijać. Trudno, przynajmniej jedna sprawa wydaje się prosta. Przecież ten mąż się przyznał. Trzeba tylko poczekać na protokół z sekcji zwłok. Potwierdzi, że to morderstwo, i będzie po sprawie. Nie zwracał większej uwagi na Martina Molina, który bredził coś o tym, że to dziwne, że zamordowano kogoś, kto znał Erika Frankla. Mój Boże, znajomość sprzed sześćdziesięciu lat. Cała wieczność minęła od tamtej pory. Jaki to może mieć związek ze śledztwem w sprawie morderstwa? Zupełny absurd. Zgodził się jednak, żeby Molin trochę poszperał, sprawdził billingi i tak dalej, czyli poszukał ewentualnego ogniwa łączącego te sprawy. Na pewno nic nie znajdzie, ale przynajmniej nie będzie już mógł gadać.

W tym momencie zdał sobie sprawę, że gdy tak się
pogrążał w myślach, nogi same zaniosły go pod dom
Rity. Ernst przystanął przed klatką schodową i zamerdał ogonem. Mellberg spojrzał na zegarek. Jedenasta.
Idealna pora na kawę, pod warunkiem że Rita jest
w domu. Chwilę się wahał, ale w końcu nacisnął guzik
domofonu. Nikt się nie odezwał.

– Halo!

Za plecami usłyszał czyjś głos i aż podskoczył. Johanna szła z trudem, kołysząc się na boki i podpierając
ręką kręgosłup.

– Człowiek musi się zdrowo namęczyć, żeby sobie
zrobić mały spacer – powiedziała z rozdrażnieniem.
Wychyliła się do tyłu, żeby wyprostować plecy, i skrzywiła się. – Dostaję szału od tego siedzenia w domu, ale
ciało nie nadąża za głową.

Westchnęła i pogładziła swój wielki brzuch.

– Przyszedłeś do Rity, prawda? – spojrzała na niego
z chytrym uśmiechem.

– Właściwie... no, tak... – odparł Mellberg zmieszany.
– My... to znaczy jesteśmy na spacerze, pies mnie przyprowadził, bo pewnie chciał do... ech.. Seniority, więc...

– Rity nie ma – wyjaśniła Johanna z tym samym
chytrym uśmiechem. Widać było, że bawi ją jego zmie-
szanie. – Jest u przyjaciółki. Gdybyś miał ochotę na
kawę, to znaczy gdyby Ernst miał ochotę wejść na górę mimo nieobecności Seniority – Johanna mrugnęła
porozumiewawczo – to możesz mi towarzyszyć. Mam
chandrę.

– Tak... bardzo chętnie – powiedział Mellberg i ruszył za nią.

Kiedy weszli, Johanna musiała przysiąść w kuchni, żeby odsapnąć.

– Zaraz nastawię kawę, tylko chwilę odetchnę.

– Posiedź sobie – powiedział Mellberg. – Widziałem, gdzie Rita trzyma kawę, mogę zrobić. Odpocznij sobie.

Johanna patrzyła ze zdziwieniem, jak Mellberg krząta się po kuchni. Cieszyła się, że nie musi wstawać.

– Musi ci być ciężko – powiedział Mellberg, nalewając wody do maszynki i zerkając na jej brzuch.

– Mało powiedziane. Ciąża jest stanem zdecydowanie przereklamowanym. Przez pierwsze trzy miesiące ma się mdłości i nie można się oddalać od ubikacji, bo może się zachcieć rzygać. Potem przez kolejnych parę miesięcy jest całkiem okej, a chwilami nawet przyjemnie. A potem człowiek zmienia się w Barbapapę, a może raczej w Barbamamę.

– Tak, a potem...

– Lepiej nie kończ! – Johanna pogroziła mu palcem. – Boję się nawet o tym myśleć. Jak sobie pomyślę, że dziecko może wyjść tylko w jeden sposób, od razu wpadam w panikę. Jeśli mi teraz powiesz, że kobiety od zawsze rodzą dzieci i jakoś z tego wychodzą, a potem rodzą kolejne, więc nie może być aż tak źle, to niestety będę musiała ci przyłożyć.

Mellberg podniósł ręce do góry.

– Rozmawiasz z kimś, kto nigdy nawet się nie zbliżył do porodówki...

Nakrył do kawy i usiadł przy stole.

– W każdym razie musi być fajnie jeść za dwoje.

Roześmiał się, gdy wsunęła do ust trzecie ciasteczko.

– To wielka zaleta i korzystam, póki mogę. – Zaśmiała się, sięgając po kolejne. – Coś mi się zdaje, że ty też się kierujesz tą zasadą, chociaż nie możesz się zasłaniać ciążą.

Wskazała palcem na jego obfite brzuszysko.

– Raz, dwa go wysalsuję.

Objął brzuch rękami.

– Muszę kiedyś przyjść popatrzeć na was – powiedziała Johanna, uśmiechając się miło.

Mellberg był zachwycony. Nie był przyzwyczajony do tego, żeby ktoś doceniał jego towarzystwo. Przy okazji doszedł do wniosku, który jego samego zaskoczył: że bardzo dobrze się czuje w jej towarzystwie. Nabrał powietrza, żeby dodać sobie odwagi, i zadał pytanie, które nie dawało mu spokoju od tamtego lunchu, gdy kawałki układanki złożyły się w całość:

– Jak... Ojciec... Kto...

Zdawał sobie sprawę, że nie ujął tego najlepiej, ale Johanna i tak zrozumiała, o co mu chodzi. Spojrzała na niego przenikliwie, jakby się zastanawiała, czy odpowiedzieć. W końcu jej twarz się rozjaśniła. Najwyraźniej postanowiła przyjąć, że powoduje nim tylko ciekawość.

– W klinice. W Danii. Ojciec biologiczny nieznany. W każdym razie nie poderwałam go w żadnej knajpie, jeśli o to ci chodzi.

– Nie... nie pomyślałem tak – zaprzeczył, ale w duchu musiał przyznać, że przyszła mu do głowy taka myśl.

Spojrzał na zegarek. Trzeba wracać na komisariat. Za chwilę pora lunchu, nie można go przegapić. Podniósł się, odstawił filiżanki i talerzyki do zlewu, a potem przystanął i zastanawiał się chwilę. W końcu sięgnął do tylnej kieszeni spodni, do portfela, wyjął wizytówkę i podał ją Johannie.

– Gdyby... w razie potrzeby albo gdyby coś się stało... Oczywiście domyślam się, że i Paula, i Rita są w pogotowiu... ale tak na wszelki wypadek...

Johanna zdumiała się. Wzięła wizytówkę, a Mellberg pośpieszył do przedpokoju. Sam nie wiedział, skąd mu to przyszło do głowy. Może stąd, że ciągle miał w pamięci wrażenie, jakie zrobiło na nim kopnięcie nóżką o jego dłoń, którą Johanna położyła sobie na brzuchu.

– Ernst, do mnie – powiedział surowo i popchnął psa do wyjścia. Bez pożegnania zamknął za sobą drzwi.

Martin wpatrywał się w billingi. Nie potwierdzały jego domysłów, ale i nie obalały. Wkrótce przed śmiercią Erika do braci dzwonił ktoś z domu Britty i Hermana. Zarejestrowano dwie rozmowy. I kolejną parę dni temu: ktoś – Britta lub Herman – dzwonił do Axela. Odnotowano również telefon do Fransa Ringholma.

Martin patrzył w okno. Odsunął krzesło i oparł nogi na blacie biurka. Przez całe przedpołudnie przeglądał papiery, zdjęcia i inne materiały zgromadzone podczas śledztwa w sprawie śmierci Erika Frankla. Był zdecydowany: nie spocznie, dopóki nie znajdzie nici łączącej te morderstwa. Na razie nie miał nic – oprócz billingów.

Rzucił je ze złością na biurko. Chyba utknął. Zdawał sobie sprawę, że Mellberg pozwolił mu przeanalizować okoliczności śmierci Britty Johansson tylko po to, żeby mu zamknąć usta. Był przekonany, podobnie zresztą jak pozostali, że sprawcą jest jej mąż. Do tej pory nie udało się jednak przesłuchać Hermana. Leżał w szpitalu i według lekarzy był w głębokim szoku. Trzeba cierpliwie czekać, aż lekarze uznają, że stan jego zdrowia pozwala go przesłuchać.

Zrobiło się jedno wielkie zamieszanie i Martin zupełnie nie wiedział, od której strony się do tego zabrać. Patrzył na teczkę z dokumentami, jakby je zaklinał, by przemówiły. I wtedy przyszło mu coś do głowy. Że też wcześniej o tym nie pomyślał.

Niespełna pół godziny później podjechał przed dom Patrika i Eriki. Będąc już w drodze, zadzwonił, żeby się upewnić, czy zastanie Patrika. Patrik otworzył mu już po pierwszym dzwonku. Na ręku trzymał Maję. Na widok Martina zaczęła wymachiwać rączkami.

– Cześć, dziewczyno – powiedział Martin i pomachał palcami.

Wyciągnęła do niego ręce i bynajmniej nie miała zamiaru go puścić, więc już po chwili siedział na kanapie w salonie z Mają na kolanach. Patrik usiadł na fotelu i pocierał podbródek, pochylając się nad papierami i zdjęciami.

– Gdzie Erika? – spytał Martin, rozglądając się.

– Co? Erika? – Patrik spojrzał na niego zdezorientowany. – Pojechała do biblioteki. Szuka materiałów do nowej książki.

– Ach tak.

Martin zabrał się do zabawiania Mai, żeby Patrik mógł spokojnie czytać.

– Więc sądzisz, że Erika ma rację? – odezwał się

w końcu Patrik i podniósł wzrok na Martina. – Myślisz, że coś łączy te dwa morderstwa?

Martin zastanawiał się chwilę, a potem skinął głową.

– Tak uważam. Na razie nie mam dowodów, ale skoro pytasz, co o tym myślę, odpowiadam: jestem prawie pewien, że jakiś związek jest.

Patrik kiwnął głową.

– No tak. W przeciwnym razie byłby to bardzo dziwny zbieg okoliczności. – Rozprostował nogi. – Pytaliście Axela Frankla i Fransa Ringholma, w jakiej sprawie dzwonili Johanssonowie?

– Nie, jeszcze nie. – Martin potrząsnął głową. – Najpierw chciałem się dowiedzieć, co o tym myślisz. Czy nie zwariowałem, szukając sprawcy, skoro ktoś już się przyznał.

– Tak, ten jej mąż. Tylko dlaczego mówi, że ją zabił, jeśli tego nie zrobił? – powiedział w zamyśleniu Patrik.

– Czy ja wiem? Może dlatego, że chce kogoś chronić?

Martin wzruszył ramionami.

– Hmm... – Patrik przewracał kartki. – A co ze śledztwem w sprawie zamordowania Erika Frankla? Jest jakiś postęp?

– Nie powiedziałbym – niechętnie odpowiedział Martin, huśtając Maję na kolanie. – Paula sprawdza Przyjaciół Szwecji. Przesłuchaliśmy sąsiadów, ale nikt sobie nie przypomina, żeby widział coś, co by odbiegało od normy. Faktem jest, że dom Franklów stoi trochę na uboczu, więc nie mieliśmy większych nadziei, że ktoś coś zauważył, i niestety nasze obawy się potwierdziły. Wszystko tam jest.

Wskazał palcem papiery rozłożone na stole.

– A finanse Frankla? – Przerzucał papiery, w końcu wyciągnął kilka leżących na spodzie. – Nie znalazłeś w nich nic dziwnego?

– Niespecjalnie. Zwykłe sprawy. Rachunki, pojedyncze mniejsze wypłaty, no wiesz.

– Żadnych większych przelewów? Nic w tym rodzaju?

Patrik wpatrywał się w kolumny liczb.

– Nie. Jedyna rzecz, która trochę odbiega od reszty, to comiesięczny przelew z jego konta. Według banku robił ten przelew regularnie od prawie pięćdziesięciu lat.

Patrik drgnął i spojrzał na Martina.

– Od pięćdziesięciu lat? Do kogo trafiały te pieniądze?

– Do kogoś z Göteborga. Nazwisko powinno być na którejś z kartek w teczce – powiedział Martin. – To nie były duże sumy. Wprawdzie z czasem wzrosły i ostatnio to były dwa tysiące koron, ale nie wydaje się... Nie sądzę, żeby chodziło o szantaż czy coś podobnego. Bo kto zgodziłby się płacić przez pięćdziesiąt lat?

W tym momencie Martin zdał sobie sprawę, że to, co mówi, nie jest zbyt przekonujące. Miał ochotę puknąć się w czoło. Należało sprawdzić te przelewy. Nic to. Lepiej późno niż wcale.

– Mógłbym jeszcze dziś zadzwonić do tego kogoś, dowiedzieć się, o co chodzi – powiedział.

Przesadził Maję na drugie kolano, bo noga zdrętwiała mu od huśtania.

Patrik milczał chwilę, a potem powiedział:

– Nie. Wiesz co, muszę się trochę ruszyć. – Otworzył teczkę i wyjął kartkę. – Człowiek, który dostawał te przelewy, nazywa się Wilhelm Fridén. Mogę jutro do niego pojechać i pogadać. Tu jest adres. – Machnął kartką. – Chyba aktualny, co?

– Dostaliśmy z banku, czyli powinien być aktualny – odparł Martin.

– Dobrze. Jutro tam pojadę. Sprawa może się okazać delikatna. Głupio byłoby dzwonić.

– Okej, jeśli chcesz i możesz, to będę wdzięczny – powiedział Martin. – Ale co zrobisz z... – Wskazał na Maję.

– Panienka pojedzie ze mną – powiedział Patrik, uśmiechając się szeroko do córki. – Przy okazji odwiedzimy ciocię Lottę i jej dzieci, tak? Fajnie będzie.

Maja zagulgotała na potwierdzenie, że będzie fajnie, i klasnęła w rączki.

– Mógłbym to zatrzymać na parę dni? – spytał Patrik, wskazując na teczkę.

Martin się zamyślił. Większość materiałów została skopiowana, nie powinno być problemu.

– Pewnie, zatrzymaj. I powiedz mi, gdybyś znalazł jeszcze coś, czemu należałoby się przyjrzeć. Jeśli ty sprawdzisz tego człowieka z Göteborga, to my w tym czasie porozmawiamy z Fransem Ringholmem i Axelem Franklem o telefonach od Britty lub Hermana Johanssonów.

– Ale nie pytaj Axela o przelewy, dopóki nie dowiem się więcej.

– Oczywiście.

– I nie załamuj się – powiedział pocieszającym tonem Patrik, gdy razem z Mają odprowadzali Martina do drzwi. – Wiesz, jak jest. Prędzej czy później zawsze udaje się znaleźć brakujący elemencik i nagle wszystko rusza naprzód.

– Wiem – odparł Martin bez przekonania. – Ale szkoda, że akurat teraz masz ten urlop. Przydałbyś się.

– Uśmiechnął się, żeby złagodzić te słowa.

– Wierz mi, ciebie też to spotka. Będziesz tkwił po uszy w pieluchach, a ja w tym czasie będę zasuwać w komisariacie.

Mrugnął do Martina i zamknął za nim drzwi.

– Pomyśl, jutro pojedziemy sobie razem do Göteborga – powiedział i zrobił pirueta z córeczką na ręku. – Tylko musimy to chytrze sprzedać mamie.

Maja kiwnęła główką.

Paula była zmęczona i przepełniało ją obrzydzenie. Od kilku godzin tkwiła przy komputerze, szukając w sieci informacji o szwedzkich organizacjach neonazistowskich, a przede wszystkim o Przyjaciołach Szwecji. Hipoteza, że stoją za śmiercią Erika Frankla, wydawała się najbardziej prawdopodobna, ale brakowało konkretów. Nie znaleźli żadnych listów z pogróżkami. Mieli tylko listy od Fransa Ringholma, w których dawał do zrozumienia, że Przyjaciołom Szwecji nie podoba się to, co Erik robi, i oznajmiał, że już nie może go chronić. Nie mieli żadnych dowodów, że ktokolwiek z nich był na miejscu zbrodni. Wszyscy członkowie zarządu Przyjaciół Szwecji zgodzili się, okazując wielką pogardę, żeby policja z Uddevalli pobrała od nich odciski palców. Państwowe Laboratorium Kryminalistyczne nie stwierdziło jednak, żeby odpowiadały odciskom znalezionym w bibliotece Erika i Axela. Również sprawdzanie alibi nie dało rezultatów. Nikt nie miał stuprocentowego, ale większość dostatecznie dobre – dopóki nie wpadną na podważający je trop. Kilku członków zarządu zaświadczyło, że kiedy zamordowano Erika Frankla, Frans Ringholm odwiedzał siostrzaną organizację w Danii. Problem polegał między innymi na tym, że organizacja była znacznie większa, niż Paula się spodziewała i sprawdzenie alibi wszystkich osób związanych lub sympatyzujących z Przyjaciółmi Szwecji było niemożliwe. A tym bardziej pobranie odcisków palców. Dlatego na razie postanowili się zająć kierownictwem. Jak dotąd poszukiwania nie przyniosły żadnych rezultatów.

Bezradnie klikała dalej. Skąd się biorą ci ludzie? Dlaczego nienawidzą? Mogłaby jeszcze zrozumieć nienawiść do konkretnych osób za doznane krzywdy. Ale żeby nienawidzić ludzi jedynie za to, że przyjechali z innego kraju albo mają inny kolor skóry? Zupełnie tego nie rozumiała.

Sama nienawidziła katów swego ojca. Ta nienawiść była tak wielka, że mogłaby ich zabić, gdyby tylko mogła. Ale na tym poprzestała. Nie pielęgnowała w sobie nienawiści, nie żyła nią. Ograniczyła ją wyłącznie do mężczyzn, którzy strzałami z karabinów zabili jej ojca. W przeciwnym razie musiałaby znienawidzić również swoją ojczyznę. A jak mogłaby to zrobić? Jak miałaby znienawidzić kraj, w którym się urodziła, w którym stawiała pierwsze kroki, bawiła się z kolegami, przesiadywała na kolanach babci, wieczorami słuchała pieśni i tańczyła na zabawach? Miałaby znienawidzić to wszystko?

A ci ludzie... Czytała kolejny tekst o tym, że takich jak ona powinno się wytępić, a w każdym razie przepędzić. Niech wracają, skąd przyszli. I jeszcze te zdjęcia. Część oczywiście z hitlerowskich Niemiec. Dobrze znane, czarno-białe zdjęcia przedstawiające sterty nagich, zamęczonych i rzuconych jak śmieci zwłok więźniów obozów koncentracyjnych w Auschwitz, Buchenwaldzie, Dachau... Przerażająco znane nazwy, kojarzące się już na zawsze z najstraszniejszym złem. Autorzy nie kryli podziwu. Albo zaprzeczali, byli i tacy. Jeden z nich, Peter Lindgren, twierdził, że to wszystko nieprawda. Według niego nie było sześciu milionów Żydów wypędzonych, zamęczonych i zagazowanych w obozach koncentracyjnych w czasie drugiej wojny światowej. Jak można czemuś takiemu zaprzeczać, gdy jest tyle dowodów, tylu świadków? Jak funkcjonują takie chore umysły?

Drgnęła, słysząc pukanie.

– Cześć, co robisz?

Martin zajrzał przez uchylone drzwi.

– Czytam o Przyjaciołach Szwecji – odparła z westchnieniem. – Aż strach bierze. Wiedziałeś, że w Szwecji jest około dwudziestu organizacji neonazistowskich? Że nacjonalistyczni Szwedzcy Demokraci zdobyli w sumie dwieście osiemdziesiąt jeden miejsc w stu czterdziestu czterech radach gminy? Kurczę, dokąd ten kraj zmierza?

– Rzeczywiście, człowiek zaczyna się zastanawiać – powiedział Martin.

– W każdym razie nic konkretnego nie znalazłam.

Paula ze złością rzuciła długopisem. Sturlał się na podłogę.

– Chyba dobrze ci zrobi przerwa – powiedział Martin. – Pomyślałem, że byłoby dobrze jeszcze raz porozmawiać z Axelem Franklem. Ciekaw jestem, co ma do powiedzenia. W końcu jako najbliższa osoba wie o Eriku najwięcej. Ale przede wszystkim chciałbym sprawdzić jedną rzecz... – Zawahał się. – Wiem, że tylko mnie się wydaje, że ta sprawa łączy się w jakiś sposób z zamordowaniem Britty Johansson, ale zaledwie parę dni temu ktoś z jej domu dzwonił do Axela. W czerwcu też, chociaż trudno powiedzieć do kogo: do Axela czy do Erika. Porównałem billingi z billingiem Franklów. Któryś z nich dwukrotnie dzwonił do Britty lub Hermana. W czerwcu, czyli zanim Johanssonowie zadzwonili do nich.

– Warto to sprawdzić – powiedziała Paula, zapinając pasy. – Kupię każdą, nawet najbardziej naciąganą teorię, byleby choć chwilę odpocząć od tych nazioli.

Wyjeżdżali z garażu. Martin kiwnął głową na znak, że dobrze ją rozumie. Coś mu jednak mówiło, że ta teoria wcale nie jest taka naciągana.

Przez cały tydzień Anna była w szoku. Dopiero w piątek zaczęła do niej docierać ta wiadomość. Dan przyjął ją znacznie lepiej. Gdy minęło zaskoczenie, zaczął podśpiewywać pod nosem, a na wszystkie jej wątpliwości machał ręką i mówił:

– Wszystko się ułoży. Świetna sprawa! Będziemy mieli dziecko, super!

Anna nie była do końca przekonana, że to super. Przyłapywała się na głaskaniu brzucha, wyobrażaniu sobie znajdującej się środku drobinki, niekształtnego, mikroskopijnego embriona, który za kilka miesięcy stanie się dzieckiem. Przechodziła to dwukrotnie, ale ciągle nie mogła się nadziwić. Teraz przychodziło jej to z jeszcze większym trudem niż poprzednio, bo prawie nie pamiętała, jak to było, kiedy była w ciąży z Emmą, a potem z Adrianem. Ciąże zlały się w magmę, w której dominującym uczuciem był strach przed biciem. Całą energię skupiała wtedy na tym, żeby chronić brzuch przed Lucasem.

Tym razem nie musiała się bać, co paradoksalnie ją przestraszyło. Mogła się cieszyć, było jej wolno, a nawet powinna. Przecież kocha Dana. Czuje się przy nim bezpieczna, wie, że nie przyszłoby mu do głowy ją skrzywdzić – ani nikogo innego. Dlaczego miałaby się bać? Od kilku dni próbowała sobie radzić ze sprzecznymi odczuciami.

– Jak myślisz? Chłopiec czy dziewczynka? Masz jakieś przeczucia?

Dan zakradł się od tyłu, objął ją i pogłaskał po wciąż płaskim brzuchu.

Anna się roześmiała. Próbowała mieszać w garnku, chociaż przeszkadzały jej ramiona Dana.

– Przecież to dopiero siódmy tydzień. Trochę za wcześnie na takie rozważania. Bo co? – Odwróciła się z niepokojem. – Mam nadzieję, że nie liczysz za bardzo na syna. Wiesz, że o płci dziecka decyduje ojciec, a skoro urodziły ci się już trzy dziewczyny, to prawdopodobieństwo...

– Ćśśś... – Dan ze śmiechem położył jej palec na ustach. – Ktokolwiek się urodzi, będę tak samo szczęśliwy. Będzie chłopiec – bardzo dobrze. Będzie dziewczynka – super. A poza tym... – Spoważniał. – Czuję, jakbym już miał syna. Adriana. Myślałem, że wiesz. Kiedy was zaprosiłem do siebie, miałem na myśli nie tylko ten dom. Także to. – Położył rękę na sercu.

Anna próbowała powstrzymać łzy, ale nie do końca jej się udało. Z rzęs spłynęła jej na policzek kropelka, zadrżała dolna warga. Dan starł łzę, ujął w dłonie jej twarz, spojrzał w oczy i przytrzymał jej spojrzenie.

– Jeśli urodzi się dziewczynka, będziemy się musieli z Adrianem sprzymierzyć przeciw wam, dziewczynom. Ale uwierz mi, dla mnie stanowicie jedność: ty, Emma i Adrian. Kocham całą waszą trójkę. Ciebie też, słyszysz? – zawołał do brzucha Anny.

– Coś mi się zdaje, że uszy wykształcają się dopiero w dwudziestym tygodniu – zaśmiała się Anna.

– Moje dzieci są nad wiek rozwinięte. – Mrugnął do niej.

– A jakże – odparła Anna.

Musiała się roześmiać. Przez chwilę się całowali. Nagle drzwi się otworzyły i natychmiast trzasnęły.

– Halo! Kto tam? – spytał Dan, idąc do przedpokoju.

– To ja – odpowiedziała Belinda, patrząc spode łba. Była nadąsana.

– Jak się tu dostałaś? – spytał Dan z gniewem.

– Kurde, a jak myślisz? Tak samo jak wyjechałam. Autobusem, nie kapujesz?

– Albo będziesz ze mną rozmawiać grzecznie, albo w ogóle – wycedził przez zęby Dan.

– E... w takim razie... – Belinda udała, że się zastanawia. – Już wiem. W ogóle nie będę!

Pomknęła po schodach do swojego pokoju, mocno trzasnęła drzwiami i nastawiła muzykę tak głośno, że zadrżała podłoga.

Dan usiadł ciężko na najniższym schodku, przyciągnął do siebie Annę i przemówił do jej brzucha.

– Mam nadzieję, że zatkałeś uszy, bo gdy ty będziesz w tym wieku, twój tata będzie za stary na taki język.

Anna ze współczuciem pogłaskała go po głowie. Nad ich głowami dudniła muzyka.

Fjällbacka 1944

– Czy ten Norweg wiedział coś o Axelu?

Erik nie ukrywał podniecenia. Zebrali się w czwórkę tam gdzie zwykle, na Rabekullen, wznoszącym się
za cmentarzem. Wszyscy byli ciekawi, co powie Elsy, bo
wiadomość, że Elof przywiózł ze sobą członka norweskiego ruchu oporu, który uciekł przed Niemcami, ro-
zeszła się lotem błyskawicy. Elsy potrząsnęła głową.

– Nie, ojciec pytał, czy coś słyszał o Axelu, ale powiedział, że nie.

Erik, zawiedziony, patrzył w ziemię. Rozgrzebywał
butem kępkę porostów.

– Może nie znał nazwiska, ale gdyby mu opisać Axela, może by coś wiedział – odezwał się nagle i w jego
oczach błysnęła nadzieja.

Gdyby chociaż było wiadomo, czy Axel żyje. Wczoraj
matka po raz pierwszy powiedziała głośno coś, czego
wszyscy się obawiali. Po raz pierwszy od dawna rozpłakała się rozdzierająco i powiedziała, że w niedzielę trzeba w kościele zapalić świeczkę za Axela, bo on już na
pewno nie żyje. Ojciec się rozgniewał i ją zganił, ale widać było, że on też nie wierzy, że Axel żyje.

– Masz rację, chodźmy z nim porozmawiać – powiedziała z zapałem Britta.

Wstała i otrzepała spódnicę. Przesunęła dłonią po
włosach, poprawiając warkocze, co natychmiast wywo-
łało złośliwy komentarz:

– Domyślam się, że stroszysz piórka z troski o Erika. Nie wiedziałem, że uganiasz się za Norwegami. Mało ci Szwedów?

Frans się zaśmiał, a Britta zaczerwieniła się ze złości.

– Cicho, nie bądź śmieszny, Frans. Chodzi mi o Erika. I chciałabym się czegoś dowiedzieć o Axelu. Poza tym nie zaszkodzi wyglądać przyzwoicie.

– W takim razie musisz się jeszcze mocno postarać. Jeśli chcesz wyglądać przyzwoicie – odparł grubiańsko Frans i pociągnął ją za spódnicę.

Britta zaczerwieniła się jeszcze mocniej, jakby miała się zaraz rozpłakać. Elsy powiedziała ostro:

– Siedź cicho, Frans. Za dużo sobie pozwalasz!

Frans spojrzał na nią ponuro i zbladł jak ściana. Zerwał się i pobiegł przed siebie.

Erik siedział na ziemi, grzebiąc palcami wśród kamieni. Nie patrząc na Elsy, powiedział cicho:

– Uważaj, co do niego mówisz. Jemu coś jest... Aż się gotuje w środku. Czuję to.

Elsy nie wiedziała, o co mu chodzi, ale uzmysłowiła sobie, że ma rację. Znała Fransa od dzieciństwa i rzeczywiście ostatnio działo się z nim coś niepokojącego.

– No wiesz, śmieszny jesteś – parsknęła Britta. – Z Fransem wszystko w porządku. Trochę się... droczyliśmy, i tyle.

– Jesteś zaślepiona, bo się w nim kochasz – stwierdził Erik.

Britta uderzyła go w ramię.

– Au! O co ci chodzi? – Erik złapał się za ramię.

– O to, że głupstwa gadasz. To jak? Chcesz iść pogadać z tym Norwegiem o swoim bracie czy nie?

Britta ruszyła przed siebie, a Erik spojrzał na Elsy.

– Był u siebie, gdy wychodziłam z domu. Chyba nic się nie stanie, jeśli zamienimy z nim kilka słów.

Chwilę później delikatnie zapukała do drzwi sutereny. Hans otworzył i zmieszał się, widząc stojącą pod drzwiami grupkę.

– Hej? – odezwał się pytająco.

Elsy spojrzała na kolegów. Kątem oka zobaczyła zbliżającego się Fransa. Był już spokojniejszy, ręce wsunął w kieszenie spodni.

– Moglibyśmy na chwilę wejść? Porozmawiać?

– Oczywiście – odparł, odsuwając się od drzwi.

Wchodząc, Britta mrugnęła do niego kokieteryjnie. Chłopcy podali sobie ręce.

W pokoju było niewiele mebli. Britta i Elsy usiadły na jedynych krzesłach, Hans na zasłanym łóżku, a Frans i Erik na podłodze.

– Chodzi o mojego brata – powiedział Erik, spoglądając na Hansa niepewnie. W jego spojrzeniu czaiła się maleńka iskierka nadziei. – Od początku wojny pomagał twoim rodakom. Pływał kutrem ojca Elsy, tym samym, którym przypłynąłeś, i woził dla was różne rzeczy. Rok temu Niemcy złapali go w porcie w Kristiansand i... – Erik zamrugał oczami. – Od tamtej pory nie mamy o nim żadnych wiadomości.

– Pytał mnie o niego ojciec Elsy – Hans mówił, patrząc Erikowi w oczy. – Niestety nie słyszałem o żadnym Szwedzie, który by się tak nazywał i został złapany w Kristiansand. Ale jest nas wielu i niemało Szwedów nam pomaga.

– A może byś go rozpoznał, gdybyś go zobaczył? – nalegał Erik.

– Mało prawdopodobne, ale powiedz, jak wygląda.

Erik opisał brata, jak umiał. Nie miał z tym problemu, bo chociaż Axela nie było już rok, wciąż miał go przed oczami. Jednocześnie nie umiał wymienić żadnej cechy odróżniającej brata od innych chłopców w tym wieku.

Hans słuchał uważnie i zdecydowanie potrząsnął głową.

– Niestety, nie zetknąłem się z nim. Bardzo mi przykro.

Erik się zgarbił, koledzy milczeli. Odezwał się Frans:

– Opowiedz o swoich przygodach na wojnie. Na pewno przeżyłeś wiele ciekawych rzeczy! – Oczy mu zalśniły.

– Nie ma o czym mówić – odparł niechętnie Hans, ale włączyła się Britta.

Nie odrywała od niego wzroku. Zaczęła prosić, żeby coś opowiedział. Hans się wzbraniał, ale w końcu uległ i zaczął opowiadać o życiu w okupowanej Norwegii. O panoszących się Niemcach, cierpieniach ludności i oporze wobec okupantów. Słuchali z otwartymi ustami. To było fascynujące. Widzieli wprawdzie smutek w jego oczach i domyślali się, że musiał być świadkiem wielu strasznych rzeczy, ale nie dało się zaprzeczyć, że było to bardzo podniecające.

– Jesteś bardzo odważny – powiedziała Britta, czerwieniąc się. – Większość chłopców nigdy by się nie odważyła na coś takiego. Tylko tacy jak Axel i ty mają odwagę bić się o swoje ideały.

– Chcesz powiedzieć, że my nie mamy odwagi? – warknął Frans. Był wściekły, zwłaszcza że Britta patrzyła na Norwega z podziwem, którym zazwyczaj jego darzyła. – My też jesteśmy odważni, a jak będziemy mieli tyle lat co Axel i... właśnie, ile masz lat? – spytał Hansa.

– Niedawno skończyłem siedemnaście – odparł Hans.

Zrobiło mu się nieswojo od tego zainteresowania. Poszukał wzroku Elsy. Słuchała w milczeniu. Od razu odczytała sygnał.

– Myślę, że powinniśmy dać Hansowi odpocząć, ma dość – powiedziała miękko, patrząc na przyjaciół.

Podnieśli się niechętnie i pożegnali. Elsy wychodziła ostatnia. W drzwiach odwróciła się.

– Dziękuję – powiedział Hans z bladym uśmiechem – Chociaż było bardzo miło i możecie do mnie wpadać. Tylko że akurat teraz jestem trochę...

Uśmiechnęła się.

– Rozumiem. Przyjdziemy innym razem i oprowadzimy cię po naszej miejscowości. Odpoczywaj sobie.

Zamknęła drzwi, mając Hansa przed oczami.

Erika jednak nie poszła do biblioteki, jak sądził Patrik. Miała wprawdzie taki zamiar, ale gdy parkowała przed biblioteką, przyszła jej do głowy pewna myśl. Przecież jest osoba, która bardzo długo przyjaźniła się z jej matką, nie tylko sześćdziesiąt lat temu. Właściwie jedyna przyjaciółka matki, jaką Erika pamiętała z okresu dzieciństwa. Dlaczego nie pomyślała o niej wcześniej? Ale do tego stopnia utożsamiała Kristinę z rolą teściowej, że zapomniała, że kiedyś była również przyjaciółką jej matki.

Włączyła silnik i ruszyła do Tanumshede, do Kristiny, z pierwszą niezapowiedzianą wizytą. Zerknęła na komórkę. Może jednak lepiej ją uprzedzić? Potem pomyślała: jeszcze czego! Jeśli Kristina może do nich wpadać niezapowiedziana, kiedy jej się podoba, jej też wolno.

Kiedy dotarła na miejsce, wciąż była zdenerwowana, więc żeby zrobić teściowej na złość, szybko nacisnęła dzwonek, po czym natychmiast weszła.

– Halo! – zawołała.

– Kto tam? – odezwała się z kuchni Kristina i zaniepokojona wyszła do przedpokoju. – Erika? – zdziwiła się. – Przyszłaś mnie odwiedzić? Nie zabrałaś Mai? – Rozejrzała się za wnuczką.

– Nie, została w domu z Patrikiem – odparła Erika.

Zdjęła buty i porządnie odstawiła je na półkę.

– Proszę, wejdź – powiedziała Kristina, nie przestając się dziwić. – Nastawię kawę.

Erika poszła za nią do kuchni. Przyglądała się teściowej ze zdziwieniem. Nie poznawała jej. Zawsze widywała ją nienagannie ubraną i umalowaną. Zawsze tryskała energią, przez przerwy coś mówiła albo robiła. Teraz była zupełnie inna. Dochodziło południe, a ona była zupełnie nieumalowana i miała na sobie starą, spraną koszulę nocną. Widać było zmarszczki, przez co wyglądała znacznie starzej. Nie uczesała się, włosy miała wygniecione od poduszki.

– Ale ja wyglądam! – powiedziała Kristina, jakby słyszała myśli Eriki, i poprawiła włosy. – Człowiekowi nie chce się szykować, jeśli nie musi nigdzie iść ani nie ma nic do roboty.

– Zawsze sprawiasz wrażenie, jakbyś miała mnóstwo obowiązków – powiedziała Erika, siadając przy stole.

Kristina bez słowa postawiła na stole dwie filiżanki i położyła paczkę herbatników.

– Przejście na emeryturę, jeśli się pracowało całe życie, nie jest łatwe – powiedziała w końcu i nalała kawy. – Wszyscy mają swoje sprawy. W zasadzie mogłabym robić mnóstwo różnych rzeczy, ale jakoś nie mogę się zabrać...

Unikając wzroku Eriki, sięgnęła po herbatnika.

– To dlaczego zawsze nam mówiłaś, że masz tyle obowiązków?

– Wiesz co, wy, młodzi, macie swoje życie. Nie chciałam, żebyście się poczuli zmuszeni mną zajmować. Nie chcę być dla was ciężarem. Przecież czuję, że nie zawsze jestem u was mile widziana. Więc pomyślałam, że najlepiej będzie... – Urwała. Erika patrzyła na nią z coraz większym zdumieniem. Kristina podniosła wzrok i mówiła dalej: – Szczerze mówiąc, żyję tylko dla tych chwil spędzanych u was, chwil z Mają. Lotta ma swoje sprawy w Göteborgu, trudno jej się wyrwać do mnie. A ja nie jeżdżę do nich, bo u nich tak ciasno. Poza tym, jak już mówiłam, czuję, że nie zawsze jestem mile widzianym gościem...

Znów odwróciła wzrok. Erika się zawstydziła.

– Wiem, że mam w tym swój udział, przyznaję – powiedziała cicho. – Ale zapewniam cię, że zawsze jesteś mile widziana. Tak pięknie się bawisz z Mają. Nam chodzi tylko o poszanowanie naszej prywatności. To nasz dom, w którym ty zawsze jesteś mile widzianym gościem. Będziemy wdzięczni, a właściwie ja będę wdzięczna, jeśli zawsze najpierw zadzwonisz i upewnisz się, że nam to odpowiada, jeśli nie będziesz wchodzić, nie czekając, aż otworzymy i, na miłość boską, nie będziesz nas pouczać, jak dbać o dom i dziecko. Jeśli możesz uszanować te zasady, zawsze będziesz upragnionym gościem. A Patrik na pewno będzie zachwycony, jeśli teraz, kiedy jest na urlopie ojcowskim, od czasu do czasu go odciążysz.

– Domyślam się. – Kristina zaśmiała się całą twarzą. – Jak mu idzie?

– Na początku nie za bardzo – odparła Erika i opowiedziała, jak zabrał ze sobą Maję na miejsce zbrodni i na komisariat. – Ale wydaje mi się, że już się dogadaliśmy.

– Ach, ci mężczyźni – powiedziała Kristina. – Pamiętam, jak Lars po raz pierwszy został sam w domu z Lottą. Miała coś koło roku, a ja po raz pierwszy wyszłam sama po zakupy. Minęło może dwadzieścia minut, jak podszedł do mnie kierownik sklepu i powiedział, że muszę wracać do domu, bo dzwonił Lars, że sytuacja jest podbramkowa. Zostawiłam zakupy i pognałam do domu. Sytuacja rzeczywiście była podbramkowa.

– Co się stało? – Erika zrobiła wielkie oczy.

– Tylko posłuchaj. Moje podpaski wziął za jej pieluszki. I chciał jej założyć, ale w żaden sposób nie potrafił. Wchodzę do domu, patrzę, a on stoi i owija dziecko taśmą izolacyjną.

– Niemożliwe!

Erika zaczęła się śmiać razem z Kristiną.

– Z czasem się nauczył. Lars był dobrym ojcem, gdy dzieci były małe, nie da się zaprzeczyć. Ale wtedy były inne czasy.

– Skoro już mowa o innych czasach... – Erika skorzystała z okazji i zmieniła temat. Chciała porozmawiać o tym, z czym przyszła. – Próbuję dowiedzieć się czegoś o swojej mamie, czasach, kiedy dorastała, i tak dalej. Znalazłam na strychu kilka rzeczy, między innymi jej pamiętnik i... cóż, zaczęłam się nad tym zastanawiać.

– Pamiętnik? – Kristina zapatrzyła się na Erikę. – Co w nim jest? – spytała ostro.

Erika ze zdziwieniem spojrzała na teściową.

– Nic szczególnego. Takie tam rozważania nastolatki. Sporo natomiast o jej przyjaciołach z tamtych lat, o Eriku Franklu, Britcie Johansson i Fransie Ringholmie. Dwoje z nich zostało zamordowanych w odstępie dwóch miesięcy. Może to przypadek, ale to trochę dziwne.

– Britta nie żyje? – spytała Kristina z niedowierzaniem.

– Nie wiedziałaś? Poczta pantoflowa nie przyniosła tej wiadomości? Dwa dni temu znalazła ją córka i wszystko wskazuje na to, że została uduszona. Jej mąż przyznał się do zabójstwa.

– Więc i Erik, i Britta nie żyją? – powtórzyła Kristina. W głowie jej się kotłowało.

– Znałaś ich? – zainteresowała się Erika.

– Nie. – Kristina zdecydowanie potrząsnęła głową. – Tylko ze słyszenia, z opowiadań Elsy.

– A co mówiła? – Erika była bardzo ciekawa. – Właśnie dlatego przyszłam. Tyle lat się z mamą przyjaźniłyście, więc pomyślałam, że jesteś jedyną osobą, która jeszcze cokolwiek o niej wie. Co ci mówiła o tamtych latach? Dlaczego w 1944 roku nagle przestała pisać pamiętnik? Może jest więcej zeszytów? Nie mówiła ci? W ostatnim zeszycie zanotowała, że zamieszkał u nich członek norweskiego ruchu oporu, niejaki Hans Olavsen. Znalazłam wycinek z gazety, z którego wynika, że wszyscy czworo się z nim spotykali. Co się z nim stało? – Strzelała pytaniami tak szybko, że sama za nimi nie nadążała.

Kristina słuchała w milczeniu, z nieprzeniknioną twarzą.

– Eriko, nie mogę ci powiedzieć – powiedziała cicho. – Nie mogę. Mogę ci tylko powiedzieć, co się stało z Hansem Olavsenem. Elsy mi powiedziała, że jak tylko wojna się skończyła, zniknął, wrócił do Norwegii. Nigdy więcej go nie widziała.

– Czy oni byli... – Erika zawahała się, nie wiedziała, jak to powiedzieć. – Czy ona go kochała?

Kristina długo milczała. Przebierała palcami po ceracie, ważąc słowa. W końcu spojrzała Erice w oczy.

– Tak – powiedziała. – Kochała go.

Jaki ładny dzień. Dawno nie myślał o tym, że bywają dni ładniejsze od innych. Takie właśnie jak dziś: ni to lato, ni jesień. Ciepły, lekki wiatr i słońce, które straciło już letnią ostrość i zaczęło nabierać żaru jesieni. Bardzo ładny dzień.

Stanął w wykuszu, splótł ręce na plecach i wyjrzał przez okno. Nie widział jednak ani drzew na końcu posesji, ani wybujałej trawy więdnącej z nastaniem jesieni. Widział przed sobą Brittę. Jasną i piękną. Wtedy, podczas wojny, uważał ją za dziewczynkę. Koleżankę Erika, ładną, dość próżną dziewczynę. Nie interesowała go. Była za młoda, a on był zbyt zajęty swoimi sprawami. Istniała gdzieś na obrzeżach jego świata.

Teraz myślał o niej. Takiej, z jaką się spotkał przed kilkoma dniami. Sześćdziesiąt lat później. Nadal piękna i trochę próżna. Ale czas zmienił ją w kogoś innego. Axel był ciekaw, czy on też się tak zmienił. Może tak, może nie. Może lata spędzone w niemieckich obozach zmieniły go na zawsze. Był świadkiem strasznych nieszczęść, takich, których nie da się ani zapomnieć, ani wynagrodzić.

Miał przed oczami inne twarze: twarze poszukiwanych, których pomógł schwytać. Nie w wyniku szaleńczych pościgów, lecz dzięki metodycznej pracy, dyscyplinie i dobrej organizacji. Dzięki temu, że siedząc we własnym biurze, niezmordowanie podążał śladami, na które trafiał w dokumentach sprzed pięćdziesięciu lat. Kwestionował dowody tożsamości, analizował transakcje na kontach bankowych, śledził trasy podróży i ewentualne miejsca schronienia. Wyłapywali ich jednego po drugim. Pilnowali, żeby zostali ukarani za zbrodnie popełnione w coraz bardziej odległej przeszłości. Wiedział, że nie udało im się złapać wszystkich. Zostało jeszcze wielu, ale jest ich coraz mniej. Umierają. Nie w więzieniu, potępieni, lecz spokojnie, ze starości. Nie muszą się tłumaczyć ze swoich czynów. I to popychało go do działania, sprawiało, że ciągle szukał, ścigał, jeździł ze spotkania na spotkanie, z archiwum do archiwum. Nie spocznie, dopóki będzie choć jeden, którego mógłby pomóc schwytać.

Axel patrzył przez okno niewidzącym wzrokiem. Zdawał sobie sprawę, że to obsesja. Praca pochłonęła go całkowicie, stając się liną ratunkową, której w chwilach zwątpienia mógł się chwycić. Dopóki ścigał, nie musiał wątpić we własne jestestwo. Jak długo służy dobru, spłaca dług. Tylko w ten sposób mógł zmyć z siebie to wszystko, o czym nie był nawet w stanie myśleć.

Odwrócił się, słysząc dzwonek. Przez chwilę nie mógł się oderwać od obrazów przesuwających mu się pod powiekami. Musiał zamrugać oczami, żeby je odpędzić.

– A, to wy – powiedział na widok Pauli i Martina.

Ogarnęło go zmęczenie. To się chyba nigdy nie skończy.

– Chcielibyśmy chwilę z panem porozmawiać – uprzejmie powiedział Martin.

– Ależ oczywiście, proszę – odparł Axel i zaprowadził ich na werandę, tam gdzie poprzednim razem. –

Macie jakieś wieści? Nawiasem mówiąc, słyszałem, co się stało z Brittą. Straszne. Dopiero co się z nimi spotkałem, dosłownie parę dni temu. Po prostu nie mogę uwierzyć, że on... – Potrząsnął głową.

– Rzeczywiście, to tragedia – odezwała się Paula. – Ale nie chcemy wyciągać pochopnych wniosków.

– Ale Herman się przyznał, prawda? – spytał Axel.

– Niby tak... – Martin przeciągał słowa. – Ale dopóki nie można go przesłuchać... – Rozłożył ręce. – Właśnie o tym chcemy z panem porozmawiać.

– Naturalnie, chociaż nie wiem, w czym mógłbym pomóc.

– Sprawdziliśmy billingi Johanssonów. Pański numer pojawia się tam trzykrotnie.

– Mogę opowiedzieć o jednej rozmowie. Herman zadzwonił do mnie parę dni temu. Prosił, żebym odwiedził Brittę. Byłem trochę zaskoczony, bo od bardzo wielu lat nie mieliśmy ze sobą żadnego kontaktu. Okazało się, że zachorowała na alzheimera i, jak zrozumiałem, Herman chciał, żeby się spotkała z kimś z dawnych czasów, a nuż to pomoże.

– I dlatego pan tam poszedł? – Paula obserwowała go uważnie. – Bo Britta chciała się spotkać ze znajomym z młodości?

– W każdym razie tak powiedział Herman. Nie byliśmy wprawdzie bliskimi znajomymi, była raczej koleżanką mojego brata, ale pomyślałem, że co mi szkodzi. W moim wieku zawsze miło powspominać stare dzieje.

– I co się działo, kiedy pan u nich był?

Martin pochylił się do przodu.

– Przez jakiś czas miała jasny umysł, gawędziliśmy o dawnych czasach. Potem zupełnie się rozkojarzyła. Nie było sensu, żebym tam siedział. Przeprosiłem i wyszedłem. Bardzo to smutne, okrutna choroba.

– A telefony na początku czerwca? – Martin zajrzał do notatek. – Najpierw od was, drugiego czerwca, potem od Johanssonów do was, trzeciego czerwca, i znów od nich do was, czwartego.

Axel potrząsnął głową.

– Nic mi o tym nie wiadomo. Widocznie rozmawiali z Erikiem. Przypuszczam, że o tym samym. Jeśli Britta chciała wracać do dawnych czasów, bardziej by jej się przydał Erik. Przyjaźnili się, jak już mówiłem.

– Ale pierwszy był telefon od was – upierał się Martin.

– Czy wie pan, dlaczego Erik do nich telefonował?

– Mówiłem już. Mieszkaliśmy wprawdzie z bratem pod jednym dachem, ale żaden z nas się nie wtrącał w sprawy drugiego. Nie mam pojęcia, dlaczego Erik się kontaktował z Brittą. Może też chciał odnowić znajomość. Z wiekiem człowiek dziwaczeje i na przykład to, co się wydarzyło dawno, wydaje się całkiem świeże, a do tego bardzo ważne.

Axel zdał sobie sprawę z prawdziwości tych słów w chwili, gdy skończył je wypowiadać. Przed oczami stanęli mu ludzie goniący go z szyderczym śmiechem. Ścisnął poręcz fotela. Nie powinni go dopaść, to nieodpowiednia chwila.

– A więc uważa pan, że chciał się po prostu z nimi spotkać, przez wzgląd na starą przyjaźń? – spytał Martin z powątpiewaniem.

– Nie mam pojęcia. – Axel puścił poręcze. – Ale to chyba najprostsze wyjaśnienie.

Martin i Paula wymienili spojrzenia. Więcej nie uzyskają. Martin miał nieodparte wrażenie, że to tylko zapowiedź czegoś znacznie ważniejszego.

Kiedy wyszli, Axel znów podszedł do okna. Znów stanęły mu przed oczami twarze z przeszłości.

– Cześć, jak ci poszło w bibliotece?

Patrik rozjaśnił się, widząc wchodzącą Erikę.

– E... nie pojechałam do biblioteki – powiedziała Erika z dziwną miną.

– A dokąd? – zdziwił się.

Maja drzemała po obiedzie, a on sprzątał w kuchni.

– Do Kristiny – odparła krótko, wchodząc do kuchni.

– Do jakiej Kristiny? Do mojej mamy? – spytał zaskoczony. – Po co? Daj, sprawdzę, czy ty przypadkiem nie masz gorączki.

Podszedł i przyłożył jej rękę do czoła. Erika się odsunęła.

– Daj spokój, nie ma w tym nic dziwnego. Przecież to... jednak moja teściowa, więc zawsze mogę ją odwiedzić. Tak bez umawiania się.

– A jakże – powiedział Patrik ze śmiechem. – No mów, czego od niej chciałaś.

Erika opowiedziała, jak stojąc przed biblioteką, zdała sobie sprawę, że jest ktoś, kto znał jej matkę, kiedy była młoda. Opowiedziała również o dziwnej reakcji Kristiny i o tym, że powiedziała, że matka miała romans z Norwegiem, który uciekł przed Niemcami.

– Więcej nie chciała powiedzieć. – W jej głosie słychać było bezradność. – A może nie wie. Nie mam pojęcia. W każdym razie Hans Olavsen opuścił mamę. Wyjechał z Fjällbacki. Powiedziała Kristinie, że wrócił do Norwegii.

– Co zamierzasz z tym zrobić? – spytał Patrik, wstawiając do lodówki resztki z obiadu.

– Rzecz jasna spróbuję go odnaleźć – odparła Erika, idąc do salonu. – Poza tym uważam, że trzeba zaprosić Kristinę na niedzielę, żeby mogła się pobawić z Mają.

– Teraz już mam pewność, że masz gorączkę, i to wysoką – zaśmiał się Patrik. – Proszę bardzo. Zadzwonię do mamy i spytam, czy w niedzielę miałaby ochotę wpaść na kawę. Zobaczymy, czy będzie mogła. Przecież zawsze jest taka zajęta.

– Taaa... – powiedziała dziwnym tonem Erika.

Patrik potrząsnął głową. Kobiety. Człowiek nigdy ich nie zrozumie. Ale może na tym to wszystko polega.

– A to co? – zawołała Erika z salonu.

Patrik poszedł zobaczyć, o co jej chodzi. Wskazała na leżącą na stole teczkę. W tym momencie Patrik pomyślał, że chętnie kopnąłby się w tyłek. Że też jej nie schował, zanim Erika wróciła. Znał swoją żonę na tyle dobrze, żeby wiedzieć, że teraz na pewno nie ukryje przed nią, co jest w teczce.

– To materiały ze śledztwa w sprawie zamordowania Erika Frankla – odparł i pogroził jej palcem. – Nie wolno ci pisnąć słowa o tym, co przeczytasz. Okej?!

– Dobrze, dobrze – powiedziała z roztargnieniem, machając ręką, jakby odganiała natrętną muchę.

Usiadła na kanapie i zaczęła przeglądać dokumenty i zdjęcia. Zajęło jej to godzinę. Potem zaczęła od początku. Patrik zaglądał do niej kilka razy, zagadywał. Potem dał spokój i usiadł nad gazetą, której do tej pory nie zdążył przeczytać.

– Dużo dowodów to wy nie macie – powiedziała Erika, przesuwając palcem po sprawozdaniu techników.

– Rzeczywiście, kiepsko z tym – odparł Patrik, odkładając gazetę. – Nie znaleźli w bibliotece innych odcisków palców niż Erika, Axela i chłopaków, którzy znaleźli zwłoki. Nic nie zginęło, a ślady butów zostawiły te same osoby. Narzędzie zbrodni leżało pod biurkiem, czyli można powiedzieć, że na miejscu.

– Innymi słowy, nie było to zabójstwo z premedytacją, lecz w afekcie – powiedziała w zamyśleniu Erika.

– Chyba że ten ktoś wcześniej wiedział, że na oknie stoi popiersie. – Patrika uderzyła nagle myśl, która przyszła mu do głowy już kilka dni temu. – Słuchaj, którego czerwca poszłaś do Erika Frankla z tym medalem?

– Bo co? – spytała Erika. Nadal wydawała się nieobecna.

– Sam nie wiem. Może to bez znaczenia, ale dobrze wiedzieć.

– To było w przeddzień wycieczki z Mają do Nordens Ark[21] – powiedziała Erika, nie odrywając się od zawartości teczki. – Nie było to przypadkiem trzeciego? W takim razie u Erika byłam drugiego.

---

[21] Nordens Ark – zwierzyniec w prowincji Västra Götaland. Można tam obejrzeć około osiemdziesięciu zagrożonych gatunków zwierząt, objętych specjalnymi programami ratunkowymi. Nazwa Nordens Ark, czyli Arka Północy, nawiązuje do biblijnej arki Noego (przyp. tłum.).

– Czy wtedy powiedział ci coś o medalu?

– Powiedziałabym ci zaraz po powrocie – zauważyła. – Powiedział tylko, że zanim mi cokolwiek powie, chciałby go obejrzeć dokładniej.

– Czyli nadal nie wiesz, co to za medal?

– Nie wiem – powiedziała po zastanowieniu. – Ale powinnam coś z tym zrobić. Jutro się dowiem, do kogo się zwrócić.

Znów pochyliła się nad teczką. Przyglądała się zdjęciom z miejsca zbrodni. Podniosła zdjęcie leżące na wierzchu i zmrużyła oczy, żeby lepiej widzieć.

– Cholera, nic nie... – mruknęła, po czym wstała i poszła na piętro.

– Co? – spytał, ale nie odpowiedziała.

Po chwili zeszła ze szkłem powiększającym w ręce.

– Czy ja wiem... Może to nic takiego, ale... Wygląda, jakby na notesie leżącym na biurku coś było nabazgrane. Ale nie widzę dobrze...

Pochyliła się nad zdjęciem. Szkło powiększające trzymała nad białą plamką.

– Wydaje mi się, że... – Znów zmrużyła oczy. – Chyba *Ignoto militi*.

– A co to znaczy? – spytał Patrik.

– Nie wiem. Zgaduję, że ma to coś wspólnego z wojskiem. Ale to pewnie nic ważnego. Takie sobie bazgroły – powiedziała. Była zawiedziona.

– Wiesz, rozmawiałem dziś z Martinem, kiedy mi przywiózł teczkę. – Patrik opuścił gazetę i przechylił głowę na bok. – W zamian poprosił mnie o przysługę. – Nie wspomniał, że sam zaofiarował pomoc, bo po co?

Chrząknął i mówił dalej: – Poprosił, żebym sprawdził pewnego człowieka z Göteborga, któremu Erik Frankel od pięćdziesięciu lat regularnie co miesiąc przelewał na konto pewną sumę.

– Od pięćdziesięciu lat? – Erika zmarszczyła brwi. – Płacił komuś przez pięćdziesiąt lat? O co chodziło? Jakiś szantaż? – Nie potrafiła ukryć zaciekawienia.

– Nie wiadomo. W każdym razie Martin spytał, czy mógłbym to sprawdzić.

– Oczywiście, jadę z tobą – oznajmiła z zapałem.

Patrik spojrzał na żonę. Niezupełnie takiej reakcji się spodziewał.

– E, może... – jąkał się, szukając powodu, by nie zabierać jej ze sobą. Ale sprawdzenie operacji na koncie to w końcu rutynowa sprawa, nie powinno być problemu. – No dobrze, jedź ze mną. Wstąpimy potem do Lotty, żeby Maja mogła się spotkać z kuzynami.

– Świetnie – odparła Erika. Lubiła siostrę Patrika. – Mam nadzieję, że w Göteborgu znajdę kogoś, kogo będę mogła spytać o medal.

– Na pewno znajdziesz. Poszukaj, posprawdzaj po południu.

Wrócił do gazety. Trzeba korzystać z okazji, póki Maja śpi.

Erika znów wzięła do ręki szkło powiększające. Chciała się jeszcze raz przyjrzeć zdjęciu notatnika Erika. *Ignoto militi*. Coś jej to mówiło.

Tym razem potrzebował tylko około pół godziny, żeby zapamiętać kroki.

– Dobrze, Bertil – powiedziała z uznaniem Rita i uścisnęła mu rękę. – Czuję, że zaczynasz łapać rytm.

– Zawsze dobrze mi szło w tańcu – skromnie przyznał Mellberg.

– Coś podobnego – mrugnęła do niego. – Słyszałam, że byłeś na kawie u Johanny. – Uśmiechnęła się, podnosząc na niego wzrok.

Była to kolejna rzecz, która go w niej ujęła. Nie był szczególnie postawny, ale przy jej niewielkiej postaci czuł się, jakby miał metr dziewięćdziesiąt.

– Tak się złożyło, że przechodziłem koło waszego domu... – tłumaczył się. – Akurat przechodziła Johanna i zaprosiła mnie na kawę.

– Aha, tak się złożyło – zaśmiała się Rita, kołysząc się w rytm salsy. – Szkoda, że mnie wtedy nie było. Johanna powiedziała, że bardzo miło się wam rozmawiało.

– To bardzo miła dziewczyna – powiedział Mellberg, przypominając sobie, jakie wrażenie zrobiło na nim kopnięcie małej stópki. – Naprawdę miła dziewczyna.

– Nie było im łatwo – westchnęła. – Z początku ja też nie mogłam się przyzwyczaić. Ale coś przeczuwałam, jeszcze zanim Paula przyprowadziła Johannę do domu, żeby mi ją przedstawić. Są ze sobą od prawie dziesięciu lat i szczerze mówiąc, nie chciałabym, żeby Paula była z kimś innym. Idealnie do siebie pasują. Płeć nie gra roli.

– Nie było im łatwiej w Sztokholmie? Mam na myśli reakcje otoczenia – ostrożnie spytał Mellberg i w tym samym momencie zaklął pod nosem, bo nadepnął Ricie na stopę. – Wydaje mi się, że tam to jest częste. Oglądając telewizję, człowiek ma wrażenie, że w Sztokholmie co drugi człowiek ma takie skłonności.

– Tu się z tobą nie zgodzę – zaśmiała się Rita. – Oczywiście, miałyśmy pewne obawy, gdy się tu przeprowadzałyśmy. Ale muszę powiedzieć, że jestem mile zaskoczona. Jak dotąd dziewczyny nie miały z tego powodu żadnych problemów. Chociaż kto wie, może ludzie jeszcze się nie zorientowali. Poczekamy, zobaczymy. Zresztą co miałyby zrobić? Nie żyć? Nie przeprowadzać się tam, gdzie chcą mieszkać? Czasem trzeba się odważyć ruszyć w nieznane.

Nagle posmutniała. Patrzyła w dal, ponad jego ramieniem. Mellberg pomyślał, że chyba ją rozumie.

– Trudno było zdobyć się na ucieczkę? – spytał ostrożnie i ku swemu wielkiemu zdziwieniu zdał sobie sprawę, że naprawdę chce wiedzieć.

Zazwyczaj unikał zadawania drażliwych pytań albo zadawał je po to, żeby spełnić czyjeś oczekiwania. Chociaż tak naprawdę nic go to nie obchodziło. Tym razem naprawdę chciał wiedzieć.

– I trudno, i łatwo – odparła, a Mellberg wyczytał z jej ciemnych oczu, że widziały rzeczy, których nawet nie umiałby sobie wyobrazić. – Łatwo opuścić taki kraj, jakim się stał, ale trudno, gdy pomyślę o tym, jaki był kiedyś.

Zgubiła rytm i stanęła w miejscu. Dłonie wciąż trzymała w dłoniach Mellberga. Po chwili w jej oczach pojawił się błysk, uwolniła dłonie i zaklaskała.

– Pora na kolejny krok, mianowicie obrót. Bertil, pomożesz mi pokazywać.

Ujęła jego ręce i powoli pokazała, co powinien zrobić, żeby ją obrócić. Nie było to łatwe. Myliły mu się ręce i nogi, ale Rita pokazywała tak długo, aż on i wszyscy pozostali zrozumieli, o co chodzi.

– Będzie dobrze – powiedziała, patrząc na niego.

Mellberg nie był pewien, czy chodzi o taniec, czy o coś jeszcze. Miał nadzieję, że o coś jeszcze.

Na dworze zaczęło się ściemniać. Prześcieradła na szpitalnym łóżku szeleściły przy najmniejszym poruszeniu, dlatego starał się leżeć bez ruchu. Potrzebna mu była całkowita cisza. Nie miał wpływu na dźwięki dochodzące z zewnątrz, odgłosy rozmów, kroków czy brzęk odstawianych tac. Tu, za drzwiami pokoju, mógł jednak zadbać o jak największy spokój, by nie zakłócił go nawet szelest prześcieradeł.

Spojrzał w okno. Na dworze robiło się coraz ciemniej i coraz wyraźniej widział w szybie własne odbicie. Nasunęła mu się refleksja, że ta postać na łóżku musi wyglądać wyjątkowo żałośnie. Drobny, bezbarwny starowina w szpitalnej koszuli, z przerzedzonymi włosami i pooranymi policzkami. Zupełnie jakby całe swoje znaczenie zawdzięczał Britcie. Tak był postrzegany i zawdzięczał to poczuciu godności, które ona mu dała. Nadała sens jego życiu. A teraz on jest winien jej śmierci.

Przyszły córki. Dotykały go, obejmowały, patrzyły niespokojnie, mówiły z niepokojem i troską. Nie potrafił się zdobyć na to, żeby na nie spojrzeć. Bał się, że dostrzegą w jego oczach winę, zobaczą, do czego doprowadził.

Od bardzo dawna nosili z Brittą tę tajemnicę. Dzielili ją, ukrywali i pokutowali. A przynajmniej tak mu się zdawało. Ale gdy Britta zachorowała i bariery zaczęły pękać, zdał sobie sprawę, że nie da się niczego odpokutować, że los prędzej czy później ich dopadnie. Nie da się przed nim schować ani uciec. Naiwnie wierzyli, że wystarczy żyć godnie, być dobrymi ludźmi, kochać swoje dzieci i wychować je na ludzi, którzy potrafią przekazać miłość dalej. W końcu wmówili sobie, że stworzone przez nich dobro przeważyło nad złem, które wyrządzili.

Zabił Brittę. Że też one tego nie rozumieją. Widział, że chcą z nim rozmawiać, wypytać, chcą, żeby rozwiał ich wątpliwości. Oby potrafiły się pogodzić z tym, że jest, jak jest.

Zabił Brittę. Nic mu nie zostało.

– Domyślasz się, kim jest ten człowiek i dlaczego Erik przez tyle lat posyłał mu pieniądze? – spytała Erika, gdy dojeżdżali do Göteborga.

Maja siedziała grzecznie w foteliku. Z domu wyruszyli około pół do dziewiątej, więc gdy wjeżdżali do miasta, dochodziła dopiero dziesiąta.

– Nie, masz przed sobą wszystko, co wiemy. – Patrik wskazał głową kartkę w plastikowej koszulce leżącą na jej kolanach.

– Wilhelm Fridén, Vasagatan 38, Göteborg. Urodzony trzeciego października 1924 roku – przeczytała głośno.

– Wczoraj rozmawiałem w przelocie z Martinem. Nie znalazł nic na jego temat, żadnych związków z Fjällbacką, żadnej kryminalnej przeszłości. Zupełnie nic. A tak w ogóle o której umówiłaś się z tym gościem od medalu?

– O dwunastej, w jego antykwariacie – odparła, dotykając kieszeni, do której włożyła zawinięty w miękką szmatkę medal.

– Poczekacie z Mają w samochodzie czy pójdziecie na spacer, gdy będę rozmawiał z Fridénem? – spytał Patrik, wjeżdżając na parking przy Vasagatan.

– Że co? – oburzyła się. – Oczywiście że pójdę z tobą.

– Przecież nie możesz... A Maja? – nieporadnie tłumaczył Patrik, choć już wiedział, dokąd go ta dyskusja zaprowadzi i na czym stanie.

– Jeśli ty mogłeś ją zabrać na miejsce zbrodni i na komisariat, to może iść z nami do dziadka, któremu stuknęła osiemdziesiątka – stwierdziła Erika tonem, który nie pozostawiał złudzeń: koniec dyskusji.

– Okej – westchnął Patrik. Wiedział, że został pokonany.

Weszli na trzecie piętro kamienicy z początków poprzedniego wieku i zadzwonili do drzwi. Otworzył mężczyzna około sześćdziesiątki. Spojrzał na nich pytającym wzrokiem.

– Słucham. Państwo w jakiej sprawie?

Patrik pokazał odznakę policyjną.

– Patrik Hedström, jestem z policji w Tanumshede. Mam kilka pytań do pana Wilhelma Fridéna.

– Kto przyszedł? – Z głębi mieszkania dobiegł słaby kobiecy głos. Mężczyzna odwrócił się i odkrzyknął: – Jakiś policjant pyta o tatę! – Po czym zwrócił się do Patrika: – Nie mam pojęcia, dlaczego policja interesuje się ojcem, ale proszę wejść.

Odsunął się, wpuścił go do środka i ze zdziwieniem uniósł brwi, gdy za nim weszła Erika z Mają na ręku.

– Widzę, że do policji przyjmują coraz młodsze roczniki – zauważył z rozbawieniem.

Patrik uśmiechnął się z zażenowaniem.

– To moja żona, Erika Falck, i nasza córeczka Maja. One... to znaczy moja żona jest osobiście zainteresowana sprawą, która jest przedmiotem naszego dochodzenia, i... – Urwał. Nie da się logicznie uzasadnić, dlaczego policjant zabiera na przesłuchanie żonę i roczne dziecko.

– Przepraszam, nie przedstawiłem się. Göran Fridén. Jestem synem Wilhelma, o którego pan pyta.

Patrik przyjrzał mu się: mężczyzna średniego wzrostu, o siwych, lekko kręconych włosach i niebieskich, przyjaźnie patrzących oczach.

– Zastałem pańskiego ojca? – spytał Patrik, idąc za nim przez długi przedpokój.

– Niestety, za późno na pytania. Ojciec umarł dwa tygodnie temu.

– Ach tak – powiedział zaskoczony Patrik.

Nie spodziewał się tego. Był pewien, że mimo podeszłego wieku Fridén żyje, skoro w ewidencji ludności nie figuruje jako zmarły. Zapewne dlatego, że umarł niedawno. Wiadomo, że musi minąć trochę czasu, nim dane trafią do ewidencji. Był zawiedziony. Intuicja podpowiadała mu, że to ważny trop. Czyżby miał się urwać?

– Jeśli pan chce, możecie porozmawiać z moją matką – powiedział Göran, wskazując drzwi do salonu. – Nie wiem, co to za sprawa, ale jeśli nam państwo opowiedzą, może będzie umiała pomóc.

Z kanapy podniosła się drobna, krucha, siwowłosa staruszka. Na swój sposób ładna. Podeszła do nich z wyciągniętą dłonią.

– Märta Fridén. – Przyjrzała im się z ciekawością i uśmiechnęła się szeroko na widok Mai. – Witaj, skarbie! Jak ma na imię?

– Maja – odparła z dumą Erika. Od razu poczuła do niej sympatię.

– Cześć, Maju – powiedziała Märta i pogłaskała Maję po policzku.

Maja była zachwycona, że zwracają na nią uwagę, ale natychmiast zaczęła wierzgać, bo w rogu kanapy zobaczyła starą lalkę.

– Nie, Maju – powiedziała surowo Erika, przytrzymując córkę.

– Niech jej pani pozwoli obejrzeć lalkę. – Märta niedbale machnęła ręką. – Nie ma tu nic, czego nie mogłaby dotknąć. Od śmierci Wilhelma coraz wyraźniej zdaję sobie sprawę, że niczego nie zabierzemy do grobu. – Posmutniała.

Syn podszedł i objął ją.

– Usiądź, mamo. Zrobię gościom kawę. Przez ten czas będziecie mogli spokojnie porozmawiać.

Märta patrzyła za nim, gdy szedł do kuchni.

– Dobry z niego chłopak – powiedziała. – Staram się nie być dla niego ciężarem. Dzieci powinny żyć własnym życiem. On chwilami jest aż za dobry, żeby mu to miało wyjść na zdrowie. Wilhelm był z niego bardzo dumny.

Na chwilę zatopiła się we wspomnieniach. Po chwili zwróciła się do Patrika:

– Więc o czym policja chciała mówić z moim mężem?

Patrik chrząknął. Czuł, że wkracza na cienki lód. Może wyciągnie na światło dzienne rzeczy, o których ta sympatyczna stara dama wolałaby nie wiedzieć. Nie miał jednak wyboru. Nieśmiało zaczął opowiadać.

– Prowadzimy śledztwo w sprawie morderstwa popełnionego we Fjällbace, niedaleko stąd, na północy. Pracuję w komisariacie policji w Tanumshede, a Fjällbacka podlega dystryktowi policji Tanum – tłumaczył.

– Morderstwo, mówi pan. Niesłychane – powiedziała Märta, marszcząc czoło.

– Tak. Zamordowany nazywał się Erik Frankel.

Patrik zrobił przerwę. Czekał na jej reakcję, ale na ile mógł to ocenić, nic jej nie mówiło to nazwisko. Potwierdziła to:

– Erik Frankel? Nic mi to nie mówi. Jaki to ma związek z Wilhelmem?

Z ciekawości aż pochyliła się do przodu.

– Otóż wspomniany Erik Frankel – Patrik zawahał się – przez niemal pięćdziesiąt lat co miesiąc przelewał pieniądze na konto Wilhelma Fridéna. Pani męża. Z oczywistych względów zastanawiamy się, z jakiego powodu to robił i co ich łączyło.

– Wilhelm otrzymywał pieniądze od... od Erika Frankla, zamieszkałego we Fjällbace? – Märta była szczerze zdumiona.

Göran wszedł do pokoju z tacą z filiżankami i spojrzał na nich z zaciekawieniem.

– O co chodzi? – spytał.

– Pan policjant mówi, że zamordowany mężczyzna nazwiskiem Erik Frankel co miesiąc przez pięćdziesiąt lat wpłacał pieniądze na konto twojego ojca.

– Co ty mówisz? – zdumiał się Göran, siadając na kanapie obok matki. – Ojca? Dlaczego?

– Tego właśnie nie wiemy – powiedział Patrik. – Mieliśmy nadzieję, że sam nam to powie.

– Lala – powiedziała z zachwytem Maja, podnosząc lalkę, żeby ją pokazać Märcie.

– Tak, lala. – Märta uśmiechnęła się do Mai. – Bawiłam się nią, gdy byłam mała.

Maja przytuliła lalkę do piersi. Märta nie mogła się na nią napatrzeć.

– Urocze dziecko – powiedziała.

Erika przytaknęła z zapałem.

– Jakie to były kwoty? – spytał Göran, nie odrywając wzroku od Patrika.

– Nic wielkiego. W ostatnich latach dwa tysiące koron miesięcznie. Suma z czasem rosła, jak się zdaje, w miarę utraty wartości pieniądza. Czyli jej wartość była stała.

– Ale dlaczego tata nigdy nam o tym nie powiedział? – spytał Göran, patrząc na matkę.

Powoli potrząsnęła głową.

– Nie mam pojęcia, mój kochany. Ale myśmy nigdy nie rozmawiali o pieniądzach. To była jego sprawa. Moją był dom. Taki był zwyczaj w naszym pokoleniu. Taki mieliśmy podział obowiązków. Gdyby nie Göran, teraz w ogóle bym sobie nie poradziła z tymi wszystkimi rachunkami, ratami i tak dalej.

Położyła dłoń na ręce syna, a on odwzajemnił uścisk.

– Mamo, wiesz, że z przyjemnością ci pomagam.

– Czy moglibyśmy obejrzeć dokumenty dotyczące państwa finansów? – spytał Patrik.

Był zmartwiony. Miał nadzieję, że dowie się czegoś o tych dziwnych wpłatach. Tymczasem chyba zabrnął w ślepą uliczkę.

– Nie trzymamy żadnych dokumentów w domu, wszystko jest u adwokata – powiedział przepraszającym tonem Göran. – Ale mogę go poprosić o przesłanie kopii.

– Będę zobowiązany.

Patrik poczuł, że znów wstępuje w niego nadzieja. Może jednak uda się zbadać sprawę do końca.

– Przepraszam, zapomniałem podać kawę.

Göran zerwał się z kanapy.

– I tak mieliśmy już wychodzić – powiedział Patrik, patrząc na zegarek. – Proszę nie robić sobie kłopotu.

– Przykro mi, że nie mogliśmy pomóc.

Märta przechyliła na bok głowę, uśmiechając się lekko do Patrika.

– Trudno. Proszę przyjąć moje kondolencje – powiedział. – Mam nadzieję, że nie sprawiłem państwu przykrości, wypytując tak niedługo po... Niestety nie wiedzieliśmy...

– Nic nie szkodzi. – Märta zbyła go machnięciem ręki. – Znałam mojego Wilhelma na wylot. A co do tych wpłat, zapewniam, że nie mogło chodzić o nic sprzecznego z prawem albo nieetycznego. Więc proszę pytać, ile chcecie. Jak powiedział Göran, postaramy się, żebyście dostali te papiery. Przykro mi tylko, że nie mogłam pomóc.

Wyszli do przedpokoju, Maja z lalką mocno przytuloną do piersi.

– Córeczko, teraz trzeba oddać lalę.

Wiedząc, co z pewnością nastąpi, Erika przygotowała się do zdecydowanych działań.

– Proszę jej pozwolić zatrzymać lalkę – powiedziała Märta i pogłaskała Maję po główce. – Mówiłam już: do grobu jej nie zabiorę. Poza tym jestem za stara, żeby się bawić lalkami.

– Na pewno? – upewniła się Erika. – Z taką lalką wiąże się na pewno mnóstwo wspomnień....

– Wspomnienia tkwią tu. – Märta dotknęła czoła. – Nie w przedmiotach. Nic mnie tak nie ucieszy jak świadomość, że ktoś będzie się bawić Gretą. Musiało jej się okropnie nudzić na kanapie u starej baby.

– Dziękuję. Bardzo pani dziękuję.

Erika wzruszyła się i musiała mocno mrugać powiekami, żeby powstrzymać łzy.

– Nie ma za co.

Märta jeszcze raz pogłaskała Maję po głowie i razem z synem odprowadziła ich do drzwi.

Zanim drzwi się zatrzasnęły, Erika i Patrik zdążyli jeszcze zobaczyć, jak Göran czule obejmuje matkę i całuje ją w siwą głowę.

Martin niespokojnie kręcił się po mieszkaniu. Pia poszła do pracy, był sam w domu i nie mógł przestać myśleć o sprawie. Przejmował się śledztwem, zwłaszcza że Patrik był na urlopie i wcale nie miał pewności, czy da sobie radę. Uważał, że okazał słabość, prosząc Patrika o pomoc, ale bardzo polegał na jego opinii. Dużo bardziej niż na własnej. Czasem się zastanawiał, czy kiedykolwiek nabierze pewności co do tego, co robi jako policjant. Te same wątpliwości miał jeszcze w czasach szkoły policyjnej. Czy się nadaje? Czy potrafi być dobrym policjantem?

Chodził po mieszkaniu i rozmyślał. Zdawał sobie sprawę, że stanął przed największym wyzwaniem w życiu. Czuł się przez to jeszcze mniej pewnie. Czy podoła? A jeśli nie? Jeśli nie będzie umiał wesprzeć Pii? Jeśli nie dorósł do roli ojca? Jeśli, jeśli... Myśli krążyły coraz szybciej i w końcu Martin doszedł do wniosku, że musi coś zrobić, żeby nie zwariować. Złapał kurtkę, wsiadł do samochodu i pojechał na południe. Sam nie wiedział, dokąd jedzie, ale zbliżając się do Grebbestad, poczuł, że mu się rozjaśnia w głowie. Od wczoraj nie dawał mu spokoju telefon z domu Johanssonów do Fransa Ringholma. Prowadząc oba śledztwa, wciąż natrafiali na te same osoby. Czuł, że te dwie na pozór równoległe sprawy w rzeczywistości się krzyżują. Dlaczego Herman lub Britta dzwonili w czerwcu do Fransa? Przed śmiercią Erika. W billingach odnotowano tylko jedną rozmowę, czwartego czerwca. Dość krótką. Martin zapamiętał, że trwała dwie minuty i trzydzieści sekund. W jakiej sprawie dzwonili? Czy rzeczywiście wyjaśnienie było takie proste, jak powiedział Axel? Że choroba Britty skłoniła ją do odnowienia starych znajomości? Z osobami, z którymi nie utrzymywała żadnego kontaktu od sześćdziesięciu lat? Ludzki umysł potrafi płatać dziwne figle, ale.... Nie, jest coś między wierszami, coś, co ciągle mu umyka. Postanowił, że nie spocznie, dopóki się nie dowie, co to takiego.

Ringholm właśnie wychodził, gdy Martin stanął przed jego drzwiami.

– Czym mogę służyć tym razem? – spytał uprzejmie.

– Mam jeszcze kilka pytań.

– Właśnie wybieram się na spacer, jak co dzień. Jeśli chce pan ze mną porozmawiać, może mi pan towarzyszyć. Pory spaceru nie zmienię dla nikogo, bo dzięki temu trzymam formę.

Ruszył w kierunku zatoki. Martin za nim.

– Nie przeszkadza panu, że zobaczą pana w towarzystwie policjanta? – spytał Martin z ledwo dostrzegalnym uśmieszkiem.

– Wie pan co, tak często miałem w życiu do czynienia z gliniarzami, że zdążyłem się przyzwyczaić – odparł wesoło. – A więc o co chodzi? – spytał już poważnie.

Martin musiał truchtać, żeby za nim nadążyć. Stary utrzymywał niezłe tempo.

– Nie wiem, czy pan wie, że we Fjällbace doszło do kolejnego morderstwa.

Ringholm na sekundę zwolnił, potem znów przyśpieszył.

– Nie, nie słyszałem. Kto to?

– Britta Johansson.

Martin patrzył na niego uważnie.

– Britta? – Frans odwrócił głowę w jego stronę. – Kto to zrobił?

– Jej mąż mówi, że to on ją zabił. Ale ja mam wątpliwości...

Frans drgnął.

– Herman? Ale dlaczego? Nie wierzę...

– Znał pan Hermana? – spytał Martin.

Usiłował nie zdradzić, jak ważna jest dla niego odpowiedź na to pytanie.

– Za dużo powiedziane – odparł Ringholm – Spotkałem go tylko raz. Zadzwonił do mnie w czerwcu. Powiedział, że Britta jest chora i chce się ze mną spotkać.

– Nie wydało się to panu dziwne? Nie spotykaliście się przez sześćdziesiąt lat. – Martin nie krył niedowierzania.

– Oczywiście, że wydało mi się dziwne. Ale Herman tłumaczył, że zachorowała na alzheimera, a wtedy podobno człowiek cofa się do wydarzeń i osób, które były ważne w jego życiu. Znaliśmy się w dzieciństwie i wczesnej młodości, spotykaliśmy się we czwórkę.

– A ta czwórka to...

– Ja, Britta, Erik i Elsy Moström.

– Z tej grupki dwie osoby zostały zamordowane w odstępie dwóch miesięcy – zauważył Martin, sapiąc lekko od truchtu. – Nie sądzi pan, że to szczególny zbieg okoliczności?

Ringholm zapatrzył się w horyzont.

– Człowiek w moim wieku widział wystarczająco dużo zbiegów okoliczności, żeby wiedzieć, że wcale nie są takie rzadkie. Poza tym powiedział pan, że do zabójstwa przyznał się jej mąż. Czy w związku z tym uważacie, że zabił również Erika?

Spojrzał na Martina.

– Na razie nic nie uważamy. Ale człowiek zaczyna się zastanawiać, gdy w krótkim czasie zostają zamordowane dwie z czterech osób.

– Moim zdaniem nie ma w tym nic dziwnego. Zbieg okoliczności. Przypadek. Zrządzenie losu.

– Bardzo filozoficzna uwaga jak na człowieka, który większą część życia spędził w więzieniu. Czy to również był przypadek lub zrządzenie losu? – spytał uszczypliwie Martin i natychmiast samokrytycznie pomyślał, że osobiste poglądy powinien odłożyć na bok. Z trudem ukrywał odrazę. Widział, jak poglądy polityczne Ringholma i jemu podobnych działają na Paulę.

– Ani przypadek, ani zrządzenie losu. Byłem już dorosły i zdolny do samodzielnego podejmowania decyzji, gdy wkraczałem na tę drogę. Oczywiście teraz, mądry po szkodzie, mogę powiedzieć, że tego czy tamtego nie powinienem był robić... Albo powinienem pójść inną drogą. Albo jeszcze inną... – Przystanął i zwrócił się do Martina: – Ale ta mądrość nie jest nam dana, gdy jest potrzebna, prawda? – powiedział i znów ruszył naprzód. – Mądrość po szkodzie. Dokonałem takich, a nie innych wyborów. Żyłem tak, nie inaczej. I zapłaciłem za to.

– A pańskie poglądy? Sam je pan wybrał?

Martin był naprawdę ciekaw. Nie potrafił zrozumieć ludzi odrzucających część ludzkości. Nie rozumiał, co nimi kieruje. Budzili w nim odrazę, a z drugiej strony zaciekawienie. Był to ten rodzaj ciekawości, z jaką dziecko usiłuje rozebrać radio na części, żeby sprawdzić, jak działa.

Ringholm długo milczał. Zastanawiał się, bo poważnie potraktował jego pytanie.

– Poglądów nie zmieniłem. Widzę błędy w funkcjonowaniu państwa i interpretuję je po swojemu. Uważam za swój obowiązek je naprawiać.

– Ale dlaczego oskarżacie całe grupy etniczne i narody...

Martin potrząsnął głową. Nie mógł pojąć takiego sposobu rozumowania.

– Popełnia pan błąd, postrzegając ludzi jako jednostki – odparł Ringholm sucho. – Człowiek nigdy nie był jednostką. Zawsze był częścią grupy, zbiorowości. Od stuleci grupy ścierały się ze sobą, walczyły o miejsce w hierarchii, w porządku świata. Można oczywiście życzyć sobie, żeby tak nie było. Ale tak jest. I choćbym nie stosował przemocy, żeby zabezpieczyć swoje miejsce na ziemi, to mnie ostatecznie przypadnie zwycięstwo w walce o porządek świata. Bo historię zawsze piszą zwycięzcy.

Umilkł i spojrzał na Martina. Martina przeszył dreszcz, chociaż spocił się od szybkiego marszu. Przerażający fanatyzm. Zrobiło mu się zimno na myśl, że nie ma sposobu, żeby przekonać Ringholma i jemu podobnych, że mają fałszywy ogląd rzeczywistości. Można ich tylko powstrzymywać, ograniczać, tępić. Dotychczas Martin wierzył, że jeśli rozmawiając z drugim człowiekiem, używa się argumentów, dochodzi się do sedna problemu, a zatem można coś zmienić. Ale we wzroku Ringholm ujrzał furię i nienawiść, które uniemożliwiały dotarcie do tego sedna.

Fjällbacka 1944

– Doskonałe – powiedział Vilgot, biorąc dokładkę smażonej makreli. – Pyszne, Bodil.

Nie odpowiedziała, z ulgą spuściła głowę. Pochwały męża odbierała jak nagrodę za to, że jest zadowolony.

– Pamiętaj, chłopcze, przed żeniaczką musisz się przekonać, co dziewczyna potrafi w kuchni i w łóżku!

Wymachując widelcem, roześmiał się na całe gardło. Usta miał pełne jedzenia.

– Vilgot! – powiedziała Bodil z oburzeniem, ale nie odważyła się powiedzieć więcej.

– Niech się chłopak uczy – odparł Vilgot, nakładając sobie jeszcze piure z ziemniaków. – A w ogóle to możesz być dumny z ojca. Właśnie dzwonili z Göteborga. Firma tego Żyda Rosenberga zbankrutowała, ponieważ w ciągu ostatniego roku odebrałem mu dużo kontraktów. To dopiero! Jest co świętować! Z nimi tak trzeba. Na kolana, batem, i puścić z torbami.

– Teraz takie czasy, że trudno mu będzie się utrzymać – wymsknęło się Bodil. W tej samej chwili zdała sobie sprawę, że popełniła błąd.

– Co chcesz przez to powiedzieć, moja droga? – spytał Vilgot podejrzanie łagodnym tonem, odkładając sztućce. – Żal ci ich? Rozwiń tę myśl, proszę.

– Nie, nic z tych rzeczy – odparła, nie podnosząc wzroku.

Miała nadzieję, że okazując uległość, wyjdzie z tego cało. Ale w oczach Vilgota już się pojawił znajomy błysk. Całą uwagę skupił na żonie.

– Ale ja proszę, mów dalej. Jestem bardzo ciekaw, co masz do powiedzenia.

Frans wodził wzrokiem od matki do ojca, a w dołku rosła mu coraz większa gula. Widział, że matka drży ze strachu, a oczy ojca błyszczą, jak zawsze w takich sytuacjach. Chciał poprosić, żeby mu pozwolono odejść od stołu, ale zrozumiał, że już za późno.

Matka najpierw musiała kilka razy przełknąć ślinę. Potem powiedziała urywanym ze zdenerwowania głosem:

– Pomyślałam o jego rodzinie. Że w dzisiejszych czasach nie będzie mu łatwo znaleźć nowe źródło utrzymania.

– Bodil, mówimy o Żydzie. – Vilgot mówił powoli, jakby upominał dziecko.

Chyba właśnie ten ton ją poruszył, bo podniosła głowę i z pewną przekorą powiedziała:

– Przecież Żydzi to też ludzie, i tak samo jak my muszą wykarmić dzieci.

Frans czuł, jak gula w dołku rozrasta się do monstrualnych rozmiarów i zaczyna go dławić. Chciał krzyknąć, żeby się nie odzywała do ojca w ten sposób. Co w nią wstąpiło? Jak może bronić Żyda? Czy to warte ceny, którą będzie musiała za to zapłacić? Nagle poczuł, że jej nienawidzi za to, że jest taka głupia. Czy nie wie, że nie warto prowokować ojca? Że nie wolno się sprzeciwiać, że trzeba położyć uszy po sobie? Wtedy jest szansa, że się ujdzie cało, przynajmniej na jakiś czas. Głupia kobieta. Zbuntowała się, czego pod żadnym pozorem nie wolno robić Vilgotowi Ringholmowi. Nawet jeśli to tylko iskierka buntu, cień powątpiewania. Frans struchlał na myśl o wybuchu, jaki zaraz ta jedna jedyna iskierka wywoła.

Najpierw zapadła cisza. Vilgot patrzył na żonę, jakby to, co usłyszał, nie mogło mu się pomieścić w głowie. Zacisnął pięści, żyła w szyi pulsowała. Frans chciał uciec z jadalni i biec przed siebie, dopóki starczy mu tchu. Ale nie był w stanie się ruszyć, jakby się przykleił do krzesła.

W końcu nastąpił wybuch. Zaciśnięta pięść ojca wystrzeliła prosto w podbródek matki. Matka poleciała do tyłu. Uderzyła głucho o podłogę, z głośnym jękiem, który przeszył Fransa na wylot, ale nie wzbudził jego współczucia, tylko jeszcze większą złość. Dlaczego nie milczała? Dlaczego go zmusza, żeby na to patrzył?

– A więc jesteś wielbicielką Żydów – powiedział Vilgot, wstając. – Tak?

Bodil podniosła się z pleców na kolana i próbowała dojść do siebie.

Vilgot zamierzył się i kopnął ją w brzuch.

– Tak?! Odpowiadaj! Mam pod swoim dachem miłośniczkę Żydów? Tak?

Nie odpowiedziała. Próbowała się oddalić na czworakach. Vilgot poszedł za nią i wymierzył jej kolejnego kopniaka, znów w brzuch. Bodil zatrzęsła się i padła na podłogę. Po chwili podniosła się chwiejnie i próbowała odpełznąć.

– Ty przeklęta żydowska suko!

Vilgot aż się zapluł. Na jego twarzy malowało się

lubieżne zadowolenie. Wykrzykując obelgi, znów wymierzył jej kopniaka. Widać było, że go to podnieca.

– Zaraz cię nauczę, jak się postępuje z suką. Żeby zrozumiała. Patrz i ucz się.

Patrzył na Fransa. Sapiąc, rozpiął pasek i spodnie. Podszedł do Bodil, która zdążyła odpełznąć parę metrów. Jedną ręką chwycił ją za włosy, drugą zadarł spódnicę.

– Nie, nie... przecież... Frans... – powiedziała błagalnie.

Vilgot roześmiał się. Pociągnął ją za głowę i z głośnym stęknięciem wbił się w nią od tyłu.

Frans czuł, jak gula w brzuchu wzbiera od nienawiści. Matka odwróciła głowę i spojrzała mu w oczy, podczas gdy ojciec napierał na nią od tyłu. Wtedy do Fransa dotarło, że jeśli chce przeżyć, musi hodować w sobie tę nienawiść.

Sobotnie przedpołudnie Kjell spędził w redakcji. Beata pojechała z dziećmi do rodziców. Nadarzyła się okazja, żeby poszukać informacji o Hansie Olavsenie. Dotychczasowe wysiłki nie przyniosły rezultatów, bo takie imię i nazwisko nosiło bardzo wielu Norwegów. Jeśli nie znajdzie jakiegoś szczegółu, który mu umożliwi zawężenie poszukiwań, zadanie okaże się niewykonalne.

Kilka razy przeczytał wycinki od Erika, ale nie znalazł w nich żadnego punktu zaczepienia i nie rozumiał, o co mogło mu chodzić. To była największa zagadka. Jeśli Erik Frankel chciał, żeby się o czymś dowiedział, dlaczego nie powiedział mu tego wprost? Po co te tajemnicze zabiegi z wycinkami? Kjell westchnął. O Hansie Olavsenie wiedział tylko tyle, że podczas drugiej wojny światowej działał w norweskim ruchu oporu. Pytanie, gdzie szukać informacji o nim. Przyszło mu do głowy, żeby spytać ojca. Może on coś wie o tym Norwegu. Ale odrzucił ją. Woli ślęczeć setki godzin w archiwum, niż prosić go o cokolwiek.

Archiwum. To jest pomysł. Może w Norwegii mają spis członków ruchu oporu? Na pewno są dokumenty i historycy zajmujący się tą dziedziną. Z pewnością pokusili się o sporządzenie kroniki działań norweskiego ruchu oporu.

Otworzył Explorera, wpisał kilka haseł i po chwili znalazł, czego szukał. Niejaki Eskil Halvorsen, autor książek o Norwegii z czasów drugiej wojny światowej. Skupiał się przede wszystkim na działalności ruchu oporu. To człowiek, z którym powinien porozmawiać. Znalazł w sieci norweską książkę telefoniczną i numer Eskila Halvorsena. Sięgnął po słuchawkę i wybrał numer. Pominął numer kierunkowy do Norwegii i musiał zacząć od nowa. Nie miał skrupułów, że w sobotnie przedpołudnie dzwoni na domowy numer. Dziennikarz nie może ich mieć.

Po chwili ktoś podniósł słuchawkę. Kjell przedstawił sprawę. Wyjaśnił, że szuka człowieka o nazwisku Hans Olavsen, który działał w norweskim ruchu oporu i w ostatnim roku wojny uciekł do Szwecji.

– A więc tak od ręki nie może mi pan o nim nic powiedzieć? – Bazgrał kółka w notesie. Łudził się, że od razu się czegoś dowie. – Tak, rozumiem, że w ruchu oporu działały tysiące ludzi, ale może jest jakaś możliwość...

Słuchał długiego wywodu na temat struktury organizacyjnej ruchu oporu i notował. Temat był bezsprzecznie ciekawy, zwłaszcza że bardzo go interesowały organizacje neonazistowskie. Nie powinien się jednak rozpraszać.

– Czy w archiwach są spisy członków ruchu oporu? To znaczy, że są potwierdzone dane... A mógłby pan sprawdzić, czy są wśród nich dane Hansa Olavsena? I ewentualnie podpowiedzieć mi, gdzie tego człowieka szukać? Będę bardzo wdzięczny. Dodam tylko, może ta informacja okaże się przydatna, że do Szwecji, a konkretnie do Fjällbacki, przyjechał w 1944 roku.

Odłożył słuchawkę. Był zadowolony. Wprawdzie niczego konkretnego się nie dowiedział, ale czuł, że Halvorsen potrafi odszukać Hansa Olavsena.

Sam w tym czasie może sprawdzić, czy przypadkiem w bibliotece we Fjällbace nie ma jakichś materiałów o nim. Trzeba spróbować. Zerknął na zegarek. Jeśli zaraz wyjedzie, zdąży przed zamknięciem. Wyłączył komputer, chwycił kurtkę i wyszedł z redakcji.

Kilkaset kilometrów dalej Eskil Halvorsen zaczął już szukać informacji o członku norweskiego ruchu oporu Hansie Olavsenie.

Maja siedziała w swoim foteliku, ściskając kurczowo lalkę. Erika była wzruszona gestem starszej pani i jednocześnie rozbawiona tym, że Maja zakochała się w lalce od pierwszego wejrzenia.

– Urocza była ta pani – powiedziała.

Patrik siedział za kierownicą i tylko skinął głową. Przedzierał się przez gąszcz komunikacyjny Göteborga, co rusz trafiając na ulice jednokierunkowe i tramwaje. Pojawiały się nie wiadomo skąd i głośno dzwoniły.

– Gdzie zaparkujemy? – spytał, rozglądając się.

– Tu jest wolne miejsce – pokazała Erika. – Lepiej żebyście nie szli ze mną – powiedziała, wyjmując z bagażnika wózek. – Antykwariat nie jest odpowiednim miejscem dla kogoś, kto musi wszystkiego dotknąć.

– Masz rację – odparł Patrik, sadzając Maję w wózku. – Pospacerujemy sobie w tym czasie. Ale potem wszystko mi opowiesz.

– Obiecuję.

Erika pomachała do Mai.

Adres podyktowano jej przez telefon. Antykwariat znajdował się w centrum, w Guldheden. Trafiła bez problemu. Gdy otworzyła drzwi, zadzwonił dzwonek i zza zasłony wyszedł mały szczupły człowieczek z bródką.

– W czym mógłbym pani pomóc? – spytał uprzejmie.

– Dzień dobry, nazywam się Erika Falck. Rozmawialiśmy przez telefon.

Podeszła i podała mu rękę.

– *Enchanté* – odparł i ku jej zaskoczeniu pocałował ją w rękę. Nie przypominała sobie, żeby ją kiedykolwiek pocałowano w rękę. – Mówiła pani, że jest w posiadaniu medalu, o którym chciałaby się pani dowiedzieć czegoś więcej. Proszę wejść, usiądziemy sobie i obejrzę go.

Przytrzymał zasłonę. Erika zobaczyła drzwi tak niskie, że musiała się pochylić, żeby wejść. Weszła i stanęła jak wryta. Wszystkie ściany ciasnego, ciemnego pomieszczenia, od podłogi po sufit, były obwieszone rosyjskimi ikonami. Poza tym był tam tylko niewielki stół i dwa krzesła.

– To moja pasja – powiedział mężczyzna, który wczoraj przez telefon przedstawił się jako Åke Grundén. – Jestem właścicielem jednego z najlepszych zbiorów ikon – wyjaśnił z dumą, gdy siadali przy stole.

– Bardzo piękne.

Erika rozglądała się z ciekawością.

– Mało powiedziane, droga pani – odparł, puchnąc z dumy. – Są symbolem historii i tradycji, która jest... po prostu wspaniała. – Urwał i włożył okulary. – Mam skłonność do rozwodzenia się na ten temat, więc może przejdźmy do medalu, z którym pani przyszła. Bardzo mnie zaciekawił.

– Jak rozumiem, medale z okresu drugiej wojny światowej to kolejna dziedzina, która pana interesuje.

Spojrzał na nią znad okularów.

– Człowiek dziwaczeje, gdy zamiast ludźmi otacza się starymi przedmiotami. Nie mam pewności, czy dokonałem właściwego wyboru, ale łatwo się mądrzyć po szkodzie.

Uśmiechnął się, Erika odwzajemniła uśmiech. Podobało jej się jego poczucie humoru, takie z cicha pęk.

Sięgnęła do kieszeni i ostrożnie wyjęła medal. Åke Grundén zapalił stojącą na stole lampę. Świeciła mocno. Erika rozwinęła szmatkę.

– Aha – powiedział, kładąc medal na dłoni.

Oglądał go uważnie, obracał na wszystkie strony w świetle lampy i mrużył oczy, żeby mu nie umknął najdrobniejszy szczegół.

– Gdzie pani to znalazła? – spytał, patrząc na nią znad okularów.

Erika opowiedziała o strychu i o skrzyni po matce.

– I o ile pani wiadomo, matki nie łączyły żadne więzy z Niemcami?

Erika potrząsnęła głową.

– Nie, nigdy o niczym takim nie słyszałam. Fjällbacka, gdzie się wychowała i mieszkała moja matka, leży niedaleko norweskiej granicy. Podczas wojny wielu ludzi pomagało norweskiemu ruchowi oporu. Wiem na przykład, że mój dziadek pozwalał, żeby na pokładzie jego kutra przemycano różne rzeczy do Norwegii. Pod koniec wojny przywiózł nawet członka ruchu oporu, który potem zamieszkał w jego domu.

– Tak, rzeczywiście sporo było kontaktów między mieszkańcami szwedzkiego wybrzeża i okupowanej Norwegii. W prowincji Dalsland ludzie często mieli do czynienia z Niemcami i Norwegami. – Mówił jakby do siebie, studiując medal. – Naturalnie nie mam pojęcia, w jaki sposób ten medal trafił do rąk pani matki – powiedział. – Wiem natomiast, że jest to Krzyż Żelazny pierwszej klasy, przyznawany za szczególne zasługi na polu walki.

– Czy istnieje spis osób odznaczonych tym krzyżem? – spytała Erika z nadzieją. – Niemcy byli tacy dokładni i w tym, co dobre, i w tym, co złe... powinny istnieć jakieś spisy...

Åke Grundén potrząsnął głową.

– Niestety nie ma. Poza tym nie było to rzadkie odznaczenie. Taki krzyż podczas wojny dostało około czterystu pięćdziesięciu tysięcy żołnierzy. Nie da się zatem ustalić, kogo odznaczono akurat tym.

Erika była zawiedziona. Miała nadzieję, że dzięki medalowi dowie się czegoś nowego, a tymczasem znów zabrnęła w ślepą uliczkę.

– Trudno, szkoda – powiedziała, podnosząc się.

Nie potrafiła ukryć rozczarowania. Podziękowała i podała Grundénowi rękę, a on znów ją ucałował.

– Przykro mi – powiedział, odprowadzając ją do drzwi. – Żałuję, że nie mogłem pani pomóc...

– Nie szkodzi – odparła, otwierając drzwi. – Znajdę inny sposób, bo postanowiłam rozgryźć tę sprawę. Muszę wiedzieć, skąd i dlaczego matka miała ten medal.

Ale kiedy zamknęła za sobą drzwi, ogarnęło ją zwątpienie. Pomyślała, że chyba nigdy nie rozwiąże tej zagadki.

Sachsenhausen 1945

Transport do Niemiec był jak sen. Zapamiętał przede wszystkim, że bardzo bolało go ucho, zaczęło ropieć. Stłoczony z innymi więźniami z Grini, jechał pociągiem i nie potrafił myśleć o niczym innym jak o bólu rozsadzającym mu czaszkę. Nawet wiadomość, że zostaną przewiezieni do Niemiec, przyjął z tępą obojętnością. Poczuł nawet niejaką ulgę. Rozumiał, co to oznacza. Śmierć – choć w zasadzie nikt nie wiedział, co ich czeka. Krążyły szepty, aluzje i pogłoski, że czeka ich śmierć. Wiedział, że więźniów z jego grupy objęto akcją pod kryptonimem NN. *Nacht und Nebel.* Mieli zniknąć, jakby zgubili się w nocnej mgle, bez sądu, bez wyroku. Wszyscy o tym słyszeli i przygotowali się na to, co miało ich czekać na stacji końcowej.

A przecież nic nie mogło ich przygotować na straszliwą rzeczywistość obozu. Na pobyt w piekle, choć nie płonął tam ogień piekielny. Minęło już kilka tygodni, odkąd przyjechał, i to, co przez ten czas zdążył zobaczyć, prześladowało go we śnie i potem, gdy musieli wstawać przed świtem, o trzeciej, żeby pracować bez przerwy do dziewiątej wieczorem.

Więźniom z grupy NN było najtrudniej. Traktowano ich jak zmarłych, więc stali bardzo nisko w obozowej hierarchii. Żeby nie było wątpliwości, kim są, nosili na plecach czerwoną literę N. Kolor czerwony wskazywał, że są więźniami politycznymi. Kryminalni nosili zielone znaki. Między czerwonymi i zielonymi toczyła się ciągła walka o panowanie nad obozową społecznością. Jedyną pociechą była solidarność więźniów z krajów skandynawskich. Choć mieszkali w różnych częściach obozu, wieczorem, po pracy, spotykali się, żeby porozmawiać o ostatnich wydarzeniach. Kto mógł, odłamywał kawałeczek ze swego dziennego przydziału chleba. Okruchy te zbierano dla skandynawskich więźniów z bloku szpitalnego, żeby jak najwięcej z nich mogło wrócić do domu. Nie była to skuteczna pomoc. Umierało ich więcej, niż Axel potrafił zliczyć.

Spojrzał na rękę, w której trzymał łopatę. Sama kość obciągnięta skórą, żadnych mięśni. Oparł się na niej, korzystając z okazji, że stojący najbliżej strażnik patrzy w inną stronę, ale strażnik się odwrócił i Axel natychmiast zaczął kopać. Dysząc z wysiłku, starał się nie patrzeć na to, co mieli zakopać. Pierwszego dnia popełnił błąd. Teraz wystarczyło, że zamknął powieki, żeby mu stanął przed oczami stos trupów. Skrajnie wychudzonych ludzkich zwłok, rzuconych na kupę jak odpadki. Spadały jak leci do dołu. Starał się nie patrzeć, ale i tak widział je kątem oka, gdy z wielkim trudem nabierał na łopatę tylko tyle ziemi, żeby nie ściągnąć na siebie uwagi strażników.

Więzień stojący obok osunął się na ziemię. Równie chudy i niedożywiony jak Axel. Runął na ziemię i nie mógł wstać. Axelowi przemknęła przez głowę myśl, żeby podejść i pomóc, ale takie myśli nigdy nie zamieniały się w czyn. Chodziło o to, żeby przeżyć, i tylko na to starczało energii. Żeby przeżyć, każdy musiał pilnować swego. Posłuchał rady niemieckich więźniów politycznych: *Nie auffallen*, pod żadnym pozorem nie podpaść, nie zwracać na siebie uwagi, a gdy się zanosi na awanturę, dyskretnie wmieszać się w tłum. Dlatego Axel patrzył obojętnie, jak strażnik podchodzi do więźnia, chwyta go za ramię i ściąga w sam środek dołu, w najgłębsze miejsce. Zostawił go i wdrapał się na górę. Nie strzelił, szkoda mu było kuli. Przyszły takie czasy, że strzelanie do kogoś, kto w zasadzie już jest martwy, byłoby marnotrawstwem. Przykryją go trupy. Udusi się pod nimi, chyba że wcześniej umrze. Axel odwrócił wzrok i kopał dalej. Już nie wędrował myślami do domu, do swoich. Jeśli się chce przeżyć, nie ma miejsca na takie myśli.

Minęły już dwa dni, a Erika nadal była przygnębiona. Myślała, że dowie się o medalu czegoś więcej. Zdawała sobie sprawę, że Patrik czuje się podobnie. Jemu też się nie udało wyjaśnić tajemnicy przelewów z konta Erika. Ale nie rezygnowali. Patrik nadal wierzył, że znajdzie coś w papierach Wilhelma Fridéna, a Erika postanowiła nadal szukać informacji o medalu.

Usiadła do pisania, ale nie mogła się skupić na książce. Zbyt wiele myśli krążyło jej po głowie. Sięgnęła po torebkę cukierków i już po chwili rozkoszowała się smakiem irysa w czekoladzie. Trzeba z tym skończyć. Ale ostatnio tyle się działo, że nie mogła sobie odmówić odrobiny przyjemności. Pomyśli o tym, ale później. Przecież wiosną, przed ślubem, dzięki silnej woli udało jej się schudnąć. Na pewno uda się jeszcze raz. Ale nie dziś.

– Erika! – zawołał z dołu Patrik.

Wyjrzała na schody.

– Dzwoniła Karin. Idzie na spacer z Luddem. Dołączymy do niej z Mają.

– Okej – odparła Erika, międląc irysa w ustach.

Wróciła do pokoju i usiadła przed komputerem. Nadal nie wiedziała, co ma myśleć o tych spacerach z byłą żoną. Karin wydała jej się wprawdzie sympatyczna, a od czasu ich rozwodu minęło sporo czasu, w dodatku była zupełnie przekonana, że jeśli chodzi o Patrika, sprawa jest absolutnie zakończona. A jednak. Puszczając go na spacer z byłą, czuła się dziwnie. Przecież kiedyś z nią spał. Potrząsnęła głową, żeby nie wyobrażać sobie za dużo. Na pocieszenie siegnęła po następnego irysa. Powinna się wziąć w garść. Przecież nie jest zazdrosna.

Żeby rozproszyć te myśli, zaczęła surfować po internecie. Coś jej się przypomniało. Otworzyła wyszukiwarkę, wpisała *Ignoto militi* i kliknęła na przycisk „szukaj". Pojawiło się kilka linków. Otworzyła pierwszy od góry i przeczytała z zainteresowaniem. Przypomniała sobie, skąd zna te słowa. Ze szkolnej wycieczki do Paryża, wieki temu. Z grupką znudzonych adeptów języka francuskiego znalazła się pod Łukiem Triumfalnym przy Grobie Nieznanego Żołnierza. *Ignoto militi* znaczy po prostu: nieznanemu żołnierzowi.

Ze zmarszczonym czołem patrzyła na ekran. Myśli galopujące w jej głowie zamieniały się w pytania. Czy to przypadek, że Erik Frankel nabazgrał te słowa w swoim notatniku? A może to coś znaczy? Jeśli tak, to co? Szukała w sieci dalej, ale nie znalazła już nic i zamknęła wyszukiwarkę. Włożyła do ust kolejnego, trzeciego irysa, nogi położyła na biurku i zaczęła się zastanawiać, co dalej. Zanim zdążyła wyssać irysa do końca, przyszedł jej do głowy pewien pomysł. Przecież jest ktoś, kto może coś wiedzieć. Wprawdzie to strzał w ciemno, ale... Zbiegła na dół, w przedpokoju złapała ze stolika kluczyki do samochodu i pojechała do Uddevalli.

Trzy kwadranse później wjechała na szpitalny parking. Musiała jeszcze chwilę posiedzieć w samochodzie, bo zdała sobie sprawę, że nie ma żadnego sensownego planu. Bez trudu dowiedziała się przez telefon, na którym oddziale leży Herman. Nie wiedziała natomiast, czy łatwo się tam dostać. Nie ma rady, okaże się. Najwyżej będzie improwizować. Na wszelki wypadek weszła do sklepiku przy głównym wejściu i kupiła duży bukiet kwiatów. Wjechała windą na piętro i nie zwracając niczyjej uwagi, energicznie szła przez oddział. Zerkała na numery na drzwiach. Trzydzieści pięć. To tu. Oby był sam, oby nie było u niego córek, bo zrobią piekło.

Nabrała powietrza i otworzyła drzwi. Z ulgą stwierdziła, że nikogo nie ma. Weszła i delikatnie zamknęła za sobą drzwi. Herman leżał na jednym z dwóch łóżek. Pacjent leżący na drugim łóżku wydawał się pogrążony we śnie. Herman patrzył w sufit, ręce miał wyciągnięte wzdłuż ciała.

– Dzień dobry – powiedziała miękko Erika, przysuwając krzesło do jego łóżka. – Nie wiem, czy pan mnie pamięta. Odwiedziłam pańską żonę. Pogniewał się pan wtedy na mnie.

Już myślała, że Herman jej nie słyszy, a może nie chce słyszeć, ale powoli odwrócił wzrok w jej stronę.

– Poznaję cię, jesteś córką Elsy.

– Zgadza się. Jestem córką Elsy. – Uśmiechnęła się.

– Parę dni temu też... byłaś u nas.

Patrzył na nią, powieki nawet mu nie drgnęły. Erikę ogarnęła szczególna tkliwość. Przypomniała sobie, jak leżał, tuląc ciało zmarłej żony. Leżąc na szpitalnym łóżku, wydawał się taki drobny i kruchy. Absolutnie nie był to ten sam człowiek, który ją zbeształ za to, że zdenerwowała jego żonę.

– Zgadza się, byłam. Z Margaretą – powiedziała. Herman tylko skinął głową. Erika chwilę milczała, a potem powiedziała: – Próbuję dowiedzieć się czegoś o swojej matce. W ten sposób trafiłam na Brittę. Gdy z nią rozmawiałam, odniosłam wrażenie, że wiedziała więcej, niż chciała albo mogła ujawnić.

Herman uśmiechnął się, ale nic nie powiedział. Erika mówiła dalej:

– Nie mogę się nadziwić, że dwie z trzech osób, z którymi w tamtych czasach spotykała się moja mama, zginęły w tak krótkim czasie... – umilkła.

Czekała na jego reakcję. Herman podniósł rękę i starł łzę, która spłynęła mu po policzku.

– Zabiłem ją – powiedział, patrząc przed siebie. – Zabiłem ją.

Erika słyszała, co powiedział. Według Patrika nic nie wskazywało na to, żeby było inaczej, ale Martin miał wątpliwości. Ona czuła podobnie. W głosie Hermana usłyszała dziwny ton. Nie umiała go sobie wytłumaczyć.

– Wie pan, czego Britta nie chciała mi powiedzieć? Chodziło o coś, co się działo w czasie wojny? Coś, co dotyczyło mojej mamy? Uważam, że mam prawo wiedzieć – nalegała.

Nie chciała zbyt mocno naciskać na starego człowieka, którego równowaga psychiczna została zaburzona, ale pragnienie, by poznać przeszłość matki, było tak silne, że stępiło jej wrażliwość. Nie doczekała się odpowiedzi, więc ciągnęła dalej:

– Kiedy rozmawiałyśmy i Britta zaczęła się gubić, wspomniała o nieznanym żołnierzu, który coś szeptał. Czy wie pan, o co jej chodziło? Wzięła mnie wtedy za moją mamę. I mówiła o nieznanym żołnierzu. Wie pan, co miała na myśli?

Herman wydał jakiś odgłos. W pierwszej chwili Erika nie zorientowała się, że to śmiech, a raczej żałosna imitacja śmiechu. Nie potrafiła zrozumieć, co w tym śmiesznego.

– Spytaj Paula Heckla. I Friedricha Hücka. Oni ci odpowiedzą.

Znów zaczął się śmiać, głośniej, coraz głośniej, w końcu zatrzęsło się całe łóżko. Ten śmiech wystraszył ją bardziej niż wcześniej łzy. Mimo to spytała:

– Kim oni są? Gdzie ich znajdę? Co oni mają z tym wspólnego?

Miała ochotę wytrząsnąć z niego odpowiedź, ale nagle otworzyły się drzwi. Stanął w nich lekarz i z surową miną i rękoma skrzyżowanymi na piersi spytał:

– Co tu się dzieje?

– Przepraszam, pomyliłam pokoje. Starszy pan chciał porozmawiać, ale potem...

Zerwała się z krzesła i szybko wyszła.

Serce jej waliło, gdy dotarła do samochodu. Wymienił dwa nazwiska, nic jej nie mówiły. Co mają do tego dwaj Niemcy? Czy mieli coś wspólnego z Hansem Olavsenem? Przecież zanim uciekł, walczył z Niemcami. Nic z tego nie rozumiała.

Ruszyła z powrotem do Fjällbacki. Przez całą drogę chodziły jej po głowie te dwa nazwiska. Paul Heckel i Friedrich Hück. Dziwne. Była pewna, że nigdy ich nie słyszała, a jednak brzmiały dziwnie znajomo...

– Martin Molin, słucham.

Podniósł słuchawkę już po pierwszym sygnale i kilka minut słuchał uważnie, przerywając tylko krótkimi pytaniami. Potem chwycił notatki i poszedł do Mellberga, którego zastał w dziwnej pozycji. Szef siedział na podłodze, bez powodzenia usiłując złapać się za palce wyprostowanych nóg.

– Ćwiczyłem stretching – mruknął i sztywnym krokiem ruszył w stronę fotela.

Martin zasłonił ręką usta. Robi się coraz zabawniej.

– Masz coś do mnie czy przyszedłeś tylko poprzeszkadzać? – syknął Mellberg, sięgając do dolnej szuflady biurka po kokosową kulkę.

Ernst zwietrzył znajomy cudowny zapach i ruszył w jego stronę. Patrzył na pana błagalnym wzrokiem. Mellberg zrobił surową minę, ale zaraz zmiękł. Sięgnął po następną kulkę i rzucił psu. Jedna chwila i już jej nie było.

– Robi mu się brzuszek.

Martin spojrzał z niepokojem na psa, który zaczynał przypominać swego pana.

– Na pewno na tym nie straci. Nawet zyska, bo zrobi dobre wrażenie na innych – powiedział z zadowoleniem Mellberg i poklepał się po brzuchu.

– Dzwonił Pedersen. Rano dostałem raport Torbjörna. Wszystko się zgadza. Britta Johansson została zamordowana. Uduszona poduszką, która leżała obok.

– A skąd on wie... – zaczął Mellberg, ale Martin zajrzał do notatnika i przerwał mu.

– Pedersen jak zwykle mówił zawile, ale upraszczając, w przełyku denatki znalazł piórko z tej poduszki. Pewnie jeszcze próbowała łapać powietrze, gdy przycisnął jej do twarzy poduszkę. Pedersen sprawdził przełyk i znalazł włókna z poduszki. Oprócz tego miała uszkodzone kręgi szyjne, co dowodzi, że sprawca uciskał również szyję. Prawdopodobnie ręką. Szukali odcisków palców na szyi, ale nie znaleźli.

– Czyli sprawa jest całkiem oczywista. Słyszałem, że była chora. Na głowę. – Mellberg zakręcił palcem wskazującym w okolicy skroni.

– Miała alzheimera – ostro wtrącił Martin.

– Niech ci będzie – powiedział Mellberg. – Tylko nie zaprzeczaj. Wszystko wskazuje na to, że sprawcą jest ten dziadek. Może to było... zabójstwo z litości. – Był tak zadowolony ze swej umiejętności wnioskowania, że zjadł kolejną kulkę.

– Tak... oczywiście... – niechętnie przyznał Martin, wertując notatki. – Na poduszce znaleźli też odcisk palca. Według Torbjörna całkiem wyraźny. Zdejmowanie odcisków palców z tkaniny jest raczej trudne, ale guziki na poszewce były gładkie i na jednym z nich znaleźli wyraźny odcisk kciuka. Nie był to kciuk Hermana – podkreślił.

Mellberg zmartwił się i zmarszczył czoło. Po chwili się rozjaśnił.

– Pewnie którejś z córek. Sprawdź. A potem zadzwoń do ordynatora oddziału i powiedz mu, żeby coś z nim zrobili. Niech mu dadzą lekarstwa, zastosują terapię wstrząsową, zresztą cholera wie co. Tak czy inaczej musi oprzytomnieć, bo do końca tygodnia musimy go przesłuchać. Zrozumiano?!

Martin westchnął i tylko skinął głową. Wcale mu się to nie podobało. Ale Mellberg ma rację. Jak dotąd nie ma dowodów, że sprawcą mógł być kto inny. Poza tym jednym odciskiem kciuka. Jeśli ma pecha, to Mellberg ma rację.

Już miał wychodzić, ale nagle zawrócił i puknął się w czoło.

– Byłbym zapomniał. Głupi jestem. Pedersen znalazł pod paznokciami denatki sporo DNA, zarówno fragmenty naskórka, jak i drobinki krwi. Prawdopodobnie podrapała zabójcę, i to mocno. Miała ostre paznokcie. Według Pedersena podrapała mu ręce albo twarz. – Martin oparł się o framugę.

– Czy mąż jest podrapany? – spytał Mellberg, pochylając się nad biurkiem.

– Wychodzi na to, że powinniśmy go odwiedzić, i to natychmiast.

– Bez wątpienia – odparł Mellberg i spojrzał na niego wyczekująco. – Zabierz ze sobą Paulę! – zawołał, ale Martin zdążył już wyjść.

Od kilku dni chodził koło niej na palcach, chociaż nie wierzył, że ten stan długo się utrzyma. Dotychczas matka nie wytrzymywała w trzeźwości nawet doby. Od czasu, kiedy ojciec odszedł. Nie pamiętał, jak było przedtem, miał tylko kilka niejasnych wspomnień, całkiem przyjemnych.

Obudziła się w nim nadzieja. Choć bronił się przed nią, rosła z godziny na godzinę, nawet z minuty na minutę. Matka była wyraźnie rozbita i mijając się z nim, za każdym razem rzucała mu zawstydzone spojrzenie. Ale była trzeźwa. Przeszukał cały dom i nie znalazł ani jednej nowej flaszki. Ani jednej. Chociaż znał wszystkie kryjówki. Nie rozumiał, po co je chowała. Równie dobrze mogły stać na wierzchu, w kuchni.

– Ugotować ci coś na obiad? – spytała cicho i spojrzała na syna.

Chodzili koło siebie jak zwierzęta, które spotkały się po raz pierwszy i nie wiedzą, co z tego wyniknie. Może właśnie tak było. Per od dawna nie widział jej całkowicie trzeźwej i nie znał jej takiej, a ona nie znała jego. Skąd miałaby znać, skoro zawsze tkwiła w pijackiej mgle i patrzyła na wszystko jak przez filtr. Nie znali się, ale obserwowali się z ciekawością i nadzieją.

– Widziałeś się z dziadkiem? – spytała, sięgając do lodówki. Zamierzała zrobić sos mięsny do spaghetti.

Nie wiedział, co odpowiedzieć. Przez cały okres dorastania słyszał, że nie wolno mu się kontaktować z dziadkiem, a teraz okazuje się, że jego interwencja uratowała sytuację, przynajmniej na razie.

Carina dostrzegła jego zakłopotanie.

– W porządku. Niech sobie ojciec mówi, co chce. Jeśli o mnie chodzi, możesz rozmawiać z dziadkiem. Żebyś tylko.... – Zawahała się. Nie chciała powiedzieć czegoś, co mogłoby zniszczyć to, co się między nimi odradza, ale wciąż jest kruche. – Nie mam nic przeciwko temu, żebyś się kontaktował z dziadkiem – mówiła dalej. – To... powiedział parę rzeczy, które należało powiedzieć. Dzięki temu zrozumiałam, że... – Odłożyła nóż, którym zaczęła kroić cebulę, i powstrzymując łzy, odwróciła się do syna. – Dzięki niemu dotarło do mnie, że to się musi zmienić. Będę mu za to wdzięczna do końca życia. Ale chcę, żebyś mi przyrzekł, że nie będziesz się spotykać z... jego kolegami... – Spojrzała na niego błagalnym wzrokiem. Zadrżał jej podbródek. – Nie mogę ci nic obiecać... Mam nadzieję, że rozumiesz. Jest mi bardzo ciężko. Codziennie, w każdej chwili. Mogę tylko obiecać, że się postaram. Okej? – Znów to zawstydzone błagalne spojrzenie.

Per poczuł, jak twarda gula w jego piersi zaczyna topnieć. Od odejścia ojca przez wszystkie te lata, zwłaszcza na początku, marzył o tym, żeby znów być małym chłopcem. Tymczasem musiał sprzątać jej wymiociny, pilnować, żeby paląc w łóżku, nie spaliła domu, i chodzić po zakupy. Robił rzeczy, które nie powinny należeć do obowiązków dziecka. Wspomnienia zamigotały mu przed oczami jak film. Nieważne. Słyszał jej głos, proszący, taki miękki, maminy. Zrobił krok w jej stronę i objął ją, a potem skulił się w jej objęciach, chociaż był od niej wyższy o głowę. Po raz pierwszy od dziesięciu lat znów poczuł się jak mały chłopiec.

Fjällbacka 1945

– Dobrze jest mieć wolne, co? – zagruchała Britta, głaszcząc Hansa po ramieniu.

Zaśmiał się i strącił jej rękę. Przez pół roku z okładem zdążył już dobrze ich poznać i wiedział, kiedy Britta go wykorzystuje, żeby wzbudzić zazdrość Fransa. Rozbawione spojrzenie, które rzucił mu Frans, świadczyło o tym, że on też wie, o co chodzi. Z drugiej strony należało podziwiać jej wytrwałość. Pewnie nigdy nie przestanie do niego wzdychać. Frans nie był całkiem bez winy, bo od czasu do czasu poświęcał Britcie odrobinę uwagi, podsycając jej zadurzenie, by po chwili znów ją ignorować. Hansowi ta gra wydawała się dość okrutna, ale nie chciał się wtrącać. Rozzłościł się za to, gdy po pewnym czasie zorientował się, kto jest naprawdę obiektem zainteresowania Fransa. Spojrzał na nią w chwili, gdy powiedziała coś do Fransa i uśmiechnęła się. Elsy miała piękny uśmiech. Nie tylko uśmiech, także charakter. Piękne oczy, śliczne ramiona wystające spod krótkich rękawów sukienki i dołek, który pojawiał się koło lewego kącika ust, gdy się uśmiechała. Cała była piękna, aż do najmniejszego szczegółu.

Elsy i jej rodzina byli dla niego bardzo mili. Płacił im niewielki czynsz. Elof załatwił mu pracę na kutrze. Często zapraszali go do stołu, właściwie co wieczór. Był pod wrażeniem ciepła i bliskości, jakie sobie okazywali. Zaczęły się w nim budzić uczucia, które wojna zepchnęła w cień. Elsy. Próbował nie myśleć o niej, gdy przed zaśnięciem stawała mu przed oczami. Ale w końcu musiał się pogodzić z faktem, że jest w niej beznadziejnie, po uszy zakochany. Zżerała go zazdrość za każdym razem, gdy Frans patrzył na nią wzrokiem wyrażającym dokładnie te same uczucia. No i Britta. Nie była wystarczająco mądra, żeby się zorientować w sytuacji, ale instynkt podpowiadał jej, że to nie ona jest obiektem zainteresowania Fransa i Hansa. Widział, jak ją to męczy. Zupełnie nie rozumiał, po co ktoś taki jak Elsy zadaje się z taką próżną egoistką jak Britta. Ale skoro Elsy tak chciała, gotów był się z tym pogodzić.

Z czwórki nowych przyjaciół, poza Elsy, najbardziej polubił Erika, jak na swój wiek bardzo dojrzałego i poważnego. Lubił siedzieć z nim na uboczu i rozmawiać. O wojnie, historii, polityce i gospodarce. Erik stwierdził z zachwytem, że wreszcie znalazł kogoś podobnego do siebie. Nie wiedział wprawdzie tyle co on, nie znał tylu dat, ale dużo wiedział o świecie, o historii i zachodzących między nimi związkach. Rozmawiali godzinami. Elsy żartowała, że przypominają dwóch starszych panów dyskutujących na ławeczce, ale Hans widział, że ją cieszy, że przypadli sobie do gustu.

Tylko o jednym nie rozmawiali: o bracie Erika. Hans nigdy nie podjął tego tematu, Erik też do niego nie wracał.

– Coś mi się zdaje, że mama zaraz nas zawoła na kolację – powiedziała Elsy, wstając i otrzepując spódnicę.

Hans również wstał.

– Lepiej, żebym cię odprowadził, bo mi twoja matka nie daruje. – Spojrzał na Elsy.

Zaczęła ostrożnie schodzić ze skały i tylko uśmiechnęła się pobłażliwie. Hans poczuł, że się czerwieni. Był od niej dwa lata starszy, ale zawsze czuł się przy niej jak wstydliwy uczniak.

Pomachał trójce, która została na skale, i zsunął się w dół, w ślad za Elsy. Dziewczyna rozejrzała się, przeszła przez ulicę i otworzyła furtkę na cmentarz, żeby skrócić sobie drogę do domu.

– Wspaniała pogoda – powiedział nerwowo i rozzłościł się na siebie. Musi przestać się zachowywać jak pomylony.

Elsy szybko szła żwirową ścieżką. Musiał podbiec, żeby ją dogonić. Szedł obok niej z rękoma w kieszeniach. Nie odpowiedziała na banalną uwagę o pogodzie, co go nawet ucieszyło.

Nagle poczuł się prawdziwie, do głębi szczęśliwy. Szedł obok Elsy, od czasu do czasu zerkał na jej kark i profil. Wiał przyjemny, lekki wiatr, żwir na ścieżce chrzęścił przyjemnie pod stopami. Nie potrafił sobie przypomnieć, czy kiedykolwiek czuł się tak szczęśliwy. Tyle było w jego życiu upokorzeń, nienawiści i strachu. Starał się nie myśleć o przeszłości. Gdy zakradł się na łódź Elofa, postanowił wszystko zostawić za sobą i nie oglądać się wstecz.

Wtedy dopadły go obrazy z przeszłości. Szedł w milczeniu obok Elsy i usiłował je od siebie odepchnąć, ale przedzierały się do jego świadomości. Czyżby taką cenę musiał zapłacić za szczęście? Krótkie, słodko-gorzkie okamgnienie. Jeśli tak, może było warto. Ale nie pomagało to za bardzo, gdy idąc obok Elsy, czuł, jak powracają twarze, obrazy, zapachy, wspomnienia i dźwięki. Gardło ścisnęło mu się ze strachu. Oddech mu się rwał. Musi coś zrobić. Nie potrafił ich powstrzymać, ale też nie umiał oswoić. Czuł, że coś musi zrobić.

W tym momencie dłoń Elsy musnęła jego rękę. Drgnął. Jej dotyk był miękki i elektryzujący. To wystarczyło, żeby odpędzić wszystko, o czym nie chciał myśleć. Byli na wzniesieniu nad cmentarzem, gdy nagle Hans stanął w miejscu. Elsy była o krok przed nim. Odwróciła się i jej twarz znalazła się na wysokości jego twarzy.

– Co się dzieje? – zaniepokoiła się.

Sam nie wiedział, co w niego wstąpiło. Zrobił krok naprzód, ujął w dłonie jej twarz i delikatnie pocałował w usta. Elsy w pierwszej chwili zesztywniała. Przeraziło go to. I nagle się rozluźniła i powoli rozwarła wargi, a Hans, zdjęty jednocześnie strachem i zachwytem, delikatnie wsunął język w jej usta i poszukał jej języka. Domyślił się, że nikt jej jeszcze nie całował. Mimo to instynktownie wysunęła język, a Hans poczuł, że uginają się pod nim kolana. Odsunął się i dopiero po chwili otworzył oczy. Przed sobą miał jej oczy. Zobaczył w nich odbicie własnych uczuć.

Gdy potem powoli, w milczeniu szli obok siebie do domu, wspomnienia już mu nie towarzyszyły. Jakby ich nigdy nie było.

Gdy Erika weszła do biblioteki, Christian siedział przed monitorem, całkowicie pochłonięty lekturą. Przyjechała prosto z Uddevalli. Od chwili gdy wyszła ze szpitala, od Hermana, w jej głowie roiło się od myśli. Ciągle miała wrażenie, że coś jej mówią nazwiska zapisane na karteczce. Podała ją Christianowi.

– Cześć. Mógłbyś sprawdzić, czy jest coś o tych dwóch ludziach? Paul Heckel i Friedrich Hück.

Spojrzała na Christiana i stwierdziła, że wygląda na wyczerpanego. Może to tylko jesienne przeziębienie albo zmęczenie dziećmi. Mimo to zaniepokoiła się.

– Usiądź, zaraz sprawdzę – powiedział.

Erika w duchu trzymała kciuki za powodzenie poszukiwań, ale nie robiła sobie większych złudzeń, bo nic nie wyczytała z jego twarzy.

– Niestety. Nic nie znalazłem – powiedział w końcu, z ubolewaniem potrząsając głową. – W każdym razie w naszych bazach nic nie ma. Może znajdziesz coś w internecie. Problem w tym, że to dość popularne w Niemczech nazwiska.

– I nic ich nie wiąże z Fjällbacką?

– Niestety.

Erika westchnęła.

– Za dobrze by było. – Nagle się rozjaśniła. – A może byś sprawdził... może znajdziesz coś jeszcze o tym człowieku z wycinków, które mi dałeś poprzednim razem. Wtedy szukaliśmy nie jego, tylko mojej mamy i jej przyjaciół. Chodzi o członka norweskiego ruchu oporu Hansa Olavsena, który mieszkał we Fjällbace...

– Pod koniec wojny, wiem – wtrącił Christian.

– Wiesz o nim więcej? – zdziwiła się Erika.

– Nie, ale już drugi raz w ciągu dwóch dni ktoś o niego pyta. Widać popularny gość.

– Kto o niego pytał? – Erika aż wstrzymała oddech.

– Zaraz sprawdzę. – Christian cofnął się razem z krzesłem do małej komódki. – Zostawił mi wizytówkę, na wypadek gdybym coś o nim znalazł. Miałem do niego zadzwonić.

Mrucząc pod nosem, przeszukiwał szufladę. W końcu znalazł.

– Mam, jest wizytówka. Kjell Ringholm.

– Dziękuję – powiedziała z uśmiechem Erika. – Już wiem, z kim sobie porozmawiam.

– Widzę, że to poważna sprawa.

Christian się roześmiał, ale jego oczy pozostały smutne.

– Ciekawe, dlaczego on się interesuje Hansem Olavsenem... Właśnie, znalazłeś coś dla niego?

– To samo, co dałem tobie. I niestety nic więcej nie potrafię zrobić.

– Kiepskie żniwo dziś zebrałam – westchnęła Erika. – Pozwolisz, że spiszę z wizytówki numer jego telefonu?

– Bardzo proszę.

Christian podsunął jej wizytówkę.

– Dzięki.

Mrugnęła do niego porozumiewawczo. Odpowiedział obojętnym mrugnięciem.

– Dobrze ci idzie pisanie książki? Mogłabym ci w czymś pomóc? Jeśli dobrze pamiętam, nosi tytuł „Syrenka", tak?

– Dziękuję, dobrze idzie – odparł trochę dziwnym tonem. – Rzeczywiście, zatytułowałem ją „Syrenka". A teraz, wybacz, mam trochę pracy...

Odwrócił się i zaczął stukać w klawiaturę.

Erika speszyła się i wyszła. Nigdy nie zachowywał się w ten sposób. Trudno, ma na głowie co innego, na przykład spotkanie z Kjellem Ringholmem.

Umówili się na Veddö[22]. Mało prawdopodobne, żeby ktoś ich tam zobaczył o tej porze roku, a jeśli nawet, to zobaczy dwóch spacerujących staruszków, i tyle.

– Gdyby to człowiek wiedział, co go czeka – powiedział Axel i kopnął kamyk.

Kamyk potoczył się po plaży. Latem plażowicze musieli się godzić z towarzystwem stada długowłosych, przypominających jaki krów, szukających ochłody w wodzie razem z dziećmi. Ale o tej porze roku plaża była pusta, tylko wiatr unosił suche wodorosty wyrzucone na brzeg. Za obopólną milczącą zgodą nie mówili o Eriku. Ani o Britcie. Właściwie sami nie wiedzieli, po co się spotkali. Przecież to do niczego nie prowadzi, niczego nie zmieni. A jednak czuli, że muszą się spotkać. Tak jak ukąszony przez komara człowiek musi się

---

[22] Veddö – półwysep, kilka kilometrów na północ od Fjällbacki (przyp. tłum.).

podrapać. I nieważne, o czym obaj wiedzieli, że potem będzie tylko gorzej.

– Chyba cała rzecz w tym, żeby nie wiedzieć – odparł Frans, patrząc na morze. – Gdyby człowiek miał kryształową kulę, która odsłoni przed nim wszystko, co go spotka w życiu, pewnie nigdy by się nie podniósł. Rzecz polega chyba na tym, żeby wszystko w życiu konsumować w małych porcjach. Zmartwienia i kłopoty dostawać w małych kawałkach, żeby dało się je pogryźć.

– Czasem kawałki są za duże – powiedział Axel i kopnął jeszcze jeden kamień.

– Chyba mówisz o innych, przecież nie o sobie ani o mnie. – Frans spojrzał na niego. – Innym ludziom możemy się wydawać różni. Ale jesteśmy do siebie podobni. Wiesz o tym. Nigdy się nie poddajemy. Żeby nie wiem co.

Axel kiwnął głową i spojrzał na Fransa.

– Żałujesz czegoś?

Frans długo się zastanawiał, a potem powiedział z ociąganiem:

– Czego tu żałować? Co było, to było. Wszyscy dokonujemy jakichś wyborów. Ty swoich, ja swoich. Czy żałuję? Nie, bo co mi z tego przyjdzie?

Axel wzruszył ramionami.

– Żal, skrucha, to chyba wyraz człowieczeństwa. Bez nich... kim byśmy byli?

– Pytanie, czy żal jest w stanie cokolwiek zmienić. Dotyczy to również zemsty, którą się zajmowałeś. Całe życie poświęciłeś ściganiu ludzi w jednym jedynym celu: żeby się zemścić. Innego celu w tym nie było. Czy to coś zmieniło? W obozach koncentracyjnych i tak zginęło sześć milionów ludzi. Co to zmieni, że dopadniecie kobietę, która podczas wojny była strażniczką w obozie, a potem żyła sobie w Stanach Zjednoczonych jako zwykła gospodyni domowa? Że ją zaciągniecie przed sąd, żeby odpowiedziała za zbrodnie popełnione ponad sześćdziesiąt lat temu? Co to zmieni?

Axel przełknął ślinę. Zwykle był głęboko przekonany o słuszności tego, co robi. Ale Frans trafił go w czuły punkt. Zadał pytanie, które sam sobie zadawał w trudnych chwilach.

– Rodzinom ofiar zapewni spokój duszy i będzie sygnałem, że ludzkość nigdy się z tym nie pogodzi.

– Brednie – powiedział Frans, wkładając ręce do kieszeni. – Naprawdę wierzysz, że to odstrasza? Albo jest sygnałem czegoś? Przecież teraźniejszość ma o wiele większą moc niż przeszłość. Lekceważenie skutków swoich działań i niewyciąganie wniosków z historii leży w ludzkiej naturze. A jeśli chodzi o spokój duszy, to jeśli człowiek go nie odzyskał mimo upływu sześćdziesięciu lat, to już nigdy go nie odzyska. Każdy powinien sam zadbać o swój spokój, nie czekać na zemstę i nie wierzyć, że wtedy ten spokój sam przyjdzie.

– To bardzo cyniczne – powiedział Axel i również wsunął ręce do kieszeni palta. Zadrżał z zimna, zacinał ostry wiatr.

– Chcę tylko, żebyś zrozumiał, że za tą według ciebie szlachetną sprawą, której poświęciłeś życie, kryje się w najwyższym stopniu prymitywna i pierwotna potrzeba: zemsty. Ja nie wierzę w zemstę. Wierzę, że powinniśmy się skupić na zmienianiu teraźniejszości.

– I uważasz, że to robisz – powiedział Axel w napięciu.

– Ty i ja stoimy po przeciwnych stronach barykady – stwierdził sucho Frans. – Ale tak, uważam, że to robię. Próbuję zmieniać rzeczywistość. Nie szukam zemsty. Nie odczuwam żalu. Patrzę w przyszłość i idę za tym, w co wierzę. Oczywiście, wierzę w co innego niż ty, dlatego nasze dążenia się rozmijają. Nasze drogi rozeszły się sześćdziesiąt lat temu i już się nie zejdą.

– Jak do tego doszło? – spytał Axel cicho i przełknął ślinę.

– Próbuję ci właśnie wytłumaczyć. Nie ma znaczenia, jak do tego doszło. Jest, jak jest. Tylko jedno można zrobić, mianowicie zmieniać i żyć. Nie oglądać się za siebie. Nie pogrążać się w żalu czy spekulacjach, co by było gdyby. – Frans przystanął, zmuszając Axela, by na niego spojrzał. – Nie wolno oglądać się za siebie. Co się stało, to się nie odstanie. Przeszłość to przeszłość. Nie ma czego żałować.

– I tu się właśnie mylisz, Frans – powiedział Axel, pochylając głowę. – I tu się mylisz.

Lekarz prowadzący długo nie wyrażał zgody na kilkuminutowe przesłuchanie Hermana. Ustąpił dopiero, gdy Martin i Paula powiedzieli, że mogą być przy tym obecne jego córki.

– Dzień dobry, panie Hermanie – powiedział Martin, wyciągając rękę.

Herman podał swoją i słabo uścisnął rękę Martina.

– Poznaliśmy się u pana w domu, ale nie jestem

pewien, czy pan pamięta. To moja koleżanka, Paula Morales. Jeśli pan się zgodzi, chcielibyśmy panu zadać kilka pytań.

Mówił spokojnie, oboje z Paulą przysiedli obok łóżka. Nie wiedzieli, że chwilę wcześniej siedziała tam Erika.

– Proszę – odparł Herman.

Wydawał się trochę bardziej przytomny. Córki usiadły po drugiej stronie łóżka, Margareta trzymała ojca za rękę.

– Przede wszystkim proszę przyjąć wyrazy szczerego współczucia – powiedział Martin. – Wiem, że długo byli państwo małżeństwem.

– Pięćdziesiąt pięć lat – powiedział Herman. W jego oczach dostrzegli ożywienie. – Byliśmy z Brittą małżeństwem pięćdziesiąt pięć lat.

– Mógłby pan nam opowiedzieć, jak umarła? – spytała Paula, starając się mówić równie spokojnie jak Martin.

Margareta i Anna Greta spojrzały na nich z niepokojem. Już miały się sprzeciwić, gdy Herman powstrzymał je gestem.

Martin już zdążył zauważyć, że Herman nie ma na twarzy zadrapań. Starał się zajrzeć pod rękawy szpitalnej koszuli, ale bez powodzenia. Postanowił, że sprawdzi po przesłuchaniu.

– Byłem na kawie u Margarety – powiedział Herman. – Dziewczyny są dla mnie bardzo dobre. Zwłaszcza odkąd Britta zachorowała. – Uśmiechnął się do córek. – Mieliśmy do omówienia parę spraw. Ja... zdecydowałem, że Britcie będzie lepiej, jeśli zamieszka gdzieś, gdzie będzie miała pełną opiekę... – mówił znękanym głosem.

Margareta poklepała go po ręce.

– To było oczywiste, tato. Nie było innego wyjścia.

Herman mówił dalej, jakby jej nie słyszał.

– Potem poszedłem do domu. Niepokoiłem się, bo długo mnie nie było. Prawie dwie godziny. Zawsze się śpieszę, jeśli muszę wyjść. Wychodzę najwyżej na godzinę. W tym czasie ona śpi po obiedzie. Boję się... bałem się, że Britta się obudzi i podpali dom i siebie. – Zadrżał. Nabrał tchu i mówił dalej: – Wszedłem do domu i zawołałem ją. Nie odpowiedziała. Pomyślałem, że na szczęście jeszcze śpi, i poszedłem na górę, do sypialni. Leżała tam... Zdziwiłem się, dlaczego ma na twarzy poduszkę. Podszedłem, zdjąłem ją i już wiedziałem, że odeszła. Oczy... wpatrywała się w sufit i się nie ruszała.

Margareta delikatnie otarła mu łzy.

– Czy to naprawdę konieczne? – spytała, patrząc prosząco na Martina i Paulę. – Tata nadal jest w szoku i...

– W porządku, córeczko – powiedział Herman. – Wszystko w porządku.

– Dobrze, ale jeszcze tylko parę minut. Potem ich wyrzucę, osobiście, jeśli będzie trzeba. Bo musisz odpocząć.

– Zawsze była z nich najbardziej wojownicza. – Herman uśmiechnął się blado. – Prawdziwa złośnica.

– Cicho bądź i nie obrażaj mnie – odparła, wyraźnie zadowolona, że ojciec ma siłę się droczyć.

– Więc mówi pan, że już nie żyła, gdy pan wszedł do sypialni – powiedziała Paula. – Dlaczego wcześniej mówił pan, że ją pan zabił?

– Bo ją zabiłem – odpowiedział, i twarz mu stężała.

– Ale nie powiedziałem, że ją zamordowałem. Chociaż równie dobrze mogłem to zrobić.

Patrzył na swoje ręce. Nie chciał spojrzeć w oczy ani córkom, ani policjantom.

– Tato, nic z tego nie rozumiemy – powiedziała z rozpaczą w głosie Anna Greta, ale Herman nie odpowiadał.

– Czy pan wie, kto ją zamordował? – spytał Martin.

Zrozumiał, że Herman nie powie, dlaczego uparcie twierdzi, że zabił żonę.

– Już nie mam siły – powiedział Herman, wpatrując się w kołdrę. – Nie mam siły.

– Słyszeliście, co powiedział. – Margareta wstała. – Co miał do powiedzenia, to powiedział. Najważniejsze, sami słyszeliście, że nie on zamordował mamę. Reszta... przemawia przez niego rozpacz.

Martin i Paula wstali.

– Dziękujemy, że poświęcił nam pan kilka minut. Chcielibyśmy pana prosić o jeszcze jedną rzecz. – Martin zwrócił się do Hermana: – Czy żeby potwierdzić to, co pan powiedział, moglibyśmy obejrzeć pańskie ręce? Pańska żona podrapała człowieka, który ją udusił.

– Czy to naprawdę konieczne?! Przecież już powiedział, że nie...

Margareta podniosła głos, ale Herman podwinął rękawy i pokazał ręce. Martin obejrzał je z każdej strony. Żadnych zadrapań.

– Sami widzicie.

Margareta miała taką minę, jakby zgodnie z zapowiedzią zamierzała ich wyrzucić za drzwi.

– To wszystko. Dziękujemy, panie Hermanie. I jeszcze raz: wyrazy szczerego współczucia – powiedział Martin, kiwając ręką na obie kobiety. Chciał, żeby za nim wyszły.

Na korytarzu powiedział im o odcisku palca. Obie zgodziły się na pobranie odcisków, żeby można je było wyłączyć ze śledztwa. Ich siostra Birgitta zjawiła się, gdy kończyli. Zdążyli jeszcze pobrać odciski od niej, a potem cały komplet wysłali do laboratorium.

Paula i Martin siedzieli chwilę w samochodzie.

– Jak sądzisz, kogo on osłania? – spytała Paula.

Włożyła kluczyk do stacyjki, ale nie przekręciła.

– Nie wiem, chociaż też mam takie wrażenie. On wie, kto zamordował Brittę, a jednak tego kogoś osłania i czuje się odpowiedzialny za jej śmierć.

– Gdyby tylko zechciał powiedzieć.

Paula przekręciła kluczyk.

– Tak, zupełnie nie potrafię...

Martin potrząsnął głową i zabębnił palcami po desce rozdzielczej.

– Ale mu wierzysz? – spytała, choć domyślała się odpowiedzi.

– Wierzę. Zresztą brak zadrapań dowodzi, że miałem rację. Nie potrafię tylko zrozumieć, dlaczego kryje mordercę swojej żony ani dlaczego sam czuje się winny.

– Tutaj tego nie wyjaśnimy – powiedziała Paula, wyjeżdżając z parkingu. – Mamy odciski palców córek. Trzeba je wysłać do laboratorium, żeby je wykluczyć. Spróbujmy się dowiedzieć, kto zostawił odcisk na poszewce.

– Tak, tylko to możemy teraz zrobić – powiedział z westchnieniem Martin, wyglądając przez okno.

Żadne z nich nie zauważyło jadącej z przeciwka Eriki. Minęli ją na północ od Torp.

Fjällbacka 1945

Frans zobaczył to nie przez przypadek. Obserwował Elsy, jak szła do domu, postanowił ją śledzić, dopóki nie zniknie za pagórkiem, i dlatego widział, jak się całują. Jakby mu ktoś wbił nóż w serce. Krew uderzyła mu do głowy, jednocześnie w całym ciele poczuł mróz i straszliwy ból.

– Bardzo ładnie... – powiedział Erik. Też to widział.

– A to dopiero... – Zaśmiał się, potrząsając głową.

Śmiech Erika wywołał nagły, oślepiający błysk w głowie Fransa. Musiał natychmiast uśmierzyć ten ból, ból nie do wytrzymania. Rzucił się Erikowi do gardła.

– Zamknij mordę, ty głupku...

Zacisnął Erikowi ręce na szyi. Widział, że Erik bezskutecznie próbuje łapać powietrze i widząc jego przerażenie, poczuł ulgę. Na krótką chwilę przestała mu ciążyć ta gula w brzuchu, która w chwili gdy zobaczył, jak się całują, urosła dziesięciokrotnie.

– Co ty robisz?! – krzyknęła Britta.

Erik leżał na wznak, Frans siedział na nim. Nie namyślając się, podbiegła i zaczęła go ciągnąć za koszulę, ale odepchnął ją tak mocno, że poleciała do tyłu.

– Frans, przestań! – krzyczała z płaczem, odsuwając się od niego jak najdalej.

Coś w jej głosie sprawiło, że się ocknął. Spojrzał na Erika, któremu twarz posiniała, i puścił jego gardło.

– Przepraszam – wymamrotał, przesuwając dłonią po oczach. – Przepraszam... ja...

Erik usiadł i patrząc na Fransa, dotknął swojej szyi.

– O co ci chodzi? Co cię ugryzło? Jeszcze trochę, a byłbyś mnie udusił! Zwariowałeś?

Erik zdjął przekrzywione okulary i założył je z powrotem.

Frans milczał. Tępo patrzył przed siebie.

– Nie widzisz, że on się kocha w Elsy? – gorzko powiedziała Britta, ocierając łzy wierzchem dłoni. – Wyobrażał sobie, że ma jakieś szanse. Głupi jesteś, jeśli tak myślisz, Frans! Ona i tak by na ciebie nie spojrzała. Teraz rzuciła się w ramiona tego Norwega. A ja...

Britta wybuchnęła płaczem i zaczęła się zsuwać w dół po skale. Frans obojętnie patrzył, jak się oddala, podczas gdy Erik wpatrywał się w niego ze złością.

– Frans, do cholery. Przecież ty jesteś... To prawda? Kochasz się w Elsy? Teraz rozumiem, dlaczego się wściekłeś. Ale nie możesz... – Urwał i potrząsnął głową.

Frans nie odpowiadał. Nie mógł. Ciągle miał przed oczami Hansa. Widział, jak się pochyla i całuje Elsy. I jak Elsy odwzajemnia pocałunek.

Erika nabrała zwyczaju, żeby się przyglądać radiowozom, i gdy drugi raz tego dnia jechała do Uddevalli, wydało jej się, że w aucie, które minęła przed Torp, mignął jej Martin. Ciekawe, gdzie był.

Sprawa nie była pilna, ale wiedziała, że nie będzie mogła się zabrać do pracy, dopóki się nie dowie, dlaczego dziennikarz z „Bohusläningen" Kjell Ringholm również interesuje się Hansem Olavsenem.

Chwilę później siedziała w redakcyjnej recepcji i zastanawiała się nad powodami jego zainteresowania. Postanowiła zapytać go wprost. Po kilku minutach skierowano ją do jego pokoju. Witając się, Kjell Ringholm przyglądał jej się z ciekawością.

– Erika Falck? Pani jest pisarką, prawda?

Wskazał jej krzesło. Erika powiesiła kurtkę na oparciu i usiadła.

– Zgadza się.

– Niestety nie czytałem żadnej z pani książek, ale słyszałem, że są dobre – powiedział uprzejmie. – Szuka pani materiałów do kolejnej? Nie zajmuję się tematyką kryminalną, więc nie wiem, w czym mógłbym pani pomóc. Jeśli dobrze rozumiem, opisuje pani autentyczne przypadki, prawda?

– Powiem od razu, że to nie ma nic wspólnego z moimi książkami – powiedziała Erika. – Z różnych powodów zaciekawiła mnie przeszłość mojej matki. Przyjaźniła się między innymi z pańskim ojcem.

Ringholm zmarszczył czoło.

– Kiedy to było? – spytał z zaciekawieniem.

– Z tego co wiem, w dzieciństwie i w młodości. Skupiłam się na czasach wojny. Jak pan wie, mieli wtedy po piętnaście lat.

Ringholm skinął głową. Czekał na dalszy ciąg.

– Stanowili nierozłączną czwórkę. Oprócz mojej matki i pańskiego ojca należeli do niej Britta Johansson i Erik Frankel. Jak pan zapewne wie, oboje zostali zamordowani, w odstępie zaledwie dwóch miesięcy. Dziwne, prawda?

Ringholm nadal milczał, ale Erika zauważyła, że zesztywniał, a w jego oku pojawił się błysk.

– Otóż... – Zrobiła przerwę. – W pewnym momencie dołączyła do nich jeszcze jedna osoba. W 1944 roku znalazł się we Fjällbace bojownik norweskiego ruchu oporu, właściwie chłopiec jeszcze. Ukrył się na kutrze mojego dziadka, który potem razem z babcią przyjął go pod swój dach. Nazywał się Hans Olavsen. Już pan to wie, prawda? Wiem, że pan też się nim interesuje i w związku z tym pytam: dlaczego?

– Jestem dziennikarzem, nie mogę o tym rozmawiać – powiedział Ringholm.

– Błąd. Nie może pan ujawniać źródeł – spokojnie sprostowała Erika. – Nie rozumiem, dlaczego nie mielibyśmy sobie pomóc. Jestem dobra w wyszukiwaniu dokumentów. Pan jako dziennikarz też to potrafi. I pana, i mnie interesuje ten Norweg. Oczywiście nic się nie stanie, jeśli mi pan nie powie dlaczego, będę musiała się z tym pogodzić. Ale moglibyśmy się przecież wymienić informacjami. Moglibyśmy też to robić w przyszłości.

Umilkła. W napięciu czekała na odpowiedź. Ringholm się zastanawiał. Bębnił palcami po biurku, rozważając wszystkie za i przeciw.

– Okej – powiedział w końcu i sięgnął do najwyższej szuflady biurka. – Właściwie nic nie stoi na przeszkodzie, żebyśmy sobie pomagali. Moje źródło nie żyje, więc nie widzę powodu, żeby pani wszystkiego nie opowiedzieć. A więc zetknąłem się z Erikiem Franklem w związku z pewną... prywatną sprawą. – Chrząknął i podsunął jej skoroszyt z szuflady. – Powiedział mi wtedy, że chciałby mi o czymś opowiedzieć, że mi się to przyda i że należy to ujawnić.

– Tak powiedział? – Erika sięgnęła po skoroszyt. – Że trzeba to ujawnić?

– Tak to zapamiętałem – powiedział Ringholm, siadając wygodnie. – Kilka dni później zjawił się u mnie z wycinkami, które ma pani przed sobą. Wręczył mi je bez słowa wyjaśnienia. Oczywiście zadałem mu mnóstwo pytań, ale powiedział tylko, że jeśli, jak słyszał, rzeczywiście jestem dobry w dziennikarstwie śledczym, powinna mi wystarczyć zawartość tego skoroszytu.

Erika przerzuciła wycinki. Te same, które dostała od Christiana. Artykuły ze starych gazet, w których padało nazwisko Hansa Olavsena i wspominano o jego pobycie we Fjällbace.

– Tylko tyle? Nic więcej? – Westchnęła.

– To samo sobie pomyślałem. Jeśli coś wiedział, dlaczego nie powiedział wprost? Dlaczego chciał, żebym sam się dowiedział reszty? Właśnie się do tego zabierałem i skłamałbym, gdybym zaprzeczył, że moja ciekawość wzrosła tysiąckrotnie, gdy się dowiedziałem, że Erik Frankel został zamordowany. Zastanawiałem się, czy to może mieć związek z tym... – Wskazał leżący na kolanach Eriki skoroszyt. – Oczywiście słyszałem również o zamordowaniu tej starej kobiety, ale nie miałem pojęcia, że może być jakiś związek... Bez wątpienia rodzi się mnóstwo pytań.

– Udało się panu czegoś dowiedzieć o tym Norwegu? – spytała Erika z zaciekawieniem. – Ja ustaliłam tylko, że miał romans z moją matką, a potem nagle ją zostawił i wyjechał z Fjällbacki. Chciałam go odszukać, sprawdzić, co się z nim stało, czy wrócił do Norwegii... Może pan mnie uprzedził i już to wie?

Ringholm pokręcił głową. Nie odpowiedział ani tak, ani nie. Opowiedział o swojej rozmowie z Eskilem Halvorsenem, który nie słyszał o Hansie Olavsenie, ale obiecał poszperać w źródłach.

– Równie dobrze mógł zostać w Szwecji – powiedziała Erika w zamyśleniu. – W takim razie powinien być jakiś ślad w szwedzkich urzędach. Sprawdzę. Będzie problem, jeśli się okaże, że wyjechał do innego kraju.

Ringholm wziął od niej skoroszyt.

– Niezły pomysł. Nie musimy zakładać, że wrócił do Norwegii. Po wojnie sporo ludzi u nas zostało.

– Wysłał pan jego zdjęcie Eskilowi Halvorsenowi?

– Nie. – Ringholm zaczął przeglądać wycinki. – Ale ma pani rację. Nigdy nie wiadomo, czasem przyda się nawet najmniejszy drobiazg. Zaraz się z nim skontaktuję i prześlę mu któreś z tych zdjęć albo jeszcze lepiej przefaksuję. Może to? Jest chyba najwyraźniejsze, jak pani sądzi?

Podsunął jej wycinek ze zdjęciem, które oglądała kilka dni wcześniej.

– Myślę, że tak. Widzi pan, tu jest cała czwórka. To moja matka.

Wskazała palcem na Elsy.

– Mówi pani, że często się spotykali, tak? – w zamyśleniu spytał Ringholm.

Był zły na siebie, że wcześniej nie powiązał Britty ze zdjęcia z ofiarą morderstwa. Pocieszał się, że większości ludzi nie przyszłoby to do głowy. Niełatwo było dopatrzyć się podobieństwa między piętnastoletnią dziewczyną i siedemdziesięciopięcioletnią panią.

– Dowiedziałam się, że byli ze sobą bardzo zżyci, chociaż w tamtych czasach nie bardzo się to podobało. Podziały klasowe były we Fjällbace wyraźne. Britta i moja mama były biedne, podczas gdy chłopcy, Erik Frankel i... właśnie, pański ojciec, należeli do tych lepszych. – Erika zrobiła palcami znak cudzysłowu.

– Ładnych mi lepszych... – mruknął Ringholm pod nosem.

Erika domyśliła się, że za tymi słowami kryje się znacznie więcej.

– Nie pomyślałam, że należałoby porozmawiać również z Axelem Franklem – powiedziała z ożywieniem. – Może on coś wie o Hansie Olavsenie. Był wprawdzie trochę starszy od nich, ale przecież spotykał się z nimi, może on...

Przerwał jej gestem.

– Nie liczyłbym na to. Też o tym pomyślałem, ale najpierw sprawdziłem źródła... Pewnie pani słyszała, że podczas jednej z jego licznych wypraw do Norwegii złapali go Niemcy?

– Niestety mało wiem na ten temat. – Erika spojrzała na niego z zaciekawieniem. – Więc słucham. Czego pan się dowiedział? – Rozłożyła ręce, czekając na dalszy ciąg.

– Jak powiedziałem, aresztowali go, kiedy przekazywał jakiś dokument ruchowi oporu. Trafił do więzienia Grini pod Oslo. Siedział tam do początku 1945 roku. Wtedy wszyscy więźniowie zostali przetransportowani statkiem i pociągiem do Niemiec. Wylądował w obozie koncentracyjnym Sachsenhausen. Siedziało tam wielu Skandynawów. Pod sam koniec wojny został przewieziony do obozu Neuengamme.

Erika głośno zaczerpnęła tchu.

– Nie miałam pojęcia... Axel Frankel siedział w niemieckim obozie koncentracyjnym? Nie wiedziałam nawet, że w tych obozach siedzieli też Norwegowie i Szwedzi.

– Norwegowie i pojedyncze osoby z innych krajów skandynawskich, przyłapane na działalności podziemnej. Określano ich jako NN, *Nacht und Nebel*, czyli noc i mgła. Nazwę zaczerpnięto z dekretu Hitlera z 1941 roku, zgodnie z którym cywile z krajów okupowanych nie stawali przed sądami krajowymi, lecz byli wysyłani do Niemiec, żeby zginąć w nocy i we mgle. Jedni ginęli z wyroku sądu w Berlinie, inni z przepracowania w obozach. Tak czy inaczej, Axela Frankla nie było we Fjällbace, gdy przebywał tu Hans Olavsen.

– Przecież nie wiadomo dokładnie, kiedy Olavsen opuścił Fjällbackę. – Erika zmarszczyła czoło. – Nie znalazłam nic na ten temat. Nie mam pojęcia, kiedy zostawił moją mamę.

– Ale ja wiem, kiedy wyjechał – powiedział z triumfem Ringholm, przerzucając leżące na biurku papiery. – Oczywiście mniej więcej – dodał. – Jest!

Wziął kartkę i położył ją przed Eriką. Pokazał jej palcem, gdzie ma czytać.

Erika pochyliła się i przeczytała głośno:

– „Stowarzyszenie Przyjaciół Fjällbacki odniosło wielki sukces, organizując...".

– Nie, nie, następna szpalta – przerwał jej.

– Aha – Erika spróbowała jeszcze raz: – „Niektórzy z nas byli zaskoczeni, że członek norweskiego ruchu oporu, który znalazł schronienie we Fjällbace, tak nagle nas opuścił. Wielu mieszkańców ubolewa, że nie było im dane się z nim pożegnać i podziękować za to, co robił podczas wojny, której kres wreszcie ujrzeliśmy... – Erika spojrzała na datę na górze strony i podniosła wzrok na Ringholma. – 19 czerwca 1945 roku".

– To znaczy, że zniknął wkrótce po zakończeniu wojny – powiedział Ringholm, odkładając kartkę na kupkę.

– Ale dlaczego? – zastanawiała się Erika, przekrzywiając głowę. – Mimo wszystko uważam, że rozmowa z Axelem ma sens. Przecież brat mógł mu coś opowiadać. Biorę to na siebie. A pan może mógłby porozmawiać z ojcem?

Ringholm milczał dłuższą chwilę. W końcu powiedział:

– Pewnie, że mógłbym. Zawiadomię panią również, jeśli dowiem się czegoś od Halvorsena. I proszę mnie powiadomić, jeśli pani coś znajdzie. Rozumiemy się?

Pogroził jej palcem. Zwykle pracował sam, ale tym razem doszedł do wniosku, że dzięki Erice poszukiwania pójdą sprawniej, co może być dla sprawy korzystne.

– Sprawdzę w urzędach – powiedziała Erika, wstając. – Obiecuję, że dam znać, jak tylko się czegoś dowiem. – Zaczęła wkładać kurtkę, ale zatrzymała się w pół ruchu. – Właściwie mam jeszcze jedną sprawę. Nie wiem, czy to ma jakieś znaczenie, ale...

– Proszę mówić, wszystko może się przydać. – Z zaciekawieniem podniósł wzrok.

– Rozmawiałam z Hermanem, mężem Britty. On coś wie... w każdym razie takie odnoszę wrażenie. Otóż spytałam go o Hansa Olavsena i dziwnie zareagował. Powiedział, żebym spytała o to niejakich Paula Heckela i Friedricha Hücka. Szukałam tych nazwisk w paru miejscach, ale nic nie znalazłam, choć...

– Co takiego? – spytał Ringholm.

– Nie wiem. Mogłabym przysiąc, że nigdy nie słyszałam tych nazwisk, a jednak wydają mi się dziwnie znajome...

Ringholm stukał długopisem o blat biurka.

– Paul Heckel i Friedrich Hück? – upewnił się i zapisał w notatniku. – Sprawdzę. Ale nic mi nie mówią.

– Mamy co robić.

Erika uśmiechnęła się, przystając w drzwiach. Ulżyło jej, że nie będzie szukać sama.

– Raczej tak – z nieobecną miną odparł Ringholm.

– Do usłyszenia – powiedziała Erika.

– Tak jest – odpowiedział, nie patrząc na nią, i sięgnął po słuchawkę telefonu.

Zapalił się do tej sprawy. Dziennikarski nos podpowiadał mu, że w tej szafie jest jakiś trup.

– Może przejrzymy wszystko jeszcze raz?

Było poniedziałkowe popołudnie i w komisariacie panował spokój.

– Oczywiście – powiedział Gösta, podnosząc się niechętnie. – Paula też?

– No jasne – odparł Martin i poszedł po nią.

Mellberg był na spacerze z Ernstem, Annika była czymś bardzo zajęta w recepcji, więc usiedli we troje w pokoju socjalnym i rozłożyli dokumenty.

– Erik Frankel – powiedział Martin, trzymając długopis nad czystą kartką notatnika.

– Zamordowany we własnym domu. Narzędzie zbrodni: przedmiot znajdujący się w domu – powiedziała Paula.

Martin notował.

– Co może wskazywać na afekt – zauważył Gösta.

Martin przytaknął.

– Na popiersiu, które było narzędziem zbrodni, nie ma odcisków palców, ale wydaje się, że nie zostały starte. Czyli morderca musiał mieć rękawiczki, co z kolei przeczyłoby wersji, że nie działał z premedytacją – wtrąciła Paula, podglądając, co zapisuje Martin. – Dasz radę to odczytać? – spytała z niedowierzaniem.

Pismo Martina przypominało hieroglify. Albo stenogram.

– Pod warunkiem że zaraz przepiszę na czysto na komputerze – uśmiechnął się Martin. – Inaczej będę ugotowany.

– Erik Frankel zginął od jednego silnego ciosu w skroń – powiedział Gösta, wyciągając zdjęcia z biblioteki Franklów. – Narzędzie zbrodni morderca zostawił na miejscu.

– Co również mogłoby wskazywać na to, że zbrodnia nie została obmyślana na zimno – zauważyła Paula i wstała, żeby nalać kawy.

– Jedyne pogróżki, jakie dostawał, dostawał dlatego, że zajmował się nazizmem, przez co wszedł w konflikt z neonazistowską organizacją Przyjaciele Szwecji. – Martin sięgnął po pięć zafoliowanych listów i rozłożył je na stole. – Miał oprócz tego pewne osobiste powiązania z tą organizacją, przez przyjaciela z dzieciństwa i młodości Fransa Ringholma.

– Czy są jakiekolwiek poszlaki, że to on mógłby go zabić? – Paula patrzyła na listy, jakby próbowała je zmusić, by przemówiły.

– Trudno powiedzieć. Trzech kumpli z organizacji dało mu alibi. Zeznali, że w dniach, gdy prawdopodobnie doszło do morderstwa, był razem z nimi w Danii. Nie jest to niepodważalne alibi, jeśli w ogóle istnieje coś takiego, ale nie mamy dowodów. Odciski butów należały do chłopaków, którzy znaleźli denata. Wszystkie inne ślady i odciski należą do mieszkańców domu.

– Będzie ta kawa czy zamierzasz tak stać z tym dzbankiem? – spytał Gösta, zwracając się do Pauli, która utknęła przy maszynce.

– Powiedz „poproszę", to ci naleję – odpowiedziała Paula.

Gösta niechętnie wymamrotał „poproszę".

– I jeszcze sprawa daty. – Martin podziękował skinieniem, gdy nalała mu do filiżanki. – Ustaliliśmy z dużym prawdopodobieństwem, że Erik Frankel zginął między piętnastym a siedemnastym czerwca. Zwłok nikt nie znalazł, bo brat wyjechał i nikt nie szukał denata, nie był z nim umówiony. Z Violą Ellmander zerwał. W każdym razie tak to odebrała.

– Nikt nic nie widział? Gösta, przesłuchałeś wszystkich sąsiadów? Nie było żadnych obcych samochodów? Żadnych podejrzanych osób?

Martin spojrzał na niego pytającym wzrokiem.

– Nie mieli wielu sąsiadów – mruknął Gösta.

– Mam rozumieć, że nikt nic nie zauważył?

– Przesłuchałem wszystkich sąsiadów, nikt nic nie zauważył.

– Okej, na razie damy sobie z tym spokój. – Martin westchnął i wypił łyk kawy. – A Britta Johansson? Zadziwiająca okoliczność, że była znajomą Erika Frankla i Fransa Ringholma. Wprawdzie znali się bardzo dawno, ale z billingów wynika, że kontaktowali się ze sobą w czerwcu i obydwaj spotkali się z Brittą. – Zrobił przerwę. – Dlaczego właśnie wtedy, po sześćdziesięciu latach przerwy, postanowili odnowić kontakt? Mamy uwierzyć mężowi Britty, że w związku z postępującą chorobą chciała powspominać dawne czasy?

– Moim zdaniem to bzdura – powiedziała Paula, sięgając po kolejne opakowanie markiz. Oderwała plastikowy pasek z jednego końca, wzięła trzy ciasteczka, a potem poczęstowała kolegów. – Nie wierzę w ani jedno jego słowo. Myślę, że gdyby nam się udało dowiedzieć, po co się spotkali, sprawa by się wyjaśniła. Ale Frans milczy jak zaklęty, a Axel trzyma się tej wersji. Podobnie jak Herman.

– No i nie zapominajmy o przelewach – powiedział Gösta. Z chirurgiczną precyzją zdjął jasny wierzchni krążek i wyjadł czekoladową masę. – Mam na myśli Frankla.

Martin spojrzał na niego ze zdziwieniem. Nie wiedział, że Gösta jest tak dobrze zorientowany w tej części śledztwa. Najczęściej stosował strategię: przyjmuję do wiadomości tylko to, co mi przekazują.

– W sobotę na chwilę włączył się do śledztwa Hedström – powiedział Martin, sięgając po notatkę z rozmowy telefonicznej z Patrikiem, który złożył mu sprawozdanie z wizyty u Fridénów.

– I co ustalił?

Gösta sięgnął po kolejną markizę i, jak poprzednio, ostrożnie zdjął jasny krążek, zlizał czekoladę, a resztę odłożył.

– Gösta, co ty wyprawiasz? Jak tak można? Wylizywać czekoladę, a resztę zostawiać! – Paula była oburzona.

– A ty co? Jesteś strażniczką markiz?

Gösta ostentacyjnie wyciągnął rękę po ciasteczko.

Paula nie odpowiedziała, prychnęła tylko i postawiła pudełko poza jego zasięgiem.

– Niewiele ustalił – odparł Martin. – Wilhelm Fridén umarł kilka tygodni temu i ani wdowa, ani syn nic nie wiedzą o przelewach. Oczywiście nie ma gwarancji, że mówią prawdę, ale Patrikowi wydali się wiarygodni. Syn obiecał dopilnować, żeby ich pełnomocnik przesłał nam papiery zmarłego. Może coś w nich znajdziemy.

– A brat denata? Nie wiedział o tym?

Gösta zerknął łakomie na pudełko markiz, jakby się zastanawiał, czy nie ruszyć tyłka i nie pójść po nie.

– Dzwoniliśmy do Axela – powiedziała Paula, rzucając mu ostrzegawcze spojrzenie. – Nie miał pojęcia, o co chodzi.

– Wierzymy mu?

Gösta ocenił odległość dzielącą go od ciasteczek. Szybki wypad mógłby wystarczyć.

– Sam nie wiem. Trudno go rozgryźć. Co sądzisz, Paulo?

Martin spojrzał na nią pytająco.

Paula zamyśliła się. Gösta postanowił skorzystać z okazji. Zerwał się i rzucił do pudełka z markizami, ale Paula złapała je lewą ręką. Wysunęła ją z szybkością węża.

– Nic z tego, stary...

Mrugnęła porozumiewawczo. Gösta musiał się uśmiechnąć. Zaczęły mu się podobać te wzajemne zaczepki.

Trzymając pudełko na kolanach, Paula zwróciła się do Martina:

– Zgadzam się, że nie wiadomo, co o nim myśleć... Ja też nie wiem, czy mówi prawdę. – Potrząsnęła głową.

– Wracając do Britty... – powiedział Martin.

Wielkimi literami napisał w notesie: BRITTA, i podkreślił.

– Mamy świetny trop. Pod jej paznokciami Pedersen znalazł DNA, przypuszczalnie należące do mordercy. Powinien mieć wyraźne zadrapania na twarzy albo przedramionach. Przed południem przesłuchaliśmy Hermana. Nie ma zadrapań. Powiedział, że gdy wrócił do domu, żona już nie żyła. Leżała na łóżku, z poduszką na twarzy.

– Mimo to obwinia siebie o jej śmierć – wtrąciła Paula.

– W jakim sensie? – Gösta zmarszczył czoło. – Osłania kogoś?

– Nam też się tak zdaje. – Paula zmiękła i podsunęła mu pudełko. – Masz, *knock yourself out*[23].

– Nok? Co takiego?

Jego znajomość angielskiego ograniczała się do wyrażeń związanych z golfem, choć również w ich przypadku jego wymowa pozostawiała wiele do życzenia.

– Nieważne, zlizuj czekoladę – powiedziała Paula.

– Jest jeszcze odcisk kciuka.

Martin z rozbawieniem słuchał ich przekomarzań. Stary chyba zaczyna łagodnieć.

– Jeden jedyny odcisk, na guziku poszewki. Nie bardzo jest się o co zaczepić – ponuro zauważył Gösta.

– Zgoda, ale jeśli się okaże, że należy do tej samej osoby, której DNA znaleźli pod paznokciami Britty, to już będzie coś.

Martin napisał: DNA, i podkreślił.

– Kiedy będzie gotowy profil DNA? – spytała Paula.

– Prawdopodobnie w czwartek, tak mi powiedzieli w Państwowym Laboratorium Kryminalistycznym – odparł.

– Czyli na razie czekamy z pobieraniem próbek DNA.

Paula rozprostowała nogi. Czasem miała wrażenie, jakby udzielały jej się objawy ciąży. Skurcze, między innymi w nogach, i wilczy apetyt.

---

[23] *Knock yourself out* (ang.)– tu: wykończ się sam (przyp. tłum.).

– Od kogo chcemy pobrać próbki?

Gösta zajął się piątą markizą.

– Od Axela i Fransa, przede wszystkim ich miałem na myśli.

– Naprawdę będziemy czekać do czwartku? Przecież potem trzeba będzie czekać na wyniki. Zadrapania się zagoją. Czy nie powinniśmy zrobić tego jak najprędzej? – odezwał się Gösta.

– Masz rację – stwierdził ze zdziwieniem Martin.

– Jutro to zrobimy. Coś jeszcze? Może o czymś zapomnieliśmy albo przeoczyliśmy?

– A co moglibyśmy przeoczyć? – usłyszeli od drzwi.

Do pokoju wszedł Mellberg, za nim lekko zziajany Ernst. Pies natychmiast zwietrzył ciasteczka zostawione przez Göstę. Usiadł i wbił w niego żebracze spojrzenie. Ciasteczka zniknęły w mgnieniu oka.

– Robimy listę, żeby sprawdzić, czy czegoś nie przeoczyliśmy – odparł Martin, wskazując leżące na stole papiery. – Właśnie mówiliśmy, że jutro trzeba pobrać próbki DNA od Axela Frankla i Fransa Ringholma.

– Tak, tak, zróbcie to – powiedział niecierpliwie Mellberg, obawiając się, że zaraz zostanie zaprzęgnięty do roboty. – Pracujcie. Oby tak dalej.

Przywołał Ernsta i pies pobiegł za nim, merdając ogonem. W gabinecie Mellberga ułożył się tam gdzie zawsze, pod biurkiem, na stopach pana.

– Wydaje mi się, że nie ma sensu szukać mu nowego opiekuna – zauważyła z rozbawieniem Paula.

– Myślę, że Ernst już znalazł dom. Inna sprawa, kto jest czyim opiekunem. W dodatku chodzą słuchy, że

Mellberg na starość został królem salsy. – Gösta zachichotał.

Martin zniżył głos:

– Zdążyliśmy to zauważyć... A gdy rano wszedłem do niego, siedział na podłodze i ćwiczył stretching...

– Żartujesz. – Gösta aż wybałuszył oczy. – I jak mu szło?

– Nie bardzo – zaśmiał się Martin. – Próbował dotknąć rękami palców nóg, ale brzuch mu zawadzał. Między innymi.

– Uwaga: ten kurs salsy, na który chodzi, prowadzi moja mama – powiedziała ostrzegawczo Paula. Gösta i Martin spojrzeli na nią zdumieni. – I tak się składa, że parę dni temu mama zaprosiła go na lunch i... naprawdę, był bardzo miły – podsumowała.

Martin i Gösta aż otworzyli usta.

– Mellberg chodzi do twojej mamy na kurs salsy? I był u was na lunchu? Jeszcze trochę, a zaczniesz do niego mówić tato – zaśmiał się Martin, a Gösta dołączył.

– Dalibyście spokój, dobrze? – Paula podniosła się z kwaśną miną. – Skończyliśmy, prawda? – upewniła się i dostojnym krokiem opuściła pokój.

Martin i Gösta zostali z niewyraźnymi minami, ale po chwili wybuchnęli śmiechem. Kapitalna historia!

Przez cały weekend trwała otwarta wojna. Dan i Belinda bez przerwy na siebie wrzeszczeli. Anna miała wrażenie, że za chwilę głowa jej pęknie od tego hałasu. Zbeształa ich kilka razy, powiedziała, że mogliby przynajmniej mieć wzgląd na Adriana i Emmę. Argument na szczęście okazał się przekonujący. Wprawdzie Belinda nie przyznałaby tego otwarcie, ale widać było, że przywiązała się do dzieci, za co Anna gotowa była wiele jej wybaczyć. W dodatku Anna uważała, że Dan nie rozumie, jak się czuje jego najstarsza córka i dlaczego tak się zachowuje. Doszło do klinczu, z którego żadne nie umiało się wydostać. Anna westchnęła, zbierając zabawki rozrzucone przez dzieci po całym pokoju.

Od paru dni próbowała się oswoić z myślą, że będzie miała z Danem dziecko. Po głowie chodziły jej różne myśli i musiała się bardzo postarać, żeby pokonać strach. W dodatku, jak przy poprzednich ciążach, zaczęła mieć mdłości. Nie wymiotowała tak często jak wtedy, ale cały czas miała nudności, jakby cierpiała na chorobę morską. Dan zauważył, że straciła apetyt, i biegał za nią jak kwoka, podtykając smakołyki, by ją zachęcić do jedzenia.

Usiadła na kanapie. Głowę wsadziła między kolana i skupiła się na oddychaniu, żeby opanować nudności. Kiedy była w ciąży z Adrianem, dręczyły ją aż do szóstego miesiąca i były to naprawdę długie miesiące... Z piętra dochodziły wzburzone głosy, wznosiły się i opadały przy akompaniamencie głośnej muzyki. Anna poczuła, że dłużej nie wytrzyma. Po prostu nie, i już. Dostała mdłości, żółć podeszła jej do gardła. Zerwała się, pobiegła do ubikacji, uklękła przed sedesem i próbowała wyrzucić z siebie to, co w niej wzbierało. Nie udało się. Szlochała konwulsyjnie, nie odczuwając żadnej ulgi.

Podniosła się z rezygnacją, wytarła usta i spojrzała w lustro. Z przerażeniem stwierdziła, że jej twarz jest tego samego koloru co biały ręcznik, który trzyma w ręku. W wielkich okrągłych oczach malował się lęk. Tak wyglądała w czasach, gdy była z Lucasem. A przecież teraz jest zupełnie inaczej, lepiej. Przesunęła dłonią po płaskim jeszcze brzuchu. Tyle nadziei, tyle obaw budzi w niej jeden maleńki punkcik w brzuchu. Takie maleństwo. Owszem, przychodziło jej już do głowy, że mogłaby mieć z Danem dziecko. Ale jeszcze nie teraz. Kiedyś, w bliżej nieokreślonej przyszłości, gdy wszystko się uspokoi i ułoży. Mimo to nawet jej przez myśl nie przeszło, żeby coś z tym zrobić. Nić już się zawiązała. Niewidoczna i na pozór krucha, a jednak bardzo mocna, połączyła ją z tą niewidoczną jeszcze gołym okiem drobiną. Odetchnęła i wyszła z łazienki. Podniesione głosy zdążyły się przenieść do przedpokoju.

– Przecież idę tylko do Lindy, nie dociera? Chyba mogę mieć kumpelę? A może na to też mi nie pozwolisz, staruchu jeden!

Dan zaczerpnął tchu, żeby jej powiedzieć, co o tym myśli, ale Anna miała dość. Podeszła szybkim krokiem i podniosła głos:

– Cicho! Zrozumiano? Zachowujecie się jak smarkacze. Koniec z tym, ale już! – Pogroziła im palcem i zanim zdążyli się odezwać, zaczęła mówić dalej: – Dan, do cholery, przestań się na nią wydzierać. Zrozum w końcu, że nie możesz jej zamknąć w domu! Ona ma siedemnaście lat i musisz jej pozwolić spotykać się z rówieśnikami!

Na twarzy Belindy pojawił się uśmiech zadowolenia, ale Anna jeszcze nie skończyła:

– A ty nie zachowuj się jak dzieciuch, jeśli chcesz być traktowana jak dorosła! I nie życzę sobie żadnej gadki o tym, że nie mam prawa tu mieszkać, bo czy ci się podoba, czy nie, mieszkamy tu z dziećmi, i już. Chętnie poznamy cię bliżej, ale musisz nam dać szansę! – Zaczerpnęła tchu, a potem mówiła dalej. Dan i Belinda słuchali jej przestraszeni. – Poza tym chcę ci powiedzieć, że nie znikniemy, jeśli o to ci chodziło. Bo spodziewamy się z twoim tatą dziecka. Więc ty i twoje siostry będziecie mieć wspólne z moimi dziećmi przyrodnie rodzeństwo. Bardzo chciałabym, żebyśmy się wszyscy porozumieli, ale sama nic nie zrobię. Musicie mi pomóc! Tak czy inaczej, na wiosnę urodzi się dziecko i szlag mnie trafi, jeśli nadal będę musiała to wszystko znosić! – I wybuchnęła płaczem.

Dan i Belinda struchleli. Belinda zaszlochała, spojrzała na Dana i Annę, a potem wybiegła. Drzwi zamknęły się za nią z hukiem.

– No, ładnie. Anno, czy to było konieczne? – powiedział Dan ze znużeniem.

Emma i Adrian przybiegli do przedpokoju, zwabieni hałasem. Na ich buziach malował się niepokój.

– Idź do diabła – powiedziała Anna i chwyciła kurtkę.

Drzwi znów trzasnęły.

– Cześć, gdzie byłaś?

Patrik wyszedł do przedpokoju i pocałował Erikę w usta. Maja też chciała całusa od mamy i przybiegła na chwiejących się nóżkach, wyciągając ręce.

– Mam za sobą dwie, niewątpliwie interesujące rozmowy.

Erika powiesiła kurtkę i poszła za Patrikiem do salonu.

– A o czym? – zapytał z zaciekawieniem.

Usiadł na podłodze i wrócił do zajęcia, któremu się z Mają oddawali, zanim Erika wróciła, mianowicie do budowania najwyższej na świecie wieży z klocków.

– Czy to przypadkiem nie Maja powinna to robić? – zaśmiała się Erika, siadając obok nich na podłodze.

Z rozbawieniem obserwowała, jak jej mąż w skupieniu próbuje umieścić czerwony klocek na szczycie wieży, która już była wyższa od Mai.

– Ćśśś... – syknął Patrik.

Wysunął czubek języka. Próbował położyć klocek na chwiejnej konstrukcji.

– Maju, daj mamusi ten żółty klocek – powiedziała teatralnym szeptem Erika, wskazując klocek na samym spodzie.

Maja ucieszyła się, że może spełnić prośbę mamy. Nachyliła się i szybko chwyciła klocek. Budowla Patrika runęła, ręka z czerwonym klockiem zawisła w powietrzu.

– Dziękuję ci bardzo – rzucił Patrik z nadąsaną miną. – Masz pojęcie, jakiej potrzeba zręczności, żeby zbudować tak wysoką wieżę? Jakiej precyzji i pewnej ręki?

– Może teraz rozumiesz, co miałam na myśli, gdy przez ostatni rok narzekałam na brak bodźców? – roześmiała się Erika i pocałowała męża.

– Rzeczywiście, zaczynam rozumieć – odparł Patrik.

Odwzajemnił pocałunek, wysuwając na próbę koniuszek języka, co spotkało się z miłym przyjęciem. Zwykły całus przerodził się w pieszczoty, które przerwała Maja, rzucając w tatę klockiem.

– Au! – Patrik złapał się za głowę i pogroził jej. – Co to za zachowanie! Żeby rzucać klockami w tatę, gdy ma okazję pomigdalić się z mamą!

– Patrik! – Erika trzepnęła go w ramię. – Nie ucz dziecka takich słów!

– Jeśli chce mieć rodzeństwo, musi się pogodzić z widokiem migdalących się rodziców – odparł Patrik z błyskiem w oku.

Erika wstała.

– Z rodzeństwem to my jeszcze poczekamy. Ale wieczorem moglibyśmy trochę poćwiczyć... – Mrugnęła okiem i poszła do kuchni

Nie do wiary, jak pojawienie się dziecka może kompletnie odebrać ochotę na seks. Ale po wielu chudych miesiącach ostatnio zaczęli się rozkręcać. Mimo to po roku siedzenia w domu z dzieckiem jeszcze nie miała siły myśleć o rodzeństwie dla Mai. Czuła, że zanim wróci do świata niemowląt, musi się na nowo odnaleźć w świecie dorosłych.

– Opowiadaj. Co to za interesujące rozmowy?

Patrik poszedł za nią do kuchni. Erika opowiedziała mu o swoich wyjazdach do Uddevalli i o tym, co z nich wynikło. Powtórzyła, co powiedział Herman.

– Więc nie znasz tych nazwisk? – Patrik zmarszczył czoło.

– Właśnie, to bardzo dziwne. Nie przypominam sobie, a jednocześnie coś mi... Sama nie wiem. Paul Heckel i Friedrich Hück. Coś mi jednak mówią te nazwiska.

– A więc razem z Kjellem Ringholmem zamierzasz odnaleźć tego... Hansa Olavsena, tak? – spytał z powątpiewaniem.

Erika domyśliła się, o co mu chodzi.

– Wiem, szanse są niewielkie, i nie mam pojęcia, jaki on ma związek z całą tą historią, ale coś mi mówi, że istotny. Zresztą nawet gdyby nie miał, był chyba kimś ważnym dla mojej matki. A od tego się wszystko zaczęło, przynajmniej dla mnie. Chcę się o niej dowiedzieć czegoś więcej.

– Dobrze, byle ostrożnie. – Patrik wstawił wodę. – Napijesz się herbaty?

– Poproszę. – Erika usiadła przy stole. – Ostrożnie? Co chcesz przez to powiedzieć?

– O ile się orientuję, Kjell jest starym wyjadaczem, więc nie daj się wykorzystać.

– Nie wiem, na czym by to miało polegać. Oczywiście może się zdarzyć, że wykorzysta moje informacje, nie dając nic w zamian, ale to wszystko. Tyle mogę zaryzykować. Chociaż nie wierzę, że zrobi coś takiego. Umówiliśmy się, że porozmawiam z Axelem Franklem o Norwegu. Oprócz tego sprawdzę, czy Olavsen figuruje w szwedzkich archiwach. On natomiast porozmawia z ojcem. Nawiasem mówiąc, nie był tym specjalnie zachwycony.

– Bo nie są w zbyt dobrych stosunkach. – Patrik zalał wrzątkiem torebki herbaty. – Czytałem jego artykuły. Nie oszczędzał ojca.

– Będzie ciekawie – lakonicznie stwierdziła Erika, biorąc od Patrika filiżankę.

Patrzyła na niego i popijała herbatę. Z pokoju dobiegał głosik Mai. Mówiła do kogoś. Pewnie do lalki, którą od kilku dni zawsze miała przy sobie.

– Jak się czujesz z tym, że nie bierzesz udziału w śledztwie?

– Skłamałbym, gdybym powiedział, że nie mam z tym problemu. Ale zdaję sobie sprawę, jaką szansą jest dla mnie opiekowanie się Mają. A praca nie ucieknie, przecież wrócę. Nie chodzi mi o to, że liczę na kolejne morderstwa, ale... wiesz, co chcę powiedzieć.

– A co słychać u Karin? – spytała Erika, udając obojętność.

Patrik przez chwilę zwlekał z odpowiedzią.

– Nie wiem. Wydaje się... smutna. Chyba nie ułożyło jej się tak, jak chciała, i teraz tkwi w sytuacji, która... zresztą nie wiem. Trochę mi jej żal.

– Czy ona żałuje, że cię straciła?

Erika w napięciu czekała na odpowiedź. Nigdy nie opowiadał o swoim małżeństwie z Karin, a jeśli pytała, odpowiadał niechętnie, monosylabami.

– Nie sądzę. Zresztą... nie wiem. Przypuszczam, że żałuje tego, co zrobiła i że ich przyłapałem. – Zaśmiał się. W jego śmiechu pojawił się gorzki ton, gdy przypomniał sobie scenę, której nie chciał pamiętać. – Naprawdę nie wiem... Zrobiła to pewnie dlatego, że między nami nie było najlepiej.

– Wierzysz, że ona to pamięta? Ludzie mają skłonność do idealizowania przeszłości.

– Masz rację. Ale sądzę, że to pamięta – powiedział Patrik, ale w jego głosie dało się słyszeć powątpiewanie. – Jaki masz plan na jutro? – spytał, by zmienić temat.

Erika domyśliła się, o co mu chodzi.

– Jak mówiłam, zamierzam pójść do Axela Frankla i zadzwonić do wydziału ewidencji ludności i urzędu skarbowego zapytać o Hansa Olavsena.

433

– Nie masz przypadkiem na głowie książki? Nie powinnaś nad nią popracować?

Patrik się śmiał, ale w jego głosie słychać było niepokój.

– Mam sporo czasu, zwłaszcza że większość dokumentacji mam już gotową. Poza tym ta sprawa nie daje mi spokoju i nie mogę się skupić, więc już nic nie mów...

– Okej, okej. – Patrik się poddał. – Jesteś dużą dziewczynką, sama wiesz, jak gospodarować swoim czasem. Ja i Maja zajmiemy się swoimi sprawami, a ty swoimi.

Wstał. Wychodząc, pocałował ją w głowę.

– Idę konstruować nową wspaniałą budowlę. Może kopię Tadź Mahal w odpowiednio mniejszej skali – powiedział.

Erika ze śmiechem potrząsnęła głową. Chwilami zastanawiała się, czy jej mąż ma dobrze w głowie. Teraz też pomyślała, że chyba nie.

Anna dojrzała ją z daleka. Drobną, samotną postać na końcu pomostu. Nie miała zamiaru jej szukać, ale gdy ze szczytu Galärbacken zobaczyła Belindę, od razu wiedziała, że musi do niej podejść.

Belinda jej nie usłyszała. Paliła papierosa. Obok niej na ziemi leżała cała paczka i pudełko zapałek.

– Cześć – odezwała się Anna.

Belinda drgnęła. Spojrzała na papierosa i przez chwilę się zastanawiała, czy go nie schować, ale spojrzała tylko hardo na Annę i zaciągnęła się głęboko.

– Dasz jednego? – spytała Anna, siadając przy niej.

– Ty palisz? – zdziwiła się Belinda, podając jej papierosa.

– Paliłam. Przez pięć lat. Ale mojemu mężowi... to się nie podobało.

Oględnie powiedziane. Kiedyś Lucas przyłapał ją na paleniu i zgasił papierosa w zgięciu jej łokcia. Została jej blizna.

– Nie powiesz tacie? – spytała Belinda, wymachując ostentacyjnie papierosem. I szybko dodała potulnie: – Proszę.

– Jeśli mnie nie wydasz, to i ja ciebie nie wydam.

Anna zaciągnęła się, mrużąc oczy.

– Chyba nie powinnaś palić. Ze względu na... dziecko. – Belinda powiedziała to tonem oburzonej ciotki.

Anna zaśmiała się.

– To pierwszy i ostatni papieros wypalony w ciąży, słowo.

Chwilę milczały. Wydmuchiwały kółka dymu, a one unosiły się nad wodą. Lato zdecydowanie się skończyło. Panował przejmujący, jesienny, choć bezwietrzny chłód. Rozpościerająca się przed nimi tafla wody była gładka i lśniąca. Przystań opustoszała, tylko gdzieniegdzie cumowała jakaś łódka. Nie to co latem, gdy aż się roiło od jachtów.

– Ciężka sprawa, co? – odezwała się Anna, patrząc przed siebie, na wodę.

– Niby co? – burknęła Belinda, nie mogąc się zdecydować, jak się zachować.

– Być dzieckiem, ale prawie dorosłym.

– Co ty możesz o tym wiedzieć – zauważyła Belinda i nogą strąciła do wody kamyk.

– Oczywiście, od razu urodziłam się dorosła – zaśmiała się Anna i szturchnęła lekko Belindę, a ona się uśmiechnęła i natychmiast z powrotem spoważniała.

Postanowiła ją zostawić w spokoju i niczego nie narzucać. Milczały kilka minut. W pewnym momencie Anna kątem oka zobaczyła, że Belinda przygląda jej się ukradkiem.

– Bardzo źle się czujesz?

Anna przytaknęła.

– Jak fretka cierpiąca na chorobę morską.

– Dlaczego fretka miałaby cierpieć na chorobę morską? – prychnęła Belinda.

– A dlaczego nie? Udowodnij, że to niemożliwe. Bardzo mnie to ucieszy. Bo właśnie tak się czuję. Jak fretka cierpiąca na chorobę morską.

– Wygłupiasz się – powiedziała Belinda, nie mogąc się powstrzymać od śmiechu.

– Oczywiście, ale tak na poważnie, czuję się paskudnie.

– Mama też czuła się okropnie, kiedy była w ciąży z Lisen. Byłam już duża i pamiętam. Ona była... przepraszam, może nie powinnam opowiadać, jak mama i tata... – Urwała speszona i zapaliła kolejnego papierosa.

– Możesz opowiadać o mamie, ile chcesz. Przeszłość twojego taty to dla mnie żaden problem. Zwłaszcza że wszystkie trzy jesteście częścią tej przeszłości. Tak jak wasza mama. Uwierz mi, nie musisz się czuć, jakbyś zdradzała tatę, bo kochasz mamę. A ja daję ci słowo, nie mam nic przeciwko temu, żeby z tobą rozmawiać o mamie. Nic a nic.

Anna położyła rękę na dłoni, którą Belinda oparła na pomoście. W pierwszej chwili Belinda chciała zabrać dłoń, ale nie zrobiła tego. W końcu Anna zabrała rękę i również sięgnęła po następnego papierosa. Trudno, w tej ciąży będą dwa, a potem koniec z paleniem.

– Świetnie umiem zajmować się dzieckiem – odezwała się Belinda, patrząc jej w oczy. – Pomagałam mamie przy Lisen, kiedy była mała.

– Dan mi opowiadał. Mówił, że prawie musieli cię wyganiać na dwór, żebyś się pobawiła z innymi dziećmi, bo chciałaś się opiekować siostrzyczką. I że bardzo dobrze ci szło. Mam nadzieję, że na wiosnę ja również będę mogła liczyć na twoją pomoc. Weźmiesz na siebie zafajdane pieluszki.

Lekko szturchnęła ją w bok, a ona odpowiedziała tym samym.

– Wezmę tylko te zasikane. Umowa stoi?

Gdy to mówiła, w jej oczach czaił się uśmiech. Wyciągnęła rękę, Anna podała jej swoją.

– Stoi. Zasikane są twoje. Zafajdane dostanie tata – dodała.

Ich śmiech odbijał się echem w pustej przystani.

Potem Anna wspominała tę chwilę jako jedną z najszczęśliwszych w życiu. Chwilę, gdy lody puściły.

Axel był zajęty pakowaniem. Stanął przed nią z dwiema koszulami na wieszakach w rękach. W przedpokoju na drzwiach wisiał podróżny pokrowiec.

– Wyjeżdża pan? – spytała Erika.

Przytaknął, wieszając ostrożnie koszule, żeby się nie pogniotły.

– Tak, muszę wracać do pracy. W piątek jadę do Paryża.

– Wyjeżdża pan, nie wiedząc, kto... – Zabrakło jej słowa, nie dokończyła.

– Nie mam wyboru – odparł ponuro. – Oczywiście wrócę pierwszym samolotem, gdyby policja potrzebowała mojej pomocy, ale naprawdę muszę się wziąć do pracy. Siedzenie tutaj i rozmyślanie do niczego nie prowadzi.

Przetarł oczy. Widać było, że jest znużony. Erika stwierdziła, że od ich ostatniego spotkania bardzo zmizerniał i postarzał się o wiele lat.

– Może wyjazd dobrze panu zrobi – powiedziała ostrożnie. Zawahała się, a potem mówiła dalej: – Jest kilka spraw, o które chciałabym pana zapytać. Moglibyśmy chwilę porozmawiać? Dałby pan radę?

Axel z rezygnacją skinął głową i gestem zaprosił ją do środka. Przystanęła przy kanapie na werandzie, gdzie rozmawiali ostatnio, ale tym razem zaprowadził ją gdzie indziej.

– Jaki piękny pokój.

Aż jej dech zaparło. Poczuła się jak w muzeum wnętrz z lat czterdziestych dwudziestego wieku. Pokój był czysty, wysprzątany, a mimo to unosił się w nim zapach starości.

– Tak. Nie pociągały nas nowości, ani rodziców, ani nas. Matka i ojciec nie wprowadzili w domu większych zmian, my z Erikiem też nie. Zresztą uważam, że dawniej powstawało wiele pięknych przedmiotów, więc naprawdę nie było powodu wymieniać mebli na współczesne i według mnie brzydsze – powiedział w zamyśleniu, gładząc dłonią zgrabną komódkę.

Usiedli na sofie z brązowawym obiciem, niezbyt wygodnej, ale wymuszającej elegancką, wyprostowaną pozycję.

– Chciałaś o coś spytać – przypomniał uprzejmie, ale z wyraźnym zniecierpliwieniem.

– No właśnie.

Speszyła się. Drugi raz przychodzi do Axela Frankla i zawraca mu głowę, gdy on ma inne zmartwienia. Podobnie jak poprzednio postanowiła, że skoro przyszła, doprowadzi rzecz do końca.

– Dowiedziałam się co nieco o matce, a tym samym również o jej przyjaciołach: pańskim bracie, Fransie Ringholmie i Britcie Johansson.

Axel skinął głową. Kręcąc palcami młynka, czekał na dalszy ciąg.

– Potem dołączył do nich jeszcze ktoś.

Axel nadal się nie odzywał.

– W ostatnim roku wojny pojawił się Norweg, członek ruchu oporu... Przypłynął tym samym kutrem, na którym pan pływał.

Patrzył na nią nieruchomym wzrokiem, ale Erika wyczuła, że się spiął, gdy wspomniała o jego wyprawach do Norwegii.

– Twój dziadek był dobrym człowiekiem – odezwał się w końcu. Jego ręce znieruchomiały. – Jednym z najlepszych, jakich było mi dane w życiu poznać.

Erice było miło, że ktoś mówi tak o jej dziadku. Sama nie zdążyła go poznać.

– Słyszałam, że siedział pan wtedy w obozie. Hans

Olavsen przypłynął do Fjällbacki na kutrze mojego dziadka w 1944 roku i, jak ustaliliśmy, został do końca wojny.

– Powiedziałaś: ustaliliśmy – przerwał jej. – To znaczy kto? – W jego głosie słychać było napięcie.

Erika zawahała się.

– Miałam na myśli Christiana z naszej biblioteki. Pomagał mi szukać materiałów. Tylko tyle.

O Kjellu Ringholmie nie chciała mówić. Axel przyjął do wiadomości jej wyjaśnienie.

– Zgadza się, siedziałem wtedy w obozie – odparł i znów zesztywniał. Jakby jego mięśnie skurczyły się na wspomnienie przeżyć z obozu.

– Zetknął się pan z nim?

Axel potrząsnął głową.

– Nie. Gdy wróciłem, już go tutaj nie było.

– A kiedy pan wrócił do Fjällbacki?

– W czerwcu 1945 roku. W ramach akcji Białe Autobusy.

– Białe Autobusy? – powtórzyła Erika.

W tym momencie przypomniało jej się z lekcji historii nazwisko Folke Bernadotte.

Jakby na potwierdzenie Axel powiedział:

– Zorganizował ją hrabia Folke Bernadotte. Chodziło o to, żeby z niemieckich obozów koncentracyjnych ewakuować skandynawskich więźniów. Autobusy, którymi wywożono więźniów, były białe, ze znakami Czerwonego Krzyża wymalowanymi na dachu i po bokach, żeby lotnictwo nie uznało ich za cele wojskowe.

– Po wojnie też było takie ryzyko? – zdziwiła się Erika.

Axel uśmiechnął się z pobłażaniem i znów zakręcił młynka.

– Pierwsze autobusy, po uzgodnieniu z niemieckimi władzami, zabierały więźniów już w marcu i kwietniu 1945 roku. Wywieziono wtedy piętnaście tysięcy ludzi. A zaraz po zakończeniu wojny, w maju i w czerwcu, jeszcze dziesięć tysięcy. Ja przyjechałem w ostatniej turze, w czerwcu 1945 roku – mówił sucho, rzeczowo, ale w jego na pozór obojętnym tonie Erika słyszała echo straszliwych przeżyć.

– A Hans Olavsen zniknął z Fjällbacki, jak już powiedziałam, w czerwcu 1945 roku. Musiał wyjechać na krótko przed pańskim powrotem.

– Musieliśmy się minąć o kilka dni – odparł Axel. – Wybacz, ale nie pamiętam dokładnie. Byłem wtedy bardzo... wycieńczony.

– Tak, oczywiście – powiedziała Erika, spuszczając wzrok.

Dziwne uczucie, rozmawiać z człowiekiem, który poznał od środka niemieckie obozy koncentracyjne.

– Czy brat opowiadał o nim? Przypomina pan sobie? Nie mam żadnych dowodów, ale wydaje mi się, że Erik i jego przyjaciele często spotykali się z Hansem Olavsenem w ciągu tego roku, który spędził we Fjällbace.

Axel patrzył w okno. Wyglądał, jakby próbował sobie przypomnieć. Zmarszczył czoło i przechylił na bok głowę.

– Wydaje mi się, że między tym Norwegiem i twoją matką coś było. Chyba nie masz mi za złe, że to mówię.

– Ależ skąd. – Machnęła ręką. – To było wieki temu. Zresztą wiedziałam o tym.

– No proszę, okazuje się, że moja pamięć nie jest tak kiepska, jak się obawiałem. – Uśmiechnął się łagodnie i spojrzał na nią. – Erik mi chyba opowiadał o romansie Elsy z Hansem.

– Pamięta pan, jak się zachowywała, gdy wyjechał?

– Niestety nie. Po tym, co się stało z twoim dziadkiem, nie mogła dojść do siebie. To zrozumiałe. Poza tym wkrótce wyjechała, do jakiejś szkoły gospodarstwa domowego, jeśli dobrze pamiętam. Potem straciliśmy kontakt. Gdy po paru latach wróciła do Fjällbacki, ja już pracowałem za granicą i rzadko przyjeżdżałem do domu. Pamiętam, że również z Erikiem nie utrzymywała kontaktu. Nie ma w tym nic dziwnego. Ludzie się przyjaźnią w dzieciństwie i wczesnej młodości, a potem, gdy przychodzi dorosłość i problemy z nią związane, oddalają się od siebie.

Znów spojrzał w okno.

– Rozumiem – powiedziała Erika. Była zawiedziona, że i on nie ma nic do powiedzenia o Hansie. – A może pan słyszał, dokąd pojechał? Nie mówił nic Erikowi?

Axel z ubolewaniem potrząsnął głową.

– Bardzo mi przykro. Chciałbym ci pomóc, ale kiedy wróciłem z obozu, nie byłem sobą. A potem miałem na głowie inne sprawy. Może znajdziesz jakieś ślady w archiwach? – podpowiedział życzliwie i wstał.

Erika zrozumiała aluzję i również wstała.

– Będę musiała spróbować. Jak dobrze pójdzie, wszystko się wyjaśni. Może nie wyprowadził się daleko.

– Życzę powodzenia. – Chwycił jej dłoń. – Przeszłość jest bardzo ważna dla teraźniejszości. Wierz mi, wiem coś o tym.

Poklepał ją po ręku. Erika uśmiechnęła się w odpowiedzi. Już miała otworzyć drzwi, gdy spytał:

– À propos, dowiedziałaś się czegoś o medalu?

– Niestety nie – odparła, jeszcze bardziej przygnębiona. – Zwróciłam się do eksperta z Göteborga, ale tak wielu ludzi odznaczono tym medalem, że nie da się ustalić, do kogo należał.

– Przykro mi, że nie mogłem ci pomóc.

– Nie szkodzi. Wiedziałam, że szanse są niewielkie – odparła i pomachała mu na pożegnanie.

Obejrzała się. Patrzył za nią, stojąc w drzwiach. Współczuła mu. A jednak powiedział coś, co podsunęło jej pewien pomysł. Zdecydowanym krokiem ruszyła w kierunku centrum.

Kjell zawahał się, zanim zapukał. Stojąc przed drzwiami mieszkania ojca, znów poczuł się jak mały, przestraszony chłopczyk. Przypomniały mu się czasy, gdy mocno trzymając mamę za rękę, stawał przed ogromną bramą więzienia i z nadzieją, a zarazem lękiem czekał na widzenie z ojcem. Z początku towarzyszyła mu właśnie nadzieja, bo bardzo za nim tęsknił. Brakowało mu taty, pamiętał tylko dobre chwile, gdy był w domu między jedną a drugą odsiadką. Pamiętał, jak ojciec podrzucał go do góry albo zabierał na spacer do lasu i snuł opowieści o grzybach, drzewach i krzewach. Kjellowi wydawało się wtedy, że tata wszystko wie. Ale wieczorami, leżąc w swoim pokoju, przyciskał do uszu poduszkę, żeby nie słyszeć kłótni, ohydnych awantur bez początku i końca. Rodzice podejmowali je w miejscu, gdzie skończyli przed ostatnim pójściem ojca do więzienia, i nie przestawali aż do następnej wizyty policji, która zabierała ojca.

Dlatego z biegiem lat nadzieja słabła, aż całkiem znikła. W końcu czuł tylko strach, gdy w sali widzeń patrzył na wyrażającą oczekiwanie twarz ojca. Potem strach przerodził się w nienawiść. Pewnie byłoby mu łatwiej, gdyby nie wspomnienie spacerów po lesie. Bo wtedy powracało pytanie, które zadawał sobie w dzieciństwie: dlaczego tata tak łatwo z tego rezygnuje, wybierając życie w szarym i zimnym świecie, w którym sam coraz bardziej gaśnie.

Kjell mocno uderzył pięścią w drzwi. Był zły, że pozwolił sobie na wspomnienia.

– Otwieraj, wiem, że jesteś w domu! – zawołał.

Nasłuchiwał w napięciu. W końcu usłyszał odgłos zdejmowania łańcucha i otwierania zamka.

– Świetnie się zabarykadowałeś. Domyślam się, że przed swoimi kumplami – powiedział zjadliwie, przeciskając się do przedpokoju.

– Czego chcesz? – spytał Frans.

Kjell nagle spostrzegł, że ojciec się postarzał. Wydał mu się kruchy. Szybko odsunął od siebie tę myśl. Stary jest mocny, jeszcze ich wszystkich przeżyje.

– Mam pytania.

Wszedł nieproszony do salonu i usiadł na kanapie. Frans usiadł na stojącym naprzeciwko fotelu. Milczał. Czekał.

– Co wiesz o facecie nazwiskiem Hans Olavsen?

Frans drgnął, ale błyskawicznie się opanował. Rozparł się wygodnie w fotelu, ułożył przedramiona na podłokietnikach.

– Bo co? – spytał, patrząc synowi w oczy.

– Nie twoja sprawa.

– Dlaczego miałbym ci pomagać, skoro traktujesz mnie w ten sposób?

Kjell pochylił się do przodu. Jego twarz znalazła się w odległości zaledwie kilkunastu centymetrów od twarzy ojca. Patrzył długo, zanim w końcu powiedział zimno:

– Bo jesteś mi to winien. Powinieneś korzystać z każdej, nawet najmniejszej szansy, żeby mi pomóc. Jeśli nie chcesz, żebym w dniu twojego pogrzebu zatańczył na twoim grobie.

W oczach Fransa pojawił się błysk, jakby wspomnienie czegoś utraconego. Może spacerów po lesie i chłopczyka podrzucanego do samego nieba. Po chwili spojrzał na syna i spokojnie odparł:

– Hans Olavsen był członkiem norweskiego ruchu oporu. Miał siedemnaście lat, kiedy się zjawił we Fjällbace. Zdaje się, że w 1944 roku. Rok później wyjechał. To wszystko, co wiem.

– Gówno prawda – powiedział Kjell, odchylając się do tyłu. – Wiem, że często się spotykaliście. Ty, Elsy Moström, Britta Johansson i Erik Frankel. Teraz okazuje się, że dwoje z nich zostało zamordowanych w odstępie dwóch miesięcy. Dziwne, prawda?

Frans pominął to pytanie.

– A co ma do tego ten Norweg? – spytał.

– Nie wiem, ale się dowiem – syknął Kjell przez zaciśnięte zęby. Próbował opanować złość. – Co o nim wiesz? Mów, co robiliście razem, dlaczego wyjechał, szczegółowo.

Frans westchnął i spróbował wrócić pamięcią do tamtych czasów.

– Chcesz znać szczegóły... Zobaczmy, co sobie przypomnę. Mieszkał u rodziców Elsy, przypłynął kutrem jej ojca.

– To już wiem – przerwał mu Kjell. – Mów dalej.

– Zatrudniał się na statkach kursujących z frachtem wzdłuż wybrzeża, a w wolnych chwilach spotykał się z nami. Wprawdzie byliśmy od niego dwa lata młodsi, ale to mu nie przeszkadzało. Dobrze się ze sobą czuliśmy. Niektórzy nawet lepiej niż pozostali – dodał. Nawet upływ sześćdziesięciu lat nie wymazał rozgoryczenia.

– On i Elsy byli parą – sucho wtrącił Kjell.

– Skąd wiesz? – spytał Frans.

Sam się zdziwił, że na myśl o tamtych dwojgu zakłuło go w sercu. Widocznie serce pamięta dłużej niż głowa.

– Wiem, i już. Mów dalej.

– Chodzili ze sobą i pewnie już wiesz, że nie byłem tym zachwycony.

– Nie wiedziałem.

– Tak było. Miałem słabość do Elsy, ale ona wolała jego. Jak na ironię Britta durzyła się we mnie, ale nie byłem nią zainteresowany. Może bym nawet poszedł z nią do łóżka, ale coś mi mówiło, że byłoby z tego więcej przykrości niż przyjemności, więc dałem spokój.

– Co za szlachetność! – z ironią zauważył Kjell. Frans zmarszczył brwi. – I co dalej? Jeśli łączyła go z Elsy tak bliska przyjaźń, to dlaczego wyjechał?

– Historia jakich wiele. Najpierw jej naobiecywał Bóg wie czego, a po wojnie powiedział, że musi na jakiś czas jechać do Norwegii, żeby odszukać rodzinę, ale wróci. Ale...

Wzruszył ramionami i uśmiechnął się smutno.

– Uważasz, że ją oszukał?

– Nie wiem, nie mam pojęcia. Sześćdziesiąt lat minęło od tej pory. Byliśmy młodzi. Może miał wobec niej szczere zamiary, ale w domu czekały na niego ważniejsze zobowiązania. Albo od początku chciał zwiać przy pierwszej okazji. – Znów wzruszył ramionami. – Pamiętam, jak się z nami żegnał. Mówił, że wróci, gdy pozałatwia swoje sprawy w domu. No i pojechał. Szczerze mówiąc, nie myślałem o nim od tej pory. Wiem, że Elsy gryzła się przez jakiś czas, ale matka dopilnowała, żeby poszła do jakiejś szkoły, i nie wiem, co było potem. Zdążyłem już wyjechać z Fjällbacki i... resztę znasz.

– Tak – odparł Kjell ponuro.

Znów miał przed oczami wielką szarą bramę więzienia.

– Nie rozumiem, dlaczego tak cię to interesuje – powiedział ojciec. – Przyjechał i wyjechał. Od tej pory chyba żadne z nas nie miało z nim kontaktu. Skąd to zainteresowanie?

Wpatrywał się w syna.

– Nie mogę ci powiedzieć – opryskliwie odparł Kjell. – Ale wierz mi, jeśli ta historia ma drugie dno, na pewno do niego dotrę.

Popatrzył na ojca wyzywająco.

– Wierzę ci, Kjell – powiedział Frans ze znużeniem.

Kjell spojrzał na rękę ojca na podłokietniku. Była to ręka starego człowieka. Pomarszczona, żylasta, zasuszona, upstrzona starczymi plamami. Inna od tej, którą trzymał, kiedy spacerowali po lesie. Tamta była silna, gładka i ciepła, gdy obejmowała jego dłoń. Zapewniała poczucie bezpieczeństwa.

– Zapowiada się urodzaj na grzyby – wymsknęło mu się.

Frans spojrzał na niego zdumiony. Po chwili twarz mu zmiękła i odpowiedział cicho:

– A wiesz, rzeczywiście. Też tak myślę.

Podczas pakowania zachowywał żelazną dyscyplinę, nauczony wieloletnim doświadczeniem w podróżowaniu. Niczego nie należało pozostawiać przypadkowi. Niestarannie złożone spodnie będą wymagać prasowania, co w hotelu stanowiłoby poważny kłopot. Niedbale zakręcona tubka pasty do zębów może doprowadzić do prawdziwej katastrofy w walizce i do konieczności gruntownego czyszczenia garderoby. Dlatego z największą pieczołowitością i ostrożnością układał rzeczy w wielkiej walizce.

Przysiadł na łóżku. W tym pokoju mieszkał jako chłopak. Później urządził go trochę inaczej. Modele samolotów i komiksy nie pasowały do sypialni dorosłego człowieka. Zastanawiał się, czy kiedykolwiek tu wróci. Tym razem było mu trudno, ale musiał przyjechać.

Podniósł się i poszedł do pokoju Erika, kilkoro drzwi dalej, w długim korytarzu na piętrze. Usiadł na łóżku brata i uśmiechnął się. Pokój był pełen książek. To zrozumiałe. Wszystkie półki całkowicie zastawione książkami. Stosy książek leżały również na podłodze, wiele z żółtymi samoprzylepnymi karteczkami. Nigdy go nie znudziły te wszystkie książki, fakty, daty i ukazywana w nich niepodważalna rzeczywistość. Pod tym względem Erikowi było łatwiej: miał wszystko czarno na białym. Żadnych wahań, wybiegów ani moralnych dwuznaczności, jakich pełno było w świecie Axela. Same konkrety i fakty. Bitwa pod Hastings – 1066. Śmierć Napoleona – 1821. Kapitulacja Niemiec – piąty maja 1945. Axel sięgnął po książkę leżącą na łóżku Erika. Grube tomisko o odbudowie Niemiec po wojnie. Odłożył je na miejsce. Znał to na pamięć. Jego życie od sześćdziesięciu lat kręciło się wokół wojny i jej następstw. Ale przede wszystkim wokół niego samego. Erik to zrozumiał. Wytknął to bratu, ale siebie też nie oszczędzał. Z pozorną obojętnością, jak się wylicza suche fakty, wymienił wszystko, czego w ich życiu zabrakło. Ale Axel dobrze znał brata i wiedział, że za tą obojętnością kryje się więcej emocji, niż jest w stanie okazać większość ludzi.

Po policzku spłynęła mu łza. Starł ją. Tu, w pokoju Erika, sprawy nie przedstawiały się tak jasno, jakby tego pragnął. W jego życiu miało nie być żadnych dwuznaczności, miało się opierać na opozycji: dobro – zło. Uzurpował sobie prawo do rozstrzygania, do której kategorii który człowiek należy. Ale to Erik, mieszkaniec cichego świata książek, wiedział wszystko o dobru i złu. Axel miał świadomość, że walka o wyrwanie się z tego, co pomiędzy dobrem i złem, kosztowała brata więcej niż jego.

Erik o to walczył. Przez sześćdziesiąt lat patrzył, jak Axel przyjeżdża i wyjeżdża, słuchał, jak opowiada o tym, co robi w służbie dobra. Jak kreuje obraz siebie samego jako człowieka, który naprawia zło. Słuchał go w milczeniu. Spoglądał łagodnie zza okularów i pozwalał mu żyć złudzeniem. Mimo to Axel wiedział, że oszukuje samego siebie, nie Erika.

Nadal będzie żył w kłamstwie. Wróci do pracy, do mozolnego pościgu, który musi trwać. Nie powinien zwalniać, bo wkrótce będzie za późno. Niedługo nie będzie nikogo, kto by pamiętał, ani nikogo, kto powinien zostać ukarany. Wkrótce tylko książki historyczne będą dawały świadectwo.

Wstał. Jeszcze raz rozejrzał się po pokoju i poszedł do siebie. Zostało mu jeszcze sporo pakowania.

Dawno nie odwiedzała grobu dziadków. Rozmowa z Axelem przypomniała jej o tym, więc wracając do domu, postanowiła wstąpić na cmentarz. Otworzyła furtkę, zachrzęścił żwir pod nogami.

Najpierw poszła na grób rodziców, na lewo. Przykucnęła i wyrwała chwasty rosnące wokół nagrobka. Trzeba przynieść świeże kwiaty. Wpatrzyła się w napis na płycie. Elsy Falck. Chciałaby ją zapytać o wiele rzeczy. Gdyby nie wypadek, do którego doszło cztery lata temu, mogłaby z nią porozmawiać. Nie musiałaby szukać po omacku, żeby się dowiedzieć, dlaczego była taka, a nie inna.

W dzieciństwie szukała winy w sobie. Później, kiedy już była dorosła, również. Myślała, że to jej wina, bo jest do niczego. Jak inaczej wytłumaczyć to, że matka jej nie dotykała, nigdy nie objęła, nie rozmawiała z nią, tylko do niej mówiła? Dlaczego nigdy nie powiedziała, że ją kocha albo chociaż lubi? Erika długo żyła w przekonaniu, że matka jest nią rozczarowana. Ojciec wiele jej wynagradzał. Poświęcał córkom czas, okazywał miłość. Zawsze był gotów wysłuchać, pocieszyć i podmuchać na obtarte kolano, wziąć na ręce i utulić. A jednak to nie wystarczało. Chwilami wydawało im się, że matka wprost nie może na nie patrzeć, nie mówiąc już o dotykaniu.

Dlatego obraz matki z lat młodości tak zdumiał Erikę. Dlaczego ta, jak o niej mówili, spokojna, ciepła i sympatyczna dziewczyna wyrosła na kobietę zimną i odnoszącą się do własnych dzieci z rezerwą, jak do obcych ludzi?

Dotknęła wyrytego na nagrobku imienia matki.

– Mamo, co ci się stało? – szepnęła i poczuła, że ją ściska w gardle.

Po chwili podniosła się – z jeszcze większą determinacją. Musi się dowiedzieć, co kryje przeszłość matki. Bez względu na cenę.

Rzuciła ostatnie spojrzenie na nagrobek rodziców i przeszła kilka metrów, do grobu dziadków. Elof i Hilma Moström. Nie zdążyła ich poznać. Tragedia, która kosztowała życie dziadka, wydarzyła się na długo przed jej narodzinami. Babcia odeszła dziesięć lat później. Elsy nigdy o nich nie mówiła. Erika się cieszyła, że wszystko, czego się o nich dowiedziała, świadczyło o tym, że byli dobrzy i lubiani. Znów przykucnęła. Wpatrywała się w nagrobek, jakby chciała, żeby przemówił. Kamień milczał. Nic tu po niej. Jeśli ma dotrzeć do prawdy, musi szukać gdzie indziej.

Żeby sobie skrócić drogę do domu, poszła w stronę stojącego na górce domu parafialnego. Przed samą górką odruchowo zerknęła w prawo, na wielki omszały nagrobek. Stał nieco z boku, u podnóża skały zamykającej część cmentarza. Zrobiła jeszcze krok i stanęła jak wryta. Cofnęła się i stanęła przed wielkim szarym nagrobkiem. Serce waliło jej w piersi. Zaczęła sobie przypominać pojedyncze fakty, wyrwane z kontekstu zdania. Zmrużyła oczy, żeby widzieć wyraźniej. Podeszła jeszcze bliżej. Przesunęła nawet palcem po literach, upewniając się, że wyobraźnia nie płata jej figla.

Nagle wszystko zaczęło się składać w całość. Oczywiście. Już wiedziała, co się stało, przynajmniej z grubsza. Wyjęła z kieszeni telefon i drżącymi palcami wybrała numer Patrika. Najwyższy czas, żeby się włączył.

Córki dopiero wyszły. Przychodziły codziennie, kochane dziewczyny. Robiło mu się ciepło na sercu, gdy siadały na jego łóżku, jedna obok drugiej. Takie podobne, choć każda inna. Przypominały mu Brittę. Anna Greta miała jej nos, Birgitta oczy, a najmłodsza, Margareta, dołeczki w policzkach, gdy się uśmiechała.

Zacisnął powieki, żeby powstrzymać łzy. Już nie miał siły płakać, zabrakło mu łez. Musiał jednak otworzyć oczy, bo pod powiekami wciąż widział Brittę w chwili, gdy zdjął poduszkę z jej twarzy. Nie musiał podnosić, żeby wiedzieć, co się stało, ale chciał uzyskać potwierdzenie, chciał wiedzieć, do czego doprowadził przez jeden nierozważny krok. Domyślił się. W chwili gdy wszedł do sypialni i zobaczył, jak leży bez ruchu z poduszką na twarzy.

Zdjął poduszkę, zobaczył jej martwe spojrzenie i poczuł się, jakby sam umarł. Zdobył się tylko na to, żeby się położyć obok, jak najbliżej jej ciała, i objąć je ramionami. Gdyby to od niego zależało, leżałby tak już zawsze. Chciałby obejmować jej stygnące ciało i wspominać.

Patrząc w sufit, przypomniał sobie letnie dni, gdy z dziewczynkami pływali łódką na Valö. Britta siedziała z przodu, pod samą osłoną kabiny, z twarzą do słońca. Długie nogi wyciągnięte przed siebie, jasne włosy rozpuszczone na plecach. Widział, jak otwiera oczy, odwraca się do niego i uśmiecha radośnie. Stojąc przy sterze, pomachał jej i pomyślał, że jest prawdziwym szczęściarzem.

Wzrok mu pociemniał. Wróciło wspomnienie chwili, gdy po raz pierwszy mu o tym opowiedziała. Było ponure, zimowe popołudnie. Dziewczynki były w szkole. Powiedziała, żeby usiadł, bo muszą porozmawiać. Serce mu stanęło. W pierwszej chwili pomyślał, że pewnie chce go opuścić, że poznała innego. Prawie mu ulżyło, gdy się okazało, że chodzi o coś innego. Słuchał, a ona mówiła. Długo. Zrobiło się późno i trzeba było odebrać dziewczynki ze szkoły. Umówili się, że już nie będą do tego wracać. Co się stało, to się nie odstanie. Po tej rozmowie jego stosunek do niej się nie zmienił. Dlaczego miałoby mu to przesłonić wspólne szczęśliwe dni i cudowne noce? Co ma jedno do drugiego? Zgodnie postanowili nigdy więcej do tego nie wracać.

To się zmieniło, gdy przyszła choroba. Wtargnęła w ich życie jak tajfun, zmieniając i wyrywając z korzeniami wszystko. A on dał się porwać i popełnił błąd. Jeden jedyny, ale zgubny. Zadzwonił do kogoś. Nie należało tego robić. Był naiwny. Wierzył, że czas wszystko przewietrzyć, pozbyć się stęchlizny i zgnilizny. Myślał, że jeśli pokaże Britcie, że cierpi z powodu tego, co kiedyś ukryła w zakamarkach rozpadającego się teraz umysłu, zrozumie, że musi to z siebie wyrzucić, żeby mogli odzyskać spokój. Żeby ona odzyskała spokój. Boże, co za naiwność. Równie dobrze mógł sam przycisnąć jej poduszkę do twarzy. Przyznawał to z bólem. Zamknął oczy, by wyprzeć ten ból, ból nie do zniesienia. Tym razem nie ujrzał przed sobą martwych oczu Britty. Ujrzał ją na szpitalnym łóżku. Bladą i wymęczoną, ale szczęśliwą, z Anną Gretą w objęciach. Uniosła rękę i pomachała, wzywając go gestem.

Herman westchnął i podszedł do nich z uśmiechem.

Patrik patrzył przed siebie niewidzącym wzrokiem. Czy to możliwe, żeby Erika miała rację? Nieprawdopodobna historia, a jednak wydaje się logiczna. Westchnął na myśl o czekającym go zadaniu.

– Chodź, córeczko, jedziemy na wycieczkę. – Wziął Maję na ręce i poszedł z nią do przedpokoju. – Po drodze zabierzemy mamę.

Wkrótce podjechali przed bramę cmentarza, gdzie czekała Erika, niemal podskakując z niecierpliwości. Jej zapał zaczął się udzielać Patrikowi. Musiał się pilnować, żeby w drodze do Tanumshede nie naciskać za mocno na pedał gazu. Bywał wprawdzie nieostrożnym kierowcą, ale nie wtedy, gdy wiózł Maję.

– Ja będę mówić, dobrze? – powiedział Patrik, parkując przed komisariatem. – Wejdziesz ze mną, ale tylko dlatego, że nie mam siły się z tobą kłócić. Zresztą nic by mi to nie dało. Ale to mój szef i już raz go do czegoś takiego przekonywałem. Rozumiemy się?

Erika niechętnie kiwnęła głową i wyciągnęła Maję z fotelika.

– Na pewno nie chcesz podjechać do mamy, żeby ją przypilnowała przez ten czas? Przecież nie lubisz, jak Maja przebywa w komisariacie, prawda? – spytał, drażniąc się z nią.

Erika spojrzała na niego z gniewem.

– Chciałabym jak najszybciej mieć to za sobą. Zresztą nie zaszkodziło jej, gdy była tu ostatnio. – Mrugnęła do niego porozumiewawczo.

– Cześć, a co wy tu robicie? – Annika ożywiła się, kiedy Maja uśmiechnęła się do niej szeroko.

– Musimy porozmawiać z Bertilem – powiedział Patrik. – Jest u siebie?

– Tak, jest u siebie – odpowiedziała Annika i spojrzała na nich pytającym wzrokiem. Wpuściła ich. Patrik ruszył do gabinetu Mellberga, za nim Erika z Mają na ręku.

– Hedström! A ty co tu robisz? W dodatku z całą rodzinką, jak widzę – odezwał się opryskliwie Mellberg. Nawet nie wstał, żeby się przywitać.

– Musimy omówić pewną sprawę – powiedział Patrik i nieproszony usiadł na fotelu dla gości.

Maja i Ernst patrzyli na siebie z wzajemnym zachwytem.

– Czy ten pies jest przyzwyczajony do dzieci? – spytała Erika.

Zastanawiała się, czy puścić Maję, która koniecznie chciała zejść na podłogę.

– A skąd ja mam wiedzieć? – burknął Mellberg, ale zaraz zmiękł. – To najłagodniejszy pies pod słońcem. Muchy by nie skrzywdził – powiedział głosem, w którym słychać było dumę.

Patrik słuchał go z rozbawieniem. Ale go wzięło!

Erika ostrożnie posadziła córeczkę obok Ernsta. Zaczął ją lizać, co Maja przyjęła z zachwytem, ale też z pewną obawą.

– No więc czego chcesz?

Mellberg spojrzał na Patrika z ciekawością.

– Chciałbym, żebyś wystąpił o zgodę na ekshumację.

Mellberg zakasłał, jakby mu coś utkwiło w gardle, i aż poczerwieniał, usiłując odzyskać oddech.

– Pozwolenie na ekshumację! Czyś ty człowieku zwariował?! – wyrzucił z siebie, gdy w końcu przestał kasłać. – Chyba ci odbiło na tym urlopie! Masz pojęcie, jak rzadko na to pozwalają? A u nas były aż dwie ekshumacje w ostatnich latach. Jeśli wystąpię o pozwolenie na kolejną, pomyślą, że całkiem odjechałem i wsadzą mnie do czubków! A w ogóle kogo chcesz wykopywać z grobu?

– Członka norweskiego ruchu oporu, który zniknął w 1945 roku – powiedziała spokojnie Erika.

Przykucnęła na podłodze i drapała Ernsta za uchem.

– Słucham? – spytał z głupią miną Mellberg, jakby myślał, że się przesłyszał.

Erika cierpliwie opowiedziała wszystko, czego się dowiedziała o czwórce przyjaciół i Norwegu, który przybył do Fjällbacki na rok przed końcem wojny. O tym że w czerwcu 1945 roku wszelki ślad po nim zaginął i że do tej pory nie udało im się go odnaleźć.

– Może został w Szwecji? Albo wrócił do Norwegii? Sprawdziłaś w archiwach u nas i u nich? – spytał z powątpiewaniem.

Erika wstała z podłogi i usiadła w drugim fotelu dla gości. Świdrowała go wzrokiem. Chciała go zmusić, żeby ją traktował poważnie. Potem powtórzyła słowa Hermana: że Paul Heckel i Friedrich Hück mogliby odpowiedzieć na pytanie, gdzie znajduje się Hans Olavsen.

– Te nazwiska wydawały mi się znajome, chociaż nie miałam pojęcia, gdzie mogłam się z nimi zetknąć. Aż do dziś. Wybrałam się na cmentarz, na groby rodziców i dziadków. Tam go zobaczyłam.

– Niby kogo? – zdumiał się Mellberg.

Erika zbyła go machnięciem ręki.

– Jeśli pozwolisz, wrócę do tego później.

– Proszę bardzo – odparł Mellberg niechętnie, ale widać było, że jest coraz bardziej zaciekawiony.

– Na cmentarzu we Fjällbace znajduje się niezwykły grób. Pochodzi z czasów pierwszej wojny światowej. Spoczywa w nim dziesięciu niemieckich żołnierzy, siedmiu znanych z nazwiska i trzech nieznanych.

– Nie wspomniałaś o bazgrołach – wtrącił Patrik.

Oddał pole żonie. Dobry mąż wie, kiedy należy złożyć broń.

– Właśnie, to kolejny element układanki.

Erika opowiedziała o słowach, na które zwróciła uwagę, gdy oglądała zdjęcia z miejsca zbrodni. Słowa nabazgrane na notatniku Erika: *Ignoto militi*.

– Jak to możliwe, że oglądałaś zdjęcia z miejsca zbrodni? – spytał ze złością Mellberg i spojrzał z gniewem na Patrika.

– O tym później – odparł Patrik. – Wysłuchaj ją do końca, proszę.

Mellberg burknął coś pod nosem i zachęcił Erikę, żeby mówiła dalej.

– Napisał te słowa kilka razy, więc sprawdziłam, co znaczą. To napis z Łuku Triumfalnego w Paryżu, z Grobu Nieznanego Żołnierza. Słowa te znaczą właśnie: nieznanemu żołnierzowi.

Mellberg ciągle nie chwytał, więc wyjaśniała dalej, mocno gestykulując:

– Utkwiły mi w podświadomości. Mamy bojownika norweskiego ruchu oporu, który zniknął w 1945 roku i nikt nie wie, co się z nim stało. Mamy te bazgroły Erika o nieznanym żołnierzu. Dalej: Britta mówiła coś o starych kościach. I wreszcie mamy te nazwiska wymienione przez Hermana. Do czego zmierzam? Otóż przed chwilą przechodziłam obok tego grobu na cmentarzu we Fjällbace i wtedy uzmysłowiłam sobie, dlaczego te nazwiska wydają mi się znajome. Bo są wyryte na nagrobku.

Erika przerwała, żeby zaczerpnąć tchu. Mellberg wpatrywał się w nią.

– Mówisz, że Paul Heckel i Friedrich Hück to nazwiska Niemców pochowanych w grobie z czasów pierwszej wojny światowej na cmentarzu we Fjällbace, tak?

– Tak – potwierdziła Erika.

Zastanawiała się, jakich jeszcze argumentów użyć. Mellberg ją uprzedził.

– Więc podejrzewasz, że...

Odetchnęła głęboko i zerknęła na Patrika.

– Myślę, że w tym grobie najprawdopodobniej znajdują się jeszcze inne zwłoki. Sądzę, że pochowano w nim członka norweskiego ruchu oporu Hansa Olavsena. I choć nie wiem, jak to się ma do obu morderstw, wierzę, że to klucz do ich rozwikłania.

Zapadła cisza. Nikt się nie odzywał, słychać było tylko bawiących się Maję i Ernsta. Po chwili Patrik powiedział cicho:

– Wiem, że ta historia może się wydawać nieprawdopodobna, ale przedyskutowaliśmy to z Eriką i uważam, że coś jest na rzeczy. Nie ma dowodów, ale są poważne poszlaki, i prawdopodobnie Erika ma rację, że tu kryje się tajemnica obu morderstw. Choć nie wiem, o co chodzi ani dlaczego tak jest. Należałoby zacząć od ustalenia, czy w tym grobie rzeczywiście pochowano jeszcze inne zwłoki. A jeśli tak, jaka była przyczyna śmierci i jak tam trafiły.

Mellberg nie odpowiedział. Splótł dłonie i zastanawiał się. Wreszcie westchnął głęboko.

– Pewnie zwariowałem, ale sądzę, że możecie mieć rację. Nie gwarantuję, że mi się uda, bo i tak już sobie nieźle pozwalaliśmy. Zresztą przewiduję, że prokurator dostanie szału. Ale spróbuję. Tylko tyle mogę obiecać.

– Tylko o to prosimy – powiedziała Erika z takim zapałem, jakby chciała mu się rzucić na szyję.

– Powoli. Nie wierzę, żeby mi się udało, ale spróbuję. I potrzebowałbym trochę spokoju.

– Już wychodzimy. – Patrik wstał. – Zawiadom nas, jak tylko się czegoś dowiesz.

Mellberg nie odpowiedział. Machnął im na pożegnanie i sięgnął po słuchawkę. Zamierzał sięgnąć do technik perswazyjnych i miało to być jedno z najtrudniejszych zadań w całej jego karierze.

Fjällbacka 1945

Mieszkał u nich od pół roku, od trzech miesięcy wiedzieli już, że się kochają, gdy przyszła katastrofa. Elsy stała na werandzie, podlewając kwiaty, gdy zobaczyła ich na schodach. Spojrzała w posępne twarze i od razu się domyśliła. Słyszała, jak matka krząta się w kuchni przy myciu naczyń. Najchętniej zabrałaby ją stamtąd, zanim spadnie na nią wiadomość, po której już się nie podźwignie. Elsy była o tym przekonana. Ale zdawała sobie sprawę, że to bezcelowe. Poruszając się sztywno, podeszła do drzwi, żeby im otworzyć. Byli to trzej miejscowi, pływali na innym kutrze.

– Hilma jest? – spytał najstarszy, szyper.

Elsy przytaknęła i wskazała drogę do kuchni. Hilma odwróciła się i na ich widok upuściła talerz. Rozbił się o podłogę.

– Nie, dobry Boże, nie! – jęknęła.

Elsy zdążyła złapać matkę, zanim upadła na podłogę. Posadziła ją na krześle i objęła z całej siły. Serce jej pękało. Trzej rybacy niepewnie stanęli obok, obracali w rękach czapki. W końcu odezwał się szyper:

– To była mina, Hilmo. Widzieliśmy, jak to się stało. Podpłynęliśmy do nich, ale już nic nie mogliśmy zrobić.

– Dobry Boże – powtórzyła, łapiąc oddech. – A reszta?

Elsy nie mogła się nadziwić, że matka nawet w takiej chwili potrafi myśleć o innych. Przed oczami stanęli jej członkowie załogi ojca. Tak dobrze się znali, ich rodziny otrzymają za chwilę tę samą straszną wiadomość.

– Nikt nie ocalał – odparł szyper, przełykając ślinę. – Z łodzi zostały tylko szczątki. Bardzo długo szukaliśmy, ale nikogo nie znaleźliśmy. Tylko chłopaka Oscarssonów, ale już nie żył, gdy go wyłowiliśmy.

Z oczu Hilmy popłynęły łzy. Gryzła pięść, żeby nie krzyczeć. Elsy starała się być silna i nie płakać. Jak matka to przeżyje? A ona? Kochany ojciec. Zawsze gotów powiedzieć dobre słowo i podać pomocną dłoń. Jak sobie bez niego poradzą?

Rozległo się ciche pukanie. Jeden z rybaków poszedł otworzyć. Do kuchni wszedł Hans. Miał poszarzałą twarz.

– Widziałem... że przyszliście. Myślałem... Co...

Spuścił wzrok. Elsy domyśliła się, że nie chciał przeszkadzać, ale była mu wdzięczna, że mimo wszystko przyszedł.

– Kuter ojca wszedł na minę – powiedziała zdławionym głosem. – Nikt nie ocalał.

Hans się zachwiał. Podszedł do kredensu, gdzie Elof trzymał mocniejsze trunki, napełnił sześć kieliszków i postawił na stole.

– Przyda się na wzmocnienie – powiedział ze śpiewnym norweskim akcentem, który z czasem stawał się coraz mniej wyraźny.

Wszyscy oprócz Hilmy sięgnęli po kieliszki. Elsy wzięła jeden i postawiła przed matką.

– Proszę, niech mama wypije.

Hilma posłuchała. Drżącą ręką podniosła kieliszek do ust i krzywiąc się, wypiła. Elsy rzuciła Hansowi spojrzenie pełne wdzięczności. Jak dobrze, że nie jest sama w takiej chwili.

Znów pukanie. Tym razem otworzył Hans. Przyszły kobiety, tak samo jak Hilma żyjące w strachu, że morze zabierze im mężów. Rozumiały, co Hilma musi przeżywać, i wiedziały, że są jej teraz potrzebne. Zaofiarowały ciepły posiłek, wyrękę i słowo otuchy. Człowiek strzela, Pan Bóg kule nosi. Pomogło. Niewiele, ale wiedziały, że pewnego dnia i one mogą potrzebować pocieszenia. Starały się ulżyć siostrze w nieszczęściu.

Elsy cofnęła się. Z bólem patrzyła, jak kobiety gromadzą się wokół Hilmy. Posłańcy, który przynieśli złą wiadomość, pokłonili się i wyszli, żeby ją przekazywać dalej.

Zapadła noc, Hilma w końcu usnęła z wyczerpania. Leżąc w łóżku, Elsy patrzyła tępo w sufit. Nie potrafiła się oswoić z tym, co się stało. Przed oczami miała twarz ojca, zawsze gotowego jej wysłuchać, porozmawiać. Była jego oczkiem w głowie, wiedziała o tym. Była dla niego najważniejsza. Wiedziała również, że się domyślał, co się dzieje między nią i młodym Norwegiem, który coraz bardziej mu się podobał. Miał na nich oko, chociaż nie przeszkadzał im, okazując milczącą aprobatę. Może miał nadzieję, że Hans zostanie kiedyś jego zięciem. Elsy pomyślała, że chyba nie miałby nic przeciwko temu. Przez szacunek dla rodziców, żeby móc śmiało patrzeć im w oczy, poprzestali na ukradkowych pocałunkach i uściskach.

Teraz pomyślała, że to nie ma znaczenia. Ból był tak ogromny, że nie potrafiła go udźwignąć sama. Spuściła nogi na podłogę. Zawahała się, ale musiała szukać pociechy tam, gdzie wiedziała, że ją znajdzie.

Ostrożnie zeszła na dół. Mijając sypialnię rodziców, zajrzała do matki. Na widok drobnej postaci w wielkim łóżku zakłuło ją w piersi. Dobrze chociaż, że udało jej się zasnąć, uciec na chwilę od rzeczywistości.

Obróciła klucz w zamku, drzwi lekko zgrzytnęły. Na dworze było tak zimno, że gdy wyszła na ganek w samej koszuli nocnej i stanęła boso na zimnych, kamiennych schodach, zaparło jej dech. Szybko zeszła do sutereny i przystanęła pod jego drzwiami. Zawahała się, a potem cicho zapukała. Otworzył natychmiast i bez słowa wpuścił ją do środka. Stanęła przed nim w milczeniu, ze wzrokiem utkwionym w jego oczach. Wyczytała w tych oczach pytanie i w odpowiedzi wzięła go za rękę.

Tamtej nocy na kilka cudownych chwil mogła zapomnieć o bólu w piersi.

Kjell był dziwnie poruszony spotkaniem z ojcem. Przez wiele lat niezmiennie go nienawidził, pamiętał same złe rzeczy i błędy, które popełnił. Ale może nie wszystko jest albo białe, albo czarne. Wzdrygnął się, nie chciał tak myśleć. Łatwiej żyć, jeśli się nie widzi żadnych stanów pośrednich, tylko albo dobro, albo zło. Dziś ojciec wydał mu się stary i kruchy. Po raz pierwszy uzmysłowił sobie, że ojciec nie jest nieśmiertelny i nie będzie mu wiecznie służyć za obiekt nienawiści. Pewnego dnia, gdy ojca zabraknie, będzie musiał spojrzeć na własne odbicie w lustrze. Zdawał sobie sprawę, że dopóki może hodować w sobie nienawiść, dopóty może wyciągnąć rękę na zgodę. Ale tego nie chciał. Nie czuł potrzeby. Ale taka możliwość istniała i dawała mu poczucie, że jest górą. W dniu gdy ojciec odejdzie z tego świata, będzie za późno. Pozostanie mu tylko nienawiść, nic więcej.

Ręka lekko mu drżała, gdy chwycił telefon. Chciał zadzwonić w kilka miejsc. Wprawdzie Erika zobowiązała się, że sprawdzi w urzędach, ale nie miał zwyczaju polegać na innych. Lepiej sprawdzić samemu. W ciągu godziny odbył pięć rozmów telefonicznych. Dzwonił zarówno do Szwecji, jak i do Norwegii. Ale nie dowiedział się niczego konkretnego. Sprawa była trudna, bez dwóch zdań. Mieli jedynie nazwisko i przybliżony wiek, ale przecież są sposoby. To, co już wiedział i uważał za wiarygodne, skłaniało do przypuszczenia, że Hans Olavsen nie został po wojnie w Szwecji.

Należało zatem założyć, że gdy niebezpieczeństwo minęło, wrócił do domu.

Sięgnął po teczkę z wycinkami i w tym momencie uprzytomnił sobie, że zapomniał przefaksować Eskilowi Halvorsenowi zdjęcie Olavsena. Znów sięgnął po słuchawkę, żeby zadzwonić i poprosić o numer faksu.

– Przykro mi, jeszcze nic nie znalazłem – usłyszał od Halvorsena, gdy się przedstawił.

Wyjaśnił, że dzwoni w innej sprawie.

– Rzeczywiście, zdjęcie mogłoby pomóc. Proszę je przefaksować do mojego biura na uniwersytecie – powiedział Halvorsen i podał numer.

Kjell przesłał mu kopię artykułu z najwyraźniejszym zdjęciem Olavsena i znów usiadł za biurkiem. Miał nadzieję, że Erice uda się coś znaleźć. Czuł, że utknął.

W tym momencie zadzwonił telefon.

– Dziadek przyszedł! – zawołał Per.

Carina wyszła do nich z salonu.

– Mogę wejść na chwilę? – spytał Frans.

Zauważyła z przykrością, że zmizerniał. Nie żywiła wprawdzie szczególnie serdecznych uczuć do ojca Kjella, ale przez to, co zrobił dla niej i dla Pera, zaskarbił sobie jej szczerą wdzięczność.

– Bardzo proszę – powiedziała, idąc do kuchni.

Widziała, że Frans się jej przygląda, i odpowiadając na pytanie, którego nie zadał, powiedziała:

– Ani kropli od twoich ostatnich odwiedzin. Per może zaświadczyć.

Per przytaknął i usiadł przy stole naprzeciw dziadka. Jego spojrzenie wyrażało coś na kształt uwielbienia.

– Widzę, że głowa ci porosła włosem – zauważył z rozbawieniem Frans i pogłaskał wnuka po szczecinie.

– E, tam. – Per się speszył, ale z zadowoloną miną przesunął dłonią po głowie.

– Bardzo dobrze – powiedział Frans. – Bardzo dobrze.

Carina rzuciła mu ostrzegawcze spojrzenie. Skinął głową na znak, że nie będzie rozmawiać z wnukiem o swoich poglądach politycznych.

Zaparzywszy kawę, Carina usiadła z nimi przy stole. Spojrzała pytająco na Fransa, a on spuścił wzrok i wpatrywał się w stojącą przed nim filiżankę. Pomyślała, że wygląda na zmęczonego. Wprawdzie zawsze uważała, że robi niewłaściwy użytek ze swojej energii, ale też zawsze wydawał jej się uosobieniem siły. Dziś był inny niż zwykle.

– Otworzyłem w banku konto dla Pera – odezwał się w końcu, nadal na nich nie patrząc. – Uzyska do niego dostęp, gdy skończy dwadzieścia pięć lat. Wpłaciłem już pewną sumę.

– Skąd... – chciała spytać, ale powstrzymał ją gestem i ciągnął dalej:

– Z powodów, o których nie mogę mówić, nie założyłem go w Szwecji, tylko w Luksemburgu.

Carina zmarszczyła brwi, choć właściwie się nie zdziwiła. Kjell zawsze twierdził, że ojciec ma gdzieś pieniądze z działalności przestępczej, która tyle razy zaprowadziła go do więzienia.

– Ale dlaczego... właśnie teraz? – spytała, patrząc na niego.

Początkowo milczał, jakby nie chciał odpowiedzieć. W końcu odparł:

– Na wypadek gdyby coś mi się stało. Chciałbym wiedzieć, że ta sprawa jest załatwiona.

Carina nic nie powiedziała. Nie chciała wiedzieć więcej.

– Super. – Per z podziwem spojrzał na dziadka. – Ile kasy dostanę?

– No wiesz, Per!

Carina wbiła spojrzenie w syna. Per wzruszył ramionami.

– Dużo – odparł sucho Frans, nie wdając się w szczegóły. – Jak już powiedziałem, konto jest na ciebie, ale z pewnymi zastrzeżeniami. Po pierwsze nie będziesz miał do niego dostępu, zanim nie skończysz dwudziestu pięciu lat. Po drugie – pogroził Perowi palcem – uzyskasz ten dostęp dopiero wtedy, gdy twoja matka wyrazi zgodę i oceni, że jesteś dostatecznie dojrzały, żeby dysponować pieniędzmi. To zastrzeżenie będzie obowiązywać również po tym, jak ukończysz dwadzieścia pięć lat. Więc jeśli matka uzna, że nie jesteś na tyle rozsądny, żeby mądrze z nich korzystać, nie zobaczysz ani korony. Zrozumiano?

Per mruknął, ale nie protestował.

Carina nie bardzo wiedziała, co o tym myśleć. W zachowaniu Fransa, jego głosie i sposobie mówienia było coś, co ją zaniepokoiło. Z drugiej strony była mu wdzięczna za to, co zrobił dla Pera. Nie miała zamiaru się zastanawiać, skąd wziął te pieniądze. Pewnie ktoś je stracił, ale to było dawno temu. A jeśli w przyszłości mogą się przydać Perowi, to nie jej zmartwienie.

– A co z Kjellem? – spytała.

Frans podniósł głowę.

– Kjell nie może się dowiedzieć, aż do dnia, gdy Per dostanie te pieniądze. Obiecaj, że mu nie powiesz! Ty też, Per! – Spojrzał na wnuka. – Żądam tylko tego jednego: żeby twój ojciec o tym nie wiedział. Ma stanąć przed faktem dokonanym.

– Dobrze, ojciec nie musi wiedzieć – odparł Per.

Nawet mu się podobało, że będzie miał przed ojcem tajemnicę.

Potem Frans już spokojniej dodał:

– Wiesz, że prawdopodobnie będziesz musiał ponieść karę za swój ostatni wybryk. A teraz słuchaj. – Zmusił Pera, żeby mu patrzył w oczy. – Zgodzisz się z wyrokiem. Pewnie cię wyślą do poprawczaka. Masz się trzymać z dala od łobuzerii, w ogóle masz się trzymać z dala od wszelkiego gówna. Spokojnie odsiedzisz karę i nie będziesz stwarzał problemów. A kiedy wyjdziesz, nie zrobisz już nic głupiego. Słyszysz? – mówił powoli i wyraźnie. Jak tylko Per chciał uciec wzrokiem, zmuszał go, żeby mu patrzył w oczy. – Zrozum, nie wolno ci żyć tak, jak ja żyłem. Moje życie było do niczego, od początku do końca. Jedyne osoby, które naprawdę dla mnie coś znaczyły, to ty i twój ojciec, choć on nigdy by w to nie uwierzył. Ale to prawda. Obiecaj, że będziesz się trzymać z dala od wszelkiego gówna. Przyrzeknij!

– Dobrze, już dobrze – powiedział Per.

Wiercił się, ale widać było, że słucha i bierze sobie do serca słowa dziadka.

Frans miał nadzieję, że to wystarczy, choć wiedział, jak trudno się wydostać z koleiny, gdy raz się w nią

wpadnie. Jemu dzięki odrobinie szczęścia udało się wydostać na tyle, żeby chociaż wnuka pchnąć na inne to-
ry. Więcej i tak nie mógłby zrobić. Wstał.

– To wszystko, co miałem do powiedzenia. Tu jest
wszystko na temat konta.

Na stole przed Cariną położył jakiś papier.

– Może byś posiedział jeszcze trochę? – Znów się
zaniepokoiła.

Frans potrząsnął głową.

– Mam jeszcze coś do załatwienia. – Ruszył do wyjścia, ale przystanął w drzwiach. Po chwili powiedział
cicho: – Uważajcie na siebie.

Machnął ręką, odwrócił się i wyszedł. Carina i Per
zostali w kuchni. Żadne się nie odezwało. Oboje wiedzieli, że to było pożegnanie.

– To już zakrawa na jakąś tradycję – sucho zauważył
stojący koło Patrika Torbjörn Ruud.

Obserwowali budzące grozę czynności towarzyszące ekshumacji. Dzięki temu, że Anna została z Mają,
mogła im towarzyszyć również Erika, śledząc w napięciu postęp prac.

– Domyślam się, że Mellbergowi trudno było załatwić zgodę na ekshumację. – Jak na Patrika była to niezwykła pochwała.

– Słyszałem, że facet z prokuratury wydzierał się na
niego przez dziesięć minut – powiedział Ruud, nie odrywając wzroku od grobu, z którego technicy usuwali
ziemię warstwa po warstwie.

– Żebyśmy tylko nie musieli wykopywać całego grobu.

Patrik się wzdrygnął.

Ruud potrząsnął głową.

– Jeśli jest tak, jak mówicie, facet powinien leżeć na samym wierzchu. Nie wyobrażam sobie, żeby ktoś zadał sobie tyle trudu, żeby go zakopywać pod spodem, pod tamtymi. – W jego głosie słychać było ironię. – Pewnie nie leży w trumnie. Na podstawie ubrania również da się stwierdzić, czy to on.

– Ile będziemy musieli czekać na wstępny raport z sekcji zwłok? – spytała Erika. – Zakładając, że go znajdziemy – dodała, chociaż miała pewność, że się nie myli.

– Obiecali mi, że dostarczą go już pojutrze, czyli w piątek – powiedział Patrik. – Rano rozmawiałem z Pedersenem. Zajmą się tym w pierwszej kolejności. Mógłby zacząć już jutro, a w piątek się wstępnie wypowiedzieć. Mocno podkreślał, że wstępnie. Tak czy inaczej, powinniśmy się wtedy dowiedzieć, jak umarł.

Przerwał mu okrzyk członków ekipy. Podeszli bliżej.

– Jest coś – powiedział jeden z techników.

Torbjörn Ruud podszedł do niego. Chwilę rozmawiali, głowa przy głowie. Potem Ruud wrócił do Patrika i Eriki, którzy woleli się trzymać nieco z dala:

– Znaleźli zwłoki. Dość płytko, bez trumny. Teraz trzeba zachować wielką ostrożność, żeby nie zniszczyć śladów. Trochę potrwa, zanim faceta wykopią. – Zawahał się. – Chyba miałaś rację.

Erika kiwnęła głową i odetchnęła z ulgą. W oddali zobaczyła idącego w ich kierunku Kjella. Zatrzymali go Martin i Gösta. Pilnowali, żeby nikt niepowołany nie zbliżał się do grobu. Erika ruszyła w ich stronę.

– W porządku, ja go zawiadomiłam, co tu się dzieje.

– Mellberg powiedział wyraźnie: żadnych dziennikarzy, żadnych niepowołanych osób – mruknął Gösta, zatrzymując Ringholma.

– Wszystko w porządku – powiedział Patrik, który tymczasem do nich dołączył. – Biorę to na siebie.

Spojrzał z powagą na Erikę, co miało znaczyć, że od tej chwili ona odpowiada za ewentualne konsekwencje.

Erika skinęła głową i poszła z Ringholmem w stronę grobu.

– Znaleźli coś? – spytał. Oczy mu błyszczały z ciekawości.

– Wygląda na to, że znaleźliśmy Hansa Olavsena – powiedziała.

Z fascynacją przyglądała się pracy techników. Na głębokości zaledwie pół metra zaczęli odsłaniać trudny do określenia kształt.

– Czyli wcale stąd nie wyjechał – z przejęciem powiedział Kjell. On również nie odrywał wzroku od techników.

– Chyba nie. Pozostaje pytanie, jak się tu znalazł.

– Ale Erik i Britta wiedzieli, że tu leży.

– Tak, i oboje zostali zamordowani.

Erika potrząsnęła głową, jakby kawałki układanki miały dzięki temu wskoczyć na swoje miejsca.

– Ale przecież on tu leży od sześćdziesięciu lat. Dlaczego teraz? Co się takiego stało, że nagle stał się taki ważny? – zastanawiał się Ringholm.

– Z ojca nic pan nie wycisnął?

Erika spojrzała na niego. Potrząsnął głową.

– Nic. Nie wiem, czy nie wie, czy nie chce mówić.

– Sądzi pan, że mógłby...

Nie miała odwagi dokończyć, ale Ringholm zrozumiał.

– Sądzę, że mój ojciec jest zdolny do wszystkiego. Wiem to na pewno.

– O czym rozmawiacie? – spytał Patrik, stając obok Eriki. Ręce wsunął do kieszeni kurtki.

– Rozważamy, czy mordercą może być mój ojciec – spokojnie odparł Ringholm.

Jego szczerość zaskoczyła Patrika.

– I doszliście do jakichś wniosków? – spytał. – My też mieliśmy pewne podejrzenia, ale wydaje się, że pański ojciec ma alibi. Jeśli chodzi o zabójstwo Erika Frankla.

– Nie wiedziałem – odparł Ringholm. – Ale mam nadzieję, że dobrze sprawdziliście. Bo nie uwierzę, że tak doświadczony pensjonariusz zakładów karnych jak mój ojciec nie potrafiłby zmontować alibi.

Patrik pomyślał, że to prawda, i zanotował w pamięci, żeby spytać Martina, jak dokładnie sprawdzili alibi Fransa.

Podszedł do nich Torbjörn Ruud. Kiwnął głową Ringholmowi, rozpoznał go.

– Widzę, że jest zgoda na obecność czwartej władzy.

– To sprawa osobista – odparł Ringholm.

Torbjörn Ruud wzruszył ramionami. Nie będzie się wtrącał, skoro policja się zgadza na obecność dziennikarza. To ich problem.

– Skończymy za jakąś godzinę – oznajmił. – Pedersen jest gotów od razu zabrać się do pracy.

– Wiem, też z nim rozmawiałem – powiedział Patrik.

– W takim razie wykopujemy go. Zobaczymy, jakie gość ukrywa tajemnice.

Odwrócił się i podszedł z powrotem do grobu.

– Tak jest, zobaczymy – powiedziała cicho Erika.

Patrik objął ją ramieniem.

Fjällbacka 1945

Po śmierci ojca nadszedł trudny i gorzki czas. Wprawdzie matka dalej wykonywała swoje zwykłe domowe obowiązki, ale czegoś zabrakło. Jakby Elof zabrał ze sobą kawałek Hilmy. Elsy nie poznawała matki. W pewnym sensie utraciła także i ją. Poczucie bezpieczeństwa odnajdywała tylko nocami, które spędzała z Hansem. Zakradała się do niego co noc, gdy matka już spała, i wślizgiwała w jego objęcia. Zdawała sobie sprawę, że źle robi, że skutki mogą być trudne do przewidzenia, ale nie potrafiła się powstrzymać. Gdy leżała na jego ramieniu i Hans gładził ją po głowie, miała złudzenie, że wszystko jest jak dawniej. A gdy się całowali i ogarniał ich znany, choć wciąż zaskakujący płomień pożądania, nie mogła zrozumieć, co w tym złego. Co może być złego w miłości, jeśli z powodu jednej miny może wylecieć w powietrze czyjś cały świat.

Również jeśli chodzi o sprawy praktyczne, Hans okazał się darem niebios. Po śmierci ojca zrobiło się krucho z pieniędzmi. Dawały sobie radę tylko dzięki temu, że Hans wziął dodatkową pracę na kutrze i oddawał im wszystko, co zarobił. Czasem Elsy podejrzewała, że matka wie o nocnych spotkaniach, ale przymyka oko, ponieważ nie może sobie pozwolić na nic innego.

Elsy przesunęła ręką po brzuchu. Wsłuchiwała się w spokojny oddech śpiącego obok Hansa. Od ponad tygodnia zdawała sobie sprawę ze swego stanu, właściwie nieuniknionego, choć wcześniej wolała o tym nie myśleć. Mimo niesprzyjających okoliczności była bardzo spokojna. Przecież nosi dziecko Hansa, co w zasadniczy sposób zmienia wszystko, także jeśli chodzi o wstyd i ewentualne konsekwencje. Ufała mu bardziej niż komukolwiek na świecie. Jeszcze mu nie powiedziała, ale w głębi duszy była przekonana, że nie ma się czego obawiać, że ta wiadomość go ucieszy. Będą się nawzajem wspierać i wspólnymi siłami dobiją do brzegu.

Zamknęła oczy, jej dłoń spoczywała na brzuchu. Tam, w środku, mieszka maleństwo poczęte z miłości: jej i Hansa. Co w tym złego? Co mogłoby być złego w ich dziecku?

Elsy uśmiechnęła się i zasnęła, wciąż z dłonią na brzuchu.

Po wczorajszej ekshumacji w komisariacie panował nastrój oczekiwania. Zgodnie z przewidywaniami Mellberg nadymał się i przypisywał sobie wszelkie zasługi, ale nie zwracali na niego uwagi.

Martin nie krył ciekawości. Nawet w oczach Gösty pojawiły się iskierki zainteresowania, gdy stali na cmentarzu, broniąc dostępu do grobu. On również snuł rozmaite teorie. Choć niewiele było wiadomo, wszyscy byli pewni, że wczorajsze odkrycie doprowadzi do przełomu i że rozwiązanie jest bliskie.

Pukanie do drzwi przerwało Martinowi rozmyślania.

– Nie przeszkadzam? – spytała Paula.

Martin potrząsnął głową.

– Skąd, wchodź.

Paula usiadła.

– Co o tym sądzisz?

– Jeszcze nie wiem. Jestem cholernie ciekaw opinii Pedersena.

– Sądzisz, że gość został zamordowany?

Ciemne oczy Pauli spoglądały na niego z ciekawością.

– A po co mieliby ukrywać zwłoki? – odpowiedział pytaniem.

Paula kiwnęła głową. Też o tym pomyślała.

– Pytanie, dlaczego ta sprawa wypłynęła właśnie teraz. Po sześćdziesięciu latach. Chyba że założymy, że jest związek między śmiercią Britty i Erika a ewentualnym – zrobiła palcami znak cudzysłowu – zabójstwem tego gościa. Ale dlaczego teraz? Co się stało?

– Nie mam pojęcia – odparł Martin z westchnieniem.

– Oby sekcja zwłok dostarczyła jakichś konkretów.

– A jeśli nie dostarczy?

Paula powiedziała to, co również jemu chodziło po głowie.

– Pożyjemy, zobaczymy – odparł.

– Skoro już o tym mowa – Paula zmieniła temat. – Przez to całe zamieszanie zapomnieliśmy pobrać próbki DNA. Dziś miały przyjść wyniki badania DNA mordercy Britty, prawda? Przecież nie mamy materiału porównawczego.

– Masz rację – powiedział Martin, podrywając się. – Zabieramy się do roboty.

– Od kogo zaczniemy? Od Axela czy Fransa? Bo skupiamy się na nich, prawda?

– Zacznijmy od Fransa – odparł Martin, wkładając kurtkę.

W Grebbestad po sezonie panowała taka sama pustka jak we Fjällbace. Przejeżdżając, mijali tylko nielicznych przechodniów. Martin zajechał na niewielki parking przed restauracją Telegrafen, następnie przecięli ulicę, kierując się do domu, w którym mieszkał Frans. Zadzwonili do drzwi, nikt nie otwierał.

– Cholera, chyba go nie ma. Będziemy musieli przyjść jeszcze raz. Albo najpierw zadzwonić – powiedział Martin i obrócił się na pięcie, żeby ruszyć do samochodu.

478

– Zaczekaj. – Paula zatrzymała go gestem. – Drzwi są otwarte.

– Nie możemy... – zaprotestował Martin, ale Paula zdążyła już wejść.

– Halo! – zawołała.

Martin niechętnie wszedł za nią. Nikt nie odpowiadał. Przeszli przez przedpokój, zajrzeli do kuchni i salonu. Nikogo. W mieszkaniu panowała cisza.

– Sprawdzimy w sypialni – zaproponowała Paula.

Martin się wahał.

– No chodź – powtórzyła.

Westchnął i poszedł za nią. Również w sypialni Fransa nie było. Łóżko było porządnie posłane.

– Halo! – zawołała jeszcze raz Paula, gdy wrócili do przedpokoju. Bez odpowiedzi. Podeszli do ostatnich, zamkniętych drzwi.

Był to niewielki gabinet. Zobaczyli go natychmiast. Półleżał na biurku, w ustach miał lufę pistoletu, a w tyle głowy ziejącą ranę. Martinowi krew odpłynęła z twarzy. Zachwiał się i przełknął ślinę. Po chwili odzyskał zimną krew. Paula zachowała kamienny spokój. Wskazała palcem na Fransa, zmuszając Martina, żeby też na niego spojrzał, i spokojnie powiedziała:

– Spójrz na jego przedramiona.

Martinowi robiło się niedobrze, ale zmusił się. Drgnął. Nie miał wątpliwości: na obu rękach widać było głębokie zadrapania.

W piątek w komisariacie panował nastrój podniecenia i oczekiwania. Po tym jak się okazało, że prawdopodobnie to Frans zabił Brittę, czekali na potwierdzenie, na wyniki badania DNA i odcisków palców. Nikt nie wątpił, że teraz uda się znaleźć związek między tą sprawą a zabójstwem Erika Frankla. Jeszcze tego dnia mieli dostać wstępny protokół z sekcji zwłok wykopanych ze starego żołnierskiego grobu. Wszyscy byli bardzo ciekawi.

Martin odebrał telefon od medyka sądowego. Potem, z wydrukiem z faksu w ręku, obszedł pokoje wszystkich kolegów i zwołał zebranie.

Gdy już wszyscy usiedli w pokoju socjalnym, Martin stanął na środku, żeby go dobrze słyszeli.

– Jak już mówiłem, dostałem od Pedersena wstępny protokół.

Mellberg mruknął, że Pedersen powinien zadzwonić do niego, ale Martin udał, że nie słyszy.

– Nie dysponujemy DNA do porównania ani kartą badań stomatologicznych, więc nie można ze stuprocentową pewnością stwierdzić, że to Hans Olavsen. Ale zgadza się wiek i czas zaginięcia. Chociaż po tylu latach trudno określić dokładnie, kiedy to nastąpiło.

– A przyczyna śmierci? – spytała Paula. Nerwowo stukała obcasami o podłogę.

Martin zrobił dłuższą przerwę. Upajał się chwilą.

– Według Pedersena zwłoki noszą ślady poważnych obrażeń. Ciosów ostrym narzędziem i kopniaków albo uderzeń, a może jednego i drugiego. Sprawca musiał być nieprawdopodobnie rozjuszony i dać upust nienawiści. Szczegółowy opis znajdziecie w protokole, który dostaliśmy faksem.

Martin położył papiery na stole.

– Czyli przyczyną śmierci było...

Paula nie przestawała stukać obcasami.

– Trudno powiedzieć, które z tych obrażeń było bezpośrednią przyczyną śmierci. Według Pedersena było ich wiele.

– Mogę się założyć, że to sprawka Ringholma. I dlatego zamordował również Erika i Brittę – mruknął Gösta, wyrażając przypuszczenie, które podzielała większość zebranych.

Zawsze był ostrym gościem.

– Ale to tylko hipoteza. Możemy ją potraktować jako punkt wyjścia do dalszej pracy – powiedział Martin. – Ale nie wolno nam wyciągać pochopnych wniosków. Wprawdzie Ringholm rzeczywiście ma na ramionach zadrapania, których kazał szukać Pedersen, ale nie dostaliśmy jeszcze próbek DNA, a więc potwierdzenia, że zgadzają się z materiałem pobranym spod paznokci Britty. Nie wiemy też, czy to jego kciuk odcisnął się na guziku. Czyli wnioski potem, teraz praca.

Martin sam się zdziwił, że zachowuje się tak spokojnie i profesjonalnie. Zerknął na Mellberga: czy nie denerwuje go wkraczanie w jego kompetencje jako szefa komisariatu? Ale Mellberg jak zwykle był zadowolony, że nie na niego spada czarna robota. Tylko patrzeć, jak się ożywi i sobie przypisze wszystkie zasługi, gdy sprawa zostanie wyjaśniona.

– Czyli co robimy?

Paula spojrzała na Martina i mrugnęła porozumiewawczo na znak, że dobrze się spisał. Była to wprawdzie pochwała milcząca, ale Martin poczuł się, jakby dostał skrzydeł. Tak długo był w komisariacie najmłodszy i tak długo uważano go za żółtodzioba, że bał się wyjść przed szereg. Urlop Patrika okazał się dla niego szansą: wreszcie mógł pokazać, co potrafi.

– Jeśli chodzi o Fransa, czekamy na wyniki badań DNA. Jeśli natomiast chodzi o śledztwo w sprawie śmierci Frankla, musimy niestety zacząć wszystko od początku. Trzeba szukać tropu prowadzącego do Fransa. Zajmiesz się tym, Paulo?

Skinęła głową, a Martin zwrócił się do Gösty:

– Spróbuj dowiedzieć się czegoś więcej o Olavsenie. Skąd pochodził, czy ktoś jeszcze coś wie o jego pobycie we Fjällbace, i tak dalej. Pogadaj z Eriką, podobno znalazła jakieś materiały na jego temat. Wypytaj też syna Fransa. Byłoby dobrze, gdyby nam powiedzieli, co wiedzą. Erika na pewno nie będzie robić problemów, natomiast Ringholma będziesz chyba musiał przycisnąć.

Gösta również skinął głową, choć z mniejszym zapałem niż Paula. Grzebanie się w historii sprzed sześćdziesięciu lat nie będzie ani łatwe, ani przyjemne.

– Niech będzie – westchnął i zrobił taką minę, jakby się właśnie dowiedział, że czeka go siedem chudych lat.

– Anniko, zawiadom nas, gdy tylko przyjdzie wiadomość z Państwowego Laboratorium Kryminalistycznego.

– Oczywiście – odparła Annika, odkładając notatki.

– No to do roboty.

Martin poczerwieniał z zadowolenia: właśnie zakończył swoją pierwszą odprawę.

Koledzy wyszli, rozmyślając o zagadkowym losie Hansa Olavsena.

Po rozmowie z Martinem Patrik odłożył słuchawkę i poszedł na górę, do Eriki. Delikatnie zapukał do drzwi.

– Przepraszam, że przeszkadzam, ale mam dla ciebie coś ciekawego.

Usiadł w fotelu stojącym w rogu pokoju i powtórzył, co mu powiedział Martin o obrażeniach domniemanego Hansa Olavsena.

– Spodziewałam się, że został zamordowany, ale w taki sposób...

Erika była wyraźnie poruszona.

– Ktoś musiał z nim mieć mocno na pieńku – zauważył Patrik. W tym momencie zobaczył pamiętnik matki Eriki. Musiała go znów przeglądać. – Znalazłaś jeszcze coś ciekawego? – spytał, wskazując na zeszyty.

– Niestety nie. – Erika przesunęła dłonią po jasnych włosach. – Pamiętnik kończy się w momencie, gdy we Fjällbace pojawia się Hans Olavsen, czyli dokładnie wtedy, gdy zaczyna się robić najciekawiej.

– Ale nie wiesz, dlaczego wtedy przestała prowadzić zapiski?

– Właśnie o to chodzi. Zresztą nie mam pewności, czy rzeczywiście przestała. Mam wrażenie, że codzienne pisanie musiało jej wejść w krew. Dlaczego miałaby to nagle zarzucić? Przypuszczam, że jest więcej zeszytów, ale nie mam zielonego pojęcia gdzie... – powiedziała w zamyśleniu, z dobrze Patrikowi znanym gestem: kosmyk włosów nawinęła na palec wskazujący.

– Strych już sprawdziłaś, tam ich nie ma – powiedział Patrik. – Sądzisz, że mogą być w piwnicy?

Erika zastanowiła się i potrząsnęła głową.

– Nie. Przejrzałam większość rzeczy, kiedy robiliśmy porządki, zanim się wprowadziłeś. Nie wierzę, że są w domu. Ale nic innego nie przychodzi mi do głowy.

– Dobrze chociaż, że jeśli chodzi o Hansa Olavsena, możesz liczyć na wsparcie z zewnątrz. Po pierwsze, ze strony Kjella. Powiem ci, że wierzę, że potrafi docierać do prawdy. Po drugie, policja również zamierza pójść tym tropem. Martin poprosił Göstę, żeby z tobą porozmawiał. Opowiesz mu, czego się dowiedziałaś.

– Nie mam nic przeciwko temu. Chętnie się podzielę swoją wiedzą – powiedziała Erika. – Mam nadzieję, że Kjell również.

– Na to chyba nie ma co liczyć – odparł Patrik sucho. – Jest dziennikarzem, traktuje tę historię przede wszystkim jako temat do artykułu.

– Ciągle się zastanawiam... – mówiła powoli, nie przestając się kręcić na obrotowym krześle. – Dlaczego Erik dał Kjellowi te wycinki. Czego Kjell miał się z nich dowiedzieć i co on sam wiedział o śmierci Hansa Olavsena? A jeśli wiedział, dlaczego nie powiedział wprost? Dlaczego był taki tajemniczy?

Patrik wzruszył ramionami.

– Tego się pewnie już nigdy nie dowiemy. Według Martina w komisariacie wszyscy uważają, że po samobójstwie Fransa wszystko wskazuje na to, że to on zamordował Hansa Olavsena, a potem Erika i Brittę, żeby tamto się nie wydało.

– Wiele na to wskazuje – przyznała Erika. – Ale nadal... nie rozumiem. Na przykład dlaczego to wszystko wychodzi na jaw teraz. Po sześćdziesięciu latach.

Co się nagle stało? Przecież sześćdziesiąt lat leżał sobie spokojnie w grobie.

W zamyśleniu przygryzła policzek.

– Nie mam pojęcia – odparł Patrik. – Musimy się pogodzić z tym, że nigdy nie dowiemy się wszystkiego. To jednak było bardzo dawno temu.

– Pewnie masz rację – Erika nie ukrywała zawodu. Sięgnęła po leżącą na biurku papierową torebkę. – Chcesz irysa?

– Poproszę.

Patrik sięgnął po jednego. W milczeniu ssali irysy, rozmyślając o gwałtownej śmierci Hansa Olavsena.

– Sądzisz, że to Frans? Że zamordował również Erika i Hansa? – powiedziała w końcu Erika, patrząc uważnie na Patrika.

Zastanawiał się dłuższą chwilę, a potem z ociąganiem powiedział:

– Tak uważam. W każdym razie niewiele wskazuje na to, że tak nie było. Martin jest przekonany, że gdy w poniedziałek dostaną profil jego DNA, uzyskają dowód, że zamordował Brittę. Myślę, że to z kolei pozwoli dowieść, że zabił Erika. Hansa zabito tak dawno, że wątpię, żebyśmy kiedykolwiek uzyskali jasność w tej sprawie. Jest jedno ale... – Skrzywił się.

– Coś się nie zgadza?

– Chodzi o to, że Frans miał alibi na czas zabójstwa Erika. Jego kumple mogli oczywiście kłamać. Trzeba to bardzo dokładnie zbadać. To moja jedyna wątpliwość.

– Ale nie ma wątpliwości co do tego, że popełnił samobójstwo?

– Myślę, że nie ma. – Patrik potrząsnął głową. – Rewolwer był jego własnością, trzymał go jeszcze w ręku, z lufą w ustach.

Erika skrzywiła się, gdy wyobraziła sobie tę scenę.

– Więc jeśli się potwierdzi, że na rewolwerze są jego odciski palców, a na dłoni ślady prochu, nawet przy najlepszej woli nie będzie można podważyć wersji, że to samobójstwo – mówił dalej Patrik.

– Ale listu nie zostawił?

– Nie. Martin mówi, że nie znaleźli żadnego listu. Faktem jest, że samobójca nie zawsze zostawia list. – Patrik wstał i wyrzucił do kosza papierek po irysie. – Nie będę ci dłużej przeszkadzać, kochanie. Pisz tę swoją książkę, bo wydawnictwo nie da ci żyć, jeśli zawalisz termin.

Podszedł i pocałował ją w usta.

– Wiem – westchnęła. – Dzisiaj już trochę napisałam. A wy jakie macie plany?

– Dzwoniła Karin – beztrosko odparł Patrik. – Gdy tylko Maja się obudzi, pójdziemy na spacer.

– Często spacerujesz z Karin. – Erika powiedziała to tak ponurym tonem, że aż sama się zdziwiła.

Patrik spojrzał na nią zdumiony.

– Jesteś zazdrosna? O Karin? – Zaśmiał się i znów ją pocałował. – Nie ma najmniejszego powodu. – Znów się zaśmiał, ale zaraz spoważniał. – Ale powiedz, jeśli ci przeszkadza, że się spotykamy, my i dzieci.

Erika potrząsnęła głową.

– Nie, skąd. Wygłupiłam się. Wiem, że nie masz się z kim teraz spotykać, podczas urlopu, więc jak masz okazję porozmawiać z kimś dorosłym, to korzystaj.

– Na pewno?

Patrik przyjrzał jej się uważnie.

– Na pewno – odpowiedziała i pomachała mu ręką.

– No idź, przecież ktoś w tej rodzinie musi pracować.

Zaśmiał się i zamknął za sobą drzwi, ale zdążył jeszcze zobaczyć, jak sięga po pamiętnik.

Fjällbacka 1945

Koniec wojny. Nie mogli w to uwierzyć. Trwała tak długo, że wydawało się, że nigdy się nie skończy. Elsy siedziała na łóżku Hansa, trzymając w ręku gazetę i wpatrując się w krzyczący czarnymi literami nagłówek na pierwszej stronie: POKÓJ!

Łzy napłynęły jej do oczu. Wytarła je fartuchem, którym się przewiązała do zmywania naczyń.

– Hans, nie mogę w to uwierzyć – powiedziała.

W odpowiedzi objął ją jeszcze mocniej. On również wpatrywał się w gazetę, jakby do niego nie docierało, o co chodzi w nagłówku. Elsy rzuciła szybkie spojrzenie na drzwi. Zaniepokoiła się, że ktoś mógłby ich zobaczyć, bo zapominając o ostrożności, spotkali się za dnia. Ale matka pobiegła do sąsiadów, chyba nikt inny nie będzie im przeszkadzać. Zresztą wkrótce i tak będzie musiała powiedzieć matce o sobie i Hansie. Spódnice stawały się coraz ciaśniejsze w pasie. Rano z największym trudem zapięła najwyższy guzik. Na pewno będzie dobrze. Gdy parę tygodni temu powiedziała Hansowi, zareagował tak, jak się spodziewała. Oczy mu zalśniły, pocałował ją i położył dłoń na jej brzuchu. Zapewnił, że sobie poradzą. Przecież ma pracę, zarabia, jej matka go lubi. Elsy jest wprawdzie młoda, ale trudno, będą musieli wystąpić o zgodę na ślub. Jakoś się to załatwi.

Jego słowa złagodziły tlący się w niej niepokój. Oba-wiała się, mimo że mu ufała i była przekonana, że bardzo dobrze go zna. Hans był spokojny. Zapewnił ją, że to będzie najbardziej kochane dziecko na całym świecie i że wszystko się ułoży. Oczywiście trzeba założyć, że rozpęta się burza, ale jeśli wytrwają i będą się trzymać razem, burza ucichnie i zarówno rodzina, jak i Pan Bóg udzielą im błogosławieństwa.

Elsy oparła głowę na jego ramieniu. Życie jest takie piękne. Wiadomość, że nastał pokój, sprawiła, że po raz pierwszy od śmierci ojca poczuła w piersi błogie ciepło. Szkoda, że nie dożył tej chwili. Gdyby żył jeszcze tych kilka miesięcy... Odepchnęła od siebie tę myśl. Tak chciała opatrzność i człowiek nie ma nic do gadania. Przecież we wszystkim jest jakiś boski zamysł, tak jest, i już, chociaż czasami może się to wydawać okrutne. Wierzyła w Boga i wierzyła Hansowi. Dzięki temu mogła z ufnością patrzeć w przyszłość.

Co innego matka. Elsy coraz bardziej się o nią niepokoiła. Skurczyła się, uschła, w jej oczach nie było radości. Dziś, gdy przyszła wiadomość, że nastał pokój, po raz pierwszy od śmierci ojca Elsy dojrzała na jej twarzy cień uśmiechu. Może dziecko, którego oczekuje, przywróci jej chęć życia, gdy otrząśnie się z szoku? Wprawdzie bała się, że matka będzie się jej wstydzić, ale uzgodnili z Hansem, że powiedzą jej jak najwcześniej, żeby jeszcze zanim dziecko przyjdzie na świat, zdążyć wszystko naprawić.

Z głową na ramieniu Hansa i znajomym zapachem jego ciała w nozdrzach Elsy zamknęła oczy. Uśmiechała się.

– Skoro wojna się skończyła, chciałbym pojechać do domu, do swoich – powiedział i pogładził ją po włosach. – Ale nie będzie mnie tylko kilka dni, więc nie musisz się niepokoić. Nie ucieknę ci.

Pocałował ją w głowę.

– Nawet nie próbuj. – Uśmiechnęła się. – Bo będę cię ścigać choćby na koniec świata.

– Na pewno. – Zaśmiał się, ale zaraz spoważniał. – Teraz, gdy już mogę znów pojechać do Norwegii, muszę załatwić kilka spraw.

– Powiedziałeś to tak poważnie. – Podniosła głowę i spojrzała na niego z niepokojem. – Boisz się, że coś im się mogło stać?

Milczał dłuższą chwilę.

– Nie wiem. Dawno nie miałem z nimi kontaktu. Ale nie pojadę zaraz, od razu. Dopiero za tydzień, może dwa, i zanim się obejrzysz, wrócę.

– Tak trzeba – powiedziała Elsy i z powrotem położyła mu głowę na ramieniu. – Nie chcę żyć bez ciebie.

– I nie będziesz – odparł i znów ją pocałował w głowę. – Nie będziesz musiała.

Zamknął oczy i przytulił ją jeszcze mocniej. Przed nimi leżała gazeta z nagłówkiem POKÓJ. Na całą stronę.

Dziwne, dopiero co po raz pierwszy w życiu przyszło mu do głowy, że ojciec nie jest nieśmiertelny, a już w czwartek przyszła policja, żeby go zawiadomić o jego śmierci. Sam się zdziwił, że tak go to poruszyło. Serce aż mu stanęło na chwilę. Wyciągnął rękę i przypomniał sobie jak to było, gdy trzymał ojca za rękę. Mała dłoń w dużej dłoni. Potem te ręce stopniowo oddalały się od siebie. Nagle zdał sobie sprawę, że przez te wszystkie lata towarzyszyło mu uczucie silniejsze od nienawiści: nadzieja. Tylko ona mogła współistnieć ze żerającą go nienawiścią do ojca, bo miłość umarła dawno temu. Nadzieja ukryła się w odległym kąciku serca, do którego sam nie miał dostępu.

Stał w przedpokoju. Właśnie zamknął drzwi za policjantami i nagle poczuł się tak, jakby ta nadzieja została odsłonięta. Zabolało tak, że aż mu pociemniało w oczach. Tkwiący w nim mały chłopiec tęsknił za ojcem i nigdy nie stracił nadziei, że uda mu się znaleźć drogę, ominąć mur, który między nimi wyrósł. Ta droga została teraz bezpowrotnie zamknięta. Nie ma szans na pojednanie, choć mur będzie stał nadal i powoli kruszał.

Przez cały weekend zmagał się ze świadomością, że ojciec umarł. Nie ma go. W dodatku sam zadał sobie śmierć. Wprawdzie od dawna w tyle głowy czaiła mu się myśl, że tak się może skończyć życie, które pod wieloma względami było jedną wielką autodestrukcją, ale nie potrafił się z nią oswoić.

W niedzielę pojechał do Cariny i Pera. Już w czwartek zadzwonił, żeby ich zawiadomić, ale nie potrafił się zdobyć na to, żeby do nich pojechać. Najpierw musiał się uporać z własnymi myślami. Pojechał i bardzo się zdziwił. Wszystko było inaczej niż poprzednio. W pierwszej chwili nie mógł zrozumieć, o co chodzi. Aż wykrzyknął ze zdumieniem:

– Jesteś trzeźwa!

Nie chodziło mu o to, że Carina w tym momencie jest trzeźwa, bo to się już zdarzało, choć nieczęsto. Czuł, że coś się zmieniło. Miała w oczach spokój i stanowczość. Nie było w nich wyrzutu, który w nim wzbudzał poczucie winy. Również Per się zmienił. Rozmawiali o procesie o pobicie i o tym, co go potem czeka. Per go zaskoczył: zachowywał się spokojnie i rozważnie. Gdy poszedł do swojego pokoju, Kjell zdobył się na odwagę i spytał, co się stało, a potem z rosnącym zdumieniem słuchał relacji z odwiedzin ojca. Fransowi, o dziwo, udało się to, z czym on nie potrafił sobie poradzić od dziesięciu lat.

Poczuł się jeszcze gorzej, bo okazało się, że nadzieja, teraz już daremna, mogła się spełnić. Ojca nie ma. I co teraz będzie?

Stanął przy oknie w swoim pokoju w redakcji. Zrobił krótki rachunek sumienia i po raz pierwszy zdobył się na to, żeby siebie i swoje życie ocenić równie surowo, jak oceniał ojca. Przeraził się. Zdrada, której się dopuścił wobec najbliższych, może nie wydawała się szczególnie ciężka czy niewybaczalna. Ale czy przez to ważyła mniej? Bynajmniej. Zostawił Carinę i Pera. Porzucił ich jak worek śmieci na skraju drogi. Zdradził również

Beatę, i to jeszcze zanim zaczął z nią romansować. Nie kochał jej. Potrzebne mu było raczej to, co się z nią wiązało. Jej samej nie kochał, a szczerze mówiąc, nawet nie lubił. Z Cariną było inaczej, gdy po raz pierwszy ujrzał ją wtedy na kanapie, w żółtej sukience, z żółtą wstążką we włosach. Zdradził też Magdę i Lokego, bo wstydził się, że porzucił syna tak bardzo, że nie potrafił okazywać uczuć. Nie potrafił pokochać ich tą pierwotną, głęboką miłością, przyćmiewającą wszystko inne, jaką od pierwszej chwili kochał Pera, gdy tylko go ujrzał na rękach Cariny. Dzieciom, które miał z Beatą, odmówił takiej miłości i nie potrafi jej już w sobie odnaleźć. Musi żyć z poczuciem, że zdradził. Oni również.

Zadrżała mu ręka z filiżanką. Skrzywił się. Kawa zdążyła już wystygnąć, ale wypił łyk i zmusił się do przełknięcia.

Ktoś się odezwał od drzwi.

– Poczta do ciebie.

Odwrócił się i z roztargnieniem kiwnął głową.

– Dziękuję.

Wyciągnął rękę po listy, wszystkie zaadresowane na jego nazwisko. Przerzucił koperty. Kilka reklam, jakiś rachunek. I znajomy charakter pisma na kopercie. Zadrżał, musiał usiąść. Położył list na biurku i wpatrywał się w niego dłuższą chwilę. Patrzył na swoje nazwisko i adres redakcji, nakreślone staroświeckim pismem z zakrętasami. Upłynęło kilka minut, stał jak odrętwiały. Ciągle tylko patrzył, jakby sygnał z mózgu nie mógł dotrzeć do ręki.

W końcu bardzo powoli otworzył kopertę i wyjął trzy zapisane odręcznie kartki. Musiał się przyzwyczaić do pisma ojca, udało mu się to dopiero po przeczytaniu kilku zdań. Przeczytał i odłożył kartkę na biurko. Po raz ostatni przywołał wspomnienie ciepłej ręki ojca. Potem włożył kurtkę i wziął kluczyki od samochodu. Ostrożnie włożył list do kieszeni.

Teraz zostało mu tylko jedno.

Niemcy 1945

Zgromadzili ich w obozie koncentracyjnym Neuengamme. Najpierw podobno, by zrobić miejsce dla więźniów ze Skandynawii, białe autobusy wywiozły stamtąd mnóstwo innych więźniów, między innymi Polaków. Mówiło się, że podczas tych wywózek dużo ludzi zginęło. Więźniowie innych narodowości znajdowali się w dużo gorszym położeniu niż Skandynawowie, którzy dostawali paczki żywnościowe z różnych miejsc i dzięki temu lepiej znosili pobyt w obozie. Podczas transportów wielu ludzi zmarło, inni znieśli je bardzo źle. Ale nawet jeśli to była prawda, teraz, gdy wolność była w zasięgu ręki, nikt nie miał ochoty się tym przejmować. Po pertraktacjach z Niemcami hrabia Folke Bernadotte uzyskał zgodę, by białe autobusy zabrały do domu skandynawskich więźniów obozów koncentracyjnych. Więc przyjechały po nich.

Axel wsiadł do autobusu, nogi miał jak z waty. Druga podróż w ciągu kilku miesięcy. Pewnego dnia nagle zostali przewiezieni z Sachsenhausen do Neuengamme. Na wspomnienie strasznej podróży przez Niemcy budził się po nocach. Jechali w zaplombowanych wagonach towarowych, nasłuchując odgłosów spadających bomb. Żadna nie trafiła, ale niektóre padały tak blisko, że słyszeli, jak grudki ziemi uderzają o dachy wagonów. Z niewiadomych powodów udało mu się przeżyć i to.

A teraz, gdy już niemal stracił chęć do życia, nadszedł ratunek. Przyjechały autobusy, które zawiozą ich do Szwecji. Do domu.

Wsiadł o własnych siłach, ale niektórych więźniów trzeba było wnosić. W środku było bardzo ciasno. Na niewielkiej powierzchni musiało się zmieścić dużo ludzkiego nieszczęścia. Axel ostrożnie osunął się na podłogę, podciągnął kolana pod brodę i oparł na nich głowę. Nie mógł uwierzyć, że wraca do domu. Do rodziców i brata. Do Fjällbacki. Miał przed oczami wszystko, o czym tak długo nawet nie śmiał myśleć. Wreszcie, gdy już wiedział, że wszystko to ma w zasięgu ręki, odważył się wspominać. Zdawał sobie jednak sprawę, że nic nie będzie już takie samo jak kiedyś, bo on sam nie będzie już tym, kim był. To, co przeżył i widział, zmieniło go na zawsze.

Z nienawiścią myślał o tej zmianie i o tym, co musiał robić i oglądać. Nawet gdy wsiadł do autobusu, wciąż tak czuł. Podróż była długa, towarzyszyły jej cierpienie, choroby i lęki. Mijali płonący sprzęt wojskowy, widzieli kraj obrócony w perzynę. Dwóch więźniów zmarło po drodze. O jednego z nich oparł się we śnie. Rano, gdy się obudził i wyprostował, tamten się przewrócił. Axel odsunął go od siebie, przywołał kogoś z eskorty i z powrotem opadł na swoje miejsce. Cóż, jeszcze jeden nieboszczyk. Tylu ich było.

Łapał się na tym, że stale chwyta się za ucho. Czasem słyszał szum, ale najczęściej miał w uchu pustkę, ciszę. Wiele razy przypominał sobie tę scenę. Chociaż później doświadczył wielu znacznie gorszych rzeczy, to uderzenie kolbą karabinu stało się symbolem najgorszej zdrady. Przecież coś się między nimi zawiązało. Stali wprawdzie po przeciwnych stronach, ale powstała nić, która mu dawała poczucie bezpieczeństwa i poczucie, że zasługuje na szacunek. Ale gdy zobaczył, jak chłopak zamierza się kolbą, a potem uderza go w głowę, i poczuł straszny ból, jednocześnie coś mu w środku pękło, utracił wszelkie złudzenia co do wrodzonego dobra w ludzkiej naturze.

Siedząc w autobusie jadącym do kraju, otoczony przez chorych, rannych i ciężko doświadczonych ludzi, przyrzekł sobie, że nie spocznie, póki nie postawi przed sądem sprawców zbrodni. Przekroczyli granice człowieczeństwa. Jego obowiązkiem jest dopilnować, żeby żaden nie umknął sprawiedliwości.

Złapał się za ucho i oczyma wyobraźni zobaczył rodzinny dom. Wkrótce tam będzie.

Paula gryzła ołówek i uważnie, kartka po kartce, przeglądała materiały ze śledztwa w sprawie zabójstwa Erika Frankla. Przecież tu musi coś być. Mogli przeoczyć jakiś szczegół, jakiś drobiazg, który by potwierdzał przypuszczenie, że również jego zamordował Frans Ringholm. Zdawała sobie sprawę, że to duże ryzyko szukać dowodów przyjętej z góry tezy. Dlatego szukała czegoś, co by budziło wątpliwości. Jak dotąd wynik był żaden. Ale zostało jej jeszcze sporo.

Chwilami miała problemy z koncentracją. Johanna miała niedługo rodzić, właściwie lada moment. Paula cieszyła się i jednocześnie bała tego, co je czekało. Na świat przyjdzie dziecko. Ktoś, kim trzeba się będzie zaopiekować. Gdyby o tym rozmawiali, okazałoby się, że wszystkie wątpliwości dręczące Martina były również jej udziałem. Niepokoiły się znacznie bardziej niż inni przyszli rodzice. Czy postąpiły słusznie, gdy postanowiły spełnić swoje marzenie o wspólnym dziecku? A jeśli to była egoistyczna decyzja, a zapłaci za nią dziecko? Może lepiej było zostać w Sztokholmie, żeby tam dorastało? Może byłoby mu łatwiej niż tu, gdzie jego rodzina będzie zwracać na siebie uwagę? Coś jej jednak mówiło, że dobrze zrobiły, przeprowadzając się. Do tej pory nie spotkała ich żadna przykrość. Wszyscy byli uprzejmi, żadnych krzywych spojrzeń. Ale skąd ma wiedzieć, czy kiedy dziecko się urodzi, nic się nie zmieni?

Z westchnieniem sięgnęła po kolejny dokument. Analiza techniczna narzędzia zbrodni: kamiennego popiersia, zazwyczaj stojącego na parapecie. Zakrwawione leżało pod biurkiem. Niewiele dało się z niego wyczytać. Żadnych odcisków palców, żadnych śladów obcej tkanki, tylko krew Erika, jego włosy i tkanka mózgowa. Odłożyła kartkę i kolejny raz wpatrzyła się w zdjęcia z miejsca zbrodni. Nadal ją zdumiewało, że żona Patrika odczytała bazgroły z leżącego na biurku notatnika. *Ignoto militi...* Nieznanemu żołnierzowi. Ona tego wtedy nie zauważyła. Zresztą nawet gdyby zauważyła, nie przyszłoby jej do głowy sprawdzić, co to znaczy. Erika nie tylko wypatrzyła napis, ale jeszcze dopasowała go do układanki tropów i poszlak, która doprowadziła do odnalezienia szczątków Hansa Olavsena.

Bardzo ważne jest, kiedy to się stało. Udało im się tylko ustalić, że morderstwa dokonano między piętnastym a siedemnastym czerwca. Może by wyjść od tego?, pomyślała Paula i sięgnęła po notes. Zapisywała wszystko w kolejności chronologicznej, począwszy od pierwszej wizyty Eriki u Erika Frankla, wizyty pijanego Erika u Violi, wyjazdu Axela do Paryża i przyjścia sprzątaczki. Sięgnęła do papierów. Chciała się dowiedzieć, gdzie w tym czasie był Frans, ale znalazła jedynie zeznania działaczy Przyjaciół Szwecji: w tych dniach Frans przebywał w Danii. Cholera. Szkoda, trzeba go było mocniej przycisnąć, dopóki żył. Choć pewnie i tak pokazałby jakieś papiery na potwierdzenie alibi. Sprytny był. Zaraz, co powiedział Martin podczas wczorajszej odprawy? Że właściwie nie ma czegoś takiego jak niepodważalne alibi...

Wyprostowała się na krześle. Przyszła jej do głowy pewna myśl. Szybko zaczęła się zmieniać w coraz silniejsze przekonanie. Jest coś, czego nie sprawdzili.

– Cześć, mówi Karin. Słuchaj, mógłbyś przyjechać mi pomóc? Leif znów wyjechał, a w piwnicy leje mi się woda z rury.

– No wiesz, hydraulikiem to ja nie jestem. – Patrik się zawahał. – Ale może wpadnę, zobaczę, co się dzieje, i najwyżej razem po kogoś zadzwonimy.

– Super – odparła z ulgą. – Jeśli chcesz, weź ze sobą Maję. Pobawi się z Luddem.

– Dobrze się składa, bo Erika pracuje. Przyjadę z małą. – Obiecał, że przyjedzie jak najprędzej.

Kwadrans później podjechał pod dom Karin i Leifa w dzielnicy Sumpan. Towarzyszyło mu dziwne uczucie. Wciąż miał przed oczami podrygujący biały tyłek faceta, który teraz mieszka tu z jego byłą żoną. Przyłapał ich wtedy na gorącym uczynku. Tego się szybko nie zapomina.

Zanim zdążył zadzwonić, otworzyła. Stanęła w drzwiach z Luddem na ręku.

– Wchodź – powiedziała, odsuwając się na bok.

– Melduje się ekipa ratunkowa – zażartował Patrik, stawiając Maję na podłodze. Ludde rezolutnie chwycił ją za rączkę i pociągnął do pokoju w końcu korytarza.

– To tutaj.

Karin otworzyła drzwi prowadzące do piwnicy i ruszył w dół.

– Nic im nie będzie? – zaniepokoił się Patrik, patrząc w stronę pokoju Luddego.

– Przez kilka minut się sobą zajmą, nie ma problemu.

Karin przywołała go gestem. Stanęła u stóp schodów i z zatroskaną miną wskazała na rurę biegnącą pod sufitem. Patrik podszedł bliżej, żeby się przyjrzeć, i powiedział uspokajającym tonem:

– Nie można powiedzieć, żeby się lało. Para się skrapla, i tyle.

Wskazał na malutkie kropelki wody na rurze.

– Jak dobrze. Zaniepokoiłam się, gdy zobaczyłam tę wilgoć. – Westchnęła z ulgą. – Miło z twojej strony, że przyjechałeś. Czy w podziękowaniu mogę cię zaprosić na kawę? Chyba że się śpieszysz do domu.

Wchodząc po schodach, spojrzała na niego pytającym wzrokiem.

– Nigdzie się nie śpieszymy. Filiżanka kawy nigdy nie zaszkodzi.

Po chwili siedzieli w kuchni i zajadali owsiane ciasteczka.

– Pewnie nie spodziewałeś się u mnie domowych wypieków – powiedziała z uśmiechem.

Patrik sięgnął po następne ciasteczko i ze śmiechem potrząsnął głową.

– Pieczenie nie należało do twoich najmocniejszych stron. Szczerze mówiąc, gotowanie również.

– No wiesz... – Karin wyglądała na urażoną. – Aż tak źle chyba nie było. W każdym razie smakowały ci moje klopsy.

Patrik skrzywił się i machnął dłonią: o tyle, o ile.

– Musiałem tak mówić, bo byłaś z nich bardzo dumna. Ale tak naprawdę miałem ochotę drogo sprzedać twój przepis armii, żeby mieli czym ładować armaty.

– No wiesz... – powtórzyła Karin. – Bezczelny jesteś!

– Zaśmiała się. – Masz rację. Gotowanie rzeczywiście nie jest moją mocną stroną. Leif chętnie to podkreśla. Niestety w ogóle nie dostrzega u mnie mocnych stron.

Głos jej się załamał, łzy napłynęły do oczu. Patrik odruchowo położył rękę na jej dłoni.

– Aż tak źle?

Skinęła głową i ostrożnie wytarła łzy serwetką.

– Postanowiliśmy się rozejść. Strasznie się pokłóciliśmy w ostatni weekend i doszliśmy do wniosku, że dalej tak się nie da. Więc tym razem wyjechał na dobre. Już nie wróci.

– Bardzo mi przykro – powiedział Patrik, przytrzymując jej rękę.

– Wiesz, co jest w tym najgorsze? Że w gruncie rzeczy wcale mi go nie brakuje i że to wszystko było jedną wielką cholerną pomyłką.

Głos jej się rwał. Patrik zaniepokoił się, że ta rozmowa zmierza w złym kierunku.

– Tak nam było dobrze ze sobą, prawda? Gdybym nie była taka głupia...

Ukryła twarz w serwetce i ścisnęła Patrika za rękę. Już nie mógł jej cofnąć, chociaż czas był najwyższy.

– Wiem, że tobie się ułożyło, masz Erikę. Ale przecież między nami było coś wyjątkowego, prawda? Czy jest szansa, żebyśmy... razem...

Nie dokończyła. Spojrzała na niego błagalnym wzrokiem i jeszcze mocniej ścisnęła jego rękę.

Patrik musiał przełknąć ślinę, a potem spokojnie powiedział:

– Kocham Erikę. To po pierwsze. A po drugie, twój obraz naszego małżeństwa nie ma nic wspólnego z rzeczywistością. Wynika wyłącznie z rozczarowania związkiem z Leifem. Nie było nam ze sobą źle, ale nie było też między nami nic wyjątkowego. Właśnie dlatego stało się, jak się stało. To była tylko kwestia czasu. – Poszukał jej wzroku. – Przecież wiesz, że tak było. Trwaliśmy w małżeństwie z wygodnictwa, a nie z miłości. W pewnym sensie wyświadczyłaś przysługę nam obojgu. Chociaż oczywiście wolałbym, żeby nie skończyło się w ten sposób. Prawda jest taka, że sama się teraz oszukujesz. Nie jest tak?

Karin znów się rozpłakała, tym razem z upokorzenia. Patrik zdawał sobie z tego sprawę. Usiadł obok niej, objął ją i pogłaskał po głowie. Oparła ją na jego ramieniu.

– Już dobrze... Nie płacz, wszystko się ułoży...

– Jaki... ty... jesteś... Chociaż... tak... się wygłupiłam... – wyjąkała, odwracając twarz.

Patrik nie przestawał jej głaskać.

– Nie musisz się wstydzić – powiedział. – Jesteś roztrzęsiona, nie myślisz jasno, ale wiesz, że mam rację. – Wziął serwetkę i wytarł jej zalaną łzami twarz. – Wolisz, żebym sobie poszedł czy dokończymy kawę? – spytał, spokojnie patrząc jej w oczy.

Zawahała się, a po chwili odparła spokojnie:

– Jeśli możemy przejść do porządku nad tym, że prawie się na ciebie rzuciłam, to chciałabym, żebyś został.

– Dobrze. – Patrik odsunął się razem z krzesłem. – Mam kurzą pamięć. Za dziesięć sekund będę pamiętał tylko te pyszne, kupne ciasteczka – powiedział, sięgając po kolejne.

– Co teraz pisze Erika? – Karin próbowała zmienić temat.

– Powinna pisać następną książkę, ale pochłonęło ją szperanie w przeszłości matki.

Patrik chętnie skorzystał z okazji, by mówić o czym innym.

– A co się stało, że tak się tym zainteresowała?

Zaciekawiona Karin też sięgnęła po ciasteczko.

Patrik opowiedział jej o skrzyni na strychu i o morderstwach, które stały się głośne w całej okolicy.

– Bardzo ją zajmuje to, że znalazła pamiętnik matki, który kończy się w 1944 roku. Więc albo potem matka przestała pisać, albo plik niebieskich zeszytów schowała gdzie indziej – powiedział.

Karin drgnęła.

– Co powiedziałeś? Jak wyglądały te zeszyty?

Patrik zmarszczył czoło i spojrzał na nią zdziwiony.

– Niebieskie, cienkie, podobne do szkolnych. Bo co?

– Chyba wiem, gdzie są – powoli odparła Karin.

– Masz gościa – powiedziała Annika, zaglądając do pokoju Martina.

– Kogo? – spytał z zaciekawieniem.

Odpowiedź przyszła sama. W drzwiach stanął Kjell Ringholm.

– Nie przyszedłem jako dziennikarz – odezwał się od progu, podnosząc dłonie w uspokajającym geście. Widział, że Martin już miał zaprotestować przeciwko jego wizycie. – Jestem tu jako syn Fransa Ringholma – wyjaśnił, siadając.

– Wyrazy współczucia...

Martinowi nic więcej nie przychodziło do głowy. Wszyscy wiedzieli, jak wyglądały ich wzajemne stosunki.

Ringholm machnięciem ręki zbył jego rozterki i sięgnął do kieszeni kurtki.

– To przyszło dzisiaj – powiedział obojętnym tonem, ale ręka mu drżała, gdy rzucał list na biurko.

Martin wziął do ręki kopertę i wyjął list, gdy Ringholm potwierdził skinieniem, że o to właśnie mu chodzi. W milczeniu, od czasu do czasu unosząc brwi, przeczytał trzy odręcznie zapisane kartki.

– Przyznał się do zabójstwa Britty Johansson, ale również Hansa Olavsena i Erika Frankla – powiedział, patrząc na Ringholma.

– Tak napisał. – Ringholm spuścił wzrok. – Przypuszczam, że to nie jest dla was niespodzianka.

– Skłamałbym, gdybym powiedział co innego. – Martin pokiwał głową. – Ale mamy dowody tylko na to, że zabił Brittę.

– W takim razie przyda wam się to – powiedział Ringholm, wskazując na list.

– Jest pan pewien, że...

– Że to pismo mojego ojca? – wtrącił Ringholm. – Tak, jestem pewien, że to ojciec napisał ten list. Nie jestem nawet specjalnie zdziwiony – dodał gorzko. – Chociaż nigdy nie przypuszczałem... – Potrząsnął głową.

Martin przeczytał list jeszcze raz.

– Ściśle rzecz biorąc, wprost przyznał się tylko do zamordowania Britty. Poza tym wyraża się nieco zawile:

„Ponoszę winę za śmierć Erika, jak również człowieka, którego szczątki znaleźliście w cudzym grobie".

Ringholm wzruszył ramionami.

– Nie widzę różnicy. Po prostu wyraził się górnolotnie. Nie mam wątpliwości, że to mój ojciec... – Przerwał i odetchnął głęboko, żeby zapanować na emocjami.

Martin czytał dalej:

– „Myślałem, że jak zwykle wszystko załatwię po swojemu, że wystarczy jedna decyzja, żeby wszystko ukryć. Ale w chwili gdy przyciskałem poduszkę do jej twarzy, wiedziałem, że to niczego nie załatwi i że zostaje mi tylko jedno. Doszedłem do ściany. Przeszłość w końcu mnie dopadła". – Spojrzał na Kjella. – Nie wie pan, co pański ojciec chciał przez to powiedzieć? Co chciał ukryć? Jaką przeszłość?

Ringholm potrząsnął głową.

– Nie mam pojęcia.

– Chciałbym to zatrzymać na jakiś czas.

Martin machnął listem.

– Niech pan go sobie weźmie – odparł Ringholm. – Chciałem go spalić.

– Nawiasem mówiąc, mój kolega Gösta Flygare chciałby zamienić z panem kilka słów. Może teraz?

Martin wsunął list do plastikowej koszulki i odłożył na bok.

– O co chodzi? – spytał Ringholm.

– O Hansa Olavsena. Słyszałem, że próbuje pan wyjaśnić, kim był.

– Jakie to ma teraz znaczenie? Przecież ojciec się przyznał, że go zabił.

– Niby tak, ale jest jeszcze sporo pytań i niejasności w związku z jego śmiercią. Więc gdyby pan mógł nam pomóc... – Martin rozłożył ręce, odchylając się do tyłu na fotelu.

– Rozmawialiście z Eriką Falck? – spytał Ringholm.

Martin potrząsnął głową.

– Dopiero będziemy. Więc skoro już pan tu jest...

– Za wiele nie udało mi się ustalić.

Opowiedział o rozmowach z Eskilem Halvorsenem, który jak dotąd nic konkretnego mu nie powiedział i nie wiadomo, czy w ogóle powie.

– Mógłby pan teraz do niego zadzwonić? Może coś znalazł?

Martin wskazał stojący na biurku telefon.

Ringholm wzruszył ramionami i wyciągnął z kieszeni wytarty notes. Wertował go przez chwilę, aż trafił na stronę z przylepioną żółtą karteczką, na której zanotował numer Halvorsena.

– Nie sądzę, żeby coś znalazł, ale jeśli pan chce, mogę zadzwonić.

Z westchnieniem przyciągnął telefon i wybrał numer, trzymając przed sobą notes. Po kilku sygnałach ktoś odebrał.

– Dzień dobry, mówi Kjell Ringholm. Przepraszam, że znów przeszkadzam, ale chciałbym się dowiedzieć... Aha, w czwartek dotarło do pana to zdjęcie, cieszę się. I co? – Słuchał, kiwając głową z coraz większym podnieceniem.

Martin aż się wyprostował na krześle.

– Więc na podstawie tego zdjęcia... Inne nazwisko? Jak się nazywał?

Strzelił palcami na znak, że prosi o kartkę i długopis.

Martin rzucił się do kubka na długopisy. Przewrócił go i wszystkie wypadły. Ringholm złapał jeden, sięgnął do kosza po jakiś stary raport i zaczął gorączkowo notować na odwrocie.

– Czyli nie był... Rozumiem, to bardzo ciekawe. Dla nas też... proszę mi wierzyć...

Martin patrzył na niego, rozsadzała go ciekawość.

– Okej, serdecznie dziękuję. To rzuca na sprawę zupełnie nowe światło. Jeszcze raz wielkie dzięki. – Odłożył słuchawkę i uśmiechnął się do Martina szeroko. – Wiem, kto to był! Niech mnie diabli, wiem!

– Erika!

Znów trzasnęły drzwi. Erika dziwiła się, dlaczego Patrik tak krzyczy.

– Co się dzieje? Pali się, czy co?

Wyszła na korytarz i spojrzała w dół.

– Zejdź, mam ci coś do powiedzenia.

Kiwnął na nią, Erika zeszła.

– Siadaj – powiedział, wchodząc do salonu.

– Słucham z największą uwagą – powiedziała, gdy już usiedli na kanapie. – No mów – rozkazała.

Patrik zaczerpnął tchu.

– Mówiłaś, że gdzieś powinny być kolejne zeszyty twojej mamy.

– Tak.

Erika poczuła łaskotanie w żołądku.

– Przed chwilą byłem u Karin.

– Byłeś u niej? – zdziwiła się.

Patrik zbył ją machnięciem ręki.

– Nieważne, teraz słuchaj. Tak się złożyło, że wspomniałem jej o pamiętniku. Ona chyba wie, gdzie są pozostałe zeszyty!

– Żartujesz! – zdumiała się Erika. – Skąd by miała wiedzieć? – Rozjaśniła się, gdy Patrik powtórzył jej, czego się dowiedział. – Ależ oczywiście, tylko dlaczego nic nie mówiła?

– Nie mam pojęcia. Jedź i sama ją spytaj – odparł.

Ledwo skończył mówić, Erika zerwała się na równe nogi i pomknęła do przedpokoju.

– Jedziemy z tobą.

Patrik podniósł z podłogi Maję.

– Pośpieszcie się – powiedziała Erika, wychodząc. W ręku trzymała kluczyki.

Po kilku minutach Kristina otworzyła im drzwi. Była bardzo zaskoczona.

– Witajcie, co za niespodzianka. Co was sprowadza?

– My tylko na chwilę.

Erika i Patrik wymienili spojrzenia.

– Dobrze, ale wejdźcie, zrobię kawę – powiedziała Kristina, wciąż zdziwiona.

Erika w napięciu czekała, aż teściowa przygotuje kawę i usiądzie przy stole. Potem zaczęła mówić, nie mogąc ukryć ciekawości:

– Wspominałam ci, że znalazłam na strychu pamiętnik mamy i że go czytam, żeby się dowiedzieć, kim była naprawdę Elsy Moström.

– Pamiętam, wspominałaś. – Kristina unikała jej wzroku.

– Gdy ostatnio u ciebie byłam, dziwiłam się, że zapiski urywają się w 1944 roku, że nie ma więcej zeszytów.

– Rzeczywiście.

Kristina nie odrywała wzroku od obrusa.

– Patrik był dziś na kawie u Karin i wspomniał o pamiętniku, a ona przypomniała sobie, że widziała u ciebie takie zeszyty. – Erika przerwała i wpatrywała się w teściową. – Mówiła, że ją poprosiłaś, żeby przyniosła obrus, i gdy otworzyła bieliźniarkę, w głębi zobaczyła kilka niebieskich zeszytów z napisem „Pamiętnik". Sądziła, że to twój pamiętnik, ale dziś Patrik wspomniał o pamiętniku mojej mamy i... skojarzyła. W związku z tym pytam – powiedziała cicho – dlaczego nic mi o tym nie powiedziałaś?

Kristina długo milczała. Wpatrywała się w stół. Patrik starał się na nie nie patrzeć, karmił Maję drożdżówką. W końcu Kristina wstała i wyszła. Erika patrzyła za nią, wstrzymując oddech. Usłyszeli, jak otwiera i zamyka szafę. Po chwili wróciła do kuchni z trzema niebieskimi zeszytami w ręku. Dokładnie takimi samymi jak te, które Erika znalazła w skrzyni.

– Obiecałam Elsy, że je przechowam. Nie chciała, żeby wam wpadły w ręce, tobie i Annie. Ale myślę... – zawahała się, ale podała zeszyty Erice – że pewne sprawy muszą wyjść na jaw. I wydaje się, że właśnie przyszedł na to czas. Wierzę, że Elsy by się na to zgodziła.

Erika wzięła pamiętniki i przesunęła dłonią po okładce.

– Dziękuję – powiedziała. – Wiesz, co w nich jest?

Kristina musiała się zastanowić.

– Nie czytałam ich, ale wiem o wielu rzeczach, o których pisała.

– Pójdę poczytać.

Erika poszła do salonu i drżąc z podniecenia, usiadła na kanapie. Ostrożnie otworzyła pierwszy zeszyt. Przebiegała wzrokiem kolejne linijki zapisane znajomym pismem matki. Czytała o jej losach, a tym samym o swoich. Ze zdumieniem poznawała dzieje miłości Elsy i Hansa Olavsena, czytała o tym, jak Elsy odkryła, że spodziewa się dziecka. W trzecim zeszycie przeczytała o wyjeździe Hansa do Norwegii i obietnicy, że wróci. Ręce jej się trzęsły, gdy wyobraziła sobie rosnące przerażenie matki. Mijały dni i tygodnie i nie miała od niego żadnej wiadomości. Czytając ostatnie zapisane pięknym pismem matki strony, zaczęła płakać.

„Dziś przyjechałam pociągiem do Borlänge. Matka nie odprowadziła mnie na stację, nie pomachała mi na pożegnanie. Mój stan coraz trudniej ukryć i nie chcę, żeby musiała się za mnie wstydzić. Wystarczy, że ja muszę. Modlę się do Boga, aby dał mi siłę. Potrzebuję jej, żebym była w stanie oddać dziecko, którego jeszcze nie widziałam, ale które już tak mocno kocham...".

Borlänge 1945

Nie wrócił. Pocałował na pożegnanie, powiedział, że niedługo wróci, i wyjechał. Elsy czekała. Początkowo była pewna, że będzie tak, jak mówił, po pewnym czasie zaczęła się niepokoić, a później wpadła w panikę. Nie wrócił, złamał słowo, zdradził i ją, i ich dziecko. Wierzyła mu tak bardzo, że ani przez chwilę nie wątpiła w jego szczerość, była pewna, że kocha ją równie mocno jak ona jego. Głupia, naiwna dziewczyna. Ileż dziewczyn padło ofiarą takiego samego oszustwa!

Matce powiedziała dopiero wtedy, gdy już nie dało się tego ukryć. Ze spuszczoną głową, nie patrząc jej w oczy, wyznała, że dała się zwieść obietnicom i teraz nosi w brzuchu jego dziecko. W pierwszej chwili matka się nie odezwała. W kuchni, gdzie siedziały, zapadła martwa, lodowata cisza i dopiero wtedy strach chwycił ją za gardło. Jeszcze tliła się w niej nadzieja, że matka ją przytuli i powie: Dziecko kochane, wszystko się ułoży, coś wymyślimy. Kiedyś, gdy żył ojciec, z pewnością by tak zrobiła. Kochałaby córkę mimo wstydu. Ale matka nie była już tym samym człowiekiem. Jakaś jej część umarła wraz z ojcem, a to, co pozostało, nie miało dość sił.

Bez słowa spakowała do walizki niezbędne rzeczy, a potem wsadziła swą szesnastoletnią ciężarną córkę do pociągu do Borlänge. Zaopatrzyła ją w list do swojej siostry, która miała tam gospodarstwo. Nie zdobyła się nawet na to, żeby ją odprowadzić na stację. Szybko pożegnały się w przedsionku, odwróciła się i wróciła do kuchni. Ludziom zamierzała powiedzieć, że Elsy wyjechała do szkoły gospodarstwa domowego.

Minęło pięć miesięcy. Nie było jej łatwo, bo choć rósł jej brzuch, musiała pracować w gospodarstwie tak samo ciężko jak inni. Harowała od rana do nocy, mimo coraz silniejszego bólu w krzyżu. Dziecko kopało coraz mocniej. Wolałaby go nienawidzić, ale nie potrafiła. Było przecież częścią jej i Hansa, którego również nie potrafiła nienawidzić. Miałaby nienawidzić to, co ich połączyło? Wszystko już zostało postanowione. Jak tylko dziecko się urodzi, zostanie jej zabrane i oddane do adopcji. To jedyne rozwiązanie. Tak powiedziała Edith, siostra matki. Sprawy praktyczne załatwił jej mąż, Anton. Mruczał pod nosem, jaki to wstyd: siostrzenica żony poszła do łóżka z pierwszym lepszym. Elsy nie powiedziała ani słowa. W milczeniu przyjmowała te połajanki, bo co miałaby powiedzieć? Trudno zaprzeczyć, że Hans nie wrócił. Choć obiecywał.

Poród zaczął się wczesnym rankiem. Gdy się obudziła, najpierw pomyślała, że to zwykłe ćmienie w krzyżu, ale ból się nasilał, przychodził i odchodził, za każdym razem mocniejszy. Po dwóch godzinach wiercenia się na posłaniu miała pewność. Z trudem wytoczyła się z łóżka. Przyciskając ręce do krzyża, poszła cichutko do sypialni Edith i Antona, żeby delikatnie obudzić ciotkę. Zaczęły się gorączkowe przygotowania. Kazali jej się położyć z powrotem do łóżka. Najstarsza córka ciotki pobiegła po akuszerkę. Zagotowali wodę, przygotowali ręczniki. Elsy bała się coraz bardziej.

Po dziesięciu godzinach bóle stały się nie do wytrzymania. Kilka godzin wcześniej zbadała ją akuszerka. Była ostra, nie patyczkowała się z nią i wyraźnie dawała do zrozumienia, co sądzi o młodych niezamężnych matkach. Elsy czuła się jak w kraju wroga. Znikąd dobrego słowa ani uśmiechu. Była przekonana, że umiera. Przy każdej fali bólu chwytała za brzegi łóżka i zagryzała zęby, żeby nie krzyczeć. Miała wrażenie, jakby ją przecinano na pół. Na początku mogła odpoczywać, nabierać sił między kolejnymi falami, ale potem stały się tak częste, że nie było mowy o odpoczynku. I ciągle ta myśl: zaraz umrę.

Widocznie powiedziała to głośno, bo jak przez mgłę usłyszała gniewny głos akuszerki:

– Niech się nie pieści. Sama jest sobie winna, więc niech nie jęczy.

Nie miała siły się z nią kłócić. Złapała mocno za brzeg łóżka, aż jej knykcie zbielały. Przyszła nowa fala bólu, szła od brzucha w dół, aż do nóg. Nie wyobrażała sobie, że może aż tak boleć. Ból był wszędzie, wypełniał każdą tkankę, każdą komórkę jej ciała. Jednocześnie czuła ogromne zmęczenie. Od tylu godzin walczyła z bólem, że wolałaby mu się poddać. Niech się dzieje, co chce. Ale wiedziała, że tego właśnie nie wolno jej zrobić. Musi urodzić dziecko, swoje i Hansa, musi, choćby to miała być ostatnia rzecz w jej życiu.

Skurcz przeszedł w parcie. Akuszerka kiwnęła głową stojącej obok ciotce.

– Niedługo będzie po wszystkim – powiedziała, naciskając na brzuch Elsy. – Jak ci powiem, masz przeć ze wszystkich sił, zaraz będzie dzieciak.

Elsy nie odpowiedziała, ale słuchała uważnie i czekała. Odetchnęła głębiej, żeby się przygotować do parcia.

– Dobrze, teraz przyj ze wszystkich sił. – Zabrzmiało to jak rozkaz.

Elsy przycisnęła podbródek do mostka i zaczęła przeć. Nic się nie stało, choć akuszerka skinęła szybko głową na znak, że jest dobrze.

– Czekaj na następny skurcz – powiedziała surowo.

Znów poczuła potrzebę parcia i w chwili gdy była najsilniejsza, akuszerka znów kazała jej przeć. Tym razem Elsy poczuła, jak coś puszcza. Trudno to opisać. Jakby się coś poddało.

– Jest główka. Jeszcze jeden skurcz i...

Elsy zamknęła oczy. Widziała Hansa. Nie miała siły o nim myśleć, więc otworzyła oczy.

– Teraz! – powiedziała położna, stając między jej podciągniętymi kolanami.

Elsy resztką sił przycisnęła podbródek do mostka.

Wyślizgnęło się z niej coś mokrego i śliskiego. Wycieńczona opadła na mokre od potu prześcieradło. W pierwszej chwili poczuła ogromną ulgę, wielogodzinne cierpienie się skończyło. Nigdy w życiu nie była tak zmęczona, zmęczona do szpiku kości. Nie była w stanie się ruszyć. I nagle usłyszała krzyk. Gniewny, głośny krzyk. Uniosła się na łokciu, żeby spojrzeć.

Z jej ust wydobył się szloch. Synek był... przepiękny. Umazany krwią, zły, że mu zimno, ale przepiękny. Elsy opadła na poduszki i uzmysłowiła sobie, że widzi go po raz pierwszy i ostatni. Akuszerka przecięła pępowinę i starannie wytarła małego myjką. Potem włożyła mu haftowany kaftanik z zapasów Edith. Nikt nie zwracał uwagi na Elsy, a ona nie odrywała wzroku od synka. Chłonęła każdy szczegół, serce o mało nie wyskoczyło jej z piersi. Ale przemówiła dopiero, gdy Edith wzięła małego i już miała wyjść z pokoju.

– Chcę go potrzymać!

– W tych okolicznościach to niewskazane – powiedziała z gniewem akuszerka, poganiając gestem Edith.

Ale ciotka się zawahała.

– Proszę, daj mi go potrzymać. Chociaż na chwilkę. Potem możesz go zabrać – mówiła tonem tak błagalnym, że Edith nie mogła się oprzeć.

Podeszła i położyła małego na ramieniu Elsy. Elsy przytrzymała synka i spojrzała mu w oczy.

– Witaj, kochanie moje – szepnęła, kołysząc go delikatnie.

– Pobrudzisz kaftanik krwią – ze złością powiedziała akuszerka.

– Mam więcej kaftaników – odparła Edith i spojrzała na nią tak, że zamilkła.

Elsy nie mogła się napatrzeć na synka. Miał ciepłe, ciężkie ciałko. Nie odrywała wzroku od maleńkich paluszków i maciupeńkich, idealnych paznokietków.

– Ładny chłopczyk – powiedziała Edith, stając obok.

– Podobny do ojca – odparła Elsy i uśmiechnęła się, gdy synek zacisnął piąstkę na jej palcu wskazującym.

– Musisz go teraz oddać. Trzeba go nakarmić – powiedziała akuszerka, zdecydowanym ruchem zabierając dziecko.

W pierwszym odruchu Elsy chciała zaprotestować, zatrzymać synka i już nigdy nie wypuścić go z rąk.

Chwila minęła. Akuszerka zdjęła mu zakrwawiony kaftanik i włożyła nowy. Potem oddała małego Edith. Ciotka wyszła, rzuciwszy Elsy ostatnie spojrzenie.

Patrząc ostatni raz na synka, Elsy poczuła, że w środku coś jej pęka, jakby serce rozdarło jej się na strzępy. Wiedziała, że drugi raz nie byłaby w stanie przeżyć takiego bólu. Leżąc na przepoconym, zakrwawionym łóżku, z pustym łonem i pustymi objęciami, obiecała sobie, że już nigdy do tego nie dopuści. Nigdy, przenigdy nikt nie będzie miał dostępu do jej serca. Łzy płynęły jej z oczu, gdy to sobie przyrzekała, a położna pomagała jej urodzić łożysko.

– **M**artin!

– Paula! – zawołali jednocześnie, wpadając na siebie. Oboje byli rozgorączkowani. Pierwszy oprzytomniał Martin.

– Chodź do mojego pokoju – powiedział. – Właśnie był u mnie Kjell Ringholm. Muszę ci o czymś opowiedzieć.

– Ja też mam ci coś do opowiedzenia.

Poszła za Martinem do jego pokoju. Zamknął za nią drzwi i usiadł. Paula naprzeciwko, ale niecierpliwiła się tak bardzo, że nie mogła usiedzieć spokojnie.

– Po pierwsze, Frans Ringholm przyznał się, że zamordował Brittę Johansson. W dodatku dał do zrozumienia, że zabił Erika Frankla i... – Martin się zawahał – człowieka, którego szczątki znaleźliśmy w grobie.

– Jak to, przyznał się synowi przed śmiercią? – zdziwiła się Paula.

Martin podsunął jej plastikową koszulkę z listem.

– Raczej po. Ten list przyszedł dziś do niego pocztą. Przeczytaj i powiedz na gorąco, co myślisz.

Paula wyjęła list, przeczytała w skupieniu, włożyła z powrotem w koszulkę i marszcząc czoło, powiedziała:

– Nie ma wątpliwości, przyznał się do zabójstwa Britty. Natomiast co do Erika i Hansa Olavsena... Pisze, że jest winien ich śmierci, co w tych okolicznościach jest dość dziwnym określeniem. Zwłaszcza że wcześniej wyraźnie napisał, że zabił Brittę. No, nie wiem... Przecież

nie oświadcza, że własnoręcznie zabił ich obu... A poza tym...

Pochyliła się i już chciała powiedzieć o swoim odkryciu, gdy Martin jej przerwał:

– Poczekaj, mam jeszcze coś. – Powstrzymał ją gestem. Paula zamilkła urażona. – Kjell Ringholm zbadał
przeszłość tego... Hansa Olavsena. Chciał ustalić, co się
z nim stało, dowiedzieć się o nim czegoś więcej.

– No i? – niecierpliwiła się Paula.

– Skontaktował się z norweskim profesorem, wy-
bitnym znawcą historii niemieckiej okupacji Norwegii.
Zgromadził mnóstwo materiałów o norweskim ruchu oporu. Kjell miał nadzieję, że profesor pomoże mu
ustalić miejsce pobytu Hansa Olavsena.

– I...

Paula niecierpliwiła się coraz bardziej. Martin krążył wokół tematu, zamiast przejść do sedna.

– Na początku nie mógł nic znaleźć...

Paula wydała głośne westchnienie.

– ...dopóki Ringholm nie przefaksował mu artykułu
ze zdjęciem bojownika ruchu oporu – narysował w powietrzu cudzysłów – Hansa Olavsena.

– I co?

Paula była tak zaciekawiona, że prawie zapomniała
o własnym odkryciu.

– Facet nie był żadnym członkiem ruchu oporu, tylko synem esesmana Reinhardta Wolfa. Olavsen to nazwisko panieńskie jego matki. Przybrał je, gdy uciekł
do Szwecji. Jego matka wyszła za mąż za Niemca i kiedy Niemcy zajęli Norwegię, jej mąż dzięki znajomości norweskiego awansował na wysokie stanowisko

w SS. Pod koniec wojny został schwytany i trafił do więzienia w Niemczech. O losach matki nic nie wiadomo. Syn, Hans, uciekł z Norwegii w 1944 roku i słuch o nim zaginął. Wiemy dlaczego. Przyjechał do Szwecji, podał się za bojownika norweskiego ruchu oporu, a skończył w żołnierskiej mogile na cmentarzu we Fjällbace.

– Nie do wiary. Ale jaki to ma związek z naszym śledztwem? – spytała Paula.

– Jeszcze nie wiem, ale czuję, że ma – odparł w zamyśleniu Martin. Uśmiechnął się. – Teraz już wiesz, co ci chciałem powiedzieć. A co ty masz mi do powiedzenia?

Paula zaczerpnęła tchu i szybko opowiedziała, co ustaliła. Martin spojrzał na nią z podziwem.

– To rzuca nowe światło na całą sprawę – stwierdził, wstając. – Trzeba natychmiast zrobić rewizję w tym domu. Wyprowadź radiowóz z garażu, zadzwonię do prokuratora, poproszę o nakaz.

Pauli nie trzeba było dwa razy powtarzać. Zerwała się z krzesła. W głowie jej zaszumiało. Pomyślała, że są bliscy rozstrzygnięcia. Czuła to. Już niedługo.

Przez całą drogę do domu nie odezwała się ani słowem. Siedząc w samochodzie, wyglądała przez okno, na kolanach trzymała pamiętnik, przez głowę przepływały jej zdania napisane przez matkę, zdania pełne bólu. Patrik jej nie przeszkadzał, rozumiał, że musi dojrzeć do rozmowy. Nie znał szczegółów, ale gdy Erika czytała pamiętnik, Kristina opowiedziała mu o dziecku, które Elsy musiała oddać.

Początkowo był zły na matkę. Jak mogła nie powiedzieć o tym Erice? I Annie. Ale potem pomyślał, że ona to widziała inaczej. Przecież obiecała Elsy, że dochowa tajemnicy. I dochowała. Owszem, czasem się zastanawiała, czy nie powiedzieć synowej i Annie, że mają brata, ale bała się ewentualnych skutków i dochodziła do wniosku, że lepiej to zostawić, jak jest. Patrik uważał inaczej, ale wierzył w szczerość intencji matki.

Teraz, gdy wszystko wyszło na jaw, widział na jej twarzy ulgę. Ciekaw był tylko, co zrobi Erika. Choć właściwie wiedział co. Znał ją dostatecznie dobrze, żeby wiedzieć, że nie spocznie, dopóki nie odnajdzie brata. Odwrócił głowę i spojrzał na jej profil. Tępo patrzyła przez okno. Pomyślał, że bardzo ją kocha. Łatwo się o tym zapomina na co dzień, gdy życie upływa na pracy i domowych obowiązkach. Pomyślał, że w takich chwilach jak ta uświadamia sobie, że są bardzo mocno ze sobą związani i że kocha budzić się co rano u jej boku.

Kiedy wrócili do domu, Erika bez słowa, wciąż z tym samym nieobecnym spojrzeniem, poszła prosto do swojego pokoju. Patrik pokrzątał się po domu, po obiedzie położył Maję spać i dopiero wtedy odważył się przeszkodzić żonie.

– Mogę wejść? – Zapukał delikatnie.

Erika skinęła głową, wciąż jeszcze blada. Ale spojrzała na niego nieco przytomniej.

– Jak się czujesz? – spytał, siadając w fotelu stojącym w rogu pokoju.

– Sama nie wiem – powiedziała i odetchnęła głęboko. – Jestem oszołomiona.

– Jesteś zła na moją mamę? Że ci nie powiedziała?

Erika zastanowiła się chwilę, a potem potrząsnęła głową.

– Nie, nawet nie. Moja mama wymogła na niej obietnicę. Poza tym rozumiem, że się bała, że mogłaby bardziej zaszkodzić, niż pomóc.

– Powiesz Annie? – spytał Patrik.

– Tak, oczywiście. Ona też ma prawo wiedzieć. Ale najpierw muszę się sama z tym uporać.

– I pewnie już rozpoczęłaś poszukiwania.

Uśmiechnął się i wskazał głową na otwarte okienko wyszukiwarki.

– Oczywiście. – Uśmiechnęła się blado. – Sprawdzałam, jak można się dowiedzieć, co się dzieje z adoptowanymi dziećmi. Sądzę, że nie będzie problemów z odnalezieniem go.

– Nie masz żadnych obaw? – spytał. – Przecież nie wiesz, jaki on jest ani jak mu się życie ułożyło.

– Pewnie, że mam. Ale jeszcze gorzej byłoby nie wiedzieć. W końcu to mój brat. Zawsze chciałam mieć starszego brata...

Uśmiechnęła się pod nosem.

– Twoja mama musiała o nim często myśleć. Czy to wszystko wpłynęło na zmianę twojego stosunku do niej?

– Oczywiście, że tak – odparła Erika. – Nadal nie mogę się pogodzić z tym, że się zamknęła przede mną i Anną. Ale... – Szukała właściwego słowa. – Rozumiem, że bała się otworzyć. Pomyśl tylko. Najpierw porzucił ją ojciec jej dziecka. Bo przecież tak myślała. Potem zmuszono ją, żeby oddała dziecko do adopcji. Miała zaledwie szesnaście lat! Nie potrafię sobie nawet wyobrazić, jak to musiało boleć. W dodatku stało się to niedługo po tym, jak straciła ojca, a nawet, jak się zdaje, matkę. Nie obwiniam jej. Choćbym chciała.

– Gdyby przynajmniej wiedziała, że Hans jej nie porzucił.

Patrik pokiwał głową.

– To jest chyba w tym wszystkim najgorsze. Przecież nie wyjechał z Fjällbacki, nie porzucił jej, tylko został zamordowany. – Głos jej się rwał. – Dlaczego został zamordowany?

– Chcesz, żebym zadzwonił do Martina i zapytał, czy dowiedzieli się czegoś nowego? – spytał.

Nie chodziło mu tylko o Erikę. Bardzo go poruszył los Norwega. Poruszał go jeszcze bardziej, odkąd się dowiedział, że był ojcem przyrodniego brata Eriki.

– Mógłbyś? – spytała z ożywieniem.

– Już dzwonię.

Patrik szybko się podniósł. Po kwadransie wrócił. Wystarczyło na niego spojrzeć, żeby się domyślić, że przynosi nowiny.

– Może mamy motyw zabójstwa Hansa Olavsena – powiedział.

Erika ledwo mogła usiedzieć na krześle.

– No więc?

Patrik zastanawiał się chwilę, a potem powtórzył, czego się dowiedział od Martina.

– Hans Olavsen nie był bojownikiem norweskiego ruchu oporu. Był synem wysoko postawionego oficera SS. Sam również pracował dla Niemców podczas okupacji.

W pokoju zapadła kompletna cisza. Erika wpatrywała się w męża i, co było dość niezwykłe, nie mogła wydobyć słowa.

– W dodatku Kjell Ringholm przyniósł na komisariat pożegnalny list od ojca. Dostał go dziś pocztą. Frans przyznaje się, że zabił Brittę. Pisze też, że ponosi winę za śmierć Erika i Hansa. Co do tego Martin ma wątpliwości. Spytałem, czy należy to rozumieć tak, że Frans przyznał się do zabójstwa Erika i Hansa, ale powiedział, że to zbyt daleko idący wniosek.

– Co chciał przez to powiedzieć? Ponosi winę? – spytała Erika, gdy odzyskała mowę. – A to... Czy mama wiedziała, że Hans nie był w ruchu oporu? Jak... – Potrząsnęła głową.

– A jak ci się zdaje? Czytałaś pamiętnik. Wiedziała? Patrik usiadł. Erika pokręciła głową.

– Nie – odparła z przekonaniem. – Na pewno nie wiedziała.

– Pytanie, czy Frans się o tym dowiedział – zastanawiał się głośno Patrik. – Dlaczego nie napisał wprost, że ich zabił, jeśli o to mu chodziło? Dlaczego napisał, że jest winien ich śmierci?

– Czy Martin ci mówił, co zamierza?

– Nie, powiedział tylko, że Paula odkryła coś nowego i właśnie jadą to sprawdzić. Zadzwoni, gdy będzie wiedział więcej. Był bardzo podniecony – dodał i poczuł, że mu zazdrości, że jest w centrum wydarzeń.

– Wiem, o czym pomyślałeś – powiedziała Erika z rozbawieniem.

– Naturalnie, byłbym nieszczery, gdybym powiedział, że nie chciałbym teraz być w komisariacie – odparł. – Ale chyba wiesz, że to nie znaczy, że nie chciałbym teraz być z wami.

– Wiem – potwierdziła. – I rozumiem cię.

Jakby na potwierdzenie z pokoju Mai dobiegł głośny krzyk. Patrik wstał.

– Sygnał zegara kontrolnego.

– Marsz do kopalni! – zaśmiała się Erika. – Przyprowadź tę małą poganiaczkę niewolników, żebym mogła ją pocałować.

– Robi się – odparł.

Już był w drzwiach, gdy usłyszał, jak Erika bierze głęboki oddech.

– Wiem, kto jest moim bratem – powiedziała. Zaśmiała się i załkała jednocześnie. – Patriku, wiem, kto jest moim bratem.

Prokuratorski nakaz rewizji dotarł do Martina, gdy już byli w drodze. Wyjechali, licząc na to, że go dostaną. Podczas jazdy nie rozmawiali ze sobą. Oboje byli pogrążeni w myślach, starali się połączyć poszczególne wątki wzoru, który właśnie się zarysował.

Zapukali do drzwi, ale nikt nie otwierał.

– Chyba nie ma nikogo – powiedziała Paula.

– To jak się dostaniemy do środka?

Martin przyglądał się solidnym drzwiom. Trudno je będzie pokonać.

Paula uśmiechnęła się i sięgnęła do belki nad drzwiami.

– Kluczem – odparła, pokazując, co znalazła.

– Co ja bym bez ciebie zrobił? – Martin nie mógł się nadziwić.

– Pewnie uszkodziłbyś sobie bark przy próbie wyważenia drzwi – powiedziała Paula, przekręcając klucz w zamku.

Weszli. W środku panowała niesamowita cisza, zaduch i upał. Zdjęli kurtki i powiesili je w przedpokoju.

– Rozdzielamy się? – spytała.

– Ja sprawdzę parter, ty weź piętro.

– Czego szukamy?

Paula straciła pewność siebie. Wierzyła, że trop jest dobry, ale teraz nie była już taka pewna, że znajdą dowody.

– Sam nie wiem. – Martin wyglądał, jakby i on zwątpił. – Rozejrzyjmy się dokładnie. Zobaczymy, co znajdziemy.

– Okej.

Paula skinęła głową i poszła na piętro. Po godzinie zeszła na dół.

– Na razie nic. Mam szukać dalej czy chcesz, żebyśmy się zamienili? A ty znalazłeś coś ciekawego?

– Na razie nic. – Martin potrząsnął głową. – Dobry pomysł, zamieńmy się. Ale... – Zamyślił się i wskazał na drzwi. – Może najpierw przeszukamy piwnicę? Jeszcze tam nie byliśmy.

– Dobry pomysł.

Paula otworzyła drzwi do piwnicy. Ciemno choć oko wykol. Przy drzwiach znalazła włącznik i zapaliła światło. Zeszła na dół i przystanęła, przyzwyczajając wzrok do skąpego oświetlenia.

– Aż ciarki człowieka przechodzą – odezwał się Martin.

Zszedł za nią i z otwartymi ustami rozglądał się dookoła.

– Ćśś... – Paula położyła palec na ustach. – Słyszałeś?

– Nie. – Martin nasłuchiwał przez chwilę. – Nic nie słyszałem.

– Wydawało mi się, że trzasnęły drzwi od samochodu. Na pewno nie słyszałeś?

– Musiałaś się przesłyszeć...

Umilkł, bo nagle nad głowami wyraźnie usłyszeli kroki.

– Przesłyszałam się, tak? Chodźmy na górę – powiedziała Paula, stawiając stopę na pierwszym stopniu.

W tej samej chwili drzwi piwnicy się zatrzasnęły i ktoś przekręcił klucz w zamku.

– Co jest...

Paula wbiegała na górę po dwa stopnie. Nagle światło zgasło. Zapadła całkowita ciemność.

– Cholera! – zaklęła, waląc w drzwi. – Otwierać natychmiast! Policja!

Umilkła, żeby zaczerpnąć tchu, i wtedy znów usłyszała trzaśnięcie drzwi. Samochód ruszył z piskiem opon.

– Cholera – mruknęła, schodząc po omacku na dół.

– Zadzwonimy po pomoc – powiedział Martin i w tym momencie uprzytomnił sobie, że telefon zostawił w kieszeni kurtki. – Zadzwoń ty, zostawiłem swój w kurtce, w przedpokoju – dodał.

Odpowiedziała mu cisza. Zaniepokoił się jeszcze bardziej.

– Tylko mi nie mów, że...

– Noo... – pisnęła Paula. – Mój też jest w kurtce...

– Cholera! – Martin po omacku szedł na górę. Chciał spróbować wyważyć drzwi. – Au! – Skutek był taki, że stłukł bark. – Ani drgną.

– I co my teraz zrobimy? – powiedziała ponuro i wykrzyknęła: – Johanna!

– Kto to jest Johanna? – zdumiał się Martin.

Po chwili Paula odpowiedziała:

– Moja partnerka. Za dwa tygodnie urodzi nam się dziecko. Ale nigdy nic nie wiadomo... obiecałam jej, że cały czas będę pod telefonem.

– Na pewno nic się nie stanie – uspokajał ją Martin, przyswajając tę nowinę. – W pierwszej ciąży poród najczęściej następuje po terminie.

– Miejmy nadzieję – powiedziała Paula. – Bo Johanna urwie mi głowę. Całe szczęście, że jest mama. W razie czego...

– Nie myśl o tym – przerwał jej Martin. – Aż tak długo nie będziemy tu siedzieć. Zresztą mówiłaś, że dopiero za dwa tygodnie, więc na razie pełen spokój.

– Ale nikt nie wie, że tu jesteśmy – zauważyła Paula i przysiadła na najniższym stopniu. – Tymczasem morderca ucieknie.

– Spójrz na to z innej strony. Przynajmniej nie ma wątpliwości, że mieliśmy rację – próbował ją rozbawić.

Paula nie zaszczyciła go odpowiedzią. Z przedpokoju dobiegał wściekły dzwonek jej telefonu.

Stając przed drzwiami, Mellberg się zawahał. Na piątkowej lekcji było wspaniale, ale od tamtej pory nie spotkał Rity, mimo że wielokrotnie spacerował jej zwykłą trasą. Stęsknił się za nią. Nawet się zdziwił, że tak bardzo. Ernst widocznie czuł podobnie, bo ciągnął go w kierunku domu Rity. Zresztą Mellberg wcale się nie opierał. Ale gdy stanął przed wejściem, już nie był taki pewny swego. Po pierwsze, nie wiedział, czy Rita jest w domu, po drugie, nie chciał się narzucać. W końcu odłożył na bok te niezwykłe jak na niego skrupuły i nacisnął dzwonek domofonu. Nikt nie odpowiadał. Już miał odejść, gdy w domofonie rozległ się trzask i dyszenie. Odwrócił się.

– Halo – powiedział. – Tu Bertil Mellberg.

Cisza, a po chwili ledwo słyszalne:

– Proszę wejść.

Potem jęk. Zdumiał się. Dziwne. Wdrapali się z Ernstem na drugie piętro. Drzwi do mieszkania Rity były uchylone. Wszedł do środka.

– Halo! – zawołał.

Po chwili usłyszał jęk i zobaczył leżącą na podłodze postać.

– Mam... bóle... – jęknęła Johanna, zwijając się w kłębek.

Dyszała, żeby sobie poradzić ze skurczem.

– Boże kochany – Mellberg aż się spocił z wrażenia. – Gdzie Rita? Zaraz po nią zadzwonię! Paula, trzeba zadzwonić po Paulę! I po karetkę – jąkał się, szukając telefonu.

– Próbowałam... nie mogę się dodzwonić... – jęknęła Johanna, ale urwała.

Musiała przeczekać skurcz. Podniosła się z wysiłkiem, łapiąc się uchwytu na drzwiach szafy. Trzymając się za brzuch, patrzyła na niego dzikim wzrokiem.

– Myślisz, że nie próbowałam do nich dzwonić?! Żadna nie odbiera! Nie rozumiesz... O cholera...

Przerwała, przyszedł kolejny skurcz. Opadła na kolana i zaczęła dyszeć.

– Zawieź mnie... do szpitala.

Z trudem wyciągnęła rękę, pokazując leżące na komodzie kluczyki. Mellberg spojrzał, jakby się stamtąd spodziewał ataku żmii. Potem zobaczył, jak jego ręka w zwolnionym tempie sięga po kluczyki. Sam nie wiedział, skąd miał tyle siły, ale na przemian niosąc i ciągnąc Johannę, doprowadził ją do samochodu i posadził na tylnym siedzeniu. Ernsta zostawił u Rity. Nacisnął gaz i ruszył w stronę szpitala. Słysząc coraz głośniejsze jęki, był bliski paniki. Wydawało mu się, że nigdy nie dojadą do szpitala, choć znajdował się w połowie drogi między Vänersborg i Trollhättan. Wreszcie z piskiem opon zajechali przed wejście na porodówkę. Wyciągnął przerażoną Johannę z samochodu i zaprowadził na izbę przyjęć.

– Ta pani będzie rodzić – zwrócił się do pielęgniarki w okienku.

Nie musiał tego mówić, wystarczyło spojrzeć na Johannę.

– Proszę tam – poleciła, wskazując pokój obok.

– To ja już pójdę... – nerwowo powiedział Mellberg, gdy pielęgniarka poleciła Johannie zdjąć majtki.

Już miał zmykać, gdy Johanna złapała go za ramię i syknęła przez zęby, bo nadszedł kolejny skurcz:

– Nigdzie... nie pójdziesz... Nie chcę... sama...

– Ale... – zaoponował Mellberg, po czym sam doszedł do wniosku, że nie może jej tak zostawić.

Z westchnieniem opadł na fotel i starał się patrzeć w drugą stronę.

– Rozwarcie siedem centymetrów – powiedziała położna i spojrzała na niego, jakby zakładała, że czeka na tę wiadomość.

Skinął głową. Zastanawiał się w duchu, co to znaczy. Czy to dobrze, czy źle? Ile ma być tych centymetrów? Z rosnącym przerażeniem uzmysłowił sobie, że niejednego jeszcze się dowie, zanim będzie po wszystkim.

Sięgnął do kieszeni po komórkę i jeszcze raz wybrał numer Pauli. Znów włączyła się poczta głosowa. Zadzwonił do Rity, to samo. Do czego to podobne? Jak można wyłączyć telefon, jeśli wiadomo, że Johanna w każdej chwili może zacząć rodzić? Włożył komórkę do kieszeni i zaczął się zastanawiać, czy jednak nie zwiać.

Minęły dwie godziny, a on ciągle tam tkwił. Przeniesiono ich do sali porodowej. Johanna żelaznym uściskiem trzymała go za rękę. Bardzo jej współczuł. Wyjaśnili mu, że rozwarcie musi dojść do dziesięciu centymetrów, ale trzy pozostałe najwyraźniej potrzebowały jeszcze sporo czasu. Johanna uwiesiła się maski z gazem rozweselającym. Mellberg pomyślał, że sam chętnie by spróbował.

– Już nie mam siły... – powiedziała ze wzrokiem zamglonym od gazu.

Włosy kleiły jej się do skroni. Mellberg sięgnął po ręcznik, żeby jej wytrzeć czoło.

– Dziękuję...

Spojrzała na niego tak, że od razu zapomniał, że chciał uciekać. Mimo wszystko był zafascynowany tym, co się rozgrywało na jego oczach. Wiedział oczywiście, że poród jest bolesny, ale zupełnie nie zdawał sobie sprawy, że wymaga nadludzkiego wysiłku, i po raz pierwszy w życiu poczuł głęboki szacunek dla kobiet. Sam nigdy by tego nie wytrzymał, był o tym przekonany.

– Spróbuj... Zadzwoń jeszcze raz... – powiedziała Johanna i wciągnęła gaz, gdy urządzenie podłączone do jej brzucha dało znać, że zbliża się silny skurcz. – Cholera... – jęknęła, gdy się zaczął.

– Jesteś pewna, że nie chcesz tej... tej opony, o którą cię pytała? – spytał Mellberg z niepokojem i znów otarł jej pot z czoła.

– Nie... już blisko... Nie chcę żadnego spowolnienia... To się nazywa znieczulenie zewnątrzoponowe... – znów jęknęła i zgięła się wpół.

Położna wróciła do pokoju i kolejny raz sprawdziła rozwarcie.

– Pełne – stwierdziła z zadowoleniem. – Słyszysz, dziewczyno? Dobra robota. Dziesięć centymetrów. Za chwilę będziesz mogła przeć. Jesteś dzielna. Zaraz będzie dziecko.

Mellberg ścisnął Johannę za rękę. Czuł coś w rodzaju dumy, że ją pochwalono, że oboje się postarali i że dziecko zaraz się urodzi.

– Jak długo trwa parcie? – spytał położną.

Nikt go nie zapytał, kim jest dla Johanny. Przypuszczał, że go biorą za cokolwiek wiekowego ojca dziecka. I nie miał nic przeciwko temu.

– Różnie bywa – odparła życzliwie. – Myślę, że najdalej za pół godziny dzidziuś tu będzie.

Uśmiechnęła się do Johanny, dodając jej otuchy. Właśnie odpoczywała między skurczami, ale zaraz znów się zmarszczyła i napięła całe ciało.

– Teraz jest jakoś inaczej – wycedziła przez zęby i sięgnęła po maseczkę z gazem.

– Zaczynają się skurcze parte – wyjaśniła położna. – Poczekaj, aż poczujesz silne parcie, a gdy ci powiem, podciągnij kolana, przyciśnij podbródek do mostka i mocno przyj.

Johanna skinęła głową i ścisnęła Mellberga za rękę. Odwzajemnił uścisk i oboje wpatrzyli się w położną, czekając na rozkaz. Po chwili Johanna zaczęła dyszeć i spojrzała na położną pytającym wzrokiem.

– Czekaj, czekaj... powstrzymaj się... czekaj, aż będzie naprawdę silny... teraz, przyj.

Johanna przycisnęła podbródek do mostka, podciągnęła kolana i poczerwieniała z wysiłku.

– Dobrze się spisałaś! To był silny skurcz! Za chwilę będzie następny. Zobaczysz, zaraz będzie koniec.

Miała rację. Jeszcze dwa skurcze i dziecko się urodziło. Położna położyła je na brzuchu Johanny. Mellberg patrzył jak urzeczony. Teoretycznie wiedział, jak się to odbywa, ale zobaczyć to, to co innego! Prawdziwe, żywe dziecko, które macha rączkami i nóżkami i krzyczy, kręcąc się na brzuchu mamy.

– Synek szuka piersi, pomóż mu – położna pomogła Johannie przystawić małego do piersi. Od razu zaczął ssać.

– Gratuluję – powiedziała położna, zwracając się do obojga.

Mellberg aż się rozpromienił. Nigdy w życiu nie przeżył nic podobnego!

Malutki się najadł, a potem został umyty i zawinięty w kocyk. Johanna siedziała na łóżku oparta o poduszki i patrzyła na niego z uwielbieniem. Spojrzała na Mellberga i powiedziała cicho:

– Dziękuję. Sama nie dałabym rady.

Mellberg tylko kiwnął głową. Nie był w stanie mówić, gardło miał jak zasznurowane.

– Chciałbyś go potrzymać? – spytała Johanna.

Znów tylko kiwnął głową. Nadstawił ręce i Johanna ostrożnie położyła mu na nich zawiniątko, upewniając się, czy główka ma się na czym oprzeć. Trzymając w rękach maleńkie ciepłe ciałko, czuł się dziwnie. Spojrzał na jego buzię i ścisnęło go w gardle jeszcze mocniej. W chwili gdy spojrzał mu w oczy, zrozumiał, że zakochał się beznadziejnie, bez pamięci.

Fjällbacka 1945

Hans uśmiechał się do siebie. Może w tych okolicznościach raczej nie było powodu, ale nie mógł się powstrzymać. Oczywiście, na początku będzie im ciężko. Będą
ich ganić, strofować, gadać o grzechu i tak dalej, ale jak
już minie to najgorsze, razem, we troje, zaczną nowe życie: on, Elsy i dziecko. Przecież to wielka radość.

Na myśl o tym, co go czeka, przestał się uśmiechać.
Wolałby się odciąć od przeszłości, zostać tutaj i udawać,
że nigdy nie miał innego życia. Że do dnia, gdy zakradł
się na kuter ojca Elsy, jego życie było czystą, niezapisa-
ną kartą.

Ale wojna się skończyła i wszystko się zmieniło. Nie
mógł dalej żyć, nie wracając do przeszłości. Przede
wszystkim ze względu na matkę. Musiał się upewnić,
czy u niej wszystko w porządku, powiedzieć jej, że żyje
i że znalazł w Szwecji dom.

Sięgnął po walizkę i zaczął w niej układać ubrania.
Na kilka dni. Może tydzień, dłużej nie wytrzymałby
bez Elsy. Stała się dla niego tak ważna, że dłuższe roz-
stanie było nie do pomyślenia. Jeszcze tylko ta podróż,
a potem już zawsze będą razem. Co wieczór będą mogli
zasypiać i budzić się w swoich objęciach, nie wstydząc
się i nie robiąc z tego tajemnicy. Mówił szczerze, gdy za-
powiedział, że wystąpi o zgodę na ślub. Jeśli ją dostaną,
powinni zdążyć jeszcze przed narodzinami dziecka. Był

ciekaw, kto się urodzi. Uśmiechał się, składając ubrania. Maleńka dziewczynka o łagodnym uśmiechu, po mamie. Albo chłopczyk z kręconymi jasnymi włosami, po nim. Będzie, co będzie. Pomyślał, że cieszy się tak bardzo, że z wdzięcznością przyjmie, co Bóg da.

Wyjął z szuflady sweter i wtedy na podłogę wypadło coś twardego, zawiniętego w kawałek materiału. Stuknęło o podłogę. Schylił się, żeby to podnieść. Usiadł ciężko na łóżku i spojrzał na to, co trzymał w rękach. Krzyż Żelazny. Ojciec dostał go za swoje dokonania w pierwszym roku wojny. Hans ukradł ojcu odznaczenie i zabrał ze sobą, żeby mu przypominało, przed czym uciekł z Norwegii, ale też na wypadek, gdyby Niemcy go zatrzymali, zanim mu się uda przedostać do Szwecji. Wiedział, że nie powinien go trzymać. Gdyby ktoś go znalazł w jego rzeczach, tajemnica mogłaby wyjść na jaw. Ale potrzebował go, żeby pamiętać.

Nie czuł żalu, gdy zostawiał ojca. Wolałby już nigdy nie mieć do czynienia z tym człowiekiem. Uosabiał najgorsze ludzkie cechy. Hans wstydził się swojej słabości, gdy nie potrafił mu się przeciwstawić. Stanęły mu przed oczami sceny z przeszłości. Okrutne, niewybaczalne czyny człowieka, którym kiedyś był. Człowieka słabego, stłamszonego przez ojca, chociaż ostatecznie się od niego uwolnił. Mocno ścisnął krzyż. Ostre brzegi zaczęły mu się wrzynać w palce. Nie po to wraca do Norwegii, żeby się spotkać z ojcem. Pewnie w końcu sprawiedliwość go dosięgła i wymierzyła karę, na którą zasłużył. Musi się spotkać z matką. Nie zasłużyła na to, żeby się o niego martwić. Przecież nawet nie wie, czy on żyje. Musi jej powiedzieć, że u niego wszystko w porządku, powiedzieć o Elsy i dziecku. Z czasem może uda mu się ją namówić, żeby z nimi zamieszkała. Nie przypuszczał, żeby Elsy miała coś przeciwko temu. Jedną z jej najważniejszych cech było dobre serce. Wierzył, że się dogadają.

Wstał i po chwili wahania włożył krzyż z powrotem do szuflady. Niech tam leży do jego powrotu i służy jako przestroga, żeby już nigdy nie był taki jak kiedyś. Słaby. Nie będzie tchórzem. Ze względu na Elsy i dziecko musi być mężczyzną.

Zamknął walizkę i rozejrzał się po pokoju. W ciągu ostatniego roku przeżył tu tyle szczęśliwych chwil. Za parę godzin odchodzi pociąg. Przed wyjazdem musi załatwić jeszcze jedną sprawę.

Wyszedł. Drzwi trzasnęły za jego plecami. Nagle tknęło go złe przeczucie. Że się nie uda. Odsunął je od siebie. Przecież za tydzień wraca.

Erika uparła się, że sama pojedzie do Göteborga, chociaż Patrik chciał jej towarzyszyć. Czuła, że sama musi to załatwić.

Stała chwilę pod drzwiami, nie mogąc się zdobyć na to, żeby nacisnąć dzwonek. W końcu nie dało się dłużej zwlekać.

Otworzyła Märta. Zdziwiła się na jej widok, ale zaprosiła ją do środka.

– Przepraszam, że przeszkadzam. – Erice zaschło w gardle. – Powinnam najpierw zadzwonić...

– Nie szkodzi. – Märta uśmiechnęła się serdecznie. – Bardzo mi miło. W moim wieku człowiek zawsze się cieszy, gdy ma towarzystwo. Proszę wejść.

Erika poszła za nią do salonu. Zastanawiała się gorączkowo, od czego zacząć, ale Märta ją uprzedziła.

– Udało wam się coś ustalić w związku z tymi morderstwami? – spytała. – Przykro mi, że nie mogliśmy wam pomóc, ale, jak wtedy mówiłam, nie miałam wglądu w nasze finanse.

– Ja już wiem, na co były te pieniądze. A raczej dla kogo – powiedziała Erika. Serce waliło jej jak oszalałe.

Märta spojrzała na nią badawczo. Ale wyglądało na to, że nie wie, o co chodzi.

Ze wzrokiem utkwionym w twarzy starszej pani Erika zaczęła mówić, spokojnie, powoli:

– W listopadzie 1945 roku moja matka urodziła syna, który od razu został oddany do adopcji. Urodziła go w domu swojej ciotki w Borlänge. Przypuszczam, że zamordowany Erik Frankel przekazywał pani mężowi pieniądze dla tego dziecka.

W pokoju zapadła absolutna cisza. Märta spuściła wzrok. Erika widziała, jak jej drżą ręce.

– Przyznam, że przyszło mi to do głowy, ale Wilhelm nigdy o tym nie wspomniał, a ja... pewnie nie chciałam wiedzieć. Dla mnie Göran zawsze był naszym synem i może to zabrzmi okrutnie, ale nigdy nie myślałam o tym, że ktoś inny go urodził. To było nasze dziecko, moje i Wilhelma. Nie moglibyśmy go kochać bardziej, gdybym go sama urodziła. Bardzo długo pragnęliśmy dziecka, staraliśmy się... Göran był jak dar niebios.

– Czy on wie?

– Że jest adoptowany? Wie, nigdy tego nie ukrywaliśmy. Ale jeśli mam być szczera, nie wydaje mi się, żeby go to specjalnie interesowało. Dla niego my byliśmy jego rodzicami, jego rodziną. Kilka razy rozmawialiśmy z mężem o tym, jak byśmy się poczuli, gdyby chciał się czegoś dowiedzieć o swoich biologicznych rodzicach, ale powiedzieliśmy sobie, że nie ma się co martwić na zapas. Syn nie tęsknił za nimi, więc tak to zostawiliśmy.

– Podobał mi się – bez zastanowienia rzuciła Erika.

Próbowała się przyzwyczaić do myśli, że mężczyzna, którego tu poznała poprzednim razem, jest jej bratem. Jej i Anny, poprawiła się w duchu.

– Ty jemu też. – Twarz Märty się rozjaśniła. – Podświadomie zanotowałam, że jest między wami podobieństwo. Macie coś takiego w oczach... nie umiem tego określić, ale jesteście do siebie podobni.

– Jak on by zareagował, gdyby... – Erika nie odważyła się dokończyć.

– W dzieciństwie strasznie marudził, że chciałby mieć rodzeństwo, więc sądzę, że wiadomość o siostrze przyjąłby z radością.

Märta uśmiechnęła się, najwyraźniej doszła już do siebie po szoku.

– O dwóch siostrach – powiedziała Erika. – Mam młodszą siostrę, Annę.

– O dwóch siostrach – powtórzyła Märta. – Zawsze mówię, że życie jest pełne niespodzianek. Nawet w moim wieku. – Spoważniała. – Nie miałabyś nic przeciwko temu, żeby mi opowiedzieć o swojej matce... jego matce...

Spojrzała badawczo na Erikę.

– Oczywiście, że nie – odparła Erika i zaczęła opowiadać o Elsy i o tym, dlaczego musiała oddać dziecko.

Mówiła długo, prawie godzinę, starając się oddać sprawiedliwość matce przed kobietą, która wychowała jej syna.

Drgnęły, gdy otworzyły się drzwi i z przedpokoju dobiegł wesoły głos:

– Cześć, mamo, masz gościa?

Kroki się zbliżały. Erika poszukała wzrokiem wzroku Märty, a ona lekko skinęła głową na znak zgody. Skończył się czas tajemnic.

Upłynęły już cztery godziny, zaczęli wpadać w rozpacz. Czuli się w ciemnościach jak krety, chociaż po pewnym czasie przyzwyczaili się na tyle, żeby rozróżniać kontury.

– Nie sądziłam, że to się tak skończy – westchnęła Paula. – Jak myślisz, czy niedługo trafimy na listę osób zaginionych? – zażartowała i znów westchnęła.

Martin rozcierał ramię. Bolało go od ciągłych prób wyważenia drzwi. Będzie imponujący siniak.

– Na pewno jest już daleko – powiedziała z rozpaczą.

– Raczej tak – zgodził się Martin.

Nie poprawiło jej to nastroju.

– Cholera, ale tu tego dużo.

Paula zmrużyła oczy, żeby lepiej widzieć przedmioty ułożone na piwnicznych regałach.

– Większość pewnie należała do Erika – zauważył Martin. – On był kolekcjonerem, Axel nie.

– Okropnie dużo naziolskich rzeczy. Muszą być warte majątek.

– Pewnie tak. Jeśli się coś zbiera przez większość życia, w końcu ma się niezłą kolekcję.

– Jak sądzisz, dlaczego on to zrobił?

Paula zastanawiała się, jakby już przyjęła to za pewnik. Nabrała pewności właściwie w tej samej chwili, gdy zajęła się sprawą alibi i przyszło jej do głowy, żeby sprawdzić, czy Axel Frankel przypadkiem nie odbył w czerwcu jeszcze jednej podróży. Gdy za pierwszym razem sprawdzali jego alibi, upewnili się tylko, czy wyleciał do Paryża, jak twierdził, a nie czy odbył jeszcze jeden lot. I znalazła, czarno na białym. Szesnastego czerwca Axel Frankel ponownie poleciał z Paryża do Göteborga i tego samego dnia wrócił do Paryża.

– Nie wiem – odparł Martin. – Nadal nie rozumiem. Wydawało mi się, że stosunki między nimi były dobre, więc dlaczego miałby zabijać Erika? Co go do tego skłoniło?

– To musiało mieć związek z nieoczekiwanym odnowieniem kontaktów między Erikiem, Axelem, Brittą i Fransem. Nie ma mowy o żadnym zbiegu okoliczności. W dodatku z pewnością łączy się to z zabójstwem Norwega.

– Do tego to i ja doszedłem. Ale jak? Dlaczego w sześćdziesiąt lat później? Tego nie rozumiem.

– Trzeba będzie go spytać. Jeśli kiedykolwiek się stąd wydostaniemy. I jeśli go złapiemy. Pewnie jest już w drodze na drugi koniec świata – powiedziała z rezygnacją.

– Może za rok znajdą tu nasze szkielety – dowcipkował Martin, ale jego żart nie znalazł uznania.

– Jeśli będziemy mieli szczęście, może znów postanowi się tu włamać miejscowa dzieciarnia – odparła sucho.

W tym momencie Martin trącił ją w bok.

– O, przypomniałaś mi o czymś! – powiedział podniecony.

Paula masowała bok w miejscu, gdzie ją szturchnął.

– Mam nadzieję, że to warte walnięcia mnie w nerkę – powiedziała kwaśno.

– Pamiętasz, co Per powiedział podczas przesłuchania?

– Nie było mnie przy tym, przesłuchiwałeś go z Göstą – przypomniała, ale zaciekawiła się.

– Powiedział, że włamał się przez piwniczne okienko.

– Przecież tu nie ma żadnego okna, byłoby dużo widniej – odparła z niedowierzaniem, ale rozejrzała się.

Martin wstał i po omacku doszedł do zewnętrznej ściany.

– Ale tak powiedział. Gdzieś tutaj musi być okno. Prawdopodobnie jest zasłonięte, bo, jak powiedziałaś, te rzeczy są warte majątek, i Erik na pewno nie chciał, żeby jego skarby było widać z zewnątrz.

Teraz również Paula wstała. Poszła za Martinem. Usłyszała jęk bólu, gdy wpadł na ścianę, a zaraz potem triumfalny okrzyk. Poczuła, jak wstępuje w nią nadzieja. Martin zdarł zasłonę i do piwnicy wpadło światło.

– Nie mogłeś na to wpaść parę godzin wcześniej? – spytała kwaśno.

– A ty mogłabyś okazać odrobinę wdzięczności za rozwiązanie dylematu więźnia[24] – odparł Martin wesoło, zdejmując haczyk i otwierając okienko.

Sięgnął po stojące nieopodal krzesło i postawił je pod oknem.

– Pani pierwsza!

– Dziękuję – mruknęła Paula.

Weszła na krzesło i wyczołgała się przez okienko. Martin za nią. Musieli chwilę postać, żeby przyzwyczaić wzrok do ostrego dziennego światła, a potem pobiegli do drzwi. Były zamknięte, ale tym razem klucza na belce nie było. To oznaczało, że ich kurtki są w środku, a co za tym idzie, również telefony i kluczyki do samochodu. Martin już miał biec do najbliższego domu, gdy rozległ się głośny brzęk. Obejrzał się i zobaczył zadowoloną minę Pauli. Kamieniem wybiła okno na parterze.

---

[24] Dylemat więźnia – słynny problem w teorii gier. Dwaj uczestnicy gry mogą zyskać, oszukując przeciwnika, ale jeśli obaj będą oszukiwać, obaj stracą (przyp. tłum.).

– Pomyślałam, że skoro wyszliśmy przez okno, tą samą drogą możemy się dostać do środka.

Podniosła patyk, żeby usunąć z ramy kawałki szkła, a potem spojrzała hardo na Martina.

– Co tak stoisz? Pozwolisz, żeby Axel zyskał jeszcze większą przewagę czy pomożesz mi dostać się do środka?

Nie zastanawiał się długo. Podsadził ją, a potem sam wszedł. Trzeba dogonić mordercę Erika Frankla. Axel już miał sporą przewagę, a jeszcze tyle pytań pozostało bez odpowiedzi.

Dojechał do lotniska Landvetter i już tam został. Podniecenie, które mu towarzyszyło, gdy zamykał w piwnicy dwójkę policjantów, a potem wrzucał walizki do samochodu i odjeżdżał spod domu, zniknęło. Czuł całkowitą pustkę.

Siedział bez ruchu i patrzył, jak samolot za samolotem wzbija się w powietrze. Mógłby odlecieć każdym z nich. Miał pieniądze i kontakty. Mógłby zniknąć, gdzie i na jak długo by chciał. Tak długo sam był myśliwym, że znał wszystkie sztuczki ściganej zwierzyny. Ale nie chciał. Już nie. Mógł uciekać, ale nie chciał. Dlatego utkwił na tej ziemi niczyjej i patrzył na lądujące i startujące samoloty. Czekał, aż los go dopadnie. Ku swemu zdziwieniu stwierdził, że to wcale nie takie straszne, jak sądził. Może jego zwierzyna czuła się podobnie, gdy w końcu ktoś pukał do drzwi i wymieniał jej prawdziwe nazwisko. Dziwna mieszanina strachu i ulgi.

W jego przypadku cena okazała się zbyt wysoka. Kosztowała życie Erika.

Gdyby córka Elsy nie przyszła do niego z tym krzyżem, który przypomniał mu wszystko, o czym próbował zapomnieć. Ta kobieta w jednej chwili obudziła w nim wszystko. W dodatku uznał to za znak, że nadeszła pora. Wprawdzie już wcześniej mówił, że powinni naprawić, co się da, a przynajmniej za to odpowiedzieć. Nie przed sądem, bo na to było już za późno. Prawo już nie mogło ich sądzić. Ale ludzie, moralność – tak. Według Erika powinni odpowiedzieć przed ludźmi, bo zasłużyli na wstyd i potępienie. Zbyt długo udawało im się unikać ludzkiego osądu. Upierał się przy tym coraz bardziej stanowczo.

Dotąd Axelowi udawało się uspokajać brata. Przekonywać, że na nic się to nie zda, tylko zaszkodzi. Co się stało, już się nie odstanie. Co było, to było. Jeśli zostawią za sobą przeszłość, Axel poświęci życie odkupieniu win. Nie naprawi tego, co zrobili, ale przecież długie lata służył dobru i walczył ze złem. Nie będzie mógł tego robić, jeśli Erik się uprze, żeby odpokutowali za dawne grzechy. Było, minęło. Nie ma sensu poświęcać czynionego dziś dobra, bo to i tak nic nie zmieni. Nawet prawo już nie działa, jest bezradne.

Erik słuchał, próbował zrozumieć. Ale w głębi duszy Axel wiedział, że brata zżerają wyrzuty sumienia, że trawią go od środka i w końcu zostanie tylko wstyd. Starał się przedstawiać mu świat w różnych odcieniach szarości, chociaż wiedział, że to na nic. W oczach Erika świat był czarno-biały. Jego świat składał się z faktów, nie było w nim żadnych dwuznaczności. Składał się z dat, nazwisk i miejsc zapisanych czarnymi literami na białym tle. Z tym właśnie Axel musiał walczyć. I długo, przez sześćdziesiąt lat, udawało mu się. I nagle na progu ich domu stanęła Erika Falck z pamiątką z przeszłości. W tym samym czasie mur, którym niegdyś otoczyła się Britta, zaczął kruszeć. Niszczyła go choroba, stopniowo doprowadzająca jej umysł do rozpadu.

Erik wahał się coraz bardziej, Axel coraz bardziej się bał. Prosił i przekonywał, że jego wizerunek ległby w gruzach, że nie może odpowiadać za coś, co zrobił, będąc zupełnie innym człowiekiem. Wszystko, czego w życiu dokonał, zniknęłoby jak we mgle, zostałby tylko ten koszmar. Zawaliłoby się dzieło jego życia.

Aż nadszedł ten dzień w bibliotece. Erik zadzwonił do niego do Paryża i jak gdyby nigdy nic powiedział, że już czas. Sprawiał wrażenie pijanego, co samo w sobie było zatrważające, bo nigdy nie nadużywał alkoholu. Płakał. Powiedział, że nie może już dłużej czekać, że był już u Violi, żeby się z nią pożegnać, żeby nie musiała się za niego wstydzić, gdy prawda wyjdzie na jaw. Wymamrotał, że na razie poruszył jeden kamień, ale nie jest w stanie czekać, aż ktoś wywlecze te brudy na światło dzienne i zrobi to, czego on nie potrafi, bo nie ma odwagi się przyznać. Na koniec wybełkotał, że dość już tchórzostwa, dość czekania. Axel słuchał, zaciskając spocone dłonie na słuchawce.

Potem rzucił się do pierwszego samolotu lecącego do domu, żeby go przekonać, wytłumaczyć. Zastał brata w bibliotece. Serce go zabolało, gdy ta scena stanęła mu przed oczami. Erik siedział za biurkiem, w roztargnieniu bazgrał coś w notatniku. I tym swoim bezbarwnym, bezdźwięcznym głosem powiedział to, czego Axel od sześćdziesięciu lat tak się bał. Oświadczył, że się zdecydował, bo zżera go poczucie winy i dłużej tego nie wytrzyma. A potem wyraźnie oznajmił, że już poczynił pewne kroki, ponieważ powinni ponieść odpowiedzialność za to, co zrobili.

Axel miał jeszcze nadzieję, że to, co Erik powiedział mu przez telefon, było tylko czczą gadaniną i że jak wytrzeźwieje, pójdzie po rozum do głowy. Okazało się, że się mylił. Brat niewzruszenie trwał przy swoim.

Axel błagał, prosił, żeby dał spokój, żeby nie rozgrzebywał przeszłości. Ale brat po raz pierwszy był nieugięty. Nie dał się przekonać. Stwierdził, że prawda musi wyjść na jaw. Wspomniał też o dziecku. Udało mu się ustalić, że to był chłopiec, i dowiedzieć się, co się z nim stało. Powiedział również, że przez większość życia co miesiąc wysyłał mu pewną sumę, jako swego rodzaju zadośćuczynienie za to, co mu odebrali. Przybrany ojciec chłopca przypuszczał widocznie, że Erik jest ojcem, bo bez żadnych pytań przyjmował wpłaty. Ale Erikowi to nie wystarczyło. Nie złagodziło jego cierpienia, tylko jeszcze wyraźniej uświadomiło konsekwencje ich czynu. Teraz czas na prawdziwą pokutę, powiedział, patrząc bratu prosto w oczy.

Axel pomyślał o swoim życiu i o sobie, takim, jakim go widzieli inni. O życiu budzącym podziw, szacunek. Teraz to się skończy. Pstryk – i już go nie będzie. Potem stanął mu przed oczami obóz. Współwięzień zepchnięty na dno dołu. Głód, smród, upokorzenie. Uderzenie kolbą karabinu, coś mu pękło w uchu. Opierający się o niego martwy mężczyzna w autobusie, gdy jechali przez Europę do Szwecji. Powrót. Słyszał głosy, czuł zapachy i kipiącą w środku, stale żywą wściekłość. Nawet wtedy, gdy myślał jedynie o tym, żeby przetrwać dzień, a po nim następny. Już nie widział przed sobą brata, lecz wszystkich, którzy go upokarzali, gnębili, szydzili z jego nieszczęścia, radowali się, że tym razem nie oni, lecz on trafi pod topór. Nie da im tej satysfakcji. Stali przed nim wszyscy w jednym szeregu, żywi i martwi, i szydzili. Nie przeżyje tego. Musi przetrwać. Tylko to się liczy.

Szumiało mu w uchu bardziej niż zwykle. Nie słyszał, co Erik mówi. Widział tylko jego poruszające się usta. Już nie należały do Erika, lecz do jasnowłosego chłopca z Grini, który mówił do niego przyjaźnie, co sprawiło, że w tym nieludzkim miejscu zobaczył w nim jedynego prawdziwego człowieka. Tego samego, który potem zamachnął się kolbą karabinu i patrząc mu prosto w oczy, zadał cios w ucho, ale również w serce.

Przepełniały go ból i wściekłość. Chwycił to, co stało najbliżej. Podniósł ciężkie popiersie i trzymał je wysoko nad głową, podczas gdy Erik nadal siedział przy biurku i mówił, bazgrząc coś w notatniku.

Upuścił je, nawet się nie zamachnął. Po prostu wypuścił z rąk, żeby pod własnym ciężarem spadło na głowę brata. To nie była głowa Erika, to była głowa wartownika. A może jednak Erika? Wszystko mu się mieszało. Stał w domowej bibliotece, ale zapachy i dźwięki wydały mu się prawdziwe. Odór rozkładających się ciał, stukot butów maszerujących do rytmu, rozkazy po niemiecku, które oznaczały albo jeszcze jeden dzień życia, albo śmierć.

Gdy kamienne popiersie trafiło w skroń brata, nadal miał w uszach głuchy odgłos. W jednej chwili było po wszystkim. Erik jęknął i osunął się na fotelu. Oczy miał otwarte. Axel uzmysłowił sobie, co zrobił. Doznał szoku, ale po chwili ogarnął go dziwny spokój. To było nieuniknione. Ostrożnie położył popiersie pod biurkiem, ściągnął zakrwawione rękawiczki i włożył je do kieszeni kurtki. Potem opuścił wszystkie rolety, zamknął drzwi na klucz, wsiadł do samochodu i pojechał z powrotem na lotnisko, skąd pierwszym samolotem odleciał do Paryża. Rzucił się w wir pracy, żeby nie myśleć o tym, co się stało. I nagle zadzwonili do niego z policji.

Powrót był trudny. Początkowo myślał, że nie zdoła postawić stopy w tym domu. Ale kiedy dwoje sympatycznych policjantów przywiozło go z lotniska, opanował się i zrobił, co należało. Z czasem nawet się pogodził z duchem Erika. Czuł jego obecność w domu. Wiedział, że Erik mu wybaczył. Ale nie wybaczyłby nigdy tego, co zrobił Britcie. Wprawdzie Axel nawet jej nie tknął, ale przecież dzwoniąc do Fransa, miał świadomość, jak to się skończy. Bardzo dobrze wiedział, co robi, gdy mówił Fransowi, że Britta wszystko ujawni. Starannie dobierał słowa. Powiedział, co trzeba, żeby precyzyjnie Fransa naprowadzić. Jak pocisk. Wiedział, jak połechtać jego ambicję, żądzę prestiżu i władzy. Już kiedy rozmawiali, słyszał oznaki furii. Była siłą napędową Fransa. Dlatego był winien śmierci Britty tak samo jak Frans. Męczyło go to. Miał jeszcze w pamięci jej męża, to, jak na nią patrzył. Herman patrzył na nią z miłością, o której on nie miał pojęcia i którą im zabrał.

Spojrzał na kolejny samolot odlatujący w nieznanym kierunku. To koniec. Nie miał już co ze sobą zrobić.

Ulżyło mu, gdy w końcu, po wielu godzinach czekania, poczuł czyjąś dłoń na ramieniu i usłyszał swoje nazwisko.

Paula pocałowała Johannę w policzek, a synka w główkę. Ciągle nie mieściło jej się w głowie, że wszystko to przegapiła. I że zastąpił ją Mellberg.

– Okropnie mi przykro – powtórzyła kolejny, nie wiadomo który raz.

Johanna uśmiechnęła się blado.

– Przyznaję, sklęłam cię, kiedy nie mogłam się do ciebie dodzwonić, ale rozumiem, że nic nie mogłaś poradzić, skoro cię zamknięto w piwnicy. Cieszę się, że jesteś cała i zdrowa.

– Ja też. Że jesteś cała i zdrowa. – Paula ucałowała ją jeszcze raz. – Mały jest... fantastyczny.

Spojrzała na synka na rękach Johanny i nie mogła się nadziwić, że już jest na świecie. Wreszcie.

– Proszę, potrzymaj go. – Johanna podała jej małego. Paula usiadła na łóżku i kołysała go w ramionach.

– Kto by pomyślał, że właśnie dziś komórka Rity padnie ostatecznie.

– Mama jest załamana – odparła Paula, szczebiocząc jednocześnie do synka. – Jest przekonana, że do końca życia się do niej nie odezwiesz.

– Eee... przecież to nie jej wina. Zresztą nie byłam sama. – Zaśmiała się.

– Boże, kto by pomyślał? – Paula była wręcz wstrząśnięta: szef asystował przy narodzinach jej synka. – Gdybyś tylko słyszała, jak w poczekalni perorował przed mamą. Chwalił cię, że takiego wspaniałego chłopaka urodziłaś i taka byłaś dzielna. Jeśli mama dotychczas nie była w nim zakochana, to teraz na pewno go pokochała, za to, że pomógł przyjść na świat jej wnukowi. Boże drogi... – Potrząsnęła głową.

– Był taki moment, że myślałam, że naprawdę weźmie nogi za pas. Ale okazał się twardszy, niż sądziłam.

Mellberg jakby usłyszał, że o nim mówią. Zapukał i stanął w drzwiach wraz z Ritą.

– Chodźcie, proszę bardzo.

Johanna machnęła ręką, zapraszając ich do środka.

– Chcieliśmy tylko sprawdzić, jak się czujecie – powiedziała Rita, podchodząc do córki i wnuka.

– Oczywiście, przecież minęło aż pół godziny, odkąd tu ostatnio byliście – zażartowała Johanna.

– Musimy sprawdzić, czy zdążył urosnąć. Może już rośnie mu zarost.

Mellberg z uśmiechem podszedł do małego i patrzył na niego tęsknie. Rita spojrzała na niego wzrokiem pełnym miłości. Nie dało się tego inaczej nazwać.

– Mogę go trochę potrzymać? – Mellberg nie wytrzymał.

Paula skinęła głową.

– Proszę, zasłużyłeś – powiedziała, podając mu synka.

Usiadła wygodnie i obserwowała Mellberga. Widziała, jak patrzy na jej dziecko i jak patrzy na nich jej matka. Przychodziło jej wcześniej do głowy, że byłoby dobrze, gdyby jej syn miał w życiu jakiś męski wzorzec, ale przecież nie wyobrażała sobie Bertila Mellberga w tej roli. Ale teraz, gdy zarysowała się taka możliwość, wcale nie była pewna, czy byłoby to takie złe.

Fjällbacka 1945

Postanowił wstąpić do Erika, może go zastanie. Chciał z nim porozmawiać przed wyjazdem. Ufał mu, pod nieco kanciastym sposobem bycia wyczuwał prawość charakteru. Wiedział, że Erik jest lojalny, i na to najbardziej liczył. Miał jechać do Norwegii i choć wojna się skończyła, nie miał pewności, czy nie przytrafi mu się coś złego. Niczego nie można było wykluczyć. Robił rzeczy niewybaczalne, a jego ojciec był jednym z najgorszych oprawców podczas niemieckiej okupacji. Powinien być realistą, zwłaszcza że wkrótce zostanie ojcem i musi brać pod uwagę wszystkie ewentualności. Nie powinien zostawiać Elsy bez zabezpieczenia, bez obrońcy. W tej roli widział tylko Erika. Zapukał.

Erik nie był sam. Hans westchnął w duchu, widząc w bibliotece Brittę i Fransa. Słuchali płyt z gramofonu ojca Erika.

– Rodzice wyjechali, wracają jutro – wyjaśnił Erik i jak zwykle usiadł przy biurku. Hans stał w drzwiach. Wahał się.

– Przyszedłem, żeby z tobą porozmawiać – skinął Erikowi głową.

– O, macie jakieś tajemnice? – zapytał zadziornie Frans.

Siedział na fotelu, z nogami przełożonymi przez oparcie.

– Właśnie, co wy macie za tajemnice? – powtórzyła za nim Britta i uśmiechnęła się do Hansa.

– Chciałbym porozmawiać, ale z tobą – nalegał Hans.

Erik wzruszył ramionami i wstał.

– Wyjdźmy na dwór – powiedział i wyszedł na schody.

Hans poszedł za nim i starannie zamknął za sobą drzwi. Usiedli na najniższym stopniu.

– Muszę wyjechać na kilka dni – powiedział, grzebiąc butem w żwirze.

– Dokąd?

Erik poprawił okulary. Zjechały mu na czubek nosa.

– Do Norwegii. Muszę... załatwić kilka spraw.

– Aha. – Erik nie okazał zainteresowania.

– Chciałbym cię prosić o przysługę.

– Dobrze. – Erik wzruszył ramionami.

Z domu dobiegały dźwięki muzyki. Frans głośniej nastawił gramofon.

Hans wahał się przez chwilę, a potem powiedział:

– Elsy spodziewa się dziecka.

Erik nie odpowiedział. Jeszcze raz poprawił zsuwające się okulary.

– Spodziewa się dziecka. Wystąpię o zgodę na ślub. Ale najpierw muszę jechać do domu, pozałatwiać różne sprawy, więc... gdyby coś mi się stało, obiecaj mi, że się nią zaopiekujesz. Dobrze?

Erik milczał. Hans w napięciu czekał na odpowiedź. Nie chciał wyjeżdżać, nie mając pewności, że Elsy będzie mogła liczyć na pomoc kogoś zaufanego.

W końcu Erik odpowiedział:

– Jasne, zawsze będę po stronie Elsy. Ale uważam, że to niedobrze, że przez ciebie znalazła się w takiej sytuacji. Zresztą co by ci się miało stać? – Zmarszczył czoło. – W domu powitają cię jak bohatera. Chyba nikt ci nie zarzuci, że uciekłeś, gdy zrobiło się niebezpiecznie?

Spojrzał na Hansa.

Hans przemilczał to pytanie. Wstał i otrzepał spodnie.

– Oczywiście, że nic mi się nie stanie. Mówię ci tak na wszelki wypadek. Pamiętaj, że przyrzekłeś.

– Dobrze, dobrze. – Erik również wstał. – Może wejdziesz jeszcze na chwilę, pożegnać się przed wyjazdem? Jest też mój brat. Wczoraj wrócił – dodał i jego twarz się rozjaśniła.

– Bardzo się cieszę. – Hans ścisnął Erika za ramię. – Jak się czuje? Słyszałem, że miał wrócić. Podobno ma za sobą straszne przejścia.

– Tak. – Twarz Erika pociemniała. – Było mu bardzo ciężko. Nadal jest osłabiony. Ale najważniejsze, że wrócił! – Uśmiechnął się. – Chodź, przywitaj się z nim, przecież jeszcze się nie znacie.

Hans uśmiechnął się i skinąwszy głową, wszedł do domu za Erikiem.

Spotkali się przy kuchennym stole. W pierwszych minutach atmosfera była trochę napięta. Ale gdy podniecenie opadło, zrobiło się weselej. Stać ich było na wesołą, niewymuszoną rozmowę. Anna nadal nie mogła się otrząsnąć z szoku, jakim była ta wiadomość, i jak urzeczona wpatrywała się w siedzącego przed nią Görana.

– Nigdy się nie zastanawiałeś, kim są twoi rodzice? – z zaciekawieniem spytała Erika. Sięgnęła do półmiska ze słodyczami po irysa.

– Naturalnie, że czasem się zastanawiałem – odparł Göran. – Ale... wystarczyło mi to, że mam ojca i matkę, to znaczy Wilhelma i Märtę. Czasem wracałem myślami do tej sprawy i zastanawiałem się, dlaczego matka mnie oddała, i tak dalej. – Zawahał się. – Jak rozumiem, było jej bardzo ciężko.

– Tak.

Erika zerknęła na Annę. Długo nie mogła się zdecydować, ile opowiedzieć młodszej siostrze.

Często bywała wobec niej nadopiekuńcza. Uprzytomniła sobie jednak, że Anna przeżyła znacznie gorsze rzeczy niż ona, więc opowiedziała jej o wszystkim, również o pamiętniku. Anna zareagowała spokojnie. Siedzieli przy stole w domu Eriki i Patrika. Trójka rodzeństwa. Dwie siostry i brat. Dziwne uczucie, a przecież oczywiste. Chyba naprawdę istnieje coś takiego jak więzy krwi.

– Domyślam się, że już za późno, żebym się wtrącał w wasze relacje z chłopakami i tak dalej – zaśmiał się Göran, wskazując na Patrika i Dana. – Niestety straciłem ten etap.

– Chyba tak – uśmiechnęła się Erika, sięgając po kolejnego irysa.

– Nawiasem mówiąc, słyszałem, że złapali mordercę, to znaczy brata ofiary – powiedział Göran i spoważniał.

Patrik przytaknął.

– Tak, czekał na lotnisku. Ciekawe. Gdyby chciał, mógłby uciec, i pewnie nigdy byśmy go nie złapali. Według moich kolegów naprawdę chętnie współpracuje.

– A dlaczego zabił brata? – spytał Dan, obejmując Annę.

– Nadal go przesłuchują, więc jeszcze nie wiem – odparł Patrik, podtykając Mai kawałek czekolady.

Córka siedziała obok niego na podłodze i bawiła się lalką, którą dostała od mamy Görana.

– Prawdę mówiąc, zastanawiam się, dlaczego ten zamordowany przez tyle lat przekazywał mojemu ojcu pieniądze. Jeśli się nie mylę, nie on był moim ojcem, tylko jakiś Norweg. A może mi się wszystko poplątało?

Göran spojrzał na Erikę.

– Nie, wszystko się zgadza. Z pamiętnika mamy wynika, że twoim ojcem był Hans Olavsen, czy też Hans Wolf, bo tak brzmiało jego prawdziwe nazwisko. Nie wydaje się, żeby Erika Frankla i naszą mamę kiedykolwiek łączyło uczucie. Trudno powiedzieć. – Erika w zamyśleniu przygryzła wargę. – Pewnie dowiemy się więcej od Axela Frankla.

– Z pewnością – przytaknął Patrik.

Dan chrząknął. Spojrzeli na niego pytająco. Wymienili z Anną spojrzenia i po chwili Anna powiedziała:

– A więc... chcemy się z wami podzielić pewną nowiną.

– Co takiego? – spytała z ciekawością Erika, wkładając do ust kolejnego irysa.

– No więc... – Anna zrobiła pauzę, a potem szybko powiedziała: – Będziemy mieli dziecko. Urodzi się na wiosnę.

– Ojej, jak fajnie! – krzyknęła Erika i ruszyła dookoła stołu, żeby objąć najpierw siostrę, a potem Dana. Oczy jej błyszczały, gdy wróciła na swoje miejsce. – Jak się czujesz? Cieszysz się? Nie masz mdłości? – strzelała pytaniami.

Anna aż się roześmiała.

– Mam, i to jakie! Tak samo było przy Adrianie. Poza tym bez przerwy mam ochotę na miętusy.

– Cha, cha, miętusy, też mi coś! – roześmiała się Erika. – Chociaż co ja ci będę mówiła. Ja, gdy byłam w ciąży, zajadałam się irysami... – urwała.

Wpatrywała się w leżące przed nią na stole papierki. Spojrzała na Patrika. Do niego też to dotarło. Zaczęła się gorączkowo zastanawiać, kiedy powinna mieć okres. Tak się skupiła na odkrywaniu przeszłości matki, że nawet nie pomyślała... Dwa tygodnie temu! Powinna dostać okres dwa tygodnie temu. Jeszcze raz spojrzała na papierki po irysach. A potem usłyszała serdeczny śmiech Anny.

Fjällbacka 1945

Axel słyszał głosy dochodzące z dołu. Z trudem wygramolił się z łóżka. Będzie potrzebował sporo czasu, zanim całkiem wydobrzeje, orzekł lekarz, gdy badał go po przyjeździe do Szwecji. To samo stwierdził ze zmartwieniem ojciec, gdy wczoraj Axel dotarł wreszcie do domu. Jak cudownie wrócić do domu. Przez moment miał wrażenie, jakby nigdy nie przeżywał potwornego strachu i tych wszystkich okropności. Ale na jego widok matka się rozpłakała. Płakała, obejmując jego wychudzone, kruche ciało. Zrobiło mu się smutno, bo nie były to tylko łzy radości. Matka płakała również dlatego, że syn nie jest już taki jak kiedyś i nigdy nie będzie. Nie było już dawnego, pogodnego i śmiałego Axela. Ostatnie lata zniszczyły w nim te cechy. Czytał z oczu matki, że żałuje tamtego syna, chociaż cieszy się, że w ogóle wrócił.

Nie chciała wyjeżdżać z mężem, nocować poza domem, jak już dawno postanowili. Ale on wiedział, że Axel potrzebuje spokoju, i dlatego nalegał, żeby jednak z nim pojechała.

– Przecież wrócił i jeszcze się nim nacieszymy – przekonywał. – Trzeba mu dać trochę spokoju, żeby mógł odpocząć. Zresztą Erik jest w domu, dotrzyma mu towarzystwa.

W końcu matka dała się przekonać i wyjechali. Axel był szczęśliwy, że może pobyć sam. Musiał się przyzwyczaić do myśli, że jest w domu. Że jest sobą.

Nadstawił prawe ucho i zaczął nasłuchiwać. Według lekarza powinien się liczyć z tym, że na dobre stracił słuch w lewym uchu. Nie było to dla niego nic nowego. Już w chwili gdy strażnik uderzył go kolbą karabinu, poczuł, że coś mu pękło w głowie. Codziennie, do końca życia, będzie mu to przypominać o tym, co przeszedł.

Powłócząc nogami, wyszedł do przedpokoju. Był tak słaby, że ojciec dał mu laskę. Solidną, ze srebrną gałką. Dziadek używał jej aż do śmierci.

Schodząc po schodach, musiał się mocno trzymać poręczy, ale zdążył się już należeć i naodpoczywać. Był ciekaw, czyje to głosy. Wcześniej tęsknił za samotnością, teraz zapragnął towarzystwa.

Frans i Britta siedzieli na fotelach. Można by pomyśleć, że nic się nie wydarzyło od ostatniego razu. Ich życie toczyło się zwykłym torem. Nie patrzyli na sterty trupów, nie widzieli, jak stojący obok więzień pada od kuli wystrzelonej prosto w czoło. Przez chwilę myślał ze złością, że to niesprawiedliwe. Musiał sobie powiedzieć, że przecież sam, z własnej woli, naraził się na niebezpieczeństwo, więc musi ponieść konsekwencje. Ale i tak buzował w nim gniew.

– Axel! Jak dobrze, że wstałeś!

Na widok brata Erik rozjaśnił się i wyprostował na krześle.

Kiedy Axel wrócił do domu, najbardziej wzruszyła go twarz brata.

– Chciałbym ci kogoś przedstawić – powiedział Erik

z zapałem. – Hans jest Norwegiem, walczył w ruchu oporu, ale Niemcy wpadli na jego trop i musiał uciekać. Przypłynął do nas kutrem Elofa. Hans, to mój brat Axel. – Erika rozpierała duma.

Axel dopiero teraz dostrzegł stojącego pod ścianą człowieka. Stał tyłem do niego, Axel widział tylko, że jest szczupły i ma jasne, kręcone włosy. Zrobił krok naprzód, żeby się przywitać, i wtedy tamten się odwrócił.

W tej samej chwili świat się zatrzymał. Axel zobaczył przed sobą uniesioną kolbę karabinu. Zaraz miała mu spaść na ucho. Znów poczuł, że ten człowiek go zdradził. Przecież mu ufał, wierzył, że stoi po stronie dobra. Zobaczył go i od razu rozpoznał. W uchu zaszumiało mu boleśnie, krew się w nim zagotowała. Zanim sobie uświadomił, co robi, podniósł laskę i uderzył go prosto w twarz.

– Co robisz?! – krzyknął Erik, podbiegając do Hansa, który leżał na podłodze i trzymał się za głowę. Krew ciekła mu spomiędzy palców.

Frans i Britta zerwali się na równe nogi i patrzyli na Axela, nic nie rozumiejąc.

Wskazał laską chłopaka i głosem drżącym z nienawiści powiedział:

– On was okłamał. Nie był w norweskim ruchu oporu. Był strażnikiem w obozie w Grini, gdzie na początku siedziałem. To przez niego straciłem słuch. Uderzył mnie w ucho kolbą karabinu.

Zapadła cisza.

– Czy to prawda, co mówi mój brat? – spytał cicho Erik, siadając obok Hansa, który leżał na podłodze i jęczał z bólu. – Okłamałeś nas? Byłeś po stronie Niemców?

– W Grini mówili, że jest synem ważnego esesmana – powiedział Axel, drżąc na całym ciele.

– I ktoś taki zrobił dziecko Elsy – powiedział Erik, rzucając mu spojrzenie pełne nienawiści.

– Coś ty powiedział? – Frans zbladł jak ściana. – On zrobił dziecko Elsy?

– Właśnie mi o tym powiedział. I jeszcze miał czelność mnie prosić, żebym się nią zajął, gdyby coś mu się stało. Bo ma jakieś sprawy do załatwienia w Norwegii.

Erik aż się trząsł ze złości. Zaciskając pięści, patrzył na usiłującego się podnieść Hansa.

– Wyobrażam sobie, co to za sprawy. Pewnie chce się spotkać z tatusiem – powiedział Axel i jeszcze raz go uderzył, z całej siły.

Hans jęknął i znów padł na podłogę.

– Nie... moja matka... – wybełkotał i spojrzał na niego błagalnym wzrokiem.

– Ty świnio, ty bydlaku – wycedził Frans przez zęby i kopnął go w brzuch.

– Jak mogłeś? Kłamać nam prosto w oczy? Przecież wiedziałeś, że mój brat...

Erik miał łzy w oczach, głos mu się rwał. Cofnął się kilka kroków. Trzymał się za ramiona i trząsł coraz bardziej.

– Nie wiedziałem... – niewyraźnie mamrotał Hans, usiłując wstać.

– Chciałeś zwiać, co?! – krzyknął Frans. – Zrobiłeś jej dziecko i teraz wiejesz. Ty świnio. Mogłeś to zrobić każdej, ale nie Elsy! I teraz będzie miała niemieckiego bękarta! – Jego głos przeszedł w falset.

Britta spojrzała na niego z rozpaczą. Dopiero teraz uświadomiła sobie, jak bardzo musiał kochać Elsy. Zabolało ją to tak bardzo, że osunęła się na podłogę i zaczęła rozdzierająco płakać.

Frans patrzył na nią przez chwilę, a potem, zanim ktokolwiek zdążył zareagować, podszedł do biurka, wziął nóż do rozcinania listów i wbił go w pierś Hansa.

Erik i Britta przez kilka sekund stali jak sparaliżowani i tylko patrzyli. W Axelu widok krwi bryzgającej z rany wyzwolił zwierzęce odruchy. Całą wściekłość wyładował na leżącym bez ruchu ciele zwiniętym w kłębek na podłodze. Razem z Fransem bili go, kopali, zadawali kolejne ciosy, aż w końcu padli ze zmęczenia. Chłopak leżący na podłodze był nie do poznania. Spojrzeli po sobie. Bali się i jednocześnie rozpierało ich podniecenie. Rozładowali dziką nienawiść, która domagała się ujścia. Przyniosło im to wielką ulgę i obaj zdawali sobie z tego sprawę.

Przez chwilę napawali się tym uczuciem. Mieli krew Hansa na twarzach, na rękach i na ubraniu. Spod ciała wypływała coraz większa kałuża krwi. Również Erik był zbryzgany krwią. Wciąż się trząsł, obejmując się ramionami, i nie mógł oderwać wzroku od krwawej miazgi na podłodze. Z półotwartymi ustami spojrzał na brata. Britta siedziała na podłodze i patrzyła na swoje ręce. Na nich również była krew. Spojrzenie miała nieobecne, jak Erik. Nikt nic nie mówił. Panowała dziwna cisza, jak po burzy, gdy już jest po wszystkim, ale w uszach wciąż słychać wycie wiatru.

Pierwszy odezwał się Frans:

– Musimy to sprzątnąć – powiedział zimno i wskazał nogą Hansa. – Britto, zostaniesz i posprzątasz, a my go stąd zabierzemy.

– Dokąd? – spytał Axel, ocierając twarz rękawem.

Frans milczał przez chwilę:

– Już wiem, co zrobimy. Zaczekamy, aż się ściemni, wtedy go wyniesiemy. Najpierw trzeba go na czymś położyć, żeby już nie brudzić. Później razem posprzątamy i się umyjemy.

– Ale... – odezwał się Erik.

Przerwał, nie mógł mówić. Osunął się na podłogę i wbił wzrok w punkt znajdujący się gdzieś za Fransem.

– Znam idealne miejsce. Będzie leżał wśród swoich – powiedział z wyraźnie wyczuwalną ironią Frans.

– Wśród swoich? – powtórzył martwym głosem Axel.

Patrzył na koniec laski, na włosy Hansa sklejone jego krwią.

– Zakopiemy go na cmentarzu, w niemieckiej mogile – powiedział Frans i uśmiechnął się. – Jest w tym jakaś dziejowa sprawiedliwość.

– Ignoto militi – mruknął Erik, wciąż siedząc na podłodze i patrząc przed siebie niewidzącym wzrokiem. Frans spojrzał na niego pytająco. – Nieznanemu żołnierzowi – wyjaśnił. – Tak jest napisane na tym grobie.

– No widzisz, po prostu idealnie – zaśmiał się Frans.

Nikt się nie przyłączył, ale też nikt nie zgłosił sprzeciwu. Poruszając się sztywno, zabrali się do pracy. Erik przyniósł z piwnicy duży papierowy worek. Włożyli do niego zwłoki. Axel poszedł do schowka w przedpokoju po przybory do czyszczenia, a Frans i Britta zabrali się do sprzątania biblioteki. Okazało się to trudniejsze, niż myśleli. Z początku krew nie dawała się zmyć, tylko się rozmazywała. Britta płakała histerycznie, szorując podłogę. Chwilami przystawała na klęczkach i zanosiła się płaczem, a Frans burczał, żeby się wzięła do roboty. Sam aż się spocił z wysiłku, ale w jego spojrzeniu, inaczej niż w spojrzeniach pozostałej trójki, nie było najmniejszego śladu szoku. Erik mechanicznie szorował podłogę. Już nie mówił, że trzeba to zgłosić na policję. Zrozumiał, że Frans ma rację. Axela, który dopiero co wrócił z piekła obozu koncentracyjnego, nie wolno narażać na aresztowanie i więzienie.

Ponad godzinę później mogli otrzeć pot z czoła. Frans z zadowoleniem stwierdził, że nie ma śladu po tym, co się stało.

– Przebierzecie się w ubrania rodziców – stłumionym głosem powiedział Erik i wyszedł.

Wrócił i przystanął: przyglądał się siedzącemu w kącie bratu. Axel nadal wpatrywał się w kłębek zakrwawionych włosów na końcu laski. Nie odzywał się od dłuższej chwili. W końcu podniósł wzrok i nie patrząc na nikogo, powiedział:

– Jak go przewieziemy na cmentarz? Nie lepiej zakopać go w lesie?

– Położymy go na waszej przyczepce do roweru. – Frans nie dawał za wygraną. – W lesie zaraz wykopią

564

go zwierzęta, ale nikomu nie przyjdzie do głowy, że w niemieckim grobie oprócz tamtych umarlaków leży jeszcze ktoś. Jeśli go położymy na przyczepce i przykryjemy, nikt nic nie zauważy.

– Wykopałem już niejeden grób... – powiedział nieobecnym głosem Axel i znów spojrzał na laskę.

– Załatwimy to z Fransem – szybko wtrącił Erik. – Axelu, zostań tu. A Britta niech idzie do domu. Będą się niepokoić, jeśli nie wrócisz na kolację – mówił szybko, jakby strzelał z karabinu maszynowego, i nie odrywał wzroku od brata.

– U mnie nikogo nie obchodzi, kiedy przyjdę – powiedział głucho Frans. – Mogę zostać. Zaczekajmy do dziesiątej, aż zrobi się ciemno i na dworze nie będzie ludzi.

– A co zrobimy z Elsy? – cicho spytał Erik, ze wzrokiem wbitym w buty. – Czeka na niego, myśli, że do niej wróci. Zwłaszcza teraz, gdy spodziewa się dziecka...

– No rzeczywiście, niemieckiego bękarta. Doigrała się! – syknął Frans. – Elsy nie może się o niczym dowiedzieć! Zrozumiano? Ma być przekonana, że wyjechał i ją porzucił. Na pewno i tak by to zrobił! Nie będę się nad nią litował! Niech sobie sama radzi. Jakieś zastrzeżenia?

Wbił w nich spojrzenie. Nikt się nie odezwał.

– Dobrze! Wszystko ustalone. To nasza tajemnica, i tak ma być. Britto, idź do domu, zanim zaczną cię szukać.

Britta wstała i drżącymi rękami poprawiła zakrwawioną sukienkę. Bez słowa wzięła od Erika inną i wyszła, żeby się umyć i przebrać. Ale zanim wyszła, spojrzała jeszcze Erikowi w oczy. Już nie było w nich śladu wściekłości, która go ogarnęła, gdy poznali tajemnicę Hansa. Był w nich tylko wstyd.

Kilka godzin później złożyli ciało Hansa w grobie, w którym miało przeleżeć w spokoju sześćdziesiąt lat.

Fjällbacka 1975

Elsy ostrożnie włożyła do skrzyni rysunek Eriki. Tore zabrał dziewczynki na łódkę, przez kilka godzin miała dom dla siebie. W takich razach często przychodziła na górę, żeby posiedzieć, pomyśleć o tym, co było i co jest. Życie ułożyło jej się całkiem inaczej, niż myślała. Sięgnęła po niebieskie zeszyty i z roztargnieniem przesunęła palcami po okładce tego, który leżał na wierzchu. Taka wtedy była młoda i naiwna. Oszczędziłaby sobie cierpienia, gdyby wiedziała, że nie wolno kochać za mocno. Płaci się za to zbyt wysoką cenę. Ona nadal płaci za ten jeden jedyny raz, dawno temu, gdy kochała za mocno. Ale dotrzymała obietnicy, którą samej sobie złożyła: że już nigdy nikogo nie będzie tak mocno kochać.

Od czasu do czasu kusiło ją, żeby się otworzyć na miłość. Na przykład gdy patrzyła na jasnowłose córeczki, na ich zwrócone w jej stronę stęsknione twarzyczki. Widziała, że pragną jej miłości, czułości, ale nie umiała im tego dać. Zwłaszcza Erika potrzebowała tego bardzo wyraźnie. Czasem przyłapywała ją na tym, że ją obserwuje z tęsknotą wprost niepojętą u tak małej dziewczynki. W takich chwilach chciała zapomnieć, co sobie przyrzekła, podejść i przytulić ją, poczuć, że ich serca biją w jednym rytmie. Ale zawsze coś jej stawało na przeszkodzie. Gdy już miała ją przytulić, przypominała sobie maleńkie ciepłe ciałko i spojrzenie, jakże podobne do spojrzenia Hansa i do jej własnego. Spojrzenie dziecka miłości, którym mieli się razem opiekować. Tymczasem urodziła je w samotności, wśród obcych. Zdążyła tylko poczuć, jak wyślizguje się z jej ciała, a potem z jej ramion. Zanieśli go innej matce, o której nic nie wiedziała.

Sięgnęła do skrzyni po kaftanik. Plamy jej krwi z czasem zjaśniały i nabrały barwy rdzy. Przytknęła go do nosa. Może jeszcze wyczuje ten zapach, słodki i ciepły, tak go zapamiętała. Nie wyczuła nic poza lekką wonią stęchlizny. Woń skrzyni zagłuszyła zapach maleństwa.

Czasem nachodziła ją myśl, że może udałoby się go odnaleźć, choćby po to, żeby się upewnić, że jest mu dobrze. Ale nigdy nie wyszła poza tę myśl. Tak samo jak nigdy nie podeszła i nie przytuliła córek, choć myślała o tym, żeby to zrobić i zwolnić samą siebie z obietnicy, że już nigdy przed nikim nie otworzy serca.

Z dna skrzyni wyjęła krzyż. Trzymała go chwilę w dłoni. Znalazła go w pokoju Hansa, zanim wyjechała na wieś, żeby urodzić jego dziecko. Wtedy jeszcze wierzyła, że znajdzie w jego rzeczach racjonalne wytłumaczenie, dowie się, dlaczego nie wrócił do niej i do dziecka. Ale poza kilkoma ubraniami znalazła tylko ten krzyż. Nie wiedziała, co to znaczy, gdzie Hans go znalazł ani jaką rolę odegrał w jego życiu. Ale domyśliła się, że musiał być dla niego ważny, i dlatego go zatrzymała. Zawinęła go w kaftanik i położyła na dnie skrzyni, razem z pamiętnikiem i rysunkiem, który tego ranka dostała od Eriki. Tylko tyle umiała dać swoim córkom.

Gdy zostawała sama ze wspomnieniami, potrafiła myśleć o nich z miłością – sercem, nie tylko głową. Ilekroć
jednak spojrzały na nią tymi oczami, z których bił głód
miłości, serce ściskało jej się ze strachu.

Kto nie kocha, nie musi się obawiać utraty.